TRIBUTACIÓN DE EXCEPCIÓN
CASO COVID-19

TRIBUTACIÓN DE EXCEPCIÓN CASO COVID-19

Serviliano Abache Carvajal
Coordinador

Autores

César García Novoa
Luis Fraga-Pittaluga
Andrés Tagliaferro Del Peral
Eduardo Meier García
Serviliano Abache Carvajal
Gabriel Ruan Santos
Rosa Caballero Perdomo
Annette Annia Vargas
Elvira Dupouy Mendoza
Juan Carlos Colmenares Zuleta
Thomy J. Céfalo Y.
Juan Esteban Korody Tagliaferro
Alberto Blanco-Uribe Quintero

AVDT | Asociación Venezolana
de Derecho Tributario
J-00261062-0

Caracas - 2022

TRIBUTACIÓN DE EXCEPCIÓN. CASO COVID-19
© Editado por
Asociación Venezolana de Derecho Tributario, AVDT.
Rif.: J-00261062-0
Ave. Francisco de Miranda, Multicentro Empresarial del Este,
Torre Miranda, Núcleo A, Piso 2, Oficina A-26, Chacao,
Caracas - Venezuela
Teléfonos: 0212 2643309 / 5642
http://www.avdt.org.ve

Coordinador:
Serviliano Abache Carvajal

Queda hecho el depósito de Ley
Depósito legal digital: MI2022000190
Depósito legal impreso: MI2022000191

ISBN digital: 978-980-7304-29-0
ISBN impreso: 978-980-7304-30-6

Portada: www.megaeditorial.com /info@megaeditorial.com
Diagramación: Oralia Hernández

AVDT | Asociación Venezolana de Derecho Tributario
J-00261062-0

CONSEJO DIRECTIVO 2019-2021	CONSEJO DIRECTIVO 2021-2023
Juan C. Castillo Carvajal Presidente	Manuel Iturbe Alarcón Presidente
Manuel Iturbe Alarcón Vicepresidente	Juan Korody Tagliaferro Vicepresidente
Juan Korody Tagliaferro Secretario General	Serviliano Abache Carvajal Secretario General
Ingrid García Pacheco Tesorera	Ingrid García Pacheco Tesorera
Serviliano Abache Carvajal Vocal	Rosa Caballero Perdomo Vocal
Andrés Halvorssen Villegas Suplente del Vicepresidente	Andrés Halvorssen Villegas Suplente del Vicepresidente
Rosa Caballero Perdomo Suplente del Secretario General	Andreína Lusinchi Martínez Suplente del Secretario General
Andreína Lusinchi Martínez Suplente de laTesorera	José Javier García Suplente de laTesorera
Oscar Cunto André Suplente del Vocal	Oscar Cunto André Suplente del Vocal

TRIBUTACIÓN DE EXCEPCIÓN
CASO COVID-19

ÍNDICE

A MODO DE PRÓLOGO

JUAN C. CASTILLO CARVAJAL

Y el mundo fue sacudido por la peste. Una pavorosa plaga se enseñoreó de la humanidad: muchos enfermaron, otros tantos murieron. El mundo se aisló. Tuvimos miedo. Si bien es cierto que nuestro planeta no ha estado exento de conflictos bélicos, catástrofes naturales y otras terribles enfermedades, estas tragedias estaban confinadas a regiones específicas y no tenían una repercusión global. Con el COVID-19, la situación fue otra, la enfermedad no conocía de accidentes geográficos ni límites fronterizos, la propagación del virus no hacía distinción entre países ricos o pobres y cualquier persona podría contraer la temida enfermedad. El efecto contagioso del virus afectó no solo a los seres humanos, sino que impactó a la economía de los países, la forma cómo nos relacionamos socialmente y los movimientos migratorios, entre otros muchos ámbitos.

La tributación no podría quedar inmune en estos tiempos de contagio pues el centro de la imposición –la actividad humana generadora de riqueza- se encontraba abatido por la enfermedad. En otras jurisdicciones, las Administraciones Tributarias aplicaron medidas de alivio fiscal: alargamiento de los plazos para declarar y pagar los tributos, aplicación de alícuotas preferenciales, regímenes transitorios de imposición e implementación de beneficios fiscales de diversa índole. En Venezuela y en materia tributaria, el COVID-19 sacó a la luz otra dolencia: la de una Administración Tributaria indolente que desatendió los llamados de los distintos gremios –entre ellos esta Asociación- para que se instrumentaran políticas fiscales dirigidas a acompañar a los contribuyentes durante los convulsos tiempos pandémicos.

En este contexto, la AVDT no se cruzó de brazos. Si bien nada podíamos hacer en materia sanitaria, sí podíamos aportar por la salud del sistema tributario venezolano. Nuestra convicción es que el debate, las propuestas y la discusión científica tienen un carácter sanador. A este último respecto, se ha convertido en un lugar común afirmar que el sistema tributario venezolano se encuentra enfermo. Pero más allá de este devastador diagnóstico, la respuesta institucional de la AVDT siempre ha sido ofrecer remedios, tratamientos, terapias para combatir los males del sistema y para su profilaxis. En este sentido, convocamos a los interesados para evaluar el cumplimiento de las obligaciones tributarias durante los aciagos días de la pandemia (que en sus inicios tuvo además como indeseable acompañante un severo desabastecimiento de combustible). Invitamos también a autores extranjeros para revisar esta problemática en sus realidades y latitudes.

Muchos aceptaron aquella invitación y hoy me complace presentar este compendio de estudios producidos en plena pandemia con el ánimo de diagnosticar las situaciones tributarias derivadas del confinamiento, de la afectación de la actividad económica, los cambios en los modelos de negocios y la paralización de las actividades administrativas. Una radiografía de la situación fiscal venezolana y de lo que estaba ocurriendo en otros países. Son varios los enfoques de los autores de esta obra colectiva, pero hay un denominador común: el Estado estaba en la obligación de actuar positivamente, reconocer la gravedad de la pandemia en el ámbito fiscal y, consecuentemente, aplicar medidas paliativas o compensatorias en materia tributaria. En el caso venezolano, la ausencia de políticas fiscales resulta incompresible y objeto de nuestra mayor censura.

Doce monografías integran esta obra colectiva en las cuales se destaca que el Derecho Tributario no es inmune a las situaciones fácticas que afectan los hechos imponibles. En este sentido, el Derecho Tributario es profundamente humano. Los autores y los trabajos de este memorial son los siguientes:

(i) *La fiscalidad en el contexto de la pandemia del Covid-19. Apuntes sobre el caso español*, por César García Novoa (España).

(ii) *Implicaciones del COVID-19 sobre el cumplimiento de las obligaciones tributarias (Un reexamen de la situación a más de un año y medio del inicio de la pandemia)*, por Luis Fraga-Pittaluga y Andrés Tagliaferro.

(iii) *A vueltas con la tributación en el estado de alarma (COVID-19)*, por Eduardo Meier García.

(iv) *COVID-19 y determinación tributaria*, por Serviliano Abache Carvajal.

(v) *Reflexión sobre los efectos de la pandemia en las obligaciones tributarias*, por Gabriel Ruan Santos.

(vi) *Del cumplimiento de las obligaciones tributarias en el marco del COVID-19*, por Rosa Caballero Perdomo.

(vii) *Cumplimiento de obligaciones tributarias en tiempos pandémicos (Covid-19)*, por Annette Annia Vargas.

(viii) *Covid 19 y Estado de Alarma. Suspensión de procesos judiciales y procedimientos administrativos tributarios*, por Elvira Dupouy Mendoza.

(ix) *Covid 19 y el impuesto sobre sucesiones: la reducción del impuesto por doble transmisión en línea recta*, por Juan Carlos Colmenares Zuleta.

(x) *Ley de remisión tributaria en el marco de la pandemia causada por el Covid-19*, por Thomy Céfalo.

(xi)   *Ensayo sobre la crisis económica y la pandemia del COVID-19: la protección del derecho de propiedad y de libertad económica como fuente generadora de riqueza frente al cumplimiento de las obligaciones tributarias,* por Juan Esteban Korody.

(xii)   *El derecho al ocio, especialmente en tiempos de confinamiento. ¿Tiene el ocio alguna incidencia tributaria?,* por Alberto Blanco-Uribe Quintero.

Este libro tiene una carga de desagravio por las medidas que el Estado venezolano debió tomar en materia tributaria a propósito del COVID y que en forma negligente y tenaz se negó siquiera a evaluar con seriedad. Ojalá que estos trabajos sirvan -no como guía en otra crisis de salud que esperamos no se repita- sino como aportaciones para lograr que ese Estado sordo entienda que la tributación no es una entelequia productora de ingresos, sino que la tributación se conecta con el individuo. Los eventos que afectan a los sujetos que integran la sociedad tienen que recibir adecuado tratamiento en materia tributaria. Lo contrario resulta enfermizo.

Para concluir estas líneas quiero agradecer profundamente a cada uno de los autores cuyos trabajos integran esta obra. Igualmente, mi reconocimiento a Serviliano Abache Carvajal por su curaduría académica y coordinación para la publicación de este libro.

Caracas, abril de 2022.

Juan C. Castillo Carvajal
Ex presidente de la AVDT

ESTUDIOS

LA FISCALIDAD EN EL CONTEXTO DE LA PANDEMIA DEL COVID-19. APUNTES SOBRE EL CASO ESPAÑOL

CÉSAR GARCÍA NOVOA*

I. COVID-19. PANDEMIA Y NORMATIVIDAD DE EXCEPCIÓN

La pandemia del COVID-19 ha hecho saltar por los aires todas las *normalidades* incluidas las concernientes al mundo del Derecho. Recordemos que el 10 de abril de 2020 el Consejo Ejecutivo de la Organización Mundial de la Salud (OMS) declaró oficialmente pandemia universal a raíz del brote del virus COVID-19 (Coronavirus), surgido en la ciudad de Wuhan (China) en diciembre de 2019. Tal calificación es el correlato de la declaración por la propia OMS de la situación de emergencia de salud pública de preocupación internacional el 30 de enero de 2020. La ulterior declaración de pandemia sólo suponía evidenciar que la epidemia se había extendido a nivel global. Como es sabido, y en términos del artículo 2 de su documento de constitución, la OMS tiene entre sus funciones *el actuar como autoridad directiva y coordinadora en asuntos de sanidad internacional*. La adopción de medidas efectivas para hacer frente a la emergencia sanitaria corresponde a los estados, como auténticos *policy makers*, quienes tendrían la responsabilidad de implementar las correspondientes políticas públicas en el marco de sus respectivas normativas internas[1].

---

* Catedrático de Derecho Financiero y Tributario de la Universidad de Santiago de Compostela, España. Miembro honorífico de la AVDT y de la Academia de Ciencias Políticas y Sociales de Venezuela. Abogado.
[1] ARANDA ÁLVAREZ, E., *Los efectos de la crisis del Covid-19 en el Derecho Constitucional económico de la Unión Europea. Una oportunidad para repensar la relación entre estabilidad presupuestaria y gasto público*, Marcial Pons, Ediciones Sociales y Jurídicas, Madrid, 2021, pag. 28.

La crisis sanitaria fue afrontada en los distintos países operando sobre sus ordenamientos domésticos. En la mayoría de ellos, activando las situaciones de excepcionalidad que los respectivos órdenes constitucionales prevén[2]. Así, la pandemia permitió poner en práctica la excepcionalidad jurídica a partir del marco normativo derivado de cada orden constitucional, construyendo lo que ÁLVAREZ CONDE denomina *derecho de excepción*, como *normatividad del caso excepcional o del supuesto anormal*[3]. Y ello con base en una lógica elemental, una situación excepcional requiere mediadas excepcionales. En el supuesto de España, el artículo 116 de la Constitución prevé y la Ley Orgánica 4/1981 de 1 de junio desarrolla, los estados de alarma, excepción y sitio. La figura a la que se acudió en España fue el estado de alarma. Así, ante el avance de la pandemia del coronavirus, el Gobierno aprobó el Real Decreto 463/2020, de 14 de marzo, por el que se declara el estado de alarma para la gestión de la situación de crisis sanitaria ocasionada por el COVID-19 Los apartados 1, 3 y 5 del artículo 7 de este Decreto del estado de alarma fueron declarados inconstitucionales por el Tribunal Constitucional en sentencia 148/2021, de 14 de julio, entendiendo, entre otras cosas, que para una suspensión generalizada de derechos fundamentales era preciso haber declarado el estado de excepción[4]. Posteriormente, la sentencia 148/2021, de 14 de julio declarado también inconstitucional la prórroga de seis meses del estado de alarma y el nombramiento de autoridades competentes delegadas fijada en el Real Decreto 926/2020 del segundo estado de alarma. Para el Tribunal Constitucional, no cabe utilizar el estado de alarma, pensado para limitar derechos fundamentales y no para su suspensión, para llevar a cabo limitaciones de tales derechos que, *de facto*, son tan intensas que suponen su anulación temporal. Si esto fuera posible, como dice el Fun-

---

[2] Una buena recopilación de los mismos en el ámbito europeo se incluye en el documento aprobado por el Parlamento Europeo *States of emergency in response to the coronavirus crisis: Situation in certain Member States*. Este documento señala que *while some Member States' constitutions include mechanisms allowing for recourse to a state of emergency or the entrustment of special powers to specific institutions, other Member States' legal orders do not, either for historic reasons or owing to institutional tradition.*

[3] ABA CATOIRA, A., "El estado de alarma en España", *UNED, Teoría y Realidad Constitucional*, nº 28, 2011, pag. 318.

[4] El estado de alarma es una figura prevista constitucionalmente en el artículo 116 de la Norma Fundamental y desarrollado Ley Orgánica 4/1981, entre cuyos presupuestos se incluye en el artículo 4º lo que, con carácter general, se pueden denominar *epidemias*. Por su parte, la decisión de declarar el estado de sitio la toma el Congreso de los Diputados por mayoría absoluta, a propuesta exclusiva del Gobierno. El estado de excepción será declarado mediante decreto acordado en Consejo de Ministros, previa autorización del Congreso de los Diputados. Y según el artículo 11 de la misma Ley Orgánica, la declaración del estado de alarma facultará al Gobierno, entre otras cosas, a *limitar la circulación o permanencia de personas o vehículos en horas y lugares determinados, o condicionarlas al cumplimiento de ciertos requisitos. También a: b) practicar requisas temporales de todo tipo de bienes e imponer prestaciones personales obligatorias; c) intervenir y ocupar transitoriamente industrias, fábricas, talleres, explotaciones o locales de cualquier naturaleza, con excepción de domicilios privados, dando cuenta de ello a los Ministerios interesados; d) limitar o racionar el uso de servicios o el consumo de artículos de primera necesidad; e) impartir las órdenes necesarias para asegurar el abastecimiento de los mercados y el funcionamiento de los servicios y de los centros de producción…*

damento 11 de la sentencia 148/2021, "se estaría, en otros términos, utilizando la alarma, como temían algunos constituyentes, *para limitar derechos sin decirlo*, esto es, sin previa discusión y autorización de la representación popular, y con menos condicionantes de duración.

No todos los países han acudido a los *special powers*. Así, Francia no ha aplicado la excepcionalidad del artículo 16 de su Constitución, sino una ley orgánica aprobada por la Asamblea Nacional, mientras que Alemania se ha limitado a activar la Ley Federal de protección contra infecciones (*Infektionsschutzgesetzes*) de 20 de julio de 2001[5] modificado por última vez por el artículo 3 de la Ley del 19 de mayo de 2020[6]. Esta norma sería el equivalente a lo que en España es la Ley Orgánica 3/1986, de 14 de abril, de Medidas Especiales en Materia de Salud Pública, señalada por algunos como alternativa óptima frente al estado de alarma[7].

Ya con anterioridad, Tribunal Constitucional había señalado en el auto 7/2012, de 13 de enero y en la sentencia 83/2016, de 28 de abril[8], que el estado de alarma supone una *legalidad excepcional* que viene a suplir la *legalidad ordinaria*. En suma, el Alto Tribunal reconduce el estado de alarma a lo que hemos denominado *derecho de excepción*.

Debemos, por tanto, situar adecuadamente el concepto de *derecho de excepción* en el marco del ordenamiento jurídico actual. Para ello conviene tomar en consideración que en los modelos de Estado de Derecho que promueven las modernas constituciones el orden jurídico aparece condicionado por un discurso positivista que bebe en las fuentes del pensamiento kelseniano. Para KELSEN, el Estado es el orden jurídico y se define como tal. La espontaneidad del orden jurídico constituido no acierta a definir la excepcionalidad. La excepcionalidad sólo puede ser definida en el *caso límite*. Como dice QUINTERO OLIVARES, la excepcionalidad hace que todas las perspectivas y valoraciones cambien, y, por fuerza, produce efectos también en todo el campo jurídico[9]. Es por lo que Carl SCHMITT señalaba (más allá de las connotaciones extremas de su discurso) que la excepcionalidad quiebra el presupuesto corriente de todo orden normativo que es la situación de normalidad necesaria para aplicar la ley. La excepcionalidad vendría a refutar una de las características del positivismo kelseniano; el Estado deja de concebirse como el *orden jurídico mismo* porque el orden jurídico se suspende[10]. No obstante, ello entra-

---

5   Boletín Oficial Federal o BGBl. I p. 1045 por sus siglas en alemán.
6   Boletín Oficial Federal, BGBl parte I p. 587.
7   FLORES JUBERÍAS, C.,. "Una alarma bastante excepcional", *Las Provincias*, 8 de abril de 2020.
8   Con ocasión de la llamada *crisis de los controladores* aéreos. En esa ocasión el estado de alarma se declaró por RD 1673/2010, de 4 de diciembre.
9   QUINTERO OLIVARES, G., "Coronavirus, derecho excepcional y delitos"; https://www.vozpopuli.com/opinion/Coronavirus-derecho-excepcional-delitos-estado-alarma-coronavirus_0_1348066259.html
10 Sobre el tema, SCHMITT, C., *Teoría de la Constitución*, Alianza Editorial, Madrid, 2011, pags. 132 y ss.

ría en contradicción con el hecho mismo de que también el orden excepcional es un orden jurídico. Por tanto, sí sería factible hablar de un orden jurídico excepcional.

Pero la excepcionalidad no puede concebirse exclusivamente tomando en consideración las singulares atribuciones de facultades extraordinarias al poder público, sino, como ha señalado FERRAJOLI, atendiendo al dato de que los derechos de los ciudadanos operan como límites infranqueables en cualquier excepcionalidad. Son los derechos de los ciudadanos los que dan sentido a la excepcionalidad, al configurar como esencia de tal excepcionalidad la suspensión o limitación de esos derechos[11].

Ahí radicaría la contradicción de la excepcionalidad jurídica. Se trata de un orden que se aparta de la norma ordinaria pero que sólo tienen sentido en lo propia *ordinariedad* porque es la norma ordinaria la que permite definirla como excepcional. O, como decía KELSEN, es la excepcionalidad lo que que da sentido a la norma ordinaria. Una de las vías por las que este autor resuelve tal contradicción es a través de su tesis de la *cláusula alternativa tácita*. Todo orden jurídico lleva implícita una habilitación dirigida al legislador para dictar normas de un contenido distinto o según un procedimiento alternativo al regulado por las normas superiores[12].

Como fruto o no de esa cláusula alternativa tácita, lo cierto es que, en España, al amparo del Real Decreto 463/2020, ha surgido una *normatividad tributaria de excepción* limitada a algunas cuestiones muy puntuales. Buscando la expresión sintética de esta excepcionalidad podríamos señalar tres líneas en las que la misma se expresa.

Por un lado, se ha acudido a la utilización de los tributos como instrumento extrafiscal para reforzar las políticas públicas extraordinarias de lucha sanitaria contra la pandemia. Valgan como ejemplo medidas como la aprobación por Decreto-Ley 15/2020 de 21 de abril, de un tipo cero en el IVA desde el 23 de abril de 2020 hasta el 31 de julio de 2020, para ciertos productos sanitarios, siempre que los destinatarios de tales productos fuesen entidades de Derecho Público, clínicas o centros hospitalarios o entidades privadas de carácter social de las referidas en el artículo 20, Tres de la Ley del IVA. En segundo lugar, se han habilitado previsiones para evitar que el estado de alarma incida negativamente en los derechos de los contribuyentes, por ejemplo, con la suspensión y ampliación de plazos tributarios por el artículo 33 del Real Decreto-Ley 8/2020. Y en tercer lugar, se han adoptado, aunque de forma limitada, ciertas medidas de alivio fiscal, básicamente el régimen especial de aplazamientos del Decreto-Ley 7/2020 o la ampliación hasta el 20 de mayo de 2020 del plazo de

---

[11] FERRAJOLI, L, *Derecho y Razón. Teoría del garantismo penal,* trad, Andrés Ibáñez, Ed. Trotta, Madrid, 1995, págs. 379 y 382.

[12] KELSEN, H., *Teoría Pura del Derecho,* Ed. Porrúa-UNAM, México D. F., 1992, pags. 28 y ss.

ingreso de ciertos tributos que vencían el 20 de abril, lo que se contempló en el Decreto-Ley 14/2020[13].

Así, si bien el uso del tributo con fines extrafiscales no constituye una excepcionalidad sí parece haber un cierto sesgo de excepción en la limitación material y temporal de este tipo cero, en tanto se trataría de una acción instrumental más dentro del conjunto de medidas de lucha contra la pandemia[14]. Sin embargo, la alteración de la ordenación temporal tanto del cumplimiento de deberes tributarios como de los procedimientos propiamente dichos sí supone una manifestación de excepcionalidad. En el caso del cumplimiento de deberes tributarios no se ha optado por una moratoria, sino que se habilitado una vía especial de aplazamiento a solicitud de los interesados, con lo cual la excepcionalidad es limitada[15]. Pero, por otro lado, sí se ha previsto una suspensión de los plazos de prescripción y caducidad de cualesquiera acciones y derechos en el artículo 33 del Real Decreto-Ley 8/2020. Y la suspensión de la prescripción sí es excepcional en el ordenamiento español[16].

Todo ello se recondujo a la excepcionalidad de la paralización de las actuaciones administrativas durante el estado de alarma, esto es, desde el 14 de marzo hasta el 21 de junio de 2020. La paralización de las actuaciones administrativas sí es una expresión de excepcionalidad. Algo que, por otra parte, ya se prevé en la Ley General Tributaria en su artículo 150,3, f), que establece la suspensión del cómputo del plazo del procedimiento inspector por la concurrencia de una *causa de fuerza mayor*[17]. Por eso, si el principio que fundamenta

---

[13] No se contemplaron en el caso español durante el estado de alarma otras medidas de alivio fiscal, previstas en otros países, como devoluciones rápidas (*quicker refund*), *moratorias generalizadas o* la recuperación de inversiones en activos mediante amortizaciones aceleradas, como las propuestas contenidas en el Documento CIAT-IOTA-OCDE *Tax Administration Responses to COVID-19: Measures Taken to Support Taxpayers 10 April 2020*, pags. 41 a 44. Véase CRUZ AMORÓS, M., "Fiscalidad y emergencia", *Actum Fiscal*, n° 157, marzo 2020, pag. 53.

[14] VARONA ALABERN, J.E., "Extrafiscalidad y justicia tributaria", *Lecciones de Derecho Tributario inspiradas por un maestro*, ICDT, Bogotá, 2010, p. 185.

[15] Como ha señalado MATA SIERRA, M.T., estaríamos ante lo que podríamos llamar un sucedáneo de moratoria, ya que este aplazamiento no es más que "una mal llamada moratoria", "aplicable a los tres primeros meses del aplazamiento de seis meses concedido y con la singularidad de que puede afectar a deudas que, normalmente, no son aplazables"; "Un sucedáneo de moratoria fiscal en tiempos del COVID-19", *Quincena Fiscal*, n° 10, 2020, pag. 12.

[16] Lo que supone que el ordenamiento español no sigue la regla prevista en la Ordenanza Tributaria Alemana, que en su parágrafo 230 se refiere a la suspensión (*Hemmung der Verjährung*), de los seis últimos meses del plazo prescriptivo como consecuencia de una pretensión o reclamación (*Anspruch*), mientras que el parágrafo 231-2 de la Ordenanza Tributaria alemana, incluye los supuestos en los cuales se produce este efecto suspensivo. En este precepto se configura la suspensión de la prescripción como un efecto de duración en el tiempo de la interrupción- *Unterbrechung der Verjährung* -cuando se hayan producido aplazamientos de pago (*Zahlungsaufschub*) moratorias (*Stundung*), la solicitud de inicio de un procedimiento de insolvencia (*Anmeldung im Insolvenzverfahren*) u otras circunstancias.

[17] Pero como señalan HUELÍN MARTÍNEZ DE VELASCO, J.-CASTELLÓ JORDÁ, V., "nada dice la norma sobre si dicho período de suspensión debe excluirse también a efectos del cómputo de intereses de demora", para concluir, acertadamente, que no está justificado que en aquellos

la excepcionalidad es la concurrencia de una situación de fuerza mayor derivada del confinamiento establecido en el Real Decreto 463/, la propia idea de *fuerza mayor* será uno de los conceptos jurídicos de mayor relevancia en toda situación excepcional.

II. UNA MANIFESTACIÓN DE LA EXCEPCIONALIDAD. LA RELEVANCIA DE LA FUERZA MAYOR

Una de las manifestaciones de excepcionalidad en el mundo del Derecho es, sin duda, la categoría jurídica de la *fuerza mayor*. Y en el ámbito fiscal, la existencia de una situación de excepcionalidad derivada del *lockdown* de la actividad económica decretado por las autoridades atribuye protagonismo a la fuerza mayor en relación con el cumplimiento de las obligaciones tributarias. El cumplimiento de las obligaciones es la forma normal de extinción de las mismas, por lo que la imposibilidad de tal cumplimiento por fuerza mayor es una expresión de excepcionalidad. Pero, como hemos dicho, la excepcionalidad sólo tiene sentido en la propia *ordinariedad*. Por tanto, hay que atender a la fuerza mayor en tanto la misma aparezca prevista y definida en las normas tributarias.

Valgan como ejemplos el citado supuesto del artículo 150,3, f) de la Ley 58/2003 General Tributaria que establece la posible suspensión del procedimiento inspector por causa de fuerza mayor. Pero también el artículo 64 de la Ley General Tributaria y 43 del Reglamento General de Recaudación, al disponer que la consignación, como sucedáneo o alternativa al pago, se aplicará cuando el acreedor no pueda recibir el pago *por causa de fuerza mayor*, como excepción que es a la extinción ordinaria de la obligación tributaria por pago. Y en el ámbito de la fiscalidad internacional, podemos ver la relevancia que se da a la fuerza mayor en la Nota de 3 de abril de 2020 de la OCDE sobre las consecuencias de las situaciones de confinamiento en los Convenios de Doble Imposición. La OCDE niega que un trabajador teletrabajando en otro país forzado a ello por las exigencias de la cuarentena constituya un establecimiento permanente, porque la causa del teletrabajo sería un supuesto de fuerza mayor incompatible con la estabilidad que requiere el concepto clásico de establecimiento permanente[18]. Y ello en tanto la presencia del trabajador teletrabajando por la pandemia será una presencia de corta duración que excluirá la habitualidad propia del concepto tradicional de establecimiento permanente. Es decir, se parte de la situación en la cual el trabajo en el domicilio es con-

---

procedimientos de inspección que finalicen con una liquidación tributaria con deuda a ingresar la Administración exijan intereses por el período en que el procedimiento inspector ha estado suspendido por decisión de los poderes públicos; "Derecho tributario en estado de alarma: situación de fuerza mayor y excepción a la normalidad constitucional. Delimitación de las competencias normativas", *Actum Fiscal*, nº 159, marzo 2020, pag. 52.

[18] FALCÓN Y TELLA, R., "Incidencia de la crisis del COVID-19 en los Tratados de Doble Imposición", *Quincena Fiscal*, nº 11, 2020, pag. 2.

secuencia de una serie de imposiciones normativas (fuerza mayor impropia) no de una libre decisión de la empresa[19].

A pesar de estas invocaciones a la fuerza mayor en nuestras normas tributarias, es cierto que se trata de un concepto de perfiles difusos y que nunca se ha definido con claridad. Su mínimo común denominador es la concurrencia de circunstancias sobrevenidas imprevisibles e inevitables. Así, el Tribunal Supremo español, en sentencia de 17 de mayo de 1983, Sala Primera, ha definido la fuerza mayor como "la existencia de un suceso imprevisible o que, previsto, sea inevitable, insuperable o irresistible, por el exceder el curso normal de la vida, que no se deba a la voluntad del presunto deudor y que se dé entre el evento y el resultado un nexo o relación de causalidad eficiente". En este sentido se suele hablar de una *fuerza mayor propia* identificable con acontecimientos extraordinarios imprevisibles e inevitables, ajenos a la voluntad humana, y de una *fuerza mayor impropia*, conocida como *factum principis*, donde sí interviene la voluntad humana pero a través de decisiones emanadas de la autoridad administrativa en ejercicio de una función pública. Se trataría, por tanto, de actuaciones no premeditadas y debidas a la intervención de terceros ajenos. Teoría la del *hecho del príncipe* que tiene su origen en la ordenación de la contratación administrativa y que se configura como causa productora de un perjuicio que altera el equilibrio económico financiero del contrato.

Entre esos posibles ejemplos de *hecho del príncipe* que constituirían supuestos de fuerza mayor impropia se incluirían supuestos como "la adopción de una decisión de los poderes públicos que impide la continuidad en la prestación de servicios laborales", como lo ha definido para el ámbito laboral el Tribunal Superior de Justicia de la Comunidad Valenciana en sentencia de 2 de octubre de 2006 (núm. 1577/2006-recurso 957/2003)[20].

Al mismo tiempo es necesario diferenciar *fuerza mayor* de *caso fortuito*. En uno u otro caso nos encontramos con hechos generadores que, además de imprevisibles son inevitables e irresistibles. Aunque, con frecuencia, se introduce el matiz diferenciador de que el caso fortuito se identifica con el hecho imprevisible (*fortuitus casus est, qui nullu humano consilio praevederi potest*) y, por tanto, irresistible, pero que de haber sido previsto podría haberse evitado, mientras

---

[19] BÁEZ MORENO, A.-LÓPEZ LÓPEZ, H., "Reflexiones sobre la pandemia y sus efectos en la fiscalidad internacional a partir de la Nota de la OCDE de 3 de abril de 2020", difundido por redes sociales, pag. 41.

[20] Dice esta sentencia que ...*importada del Derecho Público francés, la doctrina y la jurisprudencia han admitido entre nosotros la figura (...) De entrada, debe advertirse que el "factum" principis debe distinguirse tanto de las potestades exorbitantes de la Administración en orden a modificar las condiciones de un contrato público en atención al interés general (ius variandi), como de la concurrencia de circunstancias sobrevenidas e imprevisibles, y ajenas a la voluntad de los agentes públicos, que alteren el equilibrio de las prestaciones (situación que puede aparecer en cualquier contrato de tracto sucesivo -público o privado- y que abre la aplicación de la cláusula rebus sic stantibus). El "factum" principis se identifica como una medida o conjunto de medidas administrativas generales o, más ampliamente, como actividad del Estado en sentido lato, que, aunque no modifica el objeto del contrato, ni lo pretende, incide o repercute en el mismo haciéndolo más oneroso para el contratista sin culpa de éste (...).*

que la fuerza mayor se caracteriza por ser, al mismo tiempo, irresistible e inevitable. Como señala CABALLERO PERDOMO, en el supuesto de la fuerza mayor estaríamos ante una *causa extraña no imputable,* que supone que el eventual incumplimiento no depende de la voluntad del obligado sino del propio acontecimiento. De esta manera, se debería interpretar el concepto de fuerza mayor de manera estricta, diferenciándolo del mero caso fortuito[21]. El hecho determinante de la fuerza mayor no sólo debe ser imprevisible sino que, aun en el caso de que se pudiese prever, debería resultar inevitable[22].

En ese contexto, la pandemia puede ser una circunstancia propia de fuerza mayor, causa eficiente de la excepcionalidad y las medidas adoptadas por los poderes públicos, de confinamiento, cuarentena o *lockdown,* esto es, los supuestos de *factum principis* o fuerza mayor impropia pueden ser consecuencia de la excepcionalidad.

A partir de ahí, la fuerza mayor como expresión de esa excepcionalidad, alcanza diversos perfiles. Pero, en todo caso, constituye un supuesto de exoneración de la obligación de indemnización por incumplimiento en caso de no realización de la prestación, pero no es una causa de desvinculación del deber de cumplimiento contractual. Así, en el artículo 1105 del Código Civil se señala que *fuera de los casos expresamente mencionados en la ley, y de los en que así lo declare la obligación, nadie responderá de aquellos sucesos que no hubieran podido preverse, o que, previstos, fueran inevitables.* Pero la jurisprudencia de la Sala Primera del Tribunal Supremo rechazó que se pudiera extinguir una obligación por fuerza mayor. Así la sentencia de la Sala de lo Civil del Tribunal Supremo de 19 de mayo de 2015 (nº rec, 721/2013), señala en su FJ8º que *la Sala no es insensible a la situación familiar de la demandada y que …si la Sala confirma la estimación de la demanda…es por considerar que cuando se trata de deudas pecuniarias de pago de dinero como prestación principal no cabe que opere como exoneración de la obligación la imposibilidad sobrevenida de esta por caso fortuito o fuerza mayor* [23].

---

[21] CABALLERO PERDOMO, R., "Del cumplimiento de las obligaciones tributarias en el marco del COVID-19 ¿una oportunidad para considerar la fuerza mayor en las sanciones?", Cartas a Taxlandia, 3 de junio de 2020, https://www.politicafiscal.es/cartas-a-taxlandia/del-cumplimiento-de-las-obligaciones-tributarias-en-el-marco-del-COVID-19-una-oportunidad-para-considerar-la-fuerza-mayor-en-las-sanciones.

[22] En la sentencia de la Audiencia Territorial de Sevilla, de 31 de enero de 1986 - *Impuestos, 1986, II*-, se trata el supuesto de imposibilidad de aplicar un recargo porque el retraso en el pago se debe a una huelga. Esta sentencia configura los intereses de demora como intereses moratorios o culposos, cosa que no se compadece con la regulación de que los mismos hace la legislación española. La diferencia entre una y otra ya fue puesta de relieve en las resoluciones de las X Jornadas del ILADT, celebradas en Quito en 1981. En la Conclusión nº 6, del Tema II sobre Infracciones y sanciones, se señala que "debe distinguirse claramente entre intereses por no pago oportuno, de carácter indemnizatorio o resarcitorio y multa por mora, como pena a la violación de la norma".

[23] Y ello a diferencia de otros países, como Argentina, cuyo artículo 955 del Código Civil y Comercial de la Nación señala que "la imposibilidad sobrevenida, objetiva, absoluta y definitiva de la prestación, producida por caso fortuito o fuerza mayor, extingue la obligación, sin responsabilidad. Si la imposibilidad sobreviene debido a causas imputables al deudor, la obligación modifica su objeto y se convierte en la de pagar una indemnización de los daños causados".

Así en la fuerza mayor (en este caso también en el caso fortuito) deben verificarse las siguientes condiciones: que el acontecimiento produzca imposibilidad absoluta de poder ejecutar la obligación, que sea sobrevenido, imprevisible, inevitable y que se produzca en condiciones ausencia total de culpa y dolo por parte del deudor. Y en esta línea podríamos situar la pandemia misma como causa de fuerza mayor, pero sobre todo, las medidas administrativas adoptadas (confinamiento y *lockdown* de la actividad económica) como fuerza mayor impropia.

La cuestión es cómo puede incidir esta fuerza mayor en el régimen de las obligaciones tributarias vigentes durante el confinamiento, teniendo en cuenta, además, que en el caso de España y a diferencia de otros países, no se ha previsto una moratoria de plazos de pago. Así, parece obvio que una situación de fuerza mayor sólo puede eximir, en su caso, de responsabilidad, pero no extingue ni hace desaparecer la obligación de cumplir el deber impuesto por la ley. El ámbito más propio de la fuerza mayor es el incumplimiento de las obligaciones civiles, como efectivamente recogen diversos preceptos del Código Civil que eximen de responsabilidad en caso de incumplimiento por fuerza mayor -artículos 457, 1777, 1784 y 1905- o caso fortuito –artículos 1602 o 1625-.

Cuestión distinta son las consecuencias indirectas de la pandemia, o más bien, de las medidas de cese o suspensión de la actividad económica, y la consiguiente incidencia negativa de esa suspensión en el desempeño de la vida económica de particulares y empresas. Así, es posible que, ante la falta de ingresos, puede existir falta de liquidez para hacer frente al pago de los tributos[24]. Y ello, al margen de que en nuestro ordenamiento jurídico esos problemas eventuales de liquidez permiten solicitar un aplazamiento o fraccionamiento, atendiendo al régimen general de esta figura, contenida en el artículo 65 de la Ley General Tributaria. Según el párrafo primero de este precepto, *las deudas tributarias que se encuentren en período voluntario o ejecutivo podrán aplazarse o fraccionarse en los términos que se fijen reglamentariamente y previa solicitud del obligado tributario, cuando su situación económico-financiera le impida, de forma transitoria, efectuar el pago en los plazos establecidos.* Esta facultad para solicitar aplazamientos y fraccionamientos se encuentra desarrollada en los artículos 44 y siguientes del Reglamento General de Recaudación, aprobado por Real Decreto 939/2005, de 29 de julio. Mientras que la Instrucción 4/2014, de 9 de diciembre de la Directora del Departamento de Recaudación de la Agencia, insiste en que sólo se concederán aplazamientos en situaciones en que el obligado tributario tenga *dificultades puntuales y transitorias.* Así, se plantea si la fuerza mayor puede influir en el cumplimiento de la obligación en la medida en que dicha causa de fuerza mayor haya impedido la puntual satisfacción de la deuda tributaria.

---

[24] El TEAC en resolución de 17 de julio de 2014 entiende que el devengo del recargo por presentación extemporánea del artículo 27 de la Ley General Tributaria puede evitarse si se aprecia caso fortuito o fuerza mayor.

Así, para algunos autores, como SÁNCHEZ AYUSO, aunque exista la posibilidad de solicitar aplazamientos, cabría la posibilidad de que determinados supuestos de carencia de liquidez o de recursos que impidieran el pago temporáneo de la deuda tributaria pudieran ser constitutivos de fuerza mayor[25]. Para ello sería necesario que no se hubiera podido prever esa falta de liquidez o que, aunque fuera previsible, resultase imposible evitarla, refiriéndose esta imposibilidad de prever no sólo a la fecha o plazo para el pago del tributo sino a un plazo de tiempo razonable en el cual se puede decir que el contribuyente tiene la obligación de procurarse los medios de pago. Por eso, en la práctica, los supuestos de fuerza mayor por este motivo serán muy excepcionales.

En suma, aunque la fuerza mayor, expresión de la excepcionalidad tributaria, afecte al normal cumplimiento de las obligaciones, tal excepcionalidad no entraña admitir el incumplimiento de obligaciones indisponibles para la Administración, como las tributarias[26]. Esto es, salvo supuestos muy extraordinarios y por ello, de difícil encaje en un ordenamiento jurídico tributario que no prevé ya la condonación graciable, no es imaginable que la fuerza mayor pueda eximir del pago de un tributo, pues ello supondría vulnerar la indisponibilidad del crédito tributario, consagrada en el artículo 18 de la Ley General Tributaria. Y ni siquiera estas dificultades económicas vinculadas a la pandemia del coronavirus serían *circunstancias sobrevenidas que afecten a una situación jurídica particular y pongan de manifiesto la improcedencia del acto dictado,* a efectos de habilitar una posible revocación de una liquidación tributaria *ex* artículo 219 de la Ley General Tributaria.

Por tanto, la incidencia de la fuerza mayor respecto a las obligaciones tributarias se proyecta, exclusivamente, en relación con su cumplimiento puntual. Es decir, sólo será relevante ante un incumplimiento en plazo por circunstancias ajenas a la voluntad del sujeto. Lo que imposibilita la causa de fuerza mayor o caso fortuito es que se cumpla en plazo, sin que ésta sola circunstancia pueda liberar al deudor de su obligación de pago.

En tanto en materia tributaria el incumplimiento de la obligación en período voluntario conllevará la exigencia de intereses y recargos e, incluso, la imposición de la sanción (aunque la conducta tipificada no sea el mero incumplimiento puntual si no la *defraudación* o engaño a la Administración) la

---

[25] SANCHEZ AYUSO, I., *Circunstancias eximentes y modificativas de la responsabilidad por infracciones tributarias*, Marcial Pons, Madrid, 1996, pag. 238.

[26] Como señalan, BÁEZ MORENO, A.-LÓPEZ LÓPEZ, H., "Reflexiones sobre la pandemia y sus efectos en la fiscalidad internacional a partir de la Nota de la OCDE de 3 de abril de 2020", difundido por redes sociales, pag. 41, ...*lo que interesa poner especialmente de relieve a nuestros efectos es que se trata, en todo caso, de acontecimientos ajenos a la voluntad que afectan al "cumplimiento" de las obligaciones, pero en ningún caso al "surgimiento" de las mismas. Se trata, en definitiva, del régimen civil del principio ad imposibilia nemo tenetur que sólo afecta, conviene insistir, al cumplimiento de las obligaciones. Precisamente por ello, en materia tributaria la fuerza mayor no surte efecto alguno desde el punto de vista del surgimiento o no de las obligaciones tributarias y sus efectos en el cumplimiento de las obligaciones tributarias son bastante limitados.*

fuerza mayor tendrá relevancia precisamente en el ámbito de la exigencia de esas prestaciones. Es obvio que la excepcionalidad de la fuerza mayor afecta a la libre formación de la voluntad del sujeto incumplidor y, por tanto, debe tenerse en cuenta para valorar si ha existido culpabilidad de la conducta. Por ello, *hábitat* natural de la fuerza mayor y el aspecto en el que, realmente, resulta relevante es en el relativo a la potestad sancionadora, aunque no cabe descartar apreciar su concurrencia para eximir de recargos, o incluso de intereses moratorios.

Así, el artículo 179, 2, b) de la propia Ley General Tributaria dice que se exime de responsabilidad por infracciones tributarias a aquellas acciones u omisiones tipificadas cuando *concurra fuerza mayor*. Al tiempo, la propia ley codificadora recoge otros supuestos específicos de fuerza mayor, como son los derivados de fallos técnicos en programas informáticos de asistencia facilitados por la Administración tributaria (artículo 179.2.e) de la Ley General Tributaria)[27].

Así, a la hora de imponer sanciones en el marco de la situación de crisis derivada del COVID-19, debe aplicarse el sistema sancionatorio tributario común. Aun en un marco de excepcionalidad tributaria, las sanciones que se impongan deben respetar las exigencias de tipicidad, antijuridicidad y culpabilidad. Por tanto, se sancionará la falta de ingreso a través de engaños en las declaraciones o autoliquidaciones, el ingresar menos como consecuencia de tales engaños o, simplemente, la omisión pura, no ingresar por no haber declarado ni autoliquidado. Ahora bien, si bien se puede defraudar por acción u omisión, se debe excluir la sanción ante la eventual concurrencia de fuerza mayor, ya que la conducta no sería culpable[28].

Lo mismo cabría decir en relación con los recargos por ingreso extemporáneo del artículo 27 de la Ley General Tributaria. Tales recargos tendrían una naturaleza mixta, compensatoria pero también resarcitoria en tanto pretenden sancionar *civilmente* el retraso en el puntual cumplimiento de la obligación tributaria[29], en lo que podría denominarse una sanción impropia[30]. En relación

---

[27] Para alguna sentencia este precepto ampararía la aplicación de la fuerza mayor en casos de fallos técnicos relativos a cualquier falo técnico o informático en el cumplimiento de obligaciones tributarias por medios electrónicos. Véase la sentencia del Tribunal Superior de Justicia de Cataluña 606/2012 de 4 de junio según la cual, ...*a sensu contrario, cuando la conducta típica sea consecuencia de una deficiencia técnica de programas informáticos no facilitados por la Administración tributaria, haya de ser sancionada sin posibilidad de exoneración o de un uso erróneo de los mismos...*

[28] Para ANÍBARRO PÉREZ, S.-SESMA SÁNCHEZ, B., "...se trata de un supuesto de ausencia de infracción al no poderse apreciar dolo o culpa, ya que la fuerza mayor supone la imposibilidad de prever un suceso o bien la imposibilidad de evitarlo pese a haberlo previsto...", *Infracciones y Sanciones Tributarias*. Ed. Lex Nova, Valladolid, 2005, pag. 34.

[29] LÓPEZ DÍAZ, A., *La recaudación de deudas tributarias en vía de apremio*, Marcial Pons, Madrid-Barcelona, 1992, pags. 137 y ss.

[30] CARRASCO PARRILLA, P., *Consecuencias del retraso en el pago de las deudas tributarias*, Colección Monografías, Universidad de Castilla La Mancha, Cuenca, 2000, pag. 211.

con los mismos, la Audiencia Nacional tiene una consolidada doctrina en la que defiende que la exigencia de estos recargos no es automática (sentencias de 30 de marzo de 2011 (rec.nº 141/2008), 12 de diciembre de 2011 (rec. nº 601/2005) y 1 de febrero de 2012 (rec.nº 592/2010), y para el TEAC, por ejemplo en la resolución de 26 de abril de 2011 (00/4063/2010), sólo cabe evitar el surgimiento del recargo por ingreso extemporáneo cuando concurra caso fortuito o fuerza mayor[31]. Y la sentencia del Tribunal Superior de Justicia de Cataluña de 1 de diciembre de 2011, rechaza la exigencia de recargos cuando concurra una situación de fuerza mayor, ya que, a pesar del pretendido automatismo de la figura, es necesario analizar las circunstancias específicas del caso, ya que siendo el recargo una prestación accesoria consecuencia de la presentación de declaraciones fuera de plazo, no puede negarse la aplicación de las normas de derecho común sobre el cumplimiento de las obligaciones. Y el TEAC en su resolución de 17 de julio de 2014, ya señaló que el devengo de recargo por presentación extemporánea sin requerimiento previo de una autoliquidación a ingresar puede evitarse si se aprecia caso fortuito o fuerza mayor".

No obstante, no se suele trasladar este mismo criterio a los intereses de demora, a los que la jurisprudencia suele atribuir la condición de prestación puramente indemnizatoria (sentencia de la Audiencia Nacional de 19 de diciembre de 2013 -nº rec. 64/2011-). La fuerza mayor sólo sería relevante respecto al interés de demora si éste tuviese carácter moratorio y no simplemente compensatorio, es decir, cuando su exigencia va ligada a la concurrencia de una decisión voluntaria y culpable de no pagar en plazo el importe de la obligación tributaria.

Es más, existiendo fuerza mayor podría llegar a afirmarse que la conducta infractora ni siquiera es antijurídica[32]. Como señala SÁNCHEZ HUETE la antijuridicidad es requisito necesario pero no suficiente para la existencia de la infracción. Y la antijuridicidad queda eliminada si existe alguna causa de justificación, en especial si esa causa de justificación se basa en la existencia de un interés preponderante[33].

Esta última circunstancia se daría ante la eventual admisión de una eximente de estado de necesidad. Así, se ha discutido si podría considerarse estado de necesidad el supuesto en el que el sujeto pasivo no puede pagar el tributo porque debe hacer frente a otros gastos de mayor importancia vital para él o su familia. Y se valora si se puede hablar de estado de necesidad cuando,

---

[31] Véase al respecto, GOROSPE OVIEDO, J.I., "La cuestionable automaticidad de los recargos por declaración extemporánea de tributos sin requerimiento previo: comparación con los recargos por ingreso fuera de plazo de las cuotas de la Seguridad Social", *Revista de Contabilidad y Tributación, CEF*, nº 392, noviembre, 2015, pas. 148 y 149.

[32] MARTINEZ LAGO, M.A., "La reforma de la Ley General Tributaria. Modificaciones en materia de infracciones y sanciones", *Cuadernos Jurídicos*, nº 3, 1995, pag. 44.

[33] SÁNCHEZ HUETE, M.A., *Las infracciones en la nueva LGT*, Marcial Pons, Madrid-Barcelona-Buenos Aires, 2007, pag. 64.

por ejemplo, el pago del tributo impidiese la supervivencia económica de una empresa.

Este estado de necesidad es también de difícil encaje en el régimen sancionador tributario, sobre todo cuando la falta de medios económicos puede enervarse con la figura de los aplazamientos o fraccionamientos. Así, la existencia de una situación de conflicto entre el ingreso puntual de la deuda tributaria y la salvaguarda de otro bien como el mantenimiento de la actividad productiva o de los puestos de trabajo de una empresa adquiere relevancia. Así se prevé que se puede conceder la suspensión del ingreso de la deuda sin garantías cuando…*el obligado al pago carezca de bienes suficientes para garantizar la deuda y la ejecución de su patrimonio pudiera afectar sustancialmente al mantenimiento de la capacidad productiva y del nivel de empleo de la actividad económica respectiva…* -artículo 82,2, b) de la Ley General Tributaria -resquicio que ha servido, hasta la reforma por Ley 3/2016 que entró en vigor el 1 de enero de 2017, para facilitar el aplazamiento de deudas por retenciones o ingresos a cuenta. Y para un sector importante de la doctrina no es posible aceptar el estado de necesidad en el ámbito del cumplimiento tributario, ya que, no habría, al menos en términos lógicos, un interés superior merecedor de protección frente a los que protege el ilícito tributario[34].

A nuestro modo de ver no existe impedimento alguno para que el legislador que perfila un sistema sancionatorio fiscal recoja supuestos de estado de necesidad. Pero para ello deben darse dos requisitos ineludibles. En primer lugar, el bien jurídico en atención al cual se sacrifica la obligación de pagar el tributo debe encontrarse realmente en peligro y tal peligro ha de ser real y objetivamente apreciado. Y además, ese peligro debe de conllevar la necesidad de lesionar el crédito tributario, en este caso, la necesidad de no pagar el tributo. Aun cuando esto sólo sería posible cuando se agoten las posibilidades que concede el ordenamiento jurídico para obtener aplazamientos y fraccionamientos, no cabría descartar que en casos como estos resultase imposible sancionar por ausencia de antijuridicidad. Y ello en tanto "no resulta legítimo constitucionalmente entronizar el interés general como valor supremo por encima de los intereses inherentes a la persona" [35]. Aun cuando, si se acepta el estado de necesidad respecto a las infracciones tributarias habrá que encauzarlo a través de la mención que se hace en la Ley General Tributaria a la fuerza mayor[36].

---

[34] RUFIÁN LIZANA, M.D., "La constitucionalidad de las infracciones y sanciones tributarias en la Ley General Tributaria", *Civitas, REDF*, n° 58, 1988, pag. 224.

[35] SÁNCHEZ HUETE, M.A., *Las infracciones en la nueva LGT*, op. cit., pag. 65.

[36] CASANA MERINO, F., "La configuración del ilícito tributario según el artículo 77 de la Ley General Tributaria", en *Comentarios a la Ley General Tributaria y Líneas para su Reforma, Libro Homenaje a Fernando Sáinz de Bujanda*, Vol. II, Instituto de Estudios Fiscales, Madrid, 1991, pag. 1103.

III. LA CRISIS ECONÓMICA DERIVADA DE LA PANDEMIA Y LA EXCEPCIONALIDAD TRIBUTARIA

Más allá de las medidas tributarias adoptadas en el estado de alarma e imbuidas de la excepcionalidad propia del mismo, caracterizadas por ser medidas de contención para evitar la necrosis del sistema económica, se sitúa la necesidad de una fiscalidad definida a más largo plazo y que debe adoptarse a la nueva realidad post-COVID.

Esa realidad viene marcada por una profunda crisis económica. Los augurios de lo que puede ser esta crisis no son nada alentadores y, en algunos casos, tienen visos *apocalípticos*. El Fondo Monetario Internacional ha pronosticado que se trata de una crisis *como ninguna otra*, que va a alterar el orden económico y social, llegando a decirse que será la mayor crisis desde la Gran Depresión de los años treinta[37]. Se destaca especialmente la incidencia de la misma en el área LATAM. La Comisión Económica para América Latina y el Caribe (CEPAL) ha llegado a evaluar las distintas variables (disminución de la actividad económica, abaratamiento de materias primas, interrupción de las cadenas mundiales de valor, menor actividad turística, reducción de remesas…) para traducirlas en cuantiosos incrementos de la desigualdad y la pobreza[38].

En este escenario, la crisis que se avecina parece tener perfiles diferentes a la no muy lejana del 2008. Aquélla era una crisis eminentemente financiera. Como dijimos en su momento esa crisis, cuya *acta fundacional* se sitúa en la declaración de insolvencia de la entidad de servicios financieros *Lehmans Brothers Holdings Inc* en septiembre de 2008, tenía algunas características que la hacían peculiar y la diferenciaban de las crisis cíclicas de los últimos años. Así, se trataba de una crisis cuyo origen se situaba en un exceso de liquidez en los mercados lo que generó una política de enorme expansión crediticia y *puso en evidencia defectos, no sólo en el funcionamiento de las entidades financieras, sino también en las entidades públicas reguladoras*[39]. Por el contrario, la presente crisis es de paralización del sistema productivo y de reducción exponencial de la actividad del sector servicios por las restricciones nacionales e internacionales a la movilidad. Una crisis con una dimensión y con unos caracteres absolutamente inéditos.

Además, la pandemia del coronavirus va a suscitar cambios importantes en el contexto económico mundial que van a afectar de forma importante a la forma de operar las empresas y, sobre todo, a la forma de actuar de los grupos

---

[37] https://www.theguardian.com/business/2020/jan/17/head-of-imf-says-global-economy-risks-return-of-great-depression

[38] https://www.efe.com/efe/america/economia/cepal-latinoamerica-no-puede-contar-con-ee-uu-en-la-crisis-del-coronavirus/20000011-4215993

[39] Véase nuestro trabajo, "La política fiscal en tiempos de crisis", publicado en *Derecho Tributario. Reflexiones. Estudios en Homenaje a Victor Uckmar*, Instituto Colombiano de Derecho Tributario, Bogotá, 2018, pags. 265 y 266.

multinacionales. Probablemente, tanto la producción como el comercio se regionalizarán, volviendo a los lugares de consumo. En ese sentido, se augura que las empresas venderán filiales en el extranjero y participadas no estratégicas para capturar liquidez. Se buscarán proveedores de proximidad y se renegará de los modelos de suministro *just in time*. Por su parte, la compra *on-line* se hará cada vez más habitual en una nueva sociedad mucho más digital. Y las empresas contratarán menos empleados y subcontratarán más *freelancers*. No sólo seguirá creciendo el teletrabajo sino nuevas fórmulas de adjudicar el trabajo por parte de las empresas, como la *GIG economy* o los *mechanical turk o turkers*. Y buena parte de la actividad de las empresas, incluso medianas y pequeñas, con toda probabilidad acabará descomponiéndose en multitud de funciones asignadas a sujetos en distintos países, conectados por medios tecnológicos y sin vínculo laboral.

En esta sociedad post COVID-19 seguirá el proceso de robotización y automatización del empleo con el riesgo potencial de destrucción de puestos de trabajo[40] y la digitalización de la actividad económica. Dicha digitalización va a incidir en algo que es una realidad hoy en día. El principal activo en el mundo digital que atribuirá capacidad económica a las empresas será la titularidad y la disposición de ciertos intangibles a través de *apps*, que permiten conectar a particulares entre sí, generando una modalidad de negocio C2C (*consumer to consumer*) junto con los conocidos modelos B2B y B2C. O que suministran servicios a cambio de la captación de datos del usuario, de manera que aparece una nueva capacidad económica no suficientemente gravada en los actuales

---

[40] Muchos han sido los estudios que han profundizado sobre las consecuencias de esta incorporación de la inteligencia artificial a los procesos productivos. Por mencionar algunos de los más conocidos, en 2013, FREY y OSBORNE analizaron la susceptibilidad de automatización de 702 empleos que en la actualidad realizan los seres humanos. La conclusión más clara es que aproximadamente el 47% del empleo actual en Estados Unidos podría ser sustituido por máquinas, peligrando sobre todo aquellos trabajos que no requieren una formación especial y están peor retribuidos. En la misma línea, en 2016, el *World Economic Forum* en su informe *The Future of Jobs Employment, Skills and Workforce Strategy for the Fourth Industrial Revolution* estimó una pérdida de 5,1 millones de puestos de trabajo en el período 2015-2020 para el conjunto de países analizados. El estudio valoraba la creación de puestos de trabajo nuevos en diversos sectores (analistas de web, expertos en *big data* o ciberseguridad, programadores...) pero estimaba que estas nuevas actividades supondrán apenas 2 millones de nuevos empleos, mientras que la pérdida bruta sería de 7 millones. De estos, dos de cada tres corresponderían a trabajos relacionados con el desempeño de tareas rutinarias y muy pautadas. También en 2016, el conocido Informe *A future that works: automation, employment, and productivity* del McKinsey Global Institute (conocido como *Informe McKinsey*) analiza unas 2.000 actividades, midiendo el tiempo que los empleados invierten en ellas y la viabilidad tecnológica de automatizarlas. El *report* cuantifica porcentualmente las posibilidades reales de automatización. Y se concluye que, en términos generales, un 60% de todas las ocupaciones demandan la realización de actividades de las cuales al menos un 45% sería automatizable en la actualidad. Ese porcentaje sube al 78% en sectores como la fabricación, procesado de alimentos, hostelería o comercio, donde el peso de los trabajos físicos muy pautados y, por tanto, perfectamente automatizables, es muy alto. La conclusión es obvia: la automatización va a afectar preferentemente a los empleos menos cualificados. Por estas cuestiones se ha propuesto el gravamen de los robots por Xabier OBERSON, expuesta en su artículo "Taxing Robots?. From the Emergence of an Electronic Ability to Pay to a Tax on Robots or the use of Robots", publicado en *World Tax Journal*, IBDF, Amsterdam, Mayo 2017.

esquemas internacionales de tributación. Esta no sería otra que la disposición de algoritmos específicos que permiten poner en contacto a particulares que quieren hacer negocios, a sujetos privados o autónomos que quieren prestar servicios a consumidores finales o empresas, o que, simplemente prestan servicios de todo tipo a cambio de la cesión de datos de los usuarios.

Todas estas circunstancias van a afectar al paradigma de distribución internacional del poder tributario, especialmente en lo relativo al poder de gravar a las multinacionales. Es evidente que las pautas de distribución del poder tributario para el gravamen de los beneficios empresariales basado en el principio de empresa separada, *arm´s length* para precios de transferencia y gravamen en fuente sólo a partir de presencia física, van a cambiar radicalmente.

Esa nueva atmosfera incita a replantearse el sistema de distribución del poder tributario para la tributación de beneficios de empresas transnacionales, orientándolo hacia un nuevo modelo que ya se está proponiendo para el beneficio residual de las empresas digitales. Un modelo que se base en la división del beneficio (*profit split*) y en su atribución a los distintos países donde la empresa opere mediante una fórmula de reparto. Modalidad representada hoy en día por el *Common Consolidated Corporate Tax Base* (CCCTB) y por la propuesta de reparto del Pilar Uno. Y se renovarán las reglas de *allocation profits*, proponiendo nuevos métodos para la atribución de beneficios a las distintas jurisdicciones en situaciones transfronterizas[41]. Algo que ya apunta con la irrupción de las reglas de *value creation* y de la jurisdicción del mercado[42] y con el giro propuesto por el *Work Plan* (28-29 mayo 2019) de la OCDE, que basa su enfoque en una modificación de las reglas de atribución del poder tributario a fin de asegurar los derechos de la jurisdicción de mercado donde se produzca la creación de valor[43].

Las aportaciones de la agenda internacional en el escenario post COVID-19 desde la perspectiva interna de los estados avalarán una política fiscal para

---

[41] Sobre el tema, MAYER, S., *Formulary Apportionment for the Internal Market*, Doctoral Series 17, Vol 17, IBFD, Amsterdam, 2009, pag. 5.

[42] Como dice VANISTENDAEL, F., el mercado en sí mismo nunca ha sido considerado un elemento de producción que contribuye al valor añadido de un producto que resulte objeto de remuneración. Por tanto, de lo que se trata es de otorgar relevancia a la aportación que realiza el volumen de usuarios en un mercado determinado, como **índice** de riqueza. Y el mercado de usuarios viene a erigirse como una especie de *tercer punto de conexión*, más allá de los tradicionales de la residencia y el territorio; "Digital Disruption in International Taxation", *TNI*, January 8, 2018, pag.177.

[43] Y que, además, incluye un reparto de las rentas entre las jurisdicciones afectadas; el segundo, nuevas reglas destinadas a evitar el desplazamiento de beneficios hacia territorios de baja tributación. Como señala SOLER ROCH, M.T., *esta última propuesta supone una brecha en relación con los planteamientos de la Unión Europea y en concreto, con la propuesta de Directiva publicada en marzo de 2018 sobre la implantación a corto plazo de un Impuesto sobre servicios digitales con carácter provisional hasta que se aprobara la otra Directiva presentada simultáneamente y centrada en una modificación del concepto de establecimiento permanente ampliado con el nexo de la presencia digital significativa;* "Una reflexión sobre la deriva del Derecho Tributario", en Red de Profesores de Derecho Financiero y Tributario, https://rpdft.org/2019/06/24/1232/

defender las bases imponibles nacionales. Y en esa línea hay que situar los acuerdos sobre el Pilar Uno y el Pilar Dos de la OCDE.

Así, en el seno del *Inclusive Framework* o Marco Inclusivo, el 13 de febrero de 2019, la OCDE publicó un documento de consulta *Addresing the Tax Challenges of the Digitalizaton of the Economy,* que sigue a una Policy Note publicada el 29 de enero de 2019. Y el 9 de octubre de 2019 vio la luz el enfoque unificado del Pilar Uno sobre las Reglas del nexo y de atribución de beneficios. Se avanzaría posteriormente en los acuerdos de 5 de junio de 2021 ante el G7 , del 1 de julio de la OCDE y el Marco Inclusivo de BEPS y del 9 y 10 de julio del G-20, hasta llegar al documento publicado el 1 de julio de 2021 por la OCDE y el Marco Inclusivo sobre BEPS de la OCDE/G20,2 que incluye 139 jurisdicciones, de las que 132 han firmado el acuerdo del 1 julio de 2021, *Statement de la OCDE/ Inclusive Framework (Statement).*

Pero el momento más decisivo sería la ampliación del acuerdo del Marco Inclusivo de la OCDE para fijar un tipo mínimo global del Impuesto de Socie-dades. El acuerdo o nuevo *Statement on a Two-Pillar* de 8 de octubre de 2021 amplía los países firmantes en relación con el *Statement* de julio pasado, alcan-zado las 136 jurisdicciones, que representan más del 90 % del PIB mundial.

El acuerdo activará los archiconocidos Pilar Uno y Pilar Dos. Ambos su-ponen un cambio en el paradigma actual de distribución del poder tributario para gravar las rentas empresariales transfronterizas. Ese paradigma surgió en 1963 bajo la hegemonía del Modelo de Convenio de la OCDE. El *international tax regime* se sustentaba entonces sobre la red de convenios, auspiciando un entramado que permitía dotar de seguridad jurídica a las inversiones de las empresas multinacionales de los países desarrollados en el exterior. Pero con unos puntos de apoyo fundamentales muy claros: principio de empresa sepa-rada, poder de gravamen originario en manos del Estado de residencia, dis-tribución del poder tributario en los grupos multinacionales mediante precios de transferencia basados en el principio de independencia y establecimiento permanente ligado a la presencia física. Todo ello sin afectar al nivel de tri-butación en fuente, que era algo que no se cuestionaba por ser consustancial a la soberanía fiscal. Y que no se cuestionó hasta el informe sobre *Harmful Tax Competition* de 1998.

Frente a una Plan BEPS, que en los años 2013-2016 se limitó a sugerir par-ches en los sistemas fiscales para mitigar la planificación fiscal agresiva (con-cepto *ajurídico* donde los haya), el Pilar Uno y Dos pretenden un cambio más radical.

El Pilar Uno se dirige a los países de la fuente, redenominados como *ju-risdicciones del mercado* y les asigna la capacidad para someter a imposición una porción de renta de ciertas empresas; en concreto, un 25 % del beneficio residual entendido como el beneficio en exceso del 10 % de los ingresos. Y sólo de los grupos multinacionales con una facturación global superior a los 20.000

millones de euros y una rentabilidad por encima del 10 %. El umbral quedará fijado en 10.000 millones después de 7 años si la implementación del sistema merece una valoración positiva. Para fijar la rentabilidad se tendrá en cuenta la relación entre beneficios antes de impuestos y el conjunto de todos los ingresos. Por tanto, se pretende trasladar capacidad de gravar a los Estados de la fuente, en detrimento de los de residencia.

Por el contrario, el Pilar Dos, donde se recoge el tipo mínimo global, está pensado para los países en los que tienen su sede las multinacionales y cuenta con el apoyo de Estados Unidos. Lo que se pretende en este Pilar Dos es cercenar la competencia fiscal internacional y no sólo la que sea la lesiva o desleal. Ya no se trata de operar sobre estructuras carentes de sustancia sino sobre la propia decisión de los países de establecer tasas impositivas reducidas. El objetivo último es neutralizar los efectos del ejercicio de la soberanía de los países a la hora de fijar el tipo de gravamen de las sociedades.

Por ello, la principal medida de este impuesto mínimo global es la llamada regla de *inclusión de rentas* que dota los países sede de las matrices últimas de la facultad de gravar las rentas de las filiales en el exterior que hayan tributado por debajo de ese tipo mínimo, y con un *blending país por país*. Junto con la regla de pagos infragravados (*undertaxed*) y la cláusula *switch over*, la medida de la inclusión de rentas constituye el elemento medular del impuesto mínimo, que se aplicará a empresas multinacionales con ingresos superiores a 750 millones de euros[44].

Sin restar importancia a este acuerdo, en lo que supone de cambio de filosofía en la fiscalidad internacional y de expresión el multilateralismo, es cierto que hay que situarlo en sus justos términos.

En primer lugar, el tipo mínimo es un mero acuerdo, un *enfoque común* y no existe obligación de aplicarlo, al no tener la condición de estándar mínimo obligatorio. Si, en relación con la puesta en práctica del Pilar Uno, se contempla

---

[44] La regla de inclusión de ingresos o *income inclusión rule* (IIR), permitiría gravar los ingresos de sucursales extranjeras o subsidiarias si esos ingresos estuvieron sujetos a una tasa efectiva por debajo de la mínima global, mediante un impuesto complementario a los ingresos de una empresa gravados en un determinado país por debajo del tipo mínimo acordado, es decir, opera en residencia. También se prevé, para los Estados de residencia, una regla de denegación de deducción o imposición en fuente para pagos a partes relacionadas si estuvieron sujetos a una tasa efectiva por debajo de la mínima global denominada *regla undertaxed payment rule* (UTPR), que supondría denegar las deducciones por pagos gravados por debajo del tipo impositivo mínimo (opera en fuente). También una regla *switch-over* que permitiría a la jurisdicción de residencia cambiar de un método de exención a un método de crédito fiscal cuando las ganancias de un establecimiento permanente estuvieron sujetas a una tasa efectiva por debajo de la mínima global. Para los Estados de la fuente se prevé una regla de sujeción a imposición en la fuente y ajuste de aplicabilidad de beneficios de tratados en algunos tipos de ingreso cuando los pagos no están sujetos a una tasa mínima o *subject to tax rule* (STTR) por la que se permite a las jurisdicciones de fuente gravar de forma limitada algunos pagos entre vinculadas que se graven por debajo del tipo mínimo. El tipo del STTR será entre el 7,5% y el 9%.

una convención multilateral a materializar durante 2022 y con una implementación efectiva en 2023, respecto al tipo mínimo las medidas para su ejecución se remiten a lo que los Estados puedan establecer en su legislación interna, comprometiéndose la OCDE simplemente a desarrollar *reglas modelo* durante 2022.

Por tanto, en la medida en que no se avance en la implantación del impuesto mínimo global mediante instrumentos internacionales, limando las posibles incompatibilidades con los convenios de doble imposición, estaremos ante medidas que dependerán de las normas domésticas, como, por otra parte, ya ocurre en la actualidad con la transparencia fiscal internacional. Y en la Unión Europea, la regla de inclusión de rentas suscitará los mismos interrogantes que ocasiona actualmente la transparencia internacional, la cual, para evitar situaciones discriminatorias y vulneraciones de las libertades, no resulta de aplicación a filiales en otros países de la Unión que realicen actividades económicas.

En segundo lugar, se trata de un compromiso muy genérico y es, precisamente esa abstracción y generalidad lo que ha facilitado el consenso. Pero no existen garantías de que el consenso se mantenga cuando la propuesta se concrete. Además, no es algo novedoso, puesto que la regla de inclusión de rentas está claramente inspirada en el GILTI, introducido en Estados Unidos por la reforma fiscal de 2017.

En este nuevo contexto, el Pilar Dos va a ayudar a los países a maximizar la potencialidad recaudatoria de sus sistemas fiscales, a través del principio de protección de la base de imposición. La regla de inclusión de ingresos (*income inclusion rule*) asignaría más ingresos a los países de residencia exportadores de capital y el impuesto sobre los pagos que erosionan la base (*tax on base-eroding payments*) favorecerá el incremento de recaudación de los estados en vía de desarrollo. Lo cual es muy importante porque si los países menos desarrollados, singularmente los del área LATAM, no esperan de un nuevo acuerdo fiscal global mejoras significativas de sus ingresos fiscales, es más probable que se decanten por medidas tributarias unilaterales, como muchos de ellos ya están anunciando.

Y al socaire de esta exigencia imperativa de revisión de la fiscalidad se ha abierto el debate sobre la necesidad de un profundo replanteamiento de la composición de los diversos sistemas tributarios. Así el debate sobre el *tax mix* está en pleno auge en los distintos países. También en España, donde ya se habla de un pacto fiscal o de un gran acuerdo para adaptar el sistema impositivo a las exigencias del escenario post COVID-19. Se parte del presupuesto de la necesidad de nuevos ingresos públicos que compensen los elevados gastos a los que el Estado va a tener que hacer frente. Así se propone actuar sobre los impuestos esenciales del sistema, la tríada, Impuesto sobre la Renta, Sociedades e IVA, en algunos casos proponiendo subir impuestos a las rentas más altas en el IRPF, en otros sugiriendo una poda de beneficios fiscales en el Impuesto de Sociedades para acercar el tipo real al nominal. Y en otros casos, como lo han hecho países como Gran Bretaña o Alemania, reduciendo el IVA para estimular el consumo.

Las alternativas para incrementar la recaudación en el caso de España pasan por la tradicional denuncia de la escasa capacidad recaudatoria de nuestro sistema fiscal. Esa ausencia de capacidad recaudatoria ha sido puesta de manifiesto por distintos informes del Consejo de la Unión Europea, el Fondo Monetario Internacional o la OCDE a través de diversos comités de expertos a los que se les atribuye una *autoritas* específica que empuja a seguir sus criterios, aun cuando se trate de reglas no vinculantes para los Estados[45].

Así, el Informe de la Comisión española de Expertos para la Reforma del Sistema Tributario (en adelante, el Informe), de 13 de marzo de 2014 recordaba que las reformas fiscales y, por tanto, la acción legislativa a la hora de configurar los tributos, deben atender a las recomendaciones del entorno internacional y de organizaciones como la OCDE y el Fondo Monetario Internacional[46], dentro de lo que se conoce como la *comitología*. Entre las recomendaciones de estos organismos internacionales para mejorar la eficiencia del sistema fiscal español está la de poner el sistema fiscal al servicio del crecimiento económico, moderando el incremento de presión fiscal directa, el aumento del peso relativo de la imposición indirecta (trasladando al tipo general del IVA algunos bienes o servicios que actualmente tributan al tipo reducido o, incluso, al superreducido), el incremento de la tributación medioambiental para compensar la reducción de cotizaciones sociales (doble dividendo de la fiscalidad ecológica) y la recuperación de la capacidad recaudatoria del Impuesto de Sociedades mediante una reducción significativa de beneficios fiscales.

Frente a ello, y ante la evidencia de la necesidad de incrementar la recaudación en un contexto de crisis, se sigue recordando que tradicionalmente los ingresos fiscales y cotizaciones sociales suponen en España un porcentaje del PIB por debajo de la media de la Unión Europea[47], a pesar del incremento pro-

---

[45] El Tribunal Constitucional español, en la sentencia 73/2012, de 8 de junio, relativa a la amnistía fiscal, señala que las recomendaciones de la OCDE en relación con la conveniencia de promover declaraciones voluntarias de los que no han cumplido sus obligaciones fiscales...*no eximen del cumplimiento de los requisitos del art. 86.1 CE*, o lo que es lo mismo, de cumplir las exigencias constitucionales. Se hace referencia a varios informes como el OCDE, 2000, *Improving cve Access to Bank Information for Tax Purposes*; y OCDE, 2010, *Offshore Voluntary Disclosure, Comparative Analysis, Guidance and Policy Advice*), como fórmula de aumentar los ingresos públicos por los Gobiernos en tiempos de crisis. Dice en el FJ 5, b) que *las recomendaciones de la Organización para la Cooperación y Desarrollo Económico (OCDE) dirigidas a promover procedimientos especiales de declaración voluntaria por parte de quienes han incumplido su obligación de contribuir al sostenimiento de los gastos del Estado con el objetivo de aumentar los ingresos públicos por los gobiernos en tiempos de crisis, tampoco servirían para legitimar la forma en la que se ha adoptado la medida impugnada.*

[46] *Informe de la Comisión de Expertos para la Reforma del Sistema Tributario*, febrero de 2014, pag. 59.

[47] Informe *Por un sistema fiscal transparente, ordenado y previsible para el fomento de la actividad económica*, Consejo General de Economistas, diciembre 2013. La presión fiscal en 2018 era más reducid en España que en Francia (48,2 % del PIB), Alemania (41,3 %), Italia (42,4 %) o Portugal (37 %).

ducido como consecuencia de la anterior crisis económica. Si tomamos como referencia el año 2011, la presión fiscal española era de un 31,4 % del PIB, frente al 38,8 % de la Unión Europea. En 2018 la media europea era de un 40,3 % del PIB, consecuencia de los ajustes fiscales por las necesidades de la crisis económica. La española se situaba en un 35,2 % del PIB, habiendo reducido la brecha, y fijándose por encima de la media de la OCDE (un 34,3 %del PIB). Este argumentario permite entender que existe recorrido para aumentar la presión fiscal en España y proponer, por ejemplo, el incremento de tipos máximos del IRPF.

Pero al margen de las propuestas sobre incremento de los impuestos tradicionales, la excepcionalidad de la crisis impulsada o acelerada por las medidas adoptadas como consecuencia de la pandemia, y la excepcionalidad jurídica y fiscal que conlleva, también se está proyectando en las propuestas de alteración de los *tax mix*.

Y en es en este marco en el que se puede hablar de las propuestas de obtener financiación adicional a través de impuestos nuevos. En realidad, no todas las propuestas sobre la creación de impuestos nuevos surgen de la excepcionalidad fiscal de la pandemia. Por un lado, ya venían siendo habituales los denominados impuestos *asistemáticos*[48] o *atípicos*[49] o incluso, en el ámbito europeo los denominados *impuestos específicos*[50]. Y alguno de estos impuestos nuevos, como los que gravan servicios digitales, tienen una orientación clara hacia la corrección de una situación de *inmunidad fiscal*[51].

---

[48] Véase CUBERO TRUYO, A., "Presentación", *Tributos asistemáticos del ordenamiento vigente*, Tirant Lo Blanch, Valencia, 2018, pag. 21.

[49] Véase nuestro trabajo "Impuestos atípicos en la era post-BEPS", en *Tributos asistemáticos del ordenamiento vigente*, op. cit., pags. 210 a 214.

[50] Con frecuencia la jurisprudencia del Tribunal de Justicia de la Unión Europea hace referencia a estos impuestos, analizando su compatibilidad con las libertades comunitarias y, en ocasiones, con el régimen común del IVA, contemplado en la Directiva 2006/112. Destacan, en este punto, las sentencias *Vodafone Magyarország* (C-75/18) y *Tesco-Global Áruházák* (C-323/18), dictadas el 3 de marzo de 2020, en las que el Tribunal de Justicia, en formación de Gran Sala, ha declarado compatibles con el principio de libertad de establecimiento y con la Directiva del IVA los impuestos específicos recaudados en Hungría sobre el volumen de negocios de las empresas de telecomunicaciones y de las empresas que operan en el sector del comercio al por menor. En efecto, el hecho de que estos impuestos específicos, que gravan el volumen de negocios de manera progresiva (o, en el caso del segundo de dichos impuestos, de manera marcadamente progresiva), recaigan principalmente en empresas controladas por personas de otros Estados miembros, debido a que estas empresas obtienen los mayores volúmenes de negocios en los mercados húngaros de que se trata, refleja la realidad económica de estos mercados y no constituye una discriminación frente a dichas empresas.

[51] Al concepto inmunidad fiscal se ha referido SOLER ROCH, M.T., cuando dice *el tercer escenario es el de la inmunidad fiscal al que me referiré en el punto II. Baste adelantar ahora que es éste el escenario característico de la economía digital, ámbito en el que los "nuevos modelos de negocio" generan un habitat distinto, en el aparecen conceptos o expresiones como "difícil de gravar" (hard to tax) "renta sin Estado" (Stateless income) o "residente en ninguna parte" (nowhere resident); lo cual, unido a la presencia de otros factores ya presentes en el escenario BEPS (globalización y capitalismo de intangibles), así como a una (todavía mayor) insuficiencia del marco jurídico tradicional y probablemente, incluso el de los Planes de Acción, dan como resultado un escenario de inmunidad fiscal. "La imposición sobre sociedades en*

La reordenación de la fiscalidad para gravar adecuadamente a las multinacionales del sector digital es algo que continuará en los próximos años. El contexto post COVID-19 no va a hacer más que potenciar un cambio de pautas en la tributación de las multinacionales a nivel global[52]. Frente al paradigma actual, que sigue sustentándose en la *empresa separada (separate entity accounting)* y en la aplicación del principio de plena competencia en las transacciones entre entidades de un grupo multinacional, parece inevitable avanzar en la regla del *value creation* a fin de asegurar los derechos de la jurisdicción de mercado donde se produzca la creación de valor. Ello incluiría un reparto de las rentas entre las jurisdicciones afectadas. Así, seguirán estando en la agenda propuestas como las de dar carta de naturaleza a un *unitary taxation* o *formulary apportionment*[53], que en Europa podría introducirse de la mano de la *Common Consolidated Corporate Tax* (CCCBT), impulsada nuevamente en 2018. O también la definición de un *mínimum corporate tax* como medida destinada a evitar el desplazamiento de beneficios hacia territorios de baja tributación.

Pero el marco de la fiscalidad tras la crisis va a suponer una recuperación del protagonismo fiscal de los estados, que se van a ver abocados a readaptar sus sistemas tributarios. Esa readaptación de los sistemas fiscales ya se había producido en el marco de la crisis anterior de 2008[54]. Los sistemas fiscales, especialmente en Europa, intentaron corregir el déficit y la caída de recaudación, bien elevando la fiscalidad (incrementado los tipos de algunas figuras existentes o creando nuevos impuestos), mejorando la lucha contra el fraude, o buscando nuevas fuentes de recaudación, ante el aparente agotamiento de los recursos tradicionales en los sistemas tributarios clásicos. Surgieron así los *innovative tax tools* o impuestos atípicos[55]. Esas nuevas figuras tributarias

---

la encrucijada ¿hacia un escenario de inmunidad fiscal?". VI Encuentro de Derecho Financiero y Tributario "Tendencias y retos del Derecho Financiero y Tributario" (1.a parte), Documentos de Trabajo del Instituto de Estudios Fiscales, n° 10, Madrid, 2018, pag. 13.

[52] El concepto ha sido acuñado por SOLER ROCH, M.T., para quien "la principal causa de su inmunidad fiscal es que, en este caso, la insuficiencia del marco jurídico aplicable frente a los nuevos modelos de negocio característicos de la economía digital, se potencia más allá de lo que ya veíamos en el escenario BEPS, en un paso más: de la insuficiencia a la inutilidad...", "La imposición sobre sociedades en la encrucijada ¿hacia un escenario de inmunidad fiscal", *VI Encuentro de Derecho Financiero y Tributario Tendencias y retos del Derecho Financiero y Tributario (1ª parte), Documentos de Trabajo del Instituto de Estudios Fiscales*, n° 10, 2018, pag. 16.

[53] MAYER, S., *Formulary Apportionment for the Internal Market*, Doctoral Series, n° 17, IBDF, Amsterdam , 2009, pag. 13.

[54] La presente crisis tiene algunas características que la hacen peculiar y la diferencian de las cíclicas de los últimos años. Así, es una crisis cuyo origen si situa en un exceso de liquidez en los mercados, lo que generó una política de enorme expansión crediticia por parte de las entidades financieras de la que es exponente el fenómeno de los créditos hipotecarios *subprime* de alto riesgo en Estados Unidos, aunque el aumento de los préstamos hipotecarios era sólo una parte de un boom crediticio mayor; CASSIDY J., *Por qué quiebran los mercados?. La lógica de los desastres financieros*, RBA, Barcelona, 2009, pag. 242.

[55] TEIJEIRO, G.O., "Is income taxation of foreign digital goods and services in the market state compatible with current international principles on the attribution of tax jurisdiction", *Kluwer International Tax Blog*, November 22, 2017.

pretendían localizar manifestaciones extraordinarias de capacidad económica para hacerlas contribuir y para lograr una tributación efectiva de ciertos sectores, favorecidos por la elusión fiscal y por la inmunidad tributaria. Al tiempo también se puede hablar de una *tributación de castigo* (*punitive rates*) guiada por la búsqueda de nichos de capacidad económica extraordinaria que deben coadyuvar a la salida de la crisis. Sería el caso, por ejemplo, de la imposición sobre la banca y sobre las transacciones financieras[56].

Y en este orden de ideas habría que tomar en consideración las políticas fiscales que pretenden que las multinacionales contribuyan con su *fair share taxation* o *parte justa de tributación*, ya que las mismas no pagarían *suficientes impuestos* en los países en que operan. Esta tendencia tuvo su más clara expresión en las actuaciones del Parlamento del Reino Unido contra Amazon, Google y Starbucks, argumentando que, por más legales que fueran las estructuras de las que estas multinacionales se valían, estas empresas no estarían pagando *lo que es justo* (*their fair share*). Y lo fundamental es que se contribuya con esa *porción justa*, y no que la conducta sea una evasión, una elusión o una planificación agresiva. En suma, se estaría pasando de un modelo en el que el deber público de contribuir se concreta en la exigencia del pago del impuesto que la ley demanda, a un modelo en el que al obligado tributario se le exige contribuir con "lo que es justo y equitativo"[57].

No obstante, es como consecuencia de las extraordinarias necesidades de financiación de los estados en el contexto post-COVID 19 cuando irrumpe el debate sobre la conveniencia de implementar figuras impositivas excepcionales, en un contexto también excepcional y ante la necesidad de una reconstrucción económica y una emergencia social. A esta cuestión nos referiremos a continuación.

III.1. EXCEPCIONALIDAD FISCAL E IMPUESTOS SOBRE NUEVAS FUENTES DE RIQUEZA

La excepcionalidad fiscal, traducida en la propuesta de nuevas figuras tributarias orientadas a recabar financiación pública extraordinaria, justifica la

---

[56] Valga como ejemplo el Impuesto europeo de transacciones financieras, incluido en la Directiva 2011/0261 y cuyo objetivo, según el Preámbulo de la misma es *garantizar que las entidades financieras contribuyan equitativamente a la financiación de los costes generados por la reciente crisis*. En esa misma línea se sitúan otras figuras, sobre fuentes extraordinarias de riqueza. Por ejemplo, Impuesto sobre activos no productivos, de Cataluña (suspendido por Auto del Tribunal Constitucional de 28 de septiembre de 2017) en España; en Reino Unido la contribución extraordinaria de Westminster, y cuya recaudación se destinaría a servicios y políticas sociales (que ha recibido desde ámbitos periodísticos la denominación de *guilt tax*) o los impuestos del 50 % sobre *bonus* de directivos de grandes empresas en Francia y Gran Bretaña del 50 %.

[57] Del *public duty to pay what the law demands* al *public duty to pay what it is fair and equitable*; MARIN BENITEZ, G., *¿Es lícita la planificación fiscal?*, Lex Nova-Thomson Reuters, Valladolid, 2013, pag. 15.

creación de impuestos más allá de los clásicos tributos que gravan la renta de las personas físicas y de las empresas y el consumo.

En este sentido, se situaría el debate sobre la imposición sobre la riqueza. Debate anterior a la crisis del COVID-19, y que había alcanzado cierta notoriedad a partir de las propuestas de la senadora por Massachusets Elizabeth Warren, con el apoyo de un sector de la academia[58], sobre la implantación en Estados Unidos de un *Net Wealth Tax*, bien como tal impuesto sobre la riqueza o como elemento de cuantificación en la imposición sobre la renta. En realidad, este impuesto sobre la riqueza no se diferencia mucho de la imposición sobre el patrimonio neto que existe en algunos países, entre ellos España, y no puede ser calificada como un ejemplo de fiscalidad excepcional. El hecho de que la imposición patrimonial no sea muy habitual en Derecho Comparado y que muchos países no cuenten con impuesto sobre el patrimonio no supone que la imposición sobre el patrimonio pueda catalogarse dentro de lo que estamos llamando *imposición excepcional*[59].

Hablamos verdaderamente de *excepcionalidad* en el contexto post COVID-19 cuando nos encontramos ante figuras tributarias, singularmente impuestos, de carácter especial orientados a la reconstrucción, mediante su afectación a fondos específicos. Los impuestos europeos vinculados a la financiación del Plan de Recuperación Económica para Europa (sobre grandes corporaciones que se benefician del mercado única, sobre servicios digitales, sobre el plástico o el ajuste en frontera de las emisiones de carbono) son una buena muestra de ello[60]. O de impuestos que, al margen de los principios especiales que fundamentan la tributación, se basan en una pretendida solidaridad cívica. O impuestos que, aunque graven materias imponibles tradicionales como el pa-

---

[58] ZUCMAN, G.-SÁEZ, E., "How would a progressive wealth tax work? Evidence from the economics literature", February 5 th, 2019, http://gabriel-zucman.eu/files/saez-zucman-wealthtaxobjections.pdf

[59] A diferencia de lo que sucede con otros impuestos, el Impuesto del Patrimonio se exige en la actualidad en muy pocos países, teniendo en cuenta sobre todo el ámbito de la OCDE. El Impuesto sobre el Patrimonio se abolió en los últimos años en Holanda y Dinamarca, siendo uno de lo últimos ejemplos el caso de Austria, donde ha desaparecido como consecuencia de la reforma fiscal de 1994. Si a ello unimos que otros Estados desarrollados los han suprimido hace tiempo -Estados Unidos en el siglo XIX, Italia no tiene Impuesto sobre el Patrimonio desde 1948 y Japón carece de él desde 1953 -y que el impuesto tampoco se exige en, Portugal, Bélgica o Reino Unido y fue eliminado en Finlandia, Irlanda, Suecia o Luxemburgo. En Alemania la Ley reguladora del Impuesto de 14 de noviembre de 1990, reformada por la Ley de Valoración de 1 de febrero de 1991, y posteriormente, por Ley de 14 de septiembre de 1994, fue declarada incompatible con la Constitución alemana por el *Bundesverfassungsgericht* en sentencia de 22 de junio de 1995. Sólo se puede hablar de Impuesto sobre el Patrimonio en Noruega, Suiza y Holanda. En España el impuesto fue suprimido por la Ley 4/2008, de 23 de diciembre y reimplantado por Decreto-Ley 13/2011, de 16 de septiembre.

[60] Véase "Implicaciones Fiscales del Plan de Recuperación económica para Europa", Legal Today, 4 de junio de 2020, https://www.legaltoday.com/opinion/blogs/fiscal-y-legal/blog-fiscalidad-internacional/implicaciones-fiscales-del-plan-de-recuperacion-economica-para-europa-2020-06-04/

trimonio neto, reciben denominaciones extravagantes como *tasa COVID*, con fines de *legislación propaganda*[61].

Como ejemplos, tendríamos el *impuesto de solidaridad temporal a las grandes rentas o los grandes patrimonios* propuesto en España para costear las medidas sanitarias y las consecuencias económicas provocadas por la pandemia. Aunque se trata de una propuesta de la que no se han dado demasiados detalles sería un ejemplo gráfico de excepcionalidad fiscal, pues se estaría proponiendo una medida tributaria especial, bajo la forma de un impuesto afectado, frente a la alternativa ordinaria o no excepcional que sería incrementar la tarifa del impuesto sobre la renta o del impuesto sobre el patrimonio. En la misma línea se situaría la propuesta de la Fundación de Estudios de Economía Aplicada (FEDEA) de crear lo que se ha dado en llamar un *coronatributo*, que sería un recargo temporal sobre el IRPF destinado a la obtención de la financiación adicional que se precisaría para afrontar la crisis de la pandemia, que FEDEA cifra en 40.000 millones de euros[62].

También la propuesta italiana de COVID tax del 4% a rentas anuales entre 80.000 y 100.000 euros y de un 5 % entre 100.000 y 300.000; un 6% entre 300.000 y 500.000 y un 8 % para rentas superiores al medio millón de euros. En Gran Bretaña se ha propuesto un impuesto extraordinario sobre la riqueza y otro sobre la actividad financiera. En Suiza se ha hablado de un impuesto único y directo del 2% sobre todas las fortunas superiores a los 3.000.000 millones de francos.

Además, hay que referirse a la propuesta de ZUCMAN y SÁEZ, junto con LANDAIS, quienes sugieren la creación de un impuesto europeo, temporal y progresivo en toda la Unión Europea del 1 % para patrimonios superiores a 2.000.000 euros. Lo recaudado por el tributo se destinaría al reembolso de los eurobonos emitidos por el organismo multilateral durante la crisis generada por el COVID-19, para mutualizar los costes de la pandemia o para allegar

---

[61] FERNANDEZ, T.R., "De la banalidad a la incoherencia y la arbitrariedad. Una crónica sobre el proceso, al parecer imparable, de degradación de la Ley", ", *El Cronista del Estado Democrático de Derecho*, n° 0, octubre 2008, pag. 7. La *legislación propaganda* sería una de las causas de la disgregación y pérdida de calidad del ordenamiento jurídico; DESDENTADO BONETE, A., "La legislación como propaganda", *La Ley*, n° 7090, 2009, pag. 3. A las leyes propaganda también se ha referido FERREIRO LAPATZA, J.J., "Reflexiones sobre Derecho Tributario y técnica jurídica", *Civitas, REDF*, n° 85, 1995. También CHICO DE LA CAMARA, P., "Aplicaciones prácticas de los principios constitucionales tributarios", *Tribuna Fiscal.*, n° 40, 1994, pag. 59.

[62] LÓPEZ LABORDA, J.-ONRUBIA, J., Informe sobre medidas tributarias ante la crisis de la CO-VID-19: es tiempo de reformas; Informes del Grupo de Trabajo Mixto COVID-19; Fedea Policy Papers - 2020/14; julio de 2020, donde se dice *consideramos que la medida tributaria más justa y sencilla…sería un recargo en el IRPF, que es un impuesto general y progresivo y con buenas propiedades de estabilización automática. Se trataría de un recargo extraordinario, por un tiempo limitado, en función de la consecución de los objetivos de reequilibro de nuestras finanzas públicas. La fijación ex ante de la duración del recargo tiene la ventaja de que puede contribuir a asentar las expectativas de los agentes económicos (aunque siempre sería posible su extensión posterior); su principal inconveniente es que induciría comportamientos de planificación fiscal en el IRPF no deseables* (pag. 7).

recursos para sufragar un fondo de rescate común[63]. Y ello, muy en la línea de las discusiones iniciadas en la Unión Europea sobre la aplicación de un fondo de reconstrucción (*Next Generation EU*), denominado Fondo de Reconstrucción o bien Fondo Europeo de recuperación y resiliencia (FERR) de 750.000 millones de euros, financiado con la creación de algunos impuestos propios como el Impuesto sobre Servicios Digitales, un recargo sobre las multinacionales o un impuesto sobre las emisiones de carbono. Y también en consonancia con lo propuesto por un grupo de profesores europeos en el manifiesto *La solidaridad europea requiere impuestos de la Unión Europea*[64].

Pero hay también propuestas en marcha en los países de Latinoamérica, donde la pandemia ha afectado de forma especialmente grave a la economía, en un entorno macroeconómico poco favorable y altamente incierto, como ha señalado CEPAL, *en el que los países de la región enfrentan posiciones fiscales complejas debido a los siguientes factores: un limitado espacio fiscal, como consecuencia de déficits persistentes y del aumento de la deuda pública en los años anteriores a la crisis, menores ingresos fiscales por la caída del nivel de actividad económica y de precios de los recursos naturales e importantes requerimientos de gasto público a corto plazo para fortalecer los sistemas de salud, proteger el bienestar de la población y mantener el empleo, y el endurecimiento de las condiciones financieras, que implicará mayores costos de financiamiento de los requerimientos de gasto público*[65]. Así han surgido propuestas de medidas fiscales excepcionales en países como Argentina[66], Brasil[67], Perú[68], Chile[69], Ecuador[70] y Bolivia[71], adoptadas en un contexto de dificultades económicas.

---

[63] LANDAIS, C.- ZUCMAN, G.-SÁEZ, E., "A progressive European wealth tax to fund the European COVID response", https://voxeu.org/article/progressive-european-wealth-tax-fund-european-COVID-response

[64] https://eulawlive.com/op-ed-european-solidarity-requires-eu-taxes/

[65] CEPAL, *Informe Panorama Fiscal de América Latina y el Caribe, La política fiscal ante la crisis derivada de la pandemia de la enfermedad por coronavirus (COVID-19)*, 2020, página 12.

[66] En Argentina se ha presentado un Proyecto por el grupo parlamentario que apoya al Gobierno, sobre un impuesto a la riqueza que gravaría los bienes personales declarados a partir de los 200.000.000 de pesos, con una alícuota del 2% hasta un 3,5 % para patrimonios superiores a 3.000.000.000 pesos. Se aplicaría sobre las personas según sus declaraciones juradas al 31 de diciembre de 2019 (https://www.infobae.com/politica/2020/05/12/el-impuesto-a-la-riqueza-que-impulsa-al-kirchnerismo-alcanza-a-las-personas-que-tienen-bienes-por-encima-de-los-200-millones/). El contraproyecto de la oposición, denominado "Contribución extraordinaria para la inversión y el desarrollo productivo de Argentina", incluye exenciones para los bienes productivos. ALZÚA, M.L.-GOSIS, P., *Impacto social y económico de la COVID 19 y opciones de políticas en Argentina*, Documento UNPD, América Latina y caribe, PNUD LAC C-19, PDS, n° 6, 2020, pags. 22 y ss.

[67] La Constitución de Brasil prevé en su artículo 153 el Impuesto a las Grandes Fortunas, que requiere una ley de desarrollo, al decir que "corresponde a la Unión instituir impuestos sobre…. grandes fortunas, conforme a una *lei complementar*". Existen varias propuestas para que este impuesto se active. Véase BACHI COMERLATO, M., -DERATO GIORA, M.F, "Imposto sobre Grandes Fortunas, É possível?", *Revista dos Tribunais*, n° 191, 2014, pags. 9 y ss.

[68] En Perú circula una propuesta de un impuesto especial para personas físicas y jurídicas que facturen más de un millón de soles por año paguen un impuesto solidario. El mismo establece

La excepcionalidad fiscal, puesta de manifiesto a través de tributos especiales y destinados a afrontar la reactivación económica y la reconstrucción, parece ser, por tanto, uno de los signos de identidad del escenario surgido del COVID-19.

Y conviene ver las notas que caracterizan esta excepcionalidad fiscal, a partir de figuras impositivas especiales. Uno de los rasgos de la excepcionalidad, también en el ámbito fiscal, es su carácter eminentemente temporal. Lo excepcional por definición es temporal, por eso, por ejemplo, el Decreto-Ley 7/2020, en su artículo 14, estableció un régimen extraordinario de aplazamientos, de aplicación temporal para declaraciones-liquidaciones y autoliquidaciones cuyo plazo de presentación finalizase hasta el 30 de mayo de 2020. Ese mismo parámetro, el de la temporalidad, serviría para definir estos impuestos. Los mismos formarían parte de lo que se conoce como *fiscalidad extraordinaria*, definida como aquellas figuras impositivas *que no son incorporados al sistema tributario en forma definitiva, sino que se establecen por un tiempo determinado*. Este es el significado que se atribuyó inicialmente en España al Impuesto sobre el Patrimonio, que se creó inicialmente en 1977 como extraordinario[72]. FERREIRO LAPATZA afirma que "los impuestos extraordinarios se diferencian de los ordinarios, fundamentalmente, casi podríamos decir solamente, por su vigencia limitada en el tiempo, por su vocación de temporalidad que, en la normalidad de los casos, se refleja en que la ley de su creación señala asimismo el período de tiempo en que estarán en vigor"[73].

Parecía evidente que en un contexto excepcional como la crisis del COVID-19 se recuperase la categoría de los impuestos excepcionales con el significado de figuras fiscales de aplicación y vigencia limitada en el tiempo. Pero

---

tres categorías: una tasa entre el 0,22% y el 1% para las fortunas de un millón de soles por año; un impuesto entre el 1% y el 2% para los que facturen 10 millones por año; y otra entre un 2% y un 3% para los que superen los 50 millones de soles.

[69] Las propuestas en Chile pasan por crear un impuesto a la riqueza dirigido al 1% más rico del país, con un tipo de gravamen del 2 % sobre patrimonio neto, que se percibiría hasta que la distribución de la riqueza entre familias, medida por el GINI alcance un 0,25. Así lo recoge el Documento de Proyectos de CEPAL, de ATUESTA MONTES, B.-MANCERO, X.-TROMBEN ROJAS, V., "Herramientas para el análisis de las desigualdades y del efecto redistributivo de las políticas públicas", Santiago, 2018, pags. 34 y ss.

[70] Propuestas de congresistas de izquierda de implantar un gravamen del 0,9% para patrimonios individuales que superen el millón de dólares y de un tributo del 10 % sobre beneficios del sector financiero en 2019.

[71] Propuesta de un impuesto extraordinario sobre la riqueza; véase "Impuesto sobre la Riqueza", *Diario La Razón*, 12 de mayo de 2020.

[72] BANACLOCHE PEREZ, J., "Impuesto sobre el Patrimonio", *Civitas, REDF*, núms. 15-16, 1977, pag. 489.Sobre la tipología de los impuestos extraordinarios, *Notas de Derecho Financiero, Seminario de Derecho Financiero de la Universidad de Madrid*, T.I, Parte General, vol 2º, 1, Universidad Complutense, Madrid, 1967, pag. 112

[73] FERREIRO LAPATZA, J.J., *Instituciones de Derecho Financiero y Tributario*, Marcial Pons, Madrid, Barcelona, Buenos Aires, 2010, pag. 103.

lo curioso es que no es en la vigencia limitada en lo que más hincapié se hace cuando se habla de estos impuestos excepcionales. Lo más determinante en la tipología de estos impuestos extraordinarios es la peculiar fundamentación de los mismos. Parecería que la fiscalidad excepcional admitiría una suerte de *huida* o *matización* de las exigencias constitucionales ordinarias para el establecimiento y exigencia de tributos. Y ello es importante, sobre todo, cuando la razón de ser de esos impuestos excepcionales no resulta muchas veces clara. Todo tributo tiene que tener su fundamento último en el principio de capacidad económica, bien como la razón que justifica la selección de hechos imponibles, bien como expresión de la igualdad o desigualdad tributaria en la contribución al sostenimiento de los gastos públicos[74]. Y teniendo en cuenta que el tratamiento fiscal acorde con la igual o desigual capacidad económica se logra a través de un sistema progresivo que debe tener el límite de la no confiscatoriedad[75].

---

[74] El principio de capacidad contributiva (*Leistungsfähigkeitsprinzip*) ocupa una posición fundamental en toda la obra de TIPKE dentro de la que tiene numerosas ramificaciones. La síntesis de su concepción acerca de este principio que exponemos en el texto se basa en el apartado 2.3 del capítulo 9 de su obra *Die Steuerrechtsordnung*, vol. I, 2ª ed., O. Schmidt, Colonia, 2000, págs. 479 y sigs. En este sentido, es clásica la postura de TIPKE, para quien el principio de capacidad contributiva es el criterio de comparación para la aplicación del principio de igualdad. Para este autor, el principio de capacidad contributiva sólo es una denominación abreviada para 'principio de imposición igual según la capacidad contributiva. Por otro lado, para GAFFURI, F., los principios de capacidad contributiva y de igualdad tienen distinto ámbito de aplicación: el primero tiene la función de constituir el límite máximo a la imposición, dentro del cual actúan otros principios constitucionales, especialmente el de igualdad. Dicho límite consiste en exigir como fundamento del tributo la presencia de riqueza, cualificada por la necesidad de respetar la pervivencia de un orden económico privado; *L'attitudine alla contribuzione*, Giuffrè, Milán, 1969, págs. 48 y ss

[75] Para el Tribunal Constitucional español "el principio de capacidad económica opera, por tanto, como un límite al poder legislativo en materia tributaria" (sentencia 221/1992, de 11 de diciembre –FJ 4º-). A partir de aquí, multitud de pronunciamientos jurisdiccionales, señalando la posibilidad de manifestaciones de capacidad económica potencial (recientemente, la sentencia 295/2006, de 11 de octubre) y su coexistencia con las funciones extrafiscales del tributo (sentencia 37/1987, de 26 de marzo –FJ 13º-), la diversidad de manifestaciones de la capacidad económica (sentencia 233/1999, de 16 de diciembre -FJ 23º -), o el gravamen simultáneo de una misma manifestación de riqueza por varios conceptos distintos (sentencia 194/2000, de 19 de julio -FJ 8º). En cualquier caso, y aunque la capacidad económica constituye el epicentro de la justicia tributaria en el Derecho Tributario, no hay que olvidar que, ni en el Derecho comparado, ni en las interpretaciones más apegadas a la literalidad del art. 31, 1 de la Constitución existe fundamento para afirmar que la capacidad económica sea el único criterio de justicia de los tributos, "debiendo juzgarse el sistema en su conjunto también a la luz de los otros principios acogidos constitucionalmente. Así lo manifiesta el Tribunal Constitucional en la sentencia 27/1981, de 20 de julio que "a diferencia de otras Constituciones, la española alude expresamente al principio de capacidad contributiva y, además, lo hace sin agotar en ella -como lo hiciera cierta doctrina -el principio de justicia en materia contributiva -(FJ 4º). Así pueden sentarse las bases de la relación de la capacidad contributiva con la igualdad. Son muchos los ordenamientos constitucionales en los cuales el principio de capacidad contributiva no aparece reflejado expresamente sino que deriva de las exigencias de igualdad. El ejemplo de este modelo es Alemania, ya que la Ley Fundamental de Bonn de 23 de mayo de 1949 no recoge expresamente el principio de capacidad contributiva, pero incluye en su artículo 3º,1 la regla "*Alle Menschen sind vor dem Gesetz gleich*" (todos los hombres son iguales ante la Ley).

La base teórica de estos impuestos excepcionales suele ser la existencia de una capacidad económica especial (entreverada, en ocasiones, con ciertas manifestaciones del principio de provocación de costes) cuando no, una genérica apelación a la solidaridad.

Veremos, a continuación, el alcance de estos referentes que se invocan para legitimar los tributos excepcionales, empezando por la regla o principio de la solidaridad.

IV. LOS TRIBUTOS Y LAS MEDIDAS FISCALES BASADAS EN LA SOLIDARIDAD

Algunos de estos impuestos excepcionales se presentan como figuras tributarias con fundamento en la *solidaridad*. Ya en su momento nos pronunciamos en torno a la solidaridad como argumento único o preferente para la creación de un tributo[76], y es procedente ahora volver sobre esta cuestión.

La idea de fundar un impuesto nuevo en una vaga invocación a la solidaridad tiene su precedente más inmediato en Alemania, con el denominado *impuesto complementario de solidaridad* (*Solidaritätszuschlag* o *Soli*, como se le conoce coloquialmente). Aprobado tras la caída del muro de Berlín por la Ley de 24 de junio de 1991-BGBl. 1991,1, p. 1318- conocida como *Gesetz zur Einführung eines befristeten Solidaritätszuschlags und zur Änderung von Verbrauchsteuer und anderen Gesetzen*, se trataba de un recargo afectado a recabar financiación para sufragar el gasto público extraordinario vinculado a la reunificación alemana. Lo obtenido por el recargo era para el Gobierno Federal por lo que el establecimiento del mismo no requirió la anuencia del Consejo Federal, en virtud de lo establecido en el artículo 105.3 de la Constitución alemana.

El impuesto alemán de solidaridad se aplica sobre el Impuesto a la Renta de las Personas Físicas, en un importe del 7,5 %, fijado en un 5,5 % a partir de 1998. En el Impuesto de Sociedades o *Körperschaftssteuer*, el tipo se establece desde enero de 2008 en un 1,5% sobre el 15 % de alícuota general del impuesto. A partir del año 2021 el recargo se aplicará sólo en los niveles más elevados de renta.

Por un lado, el Tribunal de Primera Instancia de la Unión Europea, en el Epígrafe 49 de la sentencia *Henrichs vs Comisión* de 24 de junio de 1993 (As. T-92/91) califica la exacción de solidaridad para la unidad alemana como un *impuesto adicional*, por su estructura y por su finalidad de obtener ingresos, pues el mismo resultado recaudatorio *podría haberse logrado incrementando los tipos de gravamen de los impuestos sobre la renta y sociedades*.

Su condición de impuesto excepcional fue, por otro lado, valorada por el *Bundesverffsungsgericht* en la clásica sentencia de 9 de febrero de 1972, BGBl

---

[76] Véase, *El concepto de Tributo*, Lima, Tax Editor, 2009, pags. 131 a 136.

I 1967 S. 1254 (BVerfGE 32, 333 y siguientes) sobre la Ley del Recargo Suplementario sobre el Impuesto sobre la Renta y el Impuesto sobre Sociedades. El Tribunal Constitucional alemán evaluó especialmente si la temporalidad sería un rasgo inherente a un tributo excepcional. En esta sentencia, el Tribunal Constitucional alemán formuló sus primeras apreciaciones sobre la constitucionalidad de estos impuestos extraordinarios desde la perspectiva del artículo 106,1 de la Constitución alemana, que se refiere a la distribución de los ingresos tributarios entre los distintos órdenes territoriales. En lo sustancial, el Tribunal Constitucional defendió que no resultaba consustancial a la constitucionalidad de estos impuestos que los mismos se exijan "por un período corto de tiempo"[77].

Sin embargo, en esta sentencia de 1972, el Tribunal Constitucional alemán entiende que un tributo excepcional o tributo complementario (*Ergänzungsabgabe*) paralelo a los impuestos ordinarios del sistema, requiere un fundamento constitucional. Ese fundamento objetivo sería la constatación de la existencia de *necesidades financieras excepcionales*. O, lo que es lo mismo, tendría que verificarse objetivamente la existencia de una *brecha financiera* (*Finanzlücke*). Dado que no existe un mandato constitucional que obligue a afrontar estas brechas con incrementos de impuestos tradicionales o permanentes (*Steuererhöhungen*), la constatación de la existencia de estas necesidades extraordinarias de financiación legitimarían la adopción de estos tributos excepcionales. Y aunque se descarte que la limitación temporal sea inherente a estas figuras impositivas complementarias, sí existiría un requisito implícito de temporalidad. Por pura lógica, tales necesidades excepcionales no pueden existir indefinidamente o a largo plazo (*eine solche könne logisch nicht auf Dauer vorliegen*). Las necesidades financieras extraordinarias, por su propia naturaleza, *se disipan después de un tiempo* (*...verflüchtige sich nach einiger Zeit wieder*) Y si estas brechas financieras se convierten en permanentes, *el cierre de las mismas sólo estaría permitida a través de impuestos (permanentes) pero no a través del mantenimiento de un gravamen complementario*[78]. Por todo ello, no sería acorde con la Constitución una vigencia indefinida o ilimitada, *de iure* o *de facto*, de estos impuestos extraordinarios ni sería legítimo mantener el impuesto de solidaridad si se han producido reducciones de *impuestos ordinarios* que no justificarían el mantenimiento del impuesto extraordinario.

En suma, concurriendo estas exigencias financieras extraordinarias, la idea de solidaridad justificaría estos impuestos. La solidaridad como valor deriva de la cláusula de Estado Social contenida en el artículo de la Ley Fundamental de Bonn de 1949, según el cual "la República Federal es un Estado federal, democrático y social". La fórmula del Estado Social, sobre la que volveremos,

---

[77] ...*dass es von Verfassungs wegen nicht geboten ist, eine solche Abgabe von vornherein zu befristen oder sie nur für einen ganz kurzen Zeitraum zu erheben.*

[78] ...*er weite sich zu einer Finanzlücke aus, deren Schließung allein durch (auf Dauer angelegte) Steuererhöhungen, nicht aber durch Fortführung einer Ergänzungsabgabe zulässig sei.*

fue acuñado por HELLER[79], y en su sustancia, al incorporar al Estado obligaciones positivas a actuar en el campo económico y social, supone un intento de derrumbar las barreras que en el Estado liberal separaban al Estado y a la Sociedad[80].

Así el Estado Social se define como una superación del Estado Liberal clásico. En el Estado Liberal se construye un ordenamiento protector de situaciones jurídicas que encarnan intereses individuales, puesto que no existe un mandato para la consecución de determinados fines individuales. En la formulación clásica del Estado Liberal se puede hablar de *interés general*, pero la idea de interés general que se deduce de esta concepción del Estado es una idea que tiene un mero contenido negativo, y su utilidad se destina a garantizar ciertos límites que permitan a cada cual perseguir su interés individual. Con la aparición de la fórmula del Estado Social y Democrático de Derecho, el interés general es fruto de la existencia de un mandato constitucional que impone la consecución de finalidades colectivas. La intervención del Estado para hacer efectivos los derechos de carácter económico y social del ciudadano exige que se dote de un contenido social a su acción y se fijen fines de actuación pública que habrá que perseguir como tutela activa de intereses generales susceptibles de protección.

Al tiempo, la fórmula del Estado Social, con su mandato al legislador para que desarrolle acciones positivas en pos del interés general, depende de la existencia de una financiación adecuada para el desarrollo de la *procura asistencial*, que está en la esencia del Estado Social. Y esa financiación se logra de modo ordinario a través del sistema tributario. De la existencia y eficacia del sistema tributario depende la existencia y viabilidad del Estado y de los servicios públicos que debe asumir un Estado Social[81]. Por eso, en el Estado Social se considera al tributo como uno de los fundamentos del Estado. El tributo

---

[79] HELLER, H., *Rechsstaat oder Diktatur?*, Tubingen, 1930, pags. 9 y ss y 26 y ss.

[80] FORTSHOFF, E., *Lehrbuch des Verwaltungsrechts*, All Teil; Munich, 1951, pag. 3. En sus inicios, el Estado Social se comprendía exclusivamente sobre la base de una contraposición dialéctica con el Estado Liberal, en una especie de tesis-antítesis. No obstante, la formulación más reciente del Estado Social y Democrático de Derecho, que se debe fundamentalmente a la construcción dogmática alemana, es un modelo de Estado que pretende aunar, superándolos, los modelos del Estado Liberal y del Estado Social. Y, en palabras de ARAGON REYES, M., la inclusión de la cláusula del Estado social en la Ley Fundamental de Bonn va a permitir no sólo confrontar Estado Social con Estado Liberal sino *confrontar el Estado Social consigo mismo; Libertades económicas y Estado social*, Mc Graw Hill, Madrid, 1995, pag. 123. La atribución de fines públicos al Estado y la Administración lleva a acuñar la teoría de la procura asistencial o *Daseinvorsorge*, traducida en la intervención del Estado para hacer efectivos los derechos de carácter económico y social del ciudadano, y dotando de un contenido social a la acción protectora del Estado. Desde el punto de vista jurídico, ello supone describir fines de actuación pública que habrá que perseguir como tutela activa de intereses generales susceptibles de protección; ZIPPELIUS, R., *Wertungsprobleme im System der Grundrechte*, C.H. Beck,sche Verlagsbuchhandlung, München und Berlin, ohne Datum, pag. 60.

[81] CRUZ DE QUIÑONES, L., "Fuentes de Derecho Tributario", *El Tributo y su aplicación. Perspectivas para el Siglo XXI*, t. II, Marcial Pons Argentina, Buenos Aires, 2008, pag. 140.

deja de ser una *limitación* para convertirse en un fin, de manera que cualquier argumento *a fortiori* sirve para legitimar la inmisión fiscal en el patrimonio del ciudadano. Es la idea de SCHUMPETER del Estado Fiscal[82], a partir de la cual la doctrina alemana de los años setenta elaboró la idea de Estado Impositivo (*SteuerStaat*). Para ISENSEE, el Estado Impositivo sería un *tipo* de Estado configurado por el creciente gasto público, la excepcionalidad de los tributos causales y la normalidad del impuesto[83]. La culminación de toda esta evolución doctrinal tiene lugar con FORSTHOFF, quien afirma que el impuesto constituye un presupuesto funcional del Estado Social y Democrático de Derecho. Y lo hace al amparo de la *cláusula de Estado Social y Democrático de Derecho*. Para FORSTHOFF, el moderno Estado de Derecho es Estado Social en su función de Estado impositivo. Afirma este autor que sólo a partir de las posibilidades de injerencia del Estado impositivo puede garantizarse el desarrollo del Estado social bajo estricta observancia de las fórmulas del Estado de Derecho[84].

El Estado Social es Estado de solidaridad que requiere instrumentos contributivos. Pero todo tributo encaja en esta percepción de la solidaridad; sólo aquellos que articulan la contribución de todos al sostenimiento de los gastos públicos. Se excluyen los tributos de cariz retributivo (la tasa y, en menor medida, la contribución especial) en los cuales el presupuesto de los mismos incluye una prestación de la Administración. En el Estado Social no es el tributo sino el impuesto el instrumento de la solidaridad. De ahí que se hable de Estado Impositivo.

El impuesto sería así una expresión natural del Estado Social, lo que conlleva que se relajen todos los controles tradicionales que incidían en las expresiones tributarias en el marco del Estado de Derecho. Y legitimaría impuestos excepcionales ante necesidades excepcionales de financiación.

Esa percepción de la solidaridad es la que legitimó en algunos países la adopción de ciertas medidas fiscales excepcionales. Al margen del caso francés con el *impôt sur la solidarité* **de 7,5 % aplicable a rentas nacionales de**

---

[82] Uno de los argumentos teóricos de esta concepción es la idea de *Estados Fiscal* de SCHUMPETER. Este autor, en especial en su oposición histórica a GOLDSCHEID, con motivo de la financiación austríaca de las deudas derivadas de la primera guerra mundial, defendió la idea de que el impuesto había contribuido de forma decisiva a la formación del Estado moderno hasta tal punto que la transición a un sistema de financiación distinto del impuesto supondría una transformación radical en ese modelo de Estado; SCHUMPETER, J.A., "La crisis del Estado Fiscal", *Hacienda Pública Española*, n° 2, 1970, pag, 32 y ss.

[83] ISENSEE, *Steurestaat als Staatsform*, en STÖDTER, R./THIEME, W., (eds), Beiträge zum Deutschen und europäischen Verfassungs-Verwaltungs und Wirtschaftsrecht. Fetschrift für Hans Peter Ipsen zum siebzigsten Geburstag, C.B. Mohr (Paul Siebeck), Tübingen, 1997, pags. 32 y ss. ISENSEE, J., "Staat und Verfassung", *Handbuch des Staatsrechts*, C.F., Müller, Juristischer, Heidelberg, 1987, pag. 651.

[84] FORSTHOFF, E., "Begriff und Wesen des sozialen Rechsstaates", Veröffentlichung der *Vereinigungder Deustchen Staatsrechtslehrer*, n° 12, 1954, 8, pags. 31 y ss. trad. española "Concepto y esencia del Estado Social de Derecho" de Puente Egido, en *El Estado Social*, Centro de Estudios Constitucionales, Madrid, 1986, pags. 71 y ss.

residentes en el Espacio Económico Europeo[85]**, es de** destacar el caso de Perú, donde el Tribunal Constitucional formuló una tesis singular sobre la solidaridad como fundamento de ciertas medidas impositivas. Son varias las sentencias relevantes[86], pero vamos a centrarnos en una de ellas que resume la posición del Alto Tribunal peruano. Se trata de la resolución de 5 de marzo de 2007 sobre la creación de una figura tributaria excepcional como el Impuesto Temporal a los Activos Netos (ITAN).

El Tribunal Constitucional de Perú legitimó el ITAN "por su aptitud para producir un efecto de redistribución de rentas, compatible con los derechos y libertades constitucionales, al permitir detraer mayores recursos económicos de las economías privadas más favorecidas y menos (o incluso ninguno) de las menos favorecidas". No enjuició el impuesto desde la perspectiva de la igualdad y la capacidad económica, sino que se afirma que "el Impuesto Temporal a los Activos Netos, como alcance de la capacidad impositiva del Estado, constituye también una manifestación del principio de solidaridad, que se encuentra consagrado de manera implícita en el artículo 43 de la Constitución que señala que "La República del Perú es democrática, social, independiente y soberana"[87].

---

[85] La Asamblea Nacional en las leyes de presupuestos para 2019 y 2020 voto una modificación de la tarifa de este impuesto para equipararla al impuesto a la renta de los residentes. Y también para extenderse a los franceses que pagan este impuesto buena parte de las exenciones que se aplican a residentes.

[86] La sentencia de 16 de mayo de 2005 (00053-2004-PI/TC) sobre arbitrios municipales, en cuyo Fundamento B,4 se dice que en materia de arbitrios municipales la capacidad contributiva no es un criterio determinante o de mayor prevalencia en la distribución de costos, "sino el secundario o subsidiario, debiendo, en consecuencia, ser utilizado en conjunto con otros criterios, en cuyo caso, la prevalencia de unos sobre otros, dependerá razonablemente de la especial naturaleza de cada servicio"; la sentencia de 21 de septiembre de 2004 (0004-2004-AI/TC) sobre *bancarización* e ITF. Para esta sentencia el ITF, al que, a su vez, como todo tributo, le es implícito el propósito de contribuir con los gastos públicos, como una manifestación del principio de solidaridad que se encuentra consagrado implícitamente en la cláusula que reconoce al Estado peruano como un Estado Social de Derecho. La sentencia 17 de abril de 2007, (06089-2006-PA/TC), sobre régimen de percepciones, en la que, a partir del propio principio de solidaridad, el Tribunal basa la legitimidad del establecimiento de deberes de colaboración, al decir que "reflejada en tales términos la solidaridad permite entonces admitir una mayor flexibilidad y adaptación de la figura impositiva a las necesidades sociales, en el entendido de que nuestro Estado Constitucional no actúa ajeno a la sociedad, sino que la incorpora, la envuelve y la concientiza en el cumplimiento de deberes". (FJ 4,2,20), añadiendo que "conforme lo ha señalado este Colegiado en reiterada jurisprudencia, el Estado Social y Democrático de Derecho también es un Estado que lucha contra las desigualdades sociales, de ahí que, cuando con base en la solidaridad social se incluya a "terceros colaboradores de la Administración Tributaria", justamente para menguar la desigualdad en el sostenimiento de los gastos públicos a causa de la evasión tributaria, este Tribunal entienda que la medida adoptada resulta idónea para dichos fines" (FJ 4,2,22). Y, sobre todo la sentencia de 5 de marzo de 2007 (03797-2006-PA/TC). ITAN, en la que, para el Tribunal "el Impuesto Temporal a los Activos Netos, como alcance de la capacidad impositiva del Estado, constituye también una manifestación del principio de solidaridad.

[87] El Tribunal Constitucional de Perú no se plantea la posible inconstitucionalidad del ITAN, a pesar de que en pronunciamientos anteriores, declaró, por ejemplo, la inconstitucionalidad del Anticipo Adicional al Impuesto s la Renta del 2003 y 2004, ya que implicaba en su naturaleza

Esta sentencia supone la culminación de una jurisprudencia reciente del Tribunal Constitucional peruano que concibe la solidaridad como una especie de *supra-principio*, con el vago apoyo del art. 43 de la Constitución de Perú. A este *supra-principio* no se le atribuyen límites constitucionales, lo cual trastoca la lógica constitucional al dejar de lado los límites al poder tributario, como las exigencias de justicia (capacidad contributiva y no confiscatoriedad) y seguridad jurídica. Y es ahí donde radica el error de planteamiento, que se está agudizando en esta época de *excepcionalidad fiscal*, cuando se fundamentan estos impuestos especiales en la solidaridad, al margen de los principios constitucional-tributarios, y ello se hace derivar directamente del concepto mismo de Estado Social.

Como dijimos, esta idea de solidaridad derivada de la fórmula del Estado Social tiene su origen en Alemania, donde, como señala HERRERA MOLINA, esta forma de plantear la solidaridad es consecuencia de que la Constitución alemana no recoge expresamente el principio de capacidad económica, por lo que, como ocurre en otros muchos Estados en los que se da una situación similar (Perú, Argentina...), la jurisprudencia constitucional basa la capacidad contributiva en el principio de igualdad"[88]. Esa vinculación de la capacidad económica con la igualdad se ve en aportaciones como las de LEIBHOLZ, quien rechaza la concepción clásica de la igualdad por entender que la misma no suministra el criterio de comparación, que habría que buscar fuera de este principio[89].

Pero el paso más decisivo en esta línea toma como presupuesto el entender la justicia tributaria como una justicia distributiva, al servicio del cual estarían ciertos principios tributarios como la progresividad. Así, en la propia Italia, cuna de la concepción tradicional de la capacidad contributiva (GIANNINI, GIARDINA...), surgen aportaciones doctrinales que pretenden explicar dicho principio de capacidad contributiva en el marco de la justicia distributiva y de búsqueda de la llamada *igualdad material*. La opción por una igualdad material, que el ordenamiento de un Estado Social de Derecho tendría que perseguir va de la mano de un movimiento escéptico en torno a la virtualidad de la capacidad contributiva como elemento de control de la actuación del legislador en el ámbito tributario.

---

jurídica un sistema de pagos a cuenta del IR en base a activos netos, sin posibilidad de deducir siquiera los pasivos. Esta falta planteamiento es ya grave en sí misma, porque impide que el Tribunal pueda valorar si el ITAN es confiscatorio en cuanto al método de fijación de su base imponible o si viola la igualdad, para lo cual tendría que proceder a un enjuiciamiento desde la perspectiva de la capacidad contributiva.

[88] HERRERA MOLINA, P.M., *Capacidad económica y sistema fiscal*, Marcial Pons, Madrid-Barcelona, 1998, pags. 127 y 128.

[89] Para este autor el principio de igualdad es una prohibición de discriminaciones arbitrarias y el concepto de "arbitrariedad" es evidentemente indeterminado y remite a criterios extra o suprapositivos, como la "naturaleza de la cosa", la "razonabilidad" o la "conciencia jurídica de la colectividad"; LEIBHOLZ, G., *Die Gleichheit vor dem Gesetz*, 2ª ed., Beck, Munich y Berlín, 1959 (reimpresión de la 1ª ed. de 1925), pags. 32 y ss.

Todo este movimiento orientado a cuestionar la constitucionalización de los criterios de reparto a través del principio de capacidad contributiva va a derivar en un desplazamiento del centro de atención de la justicia en el reparto de la carga tributaria a los fines de justicia en general. Se va a tratar de atribuir al sistema fiscal una finalidad de colaborar en la redistribución y en la justicia distributiva, desenfocando la función instrumental del tributo como medio de obtención de ingresos monetarios. Y, en concreto, se va a comenzar a fundamentar la necesidad de un sistema tributario y la propia existencia del tributo en la solidaridad. Así, se procedería a establecer una relación entre la capacidad contributiva y solidaridad, erigiendo a la solidaridad como fin de la cualificación funcional del deber de contribuir. Se pasará de esta manera a lo que GALLO denomina "capacidad económica *solidarística*"[90]. Como señala GARCIA FRIAS, a partir de estas consideraciones no es difícil, sino todo lo contrario, considerar al principio de solidaridad como fundamento del sistema tributario y expresión de la justicia general en un sector concreto del ordenamiento, como es el ordenamiento tributario[91].

La solidaridad pasa a ser así, expresión de la fórmula del Estado Social de Derecho que fundamentaría la función retributiva del mismo y, al mismo tiempo, fundamento, tanto del sistema impositivo como de las distintas figuras tributarias. Se ha reinterpretado la igualdad desde el prisma del Estado Social, entendiendo que hay que obviar planteamientos de igualdad formal, para concluir que la capacidad económica tributaria tiene su fundamento en el principio de solidaridad, "y en este sentido parece coherente que se interprete como capacidad económica progresiva"[92].

Pero esta configuración del principio de progresividad a partir de la solidaridad derivó en una perversión dogmática, que acabó por arrumbar las exigencias de capacidad económica. La progresividad dejó de configurarse como el mecanismo que exige la capacidad económica para tratar desigualmente a los desiguales (a los que tienen desigual capacidad económica) para erigirse en un instrumento tributario al servicio de las políticas redistributivas, que supuestamente, se ampararían constitucionalmente en la fórmula del Estado Social.

En suma, la elaboración del principio de progresividad ha abandonado paulatinamente su función de manifestación de la capacidad contributiva para convertirse en una expresión autónoma de la justicia tributaria, que

[90] GALLO, F., *Le ragioni del Fisco. Etica e giustizia nella tasazione*, Il Mullino, Bologna, 2008, pag. 105.

[91] GARCIA FRIAS, A., "La obtención de información tributaria y el derecho a la intimidad", *El Tributo y su aplicación. Perspectivas para el Siglo XXI*, t. II, Marcial Pons Argentina, Buenos Aires, 2008, pag. 1480.

[92] HERRERA MOLINA, P.M., *Capacidad económica y sistema fiscal*, op. cit., pags. 127 y 128. Así, para STARCK, W, la progresividad se basa exclusivamente en el principio del Estado Social y en la cláusula del Estado de Derecho del artículo 20,1 de la Ley Fundamental de Bonn; "Artikel 3", en la obra de MANGOLDT-KLEIN-STARCK, *Das Bonner Grundgesetz*, 3° ed., Berlin-Frankfurt. A.M.1985, vol I, mrg 22.

pretendería no sólo una justa distribución de la carga tributaria sino una adecuada redistribución de la renta, de manera que, la progresividad, como ha señalado AGULLO AGÜERO, marca la evolución dialéctica hacia la redistribución[93]. Se trata, en suma, de asignar al tributo una función redistributiva, en la línea de los fines del Estado Social, obviando las exigencias de justicia en la distribución de las cargas públicas (medida en función de la capacidad contributiva y de la progresividad) y utilizando la invocación a la solidaridad como un puro elemento legitimador.

Pero, a nuestro entender, ello supone desconocer la tradición jurídica de la fórmula del Estado de Derecho y el elemento de control de constitucionalidad que la jurisprudencia constitucional en el Derecho Comparado atribuye al principio de capacidad contributiva. No es admisible afirmar que de la fórmula constitucional del Estado Social de Derecho deriva la solidaridad como fundamento del tributo.

Frente a ello, conviene reafirmarse en la idea de que la fórmula Estado Social y Democrático de Derecho supone no sólo la tentativa de someter la actuación del Estado Social –a la que no se quiere renunciar- a los límites formales del Estado de Derecho, sino también su orientación material hacia la democracia real. Se trata de acoger una modalidad de Estado Social al servicio de todos los ciudadanos; en cuanto social y democrático, tal Estado deberá crear condiciones sociales reales que favorezcan la vida del individuo. Pero para garantizar el control por el mismo ciudadano de tales condiciones deberá ser, además, un Estado Democrático de Derecho. Y ese Estado de Derecho tiene dos rasgos fundamentales: la garantía de seguridad entendida como juridicidad de la actuación del poder público o, lo que es lo mismo, como sujeción de todos los poderes públicos al Derecho, en el sentido de que éste sea límite y cauce del ejercicio del poder. Y la existencia de un control de la legislación ordinaria a partir de valores asumidos por el ordenamiento constitucional. Esos valores, derivados de la Constitución Financiera, no pueden tener otro apoyo que el principio de capacidad contributiva, que nunca podrá ser entendido como un derivado de la solidaridad. Y como límite al mismo, las exigencias de no confiscatoriedad.

Es muy importante destacar también ese papel que juega la no confiscatoriedad respecto a los tributos especiales que se pretenden aprobar en el contexto post COVID-19. Como ha señalado la jurisprudencia del Tribunal Constitucional alemán desde mediados de los años 80[94], el tributo presupone la propiedad

---

[93] AGULLO AGÜERO, A., "Una reflexión en torno a la prohibición de confiscatoriedad del sistema tributario", *Civitas, REDF*, nº 36, 1982, pag. 561.

[94] Son de destacar, al respecto, las sentencias de 4 de octubre de 1984 (*BVerf.GE* 67, 290), la de 17 de octubre de 1984 (*BVerf.GE* 88,143) y de manera más clara y contundente, las sentencias de 29 de mayo de 1990 (BVerf.GE 82,60) y 12 de junio de 1990 (*BVerf.GE* 82,198), sobre el *Kindergeld* o la sentencia de 8 de octubre de 1991 (*BVerf.GE* 84,348), que analiza la irrelevancia de ciertos gastos deducibles para calcular el importe de las retenciones a cuenta en los pagos a cuenta de

por lo que, y por pura lógica, la propia ordenación de la propiedad es un límite al tributo[95]. Destacándose la necesidad de tomar en consideración el control de proporcionalidad. Y ello en una línea muy similar a la jurisprudencia del Tribunal Europea de Derechos Humanos, aplicando el artículo 1 del Primer Protocolo Adicional de la Convención Europea de Derechos Humanos según el cual *toda persona física o moral tiene derecho al respeto de sus bienes...*añadiendo que *las disposiciones precedentes se entienden sin perjuicio del derecho que poseen los Estados de poner en vigor las Leyes que juzguen necesarias para la reglamentación del uso de los bienes de acuerdo con el interés general.* Entre esos fundamentos de interés general estaría lo que se conoce como *"excepción tributaria"*; la intervención fiscal en la propiedad requeriría una justa ponderación entre los intereses públicos concurrentes y el interés privado de la parte actora y, en particular, determinar si existe una razonable relación de proporcionalidad entre los medios empleados y el fin perseguido (vid, entre otras, las Sentencias del TEDH de 3 de julio de 2003, asunto *Buffalo Srl;* de 14 de mayo de 2013, asunto *N.K.M c. Hungría;* o de 2 de julio de 2013, *asunto R.Sz. c. Hungría).* Puesto que si la intervención tributaria en la propiedad ha ido más allá de lo necesario para la consecución de los objetivos previstos en la ley, estaríamos ante una *carga fiscal excesiva (excessive tax burden).* Es decir, ante una intervención tributaria desproporcionada que vulneraría el derecho de propiedad[96].

Estos reparos a una fundamentación de los tributos excepcionales exclusivamente en la solidaridad son también una afirmación de la exigencia de que tales impuestos excepcionales se basen en la capacidad económica y que estén sometidos a los límites de la prohibición de la confiscatoriedad. Así lo ha dado a entender el Consejo Constitucional Francés, en su decisión n° 2012-662 DC 29 de diciembre de 2012, cuando proclamó la inconstitucionalidad de la contribución excepcional de solidaridad, con un tipo de gravamen del 75 % sobre ingresos superiores a un millón de euros, prevista en el proyecto de ley de presupuestos *(loi de finances)* para 2013 y de aplicación en 2013 y 2014. Alegaban los recurrentes la confiscatoriedad de un tipo de gravamen del 75 %,

---

los rendimientos de trabajo *(Lohnsteuerabzug).* Sobre las mismas, HERRERA MOLINA, P.M., *Capacidad económica y sistema fiscal,* op. cit., pags. 55 y 56.

[95] Este planteamiento inspira la sentencia de dicho Tribunal de 22 de junio de 1995, en la que se establece la doctrina de que el derecho de propiedad y el principio de capacidad económica impiden que la carga tributaria del sistema fiscal en su conjunto exceda del 50 por 100 de los ingresos del contribuyente. El Tribunal llega a esta conclusión sobre la base del artículo 14, 2 de la Ley Fundamental de la República Federal de Alemania, que proclama el derecho de propiedad y la vinculación de la misma al bien común. La sentencia recogerá un voto particular de lo que será a partir de ese momento una postura minoritaria del Constitucional alemán, y firmado por ERNST-WOLFGANG BÖCKENFÖRDE. En este voto particular se defiende que las exigencias del Estado Social imponen al Tribunal Constitucional un *self restraint* o limitación en su papel de "legislador negativo".

[96] Véase DURÁN SINDREU BUXADÉ, A., Impuestos y derecho a la propiedad: la carga fiscal excesiva es inconstitucional, Blog Taxlandia, 15 de octubre de 2019, https://www.politicafiscal. es/antonio-duran-sindreu/impuestos-y-derecho-a-la-propiedad-la-carga-fiscal-excesiva-es-inconstitucional

además de la vulneración de principio de igualdad antes de impuestos (*principe d'égalité devant l'impôt*) derivado del artículo 13 de la Declaración de los derechos del hombre y el ciudadano de 1789, al configurar como sujetos pasivos a la persona física y no a la unidad familiar, al no prever un *techo* (*plafonnement*) o límite fiscal y no admitir la deducibilidad de gastos familiares. El Consejo concluye que el impuesto viola el principio de igualdad al no tener en cuenta la unidad familiar en los contribuyentes unidos por vínculo matrimonial, como se requiere para un cálculo adecuado del gravamen de la imposición sobre la renta[97].

Es por eso que, para legitimar la excepcionalidad fiscal de los tributos extraordinarios en el escenario post COVID-19, se acude a una segunda línea, una vez que se abandona o se relativiza el argumento de la solidaridad como referente exclusivo de esta imposición extraordinaria. Según esta segunda línea de razonamiento estos tributos son legítimos cuando recaen sobre sujetos titulares de una *capacidad económica especial*.

V. LA CAPACIDAD ECONÓMICA ESPECIAL COMO FUNDAMENTO DE LA EXCEPCIONALIDAD FISCAL

El recurso a una capacidad económica especial para legitimar impuestos nuevos no es algo ligado al escenario post COVID-19 si no que ya tiene cierto recorrido. Por ejemplo, es una invocación habitual para justificar la adopción de ciertos tributos autonómicos. Así, por ejemplo, en relación con los impuestos sobre superficies comerciales, especialmente las primeras figuras de este tipo como las creadas en Cataluña por Ley 16/2000 y Navarra por Ley Foral 23/2001. El fundamento de estas figuras impositivas es típico de un impuesto selectivo que se basa en una supuesta capacidad económica extraordinaria. Así, estos impuestos se legitiman por una capacidad económica extraordinaria que derivaría de los especiales beneficios que producen ciertas actividades[98].

Se trata de un argumento muy semejante al que se maneja para defender una imposición especial sobre la banca (a la que nos referiremos) y que consiste en defender que las entidades financieras tienen una capacidad económica es-

---

[97] ALONSO GONZÁLEZ, L.M., *Impuestos selectivos sobre las grandes superficies*, IDELCO, Madrid, 2003, pag. 20.

[98] *revenus et aux prélèvements sociaux, aboutirait à une taxation globale au taux de 75 %. Ils en concluaient qu'elle présentait donc un caractère confiscatoire. Ils soutenaient aussi que cette contribution exceptionnelle portait atteinte au principe d'égalité devant l'impôt découlant de l'article 13 de la Déclaration des droits de l'homme et du citoyen de 1789, en retenant comme unité d'imposition les personnes physiques et non pas le foyer fiscal, en ne prévoyant pas de mécanisme de plafonnement ou de dégrèvement et en ne prenant pas en compte les charges de famille....le Conseil a déclaré l'article 12 contraire à la Constitution, sans examiner les autres griefs, notamment ceux tirés de ce que les « effets de seuil » et le caractère confiscatoire de cette contribution exceptionnelle méconnaîtraient le principe d'égalité devant les charges publiques;* https://www.conseil-constitutionnel.fr/decisions

pecial por la protección que le dispensa el sistema frente al riesgo sistémico, lo que la coloca en una situación más favorable para hacer negocios. De manera bastante similar a lo que ocurre con la justificación del denominado *Single Market Tax* en el que se encuentra trabajando la Comisión Europea, en el marco del Plan de Recuperación Económica para Europa como una vía más de financiación del FEER. Se trataría de un impuesto sobre los ingresos de las empresas multinacionales que operen a nivel europeo y que facturen más de 750.000.000 de euros. Este impuesto, también catalogado como una tasa de acceso al mercado interior único (*access fee*) se defiende argumentando que la especial capacidad económica de estas empresas de grandes dimensiones procede en parte de que se benefician del mercado único. Estas empresas obtienen ventajas especiales del mercado único ya que el acceso a este mercado les supone, entre otras cosas, la posibilidad de contar con una base amplia de consumidores, con una continua cadena de suministro y con el uso de la misma divisa, todo lo cual conlleva un ahorro de costes que solo obtienen grandes multinacionales y por eso deben contribuir también en mayor medida[99]. Como señala RODRÍGUEZ MÁRQUEZ, estaríamos ante una expresión singular del *principio del beneficio*[100]. Principio que, como es sabido, presupone que existe una relación de equivalencia entre el tributo que paga el particular y el beneficio que obtiene de las prestaciones que realiza el Estado, lo que no siempre existe en estos impuestos[101]. En cualquier caso, el origen del principio del beneficio no es otro que la exigencia de contraponer a la capacidad contributiva como único fundamento tributario, el criterio de que se debe tributar en función del uso que se haga de determinados bienes o servicios públicos. Por eso el beneficio es una regla aplicable preferentemente a las tasas, no a los impuestos. Y cuando se aplica a los impuestos no es más que una matización de la capacidad económica.

Precisamente por eso, cuando se habla de impuestos excepcionales y se acude al principio del beneficio, se hace para apuntalar la idea de una capacidad económica especial. Será entonces la concurrencia de esa capacidad económica especial en ciertos sujetos, paralela a la general que legitima su sometimiento a los tributos ordinarios del sistema, lo que justificaría la posibilidad de adoptar estos tributos excepcionales. Aunque fuese una capacidad económica entreverada por el principio del beneficio y/o por la idea de *provocación de costes*.

---

[99] BLANCO CALLEJA, F., "El nuevo *single market tax*", Legal Today, Blog de Fiscalidad Internacional, https://www.legaltoday.com/portada-2/portada-4/el-nuevo-single-market-tax-2020-06-18/

[100] RODRÍGUEZ MÁRQUEZ, J., "El impuesto a la banca a examen", El País, 7 de febrero de 2018. El principio del beneficio se ha configurado en Alemania bajo la denominación de Äquivalenzprinzip, como explican TIPKE y LANG, con relación a las tasas y como elemento que legitima exigir el tributo en tanto el particular al que se le exige ha provocado un coste a la Administración (principio de provocación de costes o *Kostendeckungsprinzip*).

[101] GARCIA VILLAREJO, A.-SALINAS SANCHEZ, J.; *Manual de Hacienda Pública, General y de España*, Tecnos, Madrid, 1992, pag. 395.

Si buscamos un antecedente en el Derecho Comparado sobre la capacidad económica especial que puede legitimar la adopción de un impuesto singular al margen de los ordinarios del sistema, debemos acudir a lo señalado por la *Corte Costituzionale* italiana en la sentencia 10/2015, de 9-11 de febrero de 2015, sobre lo que dio en llamarse en Italia, la *tasa Robin Hood*. En realidad, se trataba de una imposición excepcional a las eléctricas que se introdujo en el artículo 81 del Decreto-ley 112/2008, con la idea de extenderla a las demás grandes empresas del sector energético. Las compañías eléctricas, además de tributar por el impuesto sobre la renta de las empresas, deberían satisfacer este impuesto especial por su singular posición económica. El impuesto supondría un 6,5% adicional (en 2011 se subió a 10,5%) respecto a la tasa de tributación ordinaria de estas empresas.

Al margen del importante componente de *legislación propaganda*, la razón de ser de esta figura fiscal especial radicaría en que las empresas energéticas, y singularmente las del sector eléctrico, tienen una mayor potencialidad para obtener beneficios por ser un sector con escasa o nula competencia y con una demanda extraordinariamente inelástica, ya que ni la demanda varía si el precio crece ni un descenso de la demanda implica necesariamente una disminución de precios y, por tanto, una disminución de beneficios.

Las objeciones acerca de la constitucionalidad del artículo. 81 del Decreto-ley 112/2008, se fundaron en la vulneración de la proporcionalidad. Se decía, además, que el tributo no se limitaba a gravar los aspectos derivados de la posición privilegiada del sector energético, sino todo el beneficio obtenido por estas empresas. Además, rescatando una objeción que, como vimos, ya se hizo en su momento al recargo de la solidaridad en Alemania, el tratamiento fiscal diferenciado no se planteaba como temporal sino como indefinido. Además de no preverse mecanismos para que el impuesto no se traslade a los consumidores.

En relación con estas objeciones de constitucionalidad, el Tribunal Constitucional italiano lleva a cabo un análisis de la figura tributaria desde la perspectiva del principio de capacidad económica.

Recordemos, en este punto, que la Constitución italiana del 27 de Diciembre de 1947, dispone en su art. 53 que *todos deberán concurrir al sostenimiento del gasto público en razón de su capacidad contributiva por medio de un sistema tributario progresivo*. La *Corte Costituzionale* ya había sentado, en su clásica sentencia 92/63 de 18 de junio, que el artículo 53 de la Constitución, al "vincular el principio de correlación de la prestación tributaria con la capacidad contributiva de cada uno, impone al legislador la obligación de no disponer obligaciones que estén en contraste con los principios fundamentales establecidos en la Constitución"[102]. En la misma línea se situaría la sentencia 45/1964, de 16 de

---

[102] DE MITA, E. *Fisco e Costituzione. Questione risolte e Questione aperti*, 1957-1983, Giuffré Editore, Milano, 1984, pag. 152.

junio, que erigía la capacidad contributiva como criterio para el control de la retroactividad de la norma tributaria[103]. Esta resolución define la capacidad contributiva a partir del presupuesto establecido en la ley y la idoneidad del contribuyente. El "apogeo" del principio de capacidad contributiva lo marcaría la sentencia 44/66 de 23 de mayo. El principio renacería después en los años setenta, con la emblemática sentencia 200/1976, de 28 de julio. A partir de esta sentencia, DE MITA llegaría a la conclusión de que la capacidad contributiva, contemplada explícitamente en el art. 53 de la Constitución italiana "expresa la exigencia de justicia y racionalidad de la legislación tributaria"[104]. Esa necesidad se va a proyectar, no tanto en los criterios de reparto (respecto a los cuales, y siguiendo la teoría de GALLO, se propugna su carácter político, fuera del control constitucional), sino en la capacidad económica como principio. Y la jurisprudencia de la *Corte Costituzionale*, proclamaría reiteradamente la plena aplicabilidad del principio de capacidad contributiva como elemento de control acerca de si la imposición recae sobre índices reveladores de riqueza[105].

Recogiendo toda esta tradición, en la citada sentencia de 9-11 de febrero de 2015, la *Corte Costituzionale* declara inconstitucional el artículo 81 del Decreto Ley 112/2008. El Tribunal admite que es legítimo detectar una capacidad económica especial en cierto individuo o grupo de individuos y fundar en esa capacidad especial un impuesto también especial. Pero la implementación de ese impuesto debería respetar las exigencias de proporcionalidad. Y el artículo 81 del Decreto-ley 112/2008 no supera un juicio de proporcionalidad porque la especificidad fiscal no se limita a gravar los aspectos derivados de la posición privilegiada del sector energético, sino a todo el beneficio obtenido. Además, el tratamiento diferenciado no es de carácter temporal, sino indefinido. Y finalmente, porque si bien la norma prohíbe específicamente trasladar a los consumidores el aumento de la tasa, no se prevén los mecanismos adecuados para evitar que las empresas energéticas puedan llevar a cabo esa traslación en el contexto del amplio rango de actividades que llevan a cabo a la hora de realizar servicios. Por todo ello, se entiende que el conjunto de las disposiciones que establecen un régimen tributario concreto para una parte del sector energético, no resulta ni idóneo ni necesario para alcanzar los fines previstos por el propio legislador, vulnerando el artículo 53 de la Constitución italiana[106].

En suma, la doctrina del Tribunal italiano a raíz de lo coloquialmente denominado *impuesto o tasa Robin Hood*, entiende que resulta admisible la exis-

---

[103] DE MITA, E. *Fisco e Costituzione. Questione risolte e Questione aperti*, op. cit., pag. 186.

[104] DE MITA, E. *Fisco e Costituzione. Questione risolte e Questione aperti*, op. cit., pag. 488.

[105] Para GALLO, F., el único elemento de control del reparto de las cargas públicas, como cuestión política que es "il voto stesso come espressione di dissenso circa le politiche economiche, fiscali e di spesa realizzate dalle maggioranza governative", GALLO, F., *Le ragioni del Fisco. Etica e giustizia nella tasazione*, op. cit., pag. 107.

[106] DE MIGUEL BÁRCENA, J., "La recepción constitucional de la cláusula de estabilidad presupuestaria en Italia. comentario a las sentencias 10/2015 y 70/2015 de la corte constitucional", *Revista Española de Derecho Constitucional*, nº 196, enero-abril, 2016, pag. 440.

tencia de tributos especiales a partir de cierta capacidad económica especial. Y que esta capacidad contributiva adicional justifica una excepción a la igualdad tributaria, gravando de manera más rigurosa a quienes manifiestan esta capacidad adicional. Pero ello sólo será admisible siempre que esas figuras fiscales innovadoras se configuren de tal manera que sólo graven la capacidad adicional tomada en consideración y no la general del sujeto gravado[107]. Además, si no se asegura que el impuesto no se traslada al consumidor no se estará logrando el fin específico de gravar esa capacidad adicional, algo extrapolable, por ejemplo, a los impuestos especiales sobre el sector financiero. Por último, el Tribunal, al igual que lo había hecho el *Bundesverfassungsgericht*, también proclama el carácter esencialmente temporal de los impuestos especiales[108].

Todo lo dicho nos puede conducir a una conclusión. Cuando se pretende crear un impuesto especial, el mismo debe estar sometido a todos los controles constitucionales y a los principios generales de la tributación sin que la excepcionalidad fiscal legitime una relajación de la vigencia de estos principios. Como se ha dicho en España respecto al gravamen especial sobre premios de lotería, introducido en la Disposición Adicional Quinta de la Ley del Impuesto sobre la Renta de No Residentes por el artículo por el art. 11 de la Ley 16/2012, de 27 de diciembre, hay que partir de una verdad cuasi-apodíctica: cualesquiera manifestaciones concretas de un mismo índice de riqueza, entre los susceptibles de ser seleccionados como presupuesto de la imposición (renta, patrimonio, gasto), y con más razón si cabe cuando se trata de la renta personal del individuo, deben ser objeto de gravamen básico idéntico, de manera que cualquier diferencia en su tratamiento encuentre su fundamento en la consecución de un fin de rango constitucional.

El principio de igualdad tributaria exigiría, en tal caso, que las consecuencias derivadas del diferente trato fueran *adecuadas y proporcionadas a dicho fin, de manera que la relación entre la medida adoptada, el resultado que se produce y el fin pretendido por el legislador superen un juicio de proporcionalidad desde una perspectiva constitucional, evitando resultados especialmente gravosos o desmedidos.* Lo que no es más que afirmar que la existencia de gravámenes especiales debe estar plenamente justificada en términos constitucionales. La aplicación de un régimen tributario específico a cualquier manifestación de un índice de capacidad económica cuando ésta es cuantitativamente idéntica a otras del mismo índice, y en particular, su gravamen mediante una figura distinta (con mayor razón,

---

[107] Según la sentencia....*l'"addizionale" non risulterebbe ancorata ad un indice di capacità contributiva e determinerebbe una ingiustificata disparità di trattamento tra le imprese operanti nei settori soggetti all'«addizionale» e le altre, nonché, nell'ambito delle prime, tra quelle aventi un volume di ricavi superiore o inferiore a 25 milioni di euro.*

[108] No obstante, la *Corte Costituzionale* italiana, invocando las necesidades presupuestarias, ha declarado el efecto exclusivamente *ex tunc* de su sentencia de inconstitucionalidad, lo que ha abierto un debate en Italia sobre la posibilidad del Tribunal Constitucional de tomar decisiones de este tipo; "La recepción constitucional de la cláusula de estabilidad presupuestaria en Italia. comentario a las sentencias 10/2015 y 70/2015 de la corte constitucional".

si esto implica un modo desigual de fijación de la carga tributaria y, en último término, su diferente intensidad), supone una ruptura de la igualdad en la tributación. Por eso, sólo si esa ruptura de la igualdad tiene adecuada justificación en un índice de capacidad económica y es proporcionada será admisible.

VI. La fiscalidad orientada a estimular la recuperación económica en el contexto pos-COVID 19

Pero en un contexto pos-Covid de crisis económica existe un consenso generalizado acerca de que, en tal coyuntura, lo mejor es utilizar la fiscalidad como uno de los estímulos para la recuperación económica. Ello se traduce en la previsión de beneficios fiscales para las empresas orientados a la reactivación económica y a la generación de empleo.

Por tanto, parece evidente que hoy en día es más necesaria que nunca una política tributaria destinada a impulsar la salida de la crisis mediante la reactivación del tejido económico. Y que esa política tiene que ser de estímulos fiscales, incluidos en el marco teórico de aquello que los anglosajones denominan *stimulus packages*[109].

La opción por una política económica que estimule el crecimiento ha contado incluso con el aval de la propia OCDE, una organización internacional que no se ha caracterizado en los últimos años precisamente por su moderación fiscal, al promover una desaforada política contra lo que viene llamando *planificación fiscal agresiva* y al postular multitud de impuestos nuevos, especialmente ambientales o sobre servicios digitales. El director del Centro de Política y Administración Tributaria de la OCDE, Pascal Saint-Adams, lo decía claramente el pasado mes de septiembre con ocasión de la presentación del *Tax Policy Reforms* 2020; cualquier política de consolidación fiscal con incremento de los tributos debe referirse a un momento futuro en que la situación mejore. Añadía que una vez que los países salgan de la crisis y las economías se recuperen, *los gobiernos comenzarán a buscar cómo restablecer las finanzas públicas, pero es posible que no puedan recurrir a recetas tradicionales.*

En suma, para la OCDE la peor decisión en materia de política tributaria en estos momentos es una acción pública orientada al incremento de la carga fiscal, especialmente respecto a las empresas, que son los auténticos motores de la recuperación económica. Es cierto que la pandemia ha supuesto un fortísimo mazazo para las arcas públicas internacionales debido a la caída de la recaudación por la parálisis de la actividad productiva. Sin embargo, no se deben impulsar reformas fiscales que pretendan recuperar los ingresos per-

---

[109] En tal sentido el *Informe Policy Responses to Covid-19*, del Fondo Monetario Internacional; https://www.imf.org/en/Topics/imf-and-covid19/Policy-Responses-to-COVID-19**OLVID-**

didos de forma prematura porque, según la propia OCDE, *eso podría dañar la recuperación económica* (sic).

En suma, y como ha dicho Saint-Adams, *no es el momento de subir impuestos*. Por el contrario, debe implementarse una verdadera política para la reconstrucción económica basada en medidas de alivio fiscal para la empresa, en especial, para la pequeña y mediana, que es la gran creadora de empleo en nuestro país[110].

Y es lo que han hecho la mayoría de los países de nuestro entorno con multitud de medidas de rebaja de impuestos. En Alemania se ha reducido el IVA del 19 al 16% y del 7 al 5% hasta el 1 de enero de 2021 con un impacto de 20.000 millones de euros. Además, se ha minorado el número máximo de contribuyentes que tributan al tipo máximo del IRPF incrementando el límite de ingresos, así como subiendo las desgravaciones por hijos y con un mejor trato fiscal para pymes y familias. Francia también se ha comprometido a una reducción de los impuestos sobre la producción por valor de 20.000 millones de euros durante 2020 y 2021. Portugal, ha eliminado los pagos a cuenta del Impuesto de Sociedades a la hostelería y a la restauración, ha eximido del pago de dicho tributo a las empresas de cualquier ramo que hayan sufrido un descenso de sus ventas del 40% o superior, y ha reducido un 50% los pagos a cuenta del Impuesto de Sociedades exigidos a aquellas empresas que hayan experimentado un descenso de la facturación entre el 20 y el 40%.

En otros países como Grecia, se ha extendido la moratoria del pago de impuestos (incluyendo el IVA) hasta el 30 de abril 2021. Holanda también ha reducido el IRPF y ha aprobado desgravaciones fiscales a actividades de I+D+i y a la creación de nuevas empresas. En Bélgica, las empresas pueden compensar las pérdidas de 2020 con el beneficio de 2021, 2022 y 2023, con un máximo de 20 millones de euros y siempre que el empresario mantenga el 85% de la plantilla que tenía en 2019. Austria rebajó con carácter retroactivo el Impuesto a la Renta a las rentas más bajas (de 11.000 euros a 18.000 euros) en 5 puntos porcentuales de su tarifa. En Italia se ha aprobado una exención de los impuestos locales a empresas, así como mecanismos para diferir su factura fiscal, especialmente del IVA. Incluso, se ha adoptado un aplazamiento indefinido de la subida del IVA al 22% y al 10%, prevista inicialmente para el 1 de enero de 2021, así como un establecimiento del IVA súper reducido del 5% para productos sanitarios. Y en el Reino Unido también se ha aprobado una reducción temporal de IVA del 20 al 5% para alimentos, bebidas no alcohólicas y hoteles hasta enero de 2021, cuyo impacto se estimó en 20.000 millones de libras, previéndose su prolongación en los próximos meses.

En el caso de España, la política fiscal de la época postpandemia ha ido en sentido contrario.

---

[110] https://www.europapress.es/economia/noticia-ocde-pide-espana-no-subir-impuestos-recuperacion-plenamente-marcha-20210414103138.html

Ha habido un incremento del Impuesto sobre el Renta, con subida de dos puntos porcentuales para las rentas del trabajo a partir de los 300.000 euros. Y con el incremento de los tipos de la base del ahorro a partir de los 200.000 euros del 23% al 26% (modificaciones introducidas por el Título VI de la Ley 11/2020, de 30 de diciembre, de Presupuestos Generales del Estado para 2021). Además, se ha limitado al 95 % el beneficio fiscal de los dividendos obtenidos por las *holding* españolas (Entidades de Tenencia de Valores Extranjeros), se amplió la transparencia fiscal internacional, y se introdujo el nuevo artículo 15 bis en la Ley 27/2014 del Impuesto de Sociedades, **que limita la deducción de pagos en asimetrías híbridas. Se consolida, además, el Impuesto sobre el Patrimonio, incrementándose el tipo marginal máximo de un 2,5 % a un 3,5 %.**

Se han rechazado también medidas que, en algún momento. se plantearon en diversos foros[111] y que estaban orientadas a estimular la actividad económica, como la introducción de un régimen de amortización libre de activos que mantengan o creen empleo, una mejora del régimen de caja en el IVA, un IVA reducido para el turismo[112] y otras actividades afectadas singularmente por la pandemia o la apertura de un debate sobre la supresión del Impuesto al Patrimonio. Y, sobre todo, no se ha procedido ni tan siquiera a estudiar la propuesta de *compensación hacia atrás (carry back)* de las pérdidas incurridas por las empresas con ocasión de la pandemia. Propuesta que contaba con el aval de la Unión Europea la cual, en la Recomendación 2021/801 de la Comisión, instaba a los Estados miembros a introducir medidas que permitiesen a las empresas trasladar las pérdidas de 2020 y, en su caso, de 2021, a ejercicios anteriores en los que hubiesen obtenido beneficios.

Por tanto, el gran desafío de la fase postpandemia es saber pasar de la época del alivio fiscal, a una fase decidida de estímulo fiscal para coadyuvar a la recuperación económica.

---

[111] Por ejemplo, el documento elaborado por la Asociación Española de Asesores Fiscales (AE-DAF), "Propuestas de Medidas Tributarias a adoptar como consecuencia de la crisis derivada del Covid-19", en https://www.aedaf.es/es/documentos/descarga/46332/propuesta-de-medidas-tributarias-a-adoptar-como-consecuencia-de-la-crisis-derivada-del-covid19

[112] La imposibilidad de un IVA reducido al sector turístico es factible, si tenemos en cuenta que la Directiva 2006/112/CE del Consejo de 28 de noviembre de 2006 dispone, en materia de tipos impositivos, que los Estados miembros aplicarán un tipo impositivo normal de IVA que no podrá ser inferior al 15% y su vez, podrán aplicar uno o dos tipos reducidos en relación exclusivamente con las entregas de bienes y prestaciones de servicios de las categorías que figuran en el Anexo III de la referida Directiva. En este contexto, España hizo uso de la facultad concedida e introdujo un tipo reducido que actualmente es del 4%. Siendo el 4% un tipo reducido según la calificación de la Directiva, parece que éste únicamente resultaría aplicable a la lista de entregas de bienes y prestaciones de servicios de las categorías que figuran en el Anexo III de la Directiva, entre los que se encuentran: "transporte de personas y de sus equipajes", "alojamiento facilitado por hoteles y establecimientos afines, incluido el alojamiento para vacaciones y el arrendamiento de emplazamientos en terrenos para campings y espacios de estacionamiento de caravanas" y "servicios de restauración y catering, con posibilidad de excluir la entrega de bebidas (alcohólicas o no)".

VII. Bibliografía

ABA CATOIRA, A., "El estado de alarma en España", *UNED, Teoría y Realidad Constitucional*, nº 28, 2011.

AGULLO AGÜERO, A., "Una reflexión en torno a la prohibición de confiscatoriedad del sistema tributario", *Civitas, REDF*, nº 36, 1982.

ALONSO GONZÁLEZ, L.M., *Impuestos selectivos sobre las grandes superficies*, IDELCO, Madrid, 2003.

ALZÚA, M.L. -GOSIS, P., *Impacto social y económico de la COVID 19 y opciones de políticas en Argentina*, Documento UNPD, América Latina y caribe, PNUD LAC C-19, PDS, nº 6, 2020.ANÍBARRO PÉREZ, S.-SESMA SÁNCHEZ, B., *Infracciones y Sanciones Tributarias*. Ed. Lex Nova, Valladolid, 2005, pag. 34.

ARAGON REYES, M., *Libertades económicas y Estado social*, Mc Graw Hill, Madrid, 1995.

ARANDA ÁLVAREZ, E., *Los efectos de la crisis del Covid-19 en el Derecho Constitucional económico de la Unión Europea. Una oportunidad para repensar la relación entre estabilidad presupuestaria y gasto público*, Marcial Pons, Ediciones Sociales y Jurídicas, Madrid, 2021.

ATUESTA MONTES, B.-MANCERO, X.-TROMBEN ROJAS, V., "Herramientas para el análisis de las desigualdades y del efecto redistributivo de las políticas públicas", Santiago, 2018.

BACHI COMERLATO, M., -DERATO GIORA, M.F, "Imposto sobre Grandes Fortunas, É possível?", *Revista dos Tribunais*, nº 191, 2014.

BÁEZ MORENO, A.-LÓPEZ LÓPEZ, H., "Reflexiones sobre la pandemia y sus efectos en la fiscalidad internacional a partir de la Nota de la OCDE de 3 de abril de 2020", difundido por redes sociales.

BANACLOCHE PEREZ, J., "Impuesto sobre el Patrimonio", *Civitas, REDF*, núms. 15-16, 1977.

BLANCO CALLEJA, F., "El nuevo *single market tax*", Legal Today, Blog de Fiscalidad Internacional, https://www.legaltoday.com/portada-2/portada-4/el-nuevo-single-market-tax-2020-06-18/

CABALLERO PERDOMO, R., "Del cumplimiento de las obligaciones tributarias en el marco del COVID-19 ¿una oportunidad para considerar la fuerza mayor en las sanciones?", Cartas a Taxlandia, 3 de junio de 2020, https://www.politicafiscal.es/cartas-a-taxlandia/del-cumplimiento-de-las-obligaciones-tributarias-en-el-marco-del-COVID-19-una-oportunidad-para-considerar-la-fuerza-mayor-en-las-sanciones.

CARRASCO PARRILLA, P., *Consecuencias del retraso en el pago de las deudas tributarias*, Colección Monografías, Universidad de Castilla La Mancha, Cuenca, 2000.

CASANA MERINO, F., "La configuración del ilícito tributario según el artículo 77 de la Ley General Tributaria", en *Comentarios a la Ley General Tributaria y Líneas para su Reforma, Libro Homenaje a Fernando Sáinz de Bujanda*, Vol. II, Instituto de Estudios Fiscales, Madrid, 1991.

CRUZ AMORÓS, M., "Fiscalidad y emergencia", *Actum Fiscal*, n° 157, marzo 2020.

CRUZ DE QUIÑONES, L., "Fuentes de Derecho Tributario", *El Tributo y su aplicación. Perspectivas para el Siglo XXI*, t. II, Marcial Pons Argentina, Buenos Aires, 2008.

CUBERO TRUYO, A., "Presentación", *Tributos asistemáticos del ordenamiento vigente*, Tirant Lo Blanch, Valencia, 2018.

CHICO DE LA CAMARA, P., "Aplicaciones prácticas de los principios constitucionales tributarios", *Tribuna Fiscal.*, n° 40, 1994.

DE MIGUEL BÁRCENA, J., "La recepción constitucional de la cláusula de estabilidad presupuestaria en Italia. comentario a las sentencias 10/2015 y 70/2015 de la corte constitucional", *Revista Española de Derecho Constitucional*, n° 196, enero-abril, 2016.

DE MITA, E. *Fisco e Costituzione. Questione risolte e Questione aperti*, 1957-1983, Giuffré Editore, Milano, 1984.

DESDENTADO BONETE, A., "La legislación como propaganda", *La Ley*, n° 7090, 2009.

DURÁN SINDREU BUXADÉ, A., Impuestos y derecho a la propiedad: la carga fiscal excesiva es inconstitucional, Blog Taxlandia, 15 de octubre de 2019, https://www.politicafiscal.es/antonio-duran-sindreu/impuestos-y-derecho-a-la-propiedad-la-carga-fiscal-excesiva-es-inconstitucional

FALCÓN Y TELLA, R., "Incidencia de la crisis del COVID-19 en los Tratados de Doble Imposición", *Quincena Fiscal*, n° 11, 2020.

FERNANDEZ, T.R., "De la banalidad a la incoherencia y la arbitrariedad. Una crónica sobre el proceso, al parecer imparable, de degradación de la Ley", ", *El Cronista del Estado Democrático de Derecho*, n° 0, octubre 2008.

FERRAJOLI, L, *Derecho y Razón. Teoría del garantismo penal*, trad, Andrés Ibáñez, Ed. Trotta, Madrid, 1995.

FERREIRO LAPATZA, J.J., "Reflexiones sobre Derecho Tributario y técnica jurídica", *Civitas, REDF*, n° 85, 1995.

FERREIRO LAPATZA, J.J., *Instituciones de Derecho Financiero y Tributario*, Marcial Pons, Madrid, Barcelona, Buenos Aires, 2010.

FLORES JUBERÍAS, C.,. "Una alarma bastante excepcional", *Las Provincias*, 8 de abril de 2020.

FORSTHOFF, E., "Begriff und Wesen des sozialen Rechsstaates", Veröffentlichung der *Vereinigungder Deustchen Staatsrechtslehrer*, n° 12, 1954.

FORTSHOFF, E., *Lehrbuch des Verwaltungsrechts*, All Teil; Munich, 1951.

GAFFURI, F., *L'attitudine alla contribuzione*, Giuffrè, Milán, 1969.

GALLO, F., *Le ragioni del Fisco. Etica e giustizia nella tasazione*, Il Mullino, Bologna, 2008.

GARCIA FRIAS, A., "La obtención de información tributaria y el derecho a la intimidad", *El Tributo y su aplicación. Perspectivas para el Siglo XXI*, t. II, Marcial Pons Argentina, Buenos Aires, 2008.

GARCIA VILLAREJO, A.-SALINAS SANCHEZ, J.; *Manual de Hacienda Pública, General y de España*, Tecnos, Madrid, 1992.

GOROSPE OVIEDO, J.I., "La cuestionable automaticidad de los recargos por declaración extemporánea de tributos sin requerimiento previo: comparación con los recargos por ingreso fuera de plazo de las cuotas de la Seguridad Social" , *Revista de Contabilidad y Tributación, CEF*, n° 392, noviembre, 2015.

HELLER, H., *Rechsstaat oder Diktatur?*, Tubingen.

HERRERA MOLINA, P.M., *Capacidad económica y sistema fiscal*, Marcial Pons, Madrid-Barcelona, 1998.

HUELÍN MARTÍNEZ DE VELASCO, J.-CASTELLÓ JORDÁ, V., "Derecho tributario en estado de alarma: situación de fuerza mayor y excepción a la normalidad constitucional. Delimitación de las competencias normativas", *Actum Fiscal*, n° 159, marzo 2020.

ISENSEE, J., „Staat und Verfassung", *Handbuch des Staatsrechts*, C.F., Müller, Juristischer, Heidelberg, 1987.

ISENSEE, *Steurestaat als Staatsform*, en STÖDTER, R./THIEME, W., (eds), Beiträge zum Deutschen und europäischen Verfassungs-Verwaltungs und Wirtschaftsrecht. Fetschrift für Hans Peter Ipsen zum siebzigsten Geburstag, C.B. Mohr (Paul Siebeck), Tübingen, 1997.

KELSEN, H., *Teoría Pura del Derecho*, Ed. Porrúa-UNAM, México D. F., 1992.

LANDAIS, C.- ZUCMAN, G.-SÁEZ, E., "A progressive European wealth tax to fund the European COVID response", https://voxeu.org/article/progressive-european-wealth-tax-fund-european-COVID-response

LEIBHOLZ, G., *Die Gleichheit vor dem Gesetz*, 2ª ed., Beck, Munich y Berlín, 1959 (reimpresión de la 1ª ed. de 1925).

LÓPEZ DÍAZ, A., *La recaudación de deudas tributarias en vía de apremio*, Marcial Pons, Madrid-Barcelona, 1992.

LÓPEZ LABORDA, J.-ONRUBIA, J., Informe sobre medidas tributarias ante la crisis de la COVID-19: es tiempo de reformas; Informes del Grupo de Trabajo Mixto COVID-19; Fedea Policy Papers - 2020/14; julio de 2020.

MARIN BENITEZ, G., *¿Es lícita la planificación fiscal?*, Lex Nova-Thomson Reuters, Valladolid, 2013.

MARTINEZ LAGO, M.A., "La reforma de la Ley General Tributaria. Modificaciones en materia de infracciones y sanciones", *Cuadernos Jurídicos*, n° 3, 1995.

MATA SIERRA, M.T., "Un sucedáneo de moratoria fiscal en tiempos del COVID-19", *Quincena Fiscal*, n° 10, 2020.

MAYER, S., *Formulary Apportionment for the Internal Market*, Doctoral Series 17, Vol 17, IBFD, Amsterdam, 2009.

OBERSON, X., "Taxing Robots?. From the Emergence of an Electronic Ability to Pay to a Tax on Robots or the use of Robots", *World Tax Journal*, IBDF, Amsterdam, Mayo 2017.

QUINTERO OLIVARES, G., "Coronavirus, derecho excepcional y delitos"; https://www.vozpopuli.com/opinion/Coronavirus-derecho-excepcional-delitos-estado-alarma-coronavirus_0_1348066259.html

RODRÍGUEZ MÁRQUEZ, J., "El impuesto a la banca a examen", El País, 7 de febrero de 2018.

RUFIÁN LIZANA, M.D., "La constitucionalidad de las infracciones y sanciones tributarias en la Ley General Tributaria", *Civitas, REDF*, n° 58, 1988.

SANCHEZ AYUSO, I., *Circunstancias eximentes y modificativas de la responsabilidad por infracciones tributarias*, Marcial Pons, Madrid, 1996.

SÁNCHEZ HUETE, M.A., *Las infracciones en la nueva LGT*, Marcial Pons, Madrid-Barcelona-Buenos Aires, 2007.

SCHMITT, C., *Teoría de la Constitución*, Alianza Editorial, Madrid, 2011.

SCHUMPETER, J.A., "La crisis del Estado Fiscal", *Hacienda Pública Española*, n° 2, 1970.

SOLER ROCH, M.T., "Una reflexión sobre la deriva del Derecho Tributario", en Red de Profesores de Derecho Financiero y Tributario, https://rpdft.org/2019/06/24/1232/

STARCK, W, "Artikel 3", MANGOLDT-KLEIN-STARCK, *Das Bonner Grundgesetz*, 3° ed., Berlin-Frankfurt. A.M.1985, vol I, mrg 22.

TEIJEIRO, G.O., "Is income taxation of foreign digital goods and services in the market state compatible with current international principles on the attribution of tax jurisdiction", *Kluwer International Tax Blog*, November 22, 2017.

TIPKE, K., *Die Steuerrechtsordnung*, vol. I, 2ª ed., O. Schmidt, Colonia, 2000.

VANISTENDAEL, F., "Digital Disruption in International Taxation", *TNI*, January 8, 2018.

VARONA ALABERN, J.E., "Extrafiscalidad y justicia tributaria", *Lecciones de Derecho Tributario inspiradas por un maestro*, ICDT, Bogotá, 2010.

ZIPPELIUS, R., *Wertungsprobleme im System der Grundrechte*, C.H. Beck,sche Verlagsbuchhandlung, München und Berlin, ohne Datum.

ZUCMAN, G.-SÁEZ, E., "How would a progressive wealth tax work? Evidence from the economics literature", February 5 th, 2019, http://gabriel-zucman.eu/files/saez-zucman-wealthtaxobjections.pdf

Implicaciones del COVID-19 sobre el cumplimiento de las obligaciones tributarias
(Un reexamen de la situación a más de un año y medio del inicio de la pandemia)[*]

Luis Fraga-Pittaluga[**]
Andrés Tagliaferro Del Peral[***]

Sumario

1) Introducción. 2) El COVID-19 y la situación excepcional que creó a nivel global. 3) El Estado de Alarma declarado por el Decreto 4.160 y sus prórrogas. 4) De la insuficiencia de las medidas adoptadas por el Ejecutivo Nacional. 5) Bases constitucionales y legales para la adopción de otras medidas: a) Constitucionales; b) Obligacionales; c) Sancionatorias; d) Vinculadas al procedimiento de fiscalización y determinación de la obligación tributaria. 6) Medidas de alivio fiscal para aminorar los efectos económicos causados por el COVID-19. a) A nivel internacional. b) A nivel local. 7) Medidas de alivio fiscal que debieron ser adoptadas por el Ejecutivo Nacional (*y que no lo fueron*): a) Impuesto Sobre la Renta (ISR); b) Impuesto al Valor Agregado (IVA); c) Impuesto a las "Grandes Transacciones Financieras" (IGTF); d) Impuesto a los "Grandes Patrimonios" (IGP); e) Impuestos de Importación; f) Emergencia Económica. 8) Conclusión. 9) Bibliografía.

---

[*] Este trabajo es una reedición (ampliación y actualización) del artículo titulado "Implicaciones del COVID-19 sobre el Cumplimiento de las Obligaciones Tributarias", publicado originalmente el 27 de marzo de 2020 en: https://fragapittaluga.com.ve/fraga/index.php/component/k2/item/24-implicaciones-del-covid-19-sobre-el-cumplimiento-de-las-obligaciones-tributarias.

[**] Abogado (Universidad Católica Andrés Bello, 1987, Caracas) y Especialista en Derecho Administrativo (Universidad Católica Andres Bello, 2002, Caracas). Fue profesor en los cursos de postgrado de Derecho Tributario de la Universidad Católica Andrés Bello, de la Universidad Católica del Táchira y de la Universidad Metropolitana, y profesor de pregrado en Derecho Tributario en la Universidad Monteávila. Es miembro de la Asociación Venezolana de Derecho Tributario y de la Asociación Venezolana de Derecho Administrativo. Ha publicado 15 libros y más de 50 trabajos de investigación. *Of Counsel* del Departamento Fiscal de Dentons en Caracas (Despacho de Abogados miembros de Dentons, S.C.).
[***] Abogado mención *Magna cum Laude* de la Universidad Central de Venezuela (UCV), Caracas, 2018. Cursante de la Especialización de Derecho Financiero de la Universidad Católica Andrés Bello (UCAB), Caracas, 2022. Asociado del Departamento Fiscal de Dentons en Caracas (Despacho de Abogados miembros de Dentons, S.C.).
Los puntos de vista y las opiniones expresadas en este artículo académico pertenecen a sus autores y no necesariamente representan los puntos de vista o las opiniones de Dentons.

1) Introducción

El coronavirus COVID-19 ("**COVID-19**") fue declarado una pandemia por la Organización Mundial de la Salud (OMS) el 11 de marzo de 2020 por sus altos niveles de propagación y gravedad[1].

De acuerdo con la definición aportada por los Centros para el Control y la Prevención de Enfermedades de los Estados Unidos de América (*Centers for Disease Control and Prevention*, CDC) una *pandemia* es un incremento repentino y anormal de los contagios de una enfermedad que se ha extendido por varios países o continentes y que suele afectar a un gran número de personas[2].

La vulnerabilidad de Venezuela y sus habitantes ante esta catástrofe de escala global era más que evidente. De acuerdo con cifras aportadas por una representante parlamentaria a inicios de la pandemia, Venezuela ocupaba el tercer lugar entre los países más vulnerables para enfrentar el COVID-19[3].

Adicionalmente, el COVID-19 arribó en un contexto de particular fragilidad económica para el país, con reportes que señalaban que en ese momento el petróleo se estaba comercializando a US$ 5,00 por barril[4].

La "calamidad pública" que implicaba esta situación para Venezuela fue reconocida expresamente por el Decreto N° 4.160 dictado por el Presidente de la República el 13 de marzo de 2020 y publicado en la Gaceta Oficial N° 6.519 Extraordinario de esa misma fecha (el "**Decreto 4.160**").

El objeto de este trabajo es analizar las implicaciones de la situación excepcional causada por la pandemia del coronavirus COVID-19 a más de un año y medio de su inicio y sus implicaciones sobre el cumplimiento de las obligaciones tributarias en Venezuela y de las medidas adoptadas por el Ejecutivo Nacional, así como la obligación del Estado venezolano de adoptar políticas de alivio fiscal para paliar la crisis, a partir de un análisis constitucional y de un examen de las medidas asumidas por otros países.

---

[1] Alocución de apertura del Director General de la OMS en la rueda de prensa sobre la COVID-19 celebrada el 11 de marzo de 2020. Consultado el 23 de marzo de 2020 en: https://www.who.int/es/dg/speeches/detail/who-director-general-s-opening-remarks-at-the-media-briefing-on-covid-19---11-march-2020.

[2] "*Principles of Epidemiology in Public Health Practice, Third Edition. An Introduction to Applied Epidemiology and Biostatistics. Section 11: Epidemic Disease Occurrence. Level of disease*" (Principios de Epidemiología en la Práctica de la Salud Pública, Tercera Edición. Una introducción a la Epidemiología Aplicada y la Bioestadística. Sección 11: Ocurrencia de enfermedades epidémicas. Nivel de la enfermedad). CDC. Consultado el 25 de marzo de 2020 en: https://www.cdc.gov/csels/dsepd/ss1978/lesson1/section11.html.

[3] "Venezuela es el tercer país más vulnerable para enfrentar el coronavirus" (24 de marzo de 2020). El Nacional. Consultado el 27 de marzo de 2020 en: https://www.elnacional.com/venezuela/manuela-bolivar-somos-el-tercer-pais-mas-vulnerable-contra-coronavirus/.

[4] "Venezuela vende crudo a $5 el barril por impacto de coronavirus" (25 de marzo de 2020). El Nuevo Herald. Consultado el 27 de marzo de 2020 en: https://www.elnuevoherald.com/noticias/coronavirus/article241497021.html.

2) EL COVID-19 Y LA SITUACIÓN EXCEPCIONAL QUE CREÓ A NIVEL GLOBAL

La crisis de la pandemia del COVID-19 tuvo consecuencias de gran alcance más allá de la propagación de la enfermedad y los esfuerzos para contenerla.

En cuanto al aspecto *sanitario* dejó al descubierto las debilidades de los sistemas de salud, desde el número de camas de cuidados intensivos hasta el número de profesionales de la salud; la incapacidad para suministrar suficientes mascarillas y realizar pruebas de despistaje en algunos países, y las lagunas en la investigación y el suministro de fármacos y vacunas[5].

En lo *educativo*, según el monitoreo de la Organización de las Naciones Unidas para la Educación la Ciencia y la Cultura (*United Nations Educational, Scientific and Cultural Organization*, UNESCO), más de 160 países implementaron cierres a nivel nacional de instituciones educativas en un intento por contener la pandemia mundial, impactando más del 87% de la población estudiantil mundial[6].

En lo *político* el COVID-19 puso a prueba la capacidad de liderazgo de los dirigentes de las naciones que afectó. Puede citarse a modo de ejemplo el caso de la República Popular China, en la que varios administradores provinciales del Partido Comunista de China (PCCh) fueron despedidos por su "incapaz" conducción de los esfuerzos de cuarentena en China Central[7] o las duras críticas hechas al expresidente de los Estados Unidos de América, Donald Trump, por su manejo –incluso personal- de la crisis a inicios de la pandemia[8] (aunque posteriormente, su gobierno implantó políticas decisivas, que entre otros logros, permitieron acelerar la investigación, el desarrollo y la distribución de vacunas contra el COVID-19)[9]. En el Reino Unido, el gobierno asumió

---

[5] "Coronavirus (COVID-19): Acciones conjuntas para ganar la guerra". OCDE. Consultado el 23 de marzo de 2020 en: https://oecd.dam-broadcast.com/pm_7379_119_119692-rdbcybywnc.pdf.

[6] "Interrupción educativa y respuesta de cara al COVID-19". UNESCO. Consultado el 26 de marzo de 2020 en: https://es.unesco.org/themes/educacion-situaciones-crisis/coronavirus-cierres-escuelas.

[7] BOSTOCK, Bill. "China sacked a brace of top officials in Hubei province, likely in a move to protect Xi Jinping from people's anger over the coronavirus outbreak" (China despidió a un par de altos funcionarios de la provincia de Hubei, probablemente para proteger a Xi Jinping de la ira de la gente por el brote de coronavirus) (13 de febrero de 2020). Business Insider. Consultado el 26 de marzo de 2020 en: https://www.businessinsider.com/analysis-china-hubei-officials-sacked-xi-jinping-protected-2020-2.

[8] SMITH, David. "I don't take responsibility': Trump shakes hands and spreads blame over coronavirus" ("No me hago responsable": Trump da la mano y extiende la culpa sobre el coronavirus) (14 de marzo de 2020). The Guardian. Consultado el 26 de marzo de 2020 en: https://www.theguardian.com/us-news/2020/mar/13/donald-trump-coronavirus-national-emergency-sketch.

[9] Para obtener más información sobre este tema puede consultarse, entre otros: KATES, Jennifer. *et al.* "Comparing Trump and Biden on COVID-19". (Comparación de Trump y Biden en

en un primer momento la teoría de la "inmunidad del rebaño" y mantuvo sin restricción alguna las actividades laborales, educativas, recreativas, deportivas, etc., pero ante el evidente fracaso de esta elección, que provocó el incremento exponencial de contagiados y fallecidos, tuvo que dar vuelta atrás.[10]

En lo *laboral*, según estimaciones iniciales de la Organización Internacional del Trabajo (OIT), la crisis la pandemia del COVID-19 podría aumentar el desempleo mundial en casi 25 millones de personas[11].

En lo *social*, estudios publicados por la Asociación Americana de Psicología (*American Psychological Association*, APA), sugerían que la exposición repetida del público en general a los medios de comunicación a la crisis creada por el COVID-19, podía conducir a un aumento de la ansiedad, a respuestas de estrés más intensas que podrían tener efectos sobre la salud, y a conductas de protección de la salud y de búsqueda de ayuda desproporcionada que podían sobrecargar las instalaciones de atención médica y afectar negativamente los recursos disponibles[12].

Pero, sin lugar a dudas, uno de los aspectos en donde las consecuencias nocivas de la pandemia del COVID-19 pudieron ser apreciadas con mayor claridad fue en lo *económico*.

La Organización para la Cooperación y el Desarrollo Económicos (OCDE) dijo a inicios de la pandemia que ésta había traído consigo la tercera y mayor crisis económica, financiera y social del siglo XXI, después de los atentados del 11 de septiembre de 2001 y la crisis financiera mundial de 2008[13].

Aseveró la OCDE que el impacto de su sacudida fue doble: Por una parte, un frenazo en la producción de los países afectados, que a su vez golpeó a las

---

COVID-19) (11 de septiembre de 2020), Kaiser Family Foundation (KFF). Consultado el 21 de noviembre de 2021 en: https://www.kff.org/coronavirus-covid-19/issue-brief/comparing-trump-and-biden-on-covid-19/ y "President Trump's Historic Coronavirus Response" (La histórica respuesta del presidente Trump ante el coronavirus) (10 de agosto de 2020), Prensa de la Casa Blanca. Consultado el 21 de noviembre de 2021 en: https://trumpwhitehouse.archives.gov/briefings-statements/president-trumps-historic-coronavirus-response/.

[10] GHOSH, Pallab. "Coronavirus: la "inmunidad del rebaño", por qué cientos de científicos critican la estrategia del gobierno británico ante el covid-19 (15 de marzo de 2020). BBC News. Consultado el 27 de marzo de 2020 en: https://www.bbc.com/mundo/amp/noticias-internacional-51893620.

[11] "El COVID-19 podría cobrarse casi 25 millones de empleos en el mundo, afirma la OIT". OIT. Consultado el 26 de marzo de 2020 en: https://www.ilo.org/global/about-the-ilo/newsroom/news/WCMS_738766/lang--es/index.htm.

[12] ROSE, Dana et al. "*The novel coronavirus (COVID-2019) outbreak: Amplification of public health consequences by media exposure* (El nuevo brote de coronavirus (COVID-2019): Ampliación de las consecuencias para la salud pública por la exposición de los medios de comunicación.). Health Psychology. Advance online publication. Consultado el 26 de marzo de 2020: http://dx.doi.org/10.1037/hea0000875.

[13] "Coronavirus (COVID-19): Acciones conjuntas para ganar la guerra" OCDE. Consultado el 23 de marzo de 2020 en: https://oecd.dam-broadcast.com/pm_7379_119_119692-rdbcybywnc.pdf.

cadenas de suministro de la economía mundial, altamente integrada e interdependiente; y, por otra parte, una contracción pronunciada del consumo y el desplome de la confianza. Las estrictas medidas que se aplicaron y que en muchos casos se continúan aplicando en algunos países, imprescindibles para contener el avance del virus, empujaron las economías hacia una parálisis sin precedentes de la que no se veía salida de forma fácil ni automática.

Todos los índices económicos a nivel mundial sufrieron un impacto considerable. Las bolsas asiáticas, europeas, estadounidense y latinoamericanas experimentaron drásticas caídas, no vistas desde la crisis financiera de 2008. Importantes materias primas (*commodities*) como el petróleo redujeron su precio a niveles alarmantes[14].

La dimensión económica de esta crisis tiene a su vez varias proyecciones, tales como: La paralización de actividades económicas y sociales por la cuarentena social, caída de ingresos de las empresas y de los trabajadores, reducción drástica del flujo de caja de las empresas, escasez aguda de bienes por la acción combinada del congelamiento de las cadenas de suministro con el de las compras nerviosas, así como problemas de distribución, entre otras.

Varias de esas proyecciones afectaron y continúan afectando la capacidad de las personas y de las empresas para cumplir con sus obligaciones tributarias, y específicamente para cumplir con sus deberes formales y obligaciones de pago. Lo primero, por dificultades de orden práctico, como la imposibilidad de acceder al lugar de trabajo, riesgos para la salud y la vida, colapso de sistemas informáticos y de las telecomunicaciones, personal insuficiente, dificultades de comunicación, etc. Las segundas también por varias razones: Caída de ingresos, falta de flujo de caja, acceso reducido a servicios bancarios, necesidad de atender otras prioridades (nómina y otros gastos corrientes impostergables).

3) EL ESTADO DE ALARMA DECLARADO POR EL DECRETO 4.160 Y SUS PRÓRROGAS

El 13 de marzo de 2020 se publicó el Decreto 4.160 dictado por el Presidente de la República en esa misma fecha[15], mediante el cual se decretó un *Estado de Alarma* en todo el territorio nacional, dadas las circunstancias de orden social que ponían gravemente en riesgo la salud pública y la seguridad de los ciudadanos, en virtud de la pandemia del COVID-19.

El Estado de Alarma es uno de los tipos de *estados de excepción* que contempla nuestro ordenamiento jurídico. Conforme al artículo 338 de la Constitución[16] y

---

[14] "Las bolsas mundiales y el petróleo se hunden por el Covid-19" (16 de marzo de 2020) Estrategia y Negocios. Consultado el 27 de marzo de 2020 en: https://www.estrategiaynegocios.net/lasclavesdeldia/1364391-330/las-bolsas-mundiales-y-el-petroleo-se-hunden-por-el-covid-19
[15] Gaceta Oficial N° 6.519 Extraordinario del 13 de marzo de 2020.
[16] Gaceta Oficial N° 5.908 Extraordinario del 19 de febrero de 2009.

el artículo 8 de la Ley Orgánica Sobre Estados de Excepción ("LOEE")[17] puede decretarse el Estado de Alarma, en todo o parte del territorio nacional, cuando se produzcan catástrofes, calamidades públicas u otros acontecimientos similares que pongan seriamente en peligro la seguridad de la Nación o de sus ciudadanos. La LOEE incluye también, como motivo, el peligro a la seguridad de las instituciones de la Nación[18]. Dicho estado de excepción solo puede tener una duración de hasta 30 días, siendo prorrogable por 30 días más desde la fecha de su promulgación[19].

De acuerdo con la Constitución y la LOEE, los estados de excepción solamente pueden declararse ante situaciones objetivas de suma gravedad que *hagan insuficientes los medios ordinarios que dispone el Estado para afrontarlos*[20]. Así pues, el objeto del Decreto 4.160 fue decretar la existencia de tal régimen excepcional a fin de que el Ejecutivo Nacional adoptara las medidas urgentes, efectivas y necesarias, de protección y preservación de la salud de la población venezolana, a fin de mitigar y erradicar los riesgos de epidemia relacionados con el COVID-19 y sus posibles cepas, garantizando la atención oportuna, eficaz y eficiente de los casos que se originaran[21].

En virtud de lo anterior, el Decreto 4.160 contempló en su Capítulo II, diversas "Medidas Inmediatas de Prevención" para la protección o contención del COVID-19, a saber: (i) la suspensión de las actividades escolares y académicas en todo el territorio nacional a partir del día lunes 16 de marzo de 2020[22]; (ii) la suspensión de la realización de todo tipo de espectáculos públicos que supusieran la aglomeración de personas; y (iii) el cierre al público de los parques de cualquier tipo, playas y balnearios, públicos o privados.

En adición a ello, estableció el Decreto 4.160 la posibilidad que detentaba el Presidente de la República de ordenar: (i) la restricción a la circulación en determinadas áreas o zonas geográficas así como la entrada y salida de éstas; (ii) la suspensión de actividades en determinadas zonas o áreas geográficas, lo cual implicaba también la suspensión de las actividades laborales cuyo desempeño no pudiera ser realizado a distancia[23], exceptuándose de tal medida solamente algunos sectores de interés público[24]; (iii) los vuelos desde o hacia el territorio nacional por el tiempo que estimase conveniente, cuando existiera

---

[17] Gaceta Oficial N° 37.261 del 15 de agosto de 2001.

[18] Artículo 8 de la LOEE.

[19] BREWER-CARÍAS, Allan. *Comentarios al régimen constitucional y legal de los decretos de estados de excepción*, p. 3. Disponible en: http://allanbrewercarias.net/Content/449725d9-f1cb-474b-8ab2-41efb849fea8/Content/II,%204,%20441.%20COMENTARIOS%20AL%20REGIMEN%20CONSTITUCIONAL%20Y%20LEGAL%20DE%20LOS%20DECRETOS%20DE%20EXCEPCION.pdf.

[20] Artículo 337 de la Constitución y primer parágrafo del artículo 1 de la LOEE.

[21] Artículo 1 del Decreto 4.160.

[22] Artículo 11 del Decreto 4.160.

[23] Artículo 8 del Decreto 4.160.

[24] Artículo 9 del Decreto 4.160.

riesgo de ingreso de pasajeros o mercancías portadoras del COVID-19, o dicho tránsito representara riesgos para la contención del virus[25].

Dichas facultades fueron ejercidas originalmente por el Presidente vía alocuciones televisivas de fechas 12 y 15 de marzo de 2020, en las cuales ordenó la suspensión de todos los vuelos provenientes de Europa y Colombia hasta por 30 días[26] y la implementación de una "cuarentena social y colectiva" en Caracas y en los estados Miranda, Vargas, Zulia, Cojedes, Táchira y Apure[27], respectivamente. En el primer caso, el Instituto Nacional de Aeronáutica Civil (INAC), emitió un comunicado mediante el cual implementó la medida a partir del 13 de marzo de 2020[28]. Luego fueron dictados sendos Decretos restringiendo la circulación y libre tránsito en la jurisdicción de algunos municipios de los estados Apure, Zulia y Táchira (que examinaremos con mayor detalle más adelante), pero hasta la fecha sigue sin dictarse un Decreto Presidencial que establezca formalmente tales restricciones en Caracas y los estados Miranda y Vargas.

En lo atinente a la materia económica y financiera, el texto del Decreto 4.160 no estableció ninguna medida pero, posteriormente, en alocución presidencial de fecha 22 de marzo de 2020, el Presidente de la República presentó un plan económico para hacer frente a la pandemia del COVID-19 que contempló: (i) la ratificación de la inamovilidad laboral hasta el 31 de diciembre de 2020; (ii) un plan especial de pago de nóminas de las Pequeñas y Medianas Empresas (PYMES) por un lapso correspondiente a 6 meses; (iii) la supresión inmediata del pago de alquileres de comercios y de vivienda principal por 6 meses; (iv) la ratificación del plan de inversión agroalimentaria dirigido a garantizar las subvenciones alimentarias proveídas por el Ejecutivo Nacional a través de las "cajas CLAP"; (v) la concesión de bonos especiales para los trabajadores de la economía informal y de las empresas privadas; (vi) la suspensión por 6 meses de los pagos de capitales e intereses de todos los créditos del país, incluyendo su moratoria; (vii) la obligatoriedad de dirigir la cartera crediticia a los sectores priorizados y la reestructuración de los términos de créditos para pequeños y medianos productores; (viii) prohibición de suspensión de los servicios de telecomunicaciones en el país por los próximos 6 meses[29].

---

25 Artículo 15 del Decreto 4.160.

26 "Gobierno Nacional suspende temporalmente vuelos de Colombia y Europa ante Covid-19" (12 de marzo de 2020) Prensa Presidencial. Consultado el 26 de marzo de 2020 en: http://mppre.gob.ve/2020/03/12/gobierno-nacional-suspende-vuelos-colombia-europa-covid-19/.

27 "Nicolás Maduro ordena cuarentena y suspende actividades laborales en Caracas y seis estados" (15 de marzo de 2020). Monitor ProDaVinci. Consultado el 26 de marzo de 2020 en: https://prodavinci.com/nicolas-maduro-ordena-cuarentena-y-suspende-actividades-laborales-en-caracas-y-seis-estados/.

28 Comunicado S/N INAC del 13 de marzo de 2020, http://www.inac.gob.ve/wp-content/uploads/2020/07/Comunicado-1.png.

29 "Maduro anuncia nuevas medidas económicas ante la emergencia del Covid-19 (22 de marzo de 2020). Finanzas Digitales. Consultado el 26 de marzo de 2020 en: https://www.finanzas-

La ratificación de la inamovilidad laboral, la suspensión por 6 meses de los pagos de capitales e intereses de todos los créditos del país, incluyendo su moratoria y la supresión del pago de alquileres de comercios y de vivienda principal por 6 meses fueron formalizados a través de los Decretos Nos. 1[30], 2[31] y 3[32] dictados dentro del marco del Estado de Excepción, respectivamente.

Adicionalmente, mediante el Decreto 4.166 de fecha 17 de marzo de 2020, se exoneró del pago del Impuesto al Valor Agregado (IVA), Impuesto de Importación y Tasa por Determinación del Régimen Aduanero, así como cualquier otro impuesto o tasa aplicable de conformidad con el ordenamiento jurídico vigente, a las importaciones definitivas de bienes muebles corporales (mascarillas, tapabocas y otros insumos relacionados) realizadas por los Órganos y Entes de la Administración Pública Nacional, destinados a evitar la expansión de la pandemia del COVID-19, así como la exoneración del IVA a las ventas de tales artículos realizadas en el territorio nacional[33].

La vigencia del Decreto 4.160 fue prorrogada por 30 días mediante el Decreto N° 4.186 del 12 de abril de 2020[34]. Posteriormente, ante la persistencia de "las circunstancias excepcionales, extraordinarias y coyunturales" que motivaron la declaratoria de Estado de Alarma por el Decreto 4.160, fueron dictados los Decretos Nos. 4.198 del 12 de mayo de 2020[35], 4.247 del 10 de julio de 2020[36], 4.286 del 6 de septiembre de 2020[37], 4.361 del 3 de noviembre de 2020[38], 4.413 del 31 de diciembre de 2020[39] y 4.448 del 28 de febrero de 2021[40]; prorrogados a su vez, todos salvo el último, a través de los Decretos Nos. 4.230 del 11 de junio

---

digital.com/2020/03/maduro-anuncia-nuevas-medidas-economicas-ante-la-emergencia-del-covid-19/.

[30] Decreto Nro. 4.167, mediante el cual se ratifica la inamovilidad laboral de las trabajadoras y trabajadores del sector público y privado regidos por el Decreto con Rango, Valor y Fuerza de Ley Orgánica del Trabajo, los Trabajadores y las Trabajadoras, hasta el 31 de diciembre de 2020, a partir de la entrada en vigencia de este Decreto, a fin de proteger el derecho al trabajo como proceso fundamental que permite la promoción de la prosperidad, el bienestar del pueblo, publicado en la Gaceta Oficial N° 6.520 Extraordinario del 23 de marzo de 2020.

[31] Decreto Nro. 4.168, dictado en el marco del Estado de Alarma para atender la emergencia sanitaria del Coronavirus (Covid-19), por medio del cual se dictan las medidas de Protección Económica que en él se mencionan, publicado en la Gaceta Oficial N° 6.520 Extraordinario del 23 de marzo de 2020.

[32] Decreto Nro. 4.169, dictado en el marco del Estado de Alarma para atender la emergencia sanitaria del Coronavirus (Covid-19), por medio del cual se suspende el pago de los cánones de arrendamiento de inmuebles de uso comercial y de aquellos utilizados como vivienda principal., Gaceta Oficial N° 6.522 del 23 de marzo de 2020.

[33] Gaceta Oficial N° 41.841 del 17 de marzo de 2020.

[34] Gaceta Oficial N° 6.528 Extraordinario del 12 de abril de 2020.

[35] Gaceta Oficial N° 6.535 Extraordinario del 12 de mayo de 2020.

[36] Gaceta Oficial N° 6.554 Extraordinario del 10 de julio de 2020.

[37] Gaceta Oficial N° 6.570 Extraordinario del 6 de septiembre de 2020.

[38] Gaceta Oficial N° 6.590 Extraordinario del 3 de noviembre de 2020.

[39] Gaceta Oficial N° 6.610 Extraordinario del 31 de diciembre de 2020.

[40] Gaceta Oficial N° 6.618 Extraordinario del 28 de febrero de 2021.

de 2020[41], 4.260 del 8 de agosto de 2020[42], 4.337 del 5 de octubre de 2020[43], 4.382 del 2 de diciembre de 2020[44] y 4.428 del 30 de enero de 2021[45], respectivamente; que reeditaron el contenido del Decreto 4.160 y que extendieron la vigencia *jurídica* del Estado de Alarma que inició el 13 de marzo de 2020 hasta el 30 de marzo de 2021 (382 días), aunque en la práctica la Comisión Presidencial contra el COVID-19 continuó anunciado las medidas tomadas por el Ejecutivo Nacional para combatir la pandemia a través de alocuciones televisivas y la cuenta en Twitter de la Vicepresidente Ejecutiva, hasta al menos el 17 de octubre de 2021[46].

4) DE LA INSUFICIENCIA DE LAS MEDIDAS ADOPTADAS POR EL EJECUTIVO NACIONAL

Las medidas tomadas por el Ejecutivo Nacional hasta el 26 de marzo de 2020 fueron criticadas por una de las principales organizaciones de gremios empresariales de Venezuela, por cuanto, en opinión de su más alto representante: "No protegen o generan las condiciones para que todo el sistema productivo pueda mantenerse en pie"[47].

Específicamente en materia tributaria la adopción de medidas había sido prácticamente inexistente, puesto que, dejando a salvo la exoneración del IVA e impuestos aduaneros concedida a las importaciones realizadas por los órganos y entes de la Administración Pública de los bienes muebles vinculados a la prevención del COVID-19 y la exoneración del IVA a las ventas de tales artículos realizadas en el territorio nacional, ni el Decreto 4.160, ni ningún otro de los actos normativos dictados hasta dicha fecha dentro del marco del estado de excepción, dispusieron ninguna otra medida vinculada con la determinación y pago de los tributo, o al menos no lo hicieron de forma *expresa*.

Ante tal situación, un sector de la doctrina estimó que la obligación de determinar y pagar tributos, así como todo procedimiento dirigido a formar o impugnar la voluntad administrativa debía entenderse suspendido a partir de

---

[41] Gaceta Oficial N° 4.230 Extraordinario del 11 de junio de 2020.
[42] Gaceta Oficial N° 6.560 Extraordinario del 8 de agosto de 2020.
[43] Gaceta Oficial N° 6.579 Extraordinario del 5 de octubre de 2020.
[44] Gaceta Oficial N° 6.602 Extraordinario del 2 de diciembre de 2020.
[45] Gaceta Oficial N° 6.614 Extraordinario del 30 de enero de 2021.
[46] RODRIGUEZ, Delcy. (@delcyrodriguezv). (17 de octubre de 2021) "5/5 Desde mañana lunes #18Oct al domingo #24Oct serán los 7 días de cuarentena y cuidados especiales en el país. Mientras que del #1Nov al #31Dic serán meses de flexibilización segura y consciente, así como lo anunció el Pdte. @NicolasMaduro. ¡Todos y todas a mantener el cuidado" Consultado el 9 de noviembre de 2021 en: https://twitter.com/delcyrodriguezv/status/1449908001385730062 ?s=20.
[47] MAYA, María. "Medidas Económicas de Maduro no detendrán el impacto del Covid-19" (25 de marzo de 2020) Runrunes. Consultado el 26 de marzo de 2020 en: https://runrun.es/rr-es-plus/402174/medidas-economicas-de-maduro-no-detendran-el-impacto-del-covid-19/.

la publicación del Decreto 4.160, a raíz de la interpretación de su Disposición Final Sexta. Dicha disposición señala:

> "La suspensión o interrupción de un procedimiento administrativo como consecuencia de las medidas de suspensión de actividades o las restricciones a la circulación que fueren dictadas no podrá ser considerada causa imputable al interesado, pero tampoco podrá ser invocada como mora o retardo en el cumplimiento de las obligaciones de la administración pública. En todo caso, una vez cesada la suspensión o restricción, la administración deberá reanudar inmediatamente el procedimiento."

Afirmó MEIER que la precitada disposición: "suspende o paraliza con efectos inmediatos *ope legis* y frente a todos (*erga omnes*) los procedimientos de autodeterminación, autoliquidación y pago de los tributos, así como los procedimientos de primer y segundo grado <u>desde el 13 de marzo de 2020</u> y hasta que se cumpla la vigencia de 30 días de Decreto de Estado de Alarma o su prórroga", dentro de los cuales incluye, a su consideración, el Impuesto Sobre la Renta (ISR) el IVA y "cualquier otro tributo nacional, estadal, municipal o parafiscal"[48].

A este respecto señalamos en su momento que cualquier limitación establecida en estos Decretos con respecto a los ramos tributarios que la Constitución asigna a los Estados y Municipios tendría su asidero constitucional en la potestad armonizadora y coordinadora del sistema tributario concedida al Poder Público Nacional en el numeral 13 del artículo 156 de la Constitución.

ROMERO-MUCI coincidió con MEIER cuando afirmó que, en su opinión, "todos los plazos relativos a las declaraciones y pagos de tributos deben entenderse suspendidos de pleno derecho <u>desde la publicación del [Decreto 4.160] hasta su terminación</u>", aclarando que tal postura tenía su fundamento en la interpretación, *a fortiori*, de la disposición final sexta del Decreto 4.160, que reconoce a la suspensión de actividades o a la restricción de circulación como causa de fuerza mayor o causa no imputable al cumplimiento de obligaciones tanto de particulares como de las administraciones en los procedimientos administrativos, y en la plena vigencia de la garantía del debido proceso en situaciones de estados de excepción (numeral 11 del artículo 7 de la LOEE y artículo 339 de la Constitución)[49].

En el fondo coincidimos con el argumento expuesto por los precitados autores, puesto que la Disposición Final Sexta del Decreto 4.160 era clara al

---

[48] MEIER GARCÍA, Eduardo. "Breves notas sobre la situación de los procedimientos tributarios ante la declaratoria de estado de alarma (COVID-19)". Disponible en: http://fragapittaluga.com.ve/fraga/index.php/component/k2/item/23-breves-notas-sobre-la-situacion-de-los-procedimientos-tributarios-ante-la-declaratoria-de-estado-de-alarma-covid-19.

[49] ROMERO-MUCI, Humberto. (@hromeromuci). (22 de marzo de 2020) "En mi opinión todos los plazos relativos a las declaraciones y pagos de tributos deben entenderse suspendidos de pleno derecho desde la publicación del decreto de emergencia sanitaria hasta su terminación...". Consultado el 27 de marzo de 2020 en: https://twitter.com/hromeromuci/status/1241868587071045632.

establecer: "(...) La suspensión o interrupción de un <u>procedimiento adminis-trativo</u> como consecuencia de las medidas de suspensión de actividades o las restricciones a la circulación que fueren dictadas...". Entonces, siendo que el procedimiento de determinación de la obligación tributaria no es otra cosa que una especie del género "procedimiento administrativo", no cabe duda de que, ante la declaratoria de tal suspensión de actividades, aquellos se entenderían interrumpidos.

No obstante, no estuvimos de acuerdo cuando se afirmó que dicha suspensión se produjo "desde el 13 de marzo de 2020" o, "desde la fecha de publicación del Decreto 4.160 hasta su terminación". Sostuvimos que el Decreto 4.160 no establecía en su texto tal suspensión o interrupción (como sí lo hizo con respecto de las actividades académicas y espectáculos públicos), sino que –como se dijo– en cuanto a la suspensión de actividades, dentro de las cuales se incluyen expresamente las laborales, el Decreto 4.160 se limitó a establecer en su artículo 8 que el Presidente de la República "podría" ordenar tales medidas[50], debiendo entenderse esto como la facultad o *posibilidad* que tenía de hacerlo[51].

De acuerdo con el Diccionario de la Real Academia Española (DRAE), en este contexto, una posibilidad es la "aptitud o facultad *para hacer o no hacer algo*"[52]; de lo que se sigue que a partir de que entró en vigor el Decreto 4.160 el Presidente quedó habilitado para decretar tales medidas, en caso de estimarlo conveniente, sin que hasta la fecha en que fue publicado nuestro estudio original (27 de marzo de 2020), ello hubiera sido *formalizado* a través de un Decreto; como sí ocurrió, por ejemplo, con respecto de las medidas adoptadas en torno a la inamovilidad laboral y los créditos otorgados por las instituciones financieras.

Habida cuenta de lo anterior, en aquel momento nos anticipamos a la posibilidad de que se afirmara la vigencia de tal suspensión con base en lo dicho en la alocución presidencial de fecha 15 de marzo de 2020, mediante la cual se declaró la cuarentena social y colectiva de Caracas y otros seis Estados del país y lo dispuesto en el artículo 22 de la LOEE[53].

---

[50] Artículo 8 del Decreto 4.160: "El Presidente de la República Bolivariana de Venezuela **podrá** ordenar la suspensión de actividades en determinadas zonas o áreas geográficas. Dicha suspensión implica además la suspensión de las actividades laborales cuyo desempeño no sea posible bajo alguna modalidad a distancia que permita al trabajador desempeñar su labor desde su lugar de habitación." (énfasis y negrillas nos pertenecen).

[51] Siempre se ha interpretado que cuando la ley usa el verbo "poder", está concediendo una facultad discrecional de actuar y se acude, por analogía, a lo que establece al respecto el artículo 23 del Código de Procedimiento Civil: "Cuando la ley dice: "El Juez o Tribunal puede o podrá", se entiende que lo autoriza para obrar según su prudente arbitrio, consultando lo más equitativo o racional, en obsequio de la justicia y de la imparcialidad" (Gaceta Oficial N° 4.209 Extraordinario del 18 de septiembre de 1990).

[52] Real Academia Española. *Diccionario de la Lengua Española*, voz: "Posibilidad": https://dle.rae.es/posibilidad?m=form.

[53] Artículo 22 de la LOEE: "El decreto que declare los estados de excepción tendrá rango y fuerza de Ley, entrará en vigencia **una vez dictado por el Presidente de la República, en Consejo de Ministros,** y deberá ser publicado en la Gaceta Oficial de la República de la República Bolivariana de Venezuela y difundido en el más breve plazo por todos los medios de comunicación social, si fuere posible."

Sin embargo, tal como lo asevera el profesor BREWER-CARÍAS, con base en la previsión legal contenida en el artículo 22 de la LOEE (de acuerdo con la cual el Decreto de Estado de Excepción "entra en vigencia una vez dictado por el Presidente en Consejo de Ministros"), esa posibilidad sería inconstitucional, pues no puede establecerse que un Decreto que "tiene rango y fuerza de Ley" pueda entrar en vigencia antes de su publicación. Ello es así por mandato del artículo 215 de la Constitución, de acuerdo con el cual la ley sólo queda promulgada al publicarse con el correspondiente "Cúmplase" en la Gaceta Oficial, lo cual es cónsono además con lo establecido en el artículo 2° de la Ley de Publicaciones Oficiales[54] y el artículo 1° del Código Civil (CCV)[55] con respecto a su vigencia y obligatoriedad, respectivamente[56]. De lo anterior se sigue que, si ello es una condición necesaria para la validez del Decreto que declara el Estado de Excepción, con mayor razón, o por argumento *a fortiori*, lo será para la validez de las medidas que se adopten en el marco de aquél.

Así pues, afirmamos en aquel momento que sólo una vez que las medidas de suspensión de actividades o las restricciones a la circulación fueran decretadas por el Presidente de la República y *publicadas en la Gaceta Oficial*, es que se entenderían vigentes y se harían de obligatorio acatamiento y que sería a partir de ese momento que se entenderían suspendidos los lapsos de los procedimientos administrativos que se encontraren en curso, así como la obligación de determinar y pagar los tributos, dentro del ámbito geográfico y temporal que determinaran dichos Decretos.

Ello ocurrió por primera vez con el Decreto 4.188 del 19 de abril de 2020[57], por medio del cual se estableció la restricción de la circulación y libre tránsito en jurisdicción del estado Nueva Esparta por 30 días, prorrogables por igual período y hasta tanto se estimara adecuado el estado de contención de la enfermedad o de sus posibles cepas, y controlados sus factores de contagio. Posteriormente, los Decretos Nos. 4.205 del 18 de mayo de 2020[58], 4.206 del 19 de mayo de 2020[59], 4.207 del 19 de mayo de 2020[60], 4.209 del 21 de mayo de 2020[61], 4.219 del 29 de mayo de 2020[62], establecieron iguales medidas en las jurisdicciones de los municipios (i) Páez del estado Apure; (ii) Guajira y Jesús María Semprún del estado Zulia; (iii) Gran Sabana del estado Bolívar; (iv) Si-

---

[54] Artículo 2° de la Ley de Publicaciones Oficiales (Gaceta Oficial N° 20.546 del 22 de julio de 1941): "Las Leyes entrarán en vigor desde la fecha que ellas mismas señalen; y, en su defecto, desde que aparezcan en la GACETA OFICIAL DE LOS ESTADOS UNIDOS DE VENEZUELA, conforme lo estatuye la Constitución Nacional".

[55] Artículo 1 del CCV (Gaceta Oficial N° 2.990 Extraordinario del 26 de julio de 1982): "La Ley es obligatoria desde su publicación en la GACETA OFICIAL o desde la fecha a posterior que ella misma indique".

[56] BREWER-CARÍAS, Allan. O.c., p.4

[57] Gaceta Oficial N° 6.530 Extraordinario del 19 de abril de 2020.

[58] Gaceta Oficial N° 6.537 Extraordinario del 18 de mayo de 2020.

[59] Gaceta Oficial N° 6.538 Extraordinario del 19 de mayo de 2020.

[60] Gaceta Oficial N° 6.538 Extraordinario del 19 de mayo de 2020.

[61] Gaceta Oficial N° 6.539 Extraordinario del 21 de mayo de 2020.

[62] Gaceta Oficial N° 6.540 Extraordinario del 29 de mayo de 2020.

món Bolívar y Pedro María Ureña del estado Táchira; y (v) Mara del estado Zulia, respectivamente; situación que se extendió hasta el 29 de noviembre de 2020, cuando fue dictado el Decreto 4.381 de esa misma fecha[63], que puso fin a las restricciones impuestas en los precitados Municipios.

Entonces, para ejemplificar lo hasta aquí dicho, ello facultaría a los sujetos pasivos del Municipio Páez del estado Apure, a invocar la suspensión de los procedimientos de autodeterminación, autoliquidación y la obligación de pagar de los tributos que les hubieran sido aplicables, así como de los lapsos de los procedimientos de primer y segundo grado en los que se hubieran encontrado involucrados durante el lapso transcurrido entre el 19 de mayo y el 19 de noviembre de 2020, es decir, por un período de 6 meses.

Aunque la tesis ROMERO-MUCI/MEIER tiene toda racionalidad, creemos que existen normas en el ordenamiento jurídico venezolano que aportan el fundamento necesario para la postergación de los deberes formales y las obligaciones tributarias en general, es decir, en todos los ramos tributarios que integran el sistema tributario venezolano.

En ese sentido, es importante destacar la tesis centrada en el procedimiento de determinación de la obligación tributaria y los derechos del contribuyente, elaborada por ABACHE CARVAJAL, que ofrece una solución práctica a los sujetos pasivos a partir del *derecho de los contribuyentes a que toda actuación determinativa se realice en días y horas hábiles*[64].

El precitado autor sostuvo que *todos* los vencimientos de plazos y de los procedimientos de *autodeterminación* (declaraciones y liquidaciones de impuesto sobre la renta, impuesto al valor agregado, etc.) debían entenderse automáticamente prorrogados durante el tiempo en que *"las instituciones financieras no estuvieren abiertas al público"* esto es, desde que fue dictada la Circular N° SIB-DSB-CJ-OD-02315 de la SUDEBAN del 15 de marzo de 2020 y hasta el primer día hábil siguiente que, en los términos propuestos, de conformidad con la Circular N° SIB-DSB-CJ-OD-02793 de la SUDEBAN el 31 de mayo de 2020, fue el lunes 1° de junio de 2020, para las personas naturales cuyas cédulas de identidad terminen en los números 0, 1, 2, 3 y 4, y el miércoles 3 de junio, para las personas naturales cuyas cédulas de identidad terminen en los números 5, 6, 7, 8 y 9; así como el viernes 5 de junio, para las personas jurídicas en sentido estricto; a excepción de *"las Zonas donde el Ejecutivo Nacional mantenga la rigurosidad de las medidas"*[65].

---

[63] Gaceta Oficial N° 6.601 Extraordinario del 29 de noviembre de 2020.
[64] ABACHE CARVAJAL, Serviliano, "COVID-19 y determinación tributaria" en Estudios Jurídicos sobre la Pandemia del COVID-19 y el Decreto de Estado de Alarma en Venezuela, Caracas, Academia de Ciencias Políticas y Sociales (ACIENPOL)/ Editorial Jurídica Venezolana Internacional, 2020, pp. 475-512. Disponible en: https://www.acienpol.org.ve/libros/estudios-juridicos-de-la-pandemia-del-covid-19-y-el-decreto-de-estado-de-alarma-en-venezuela/.
[65] Ibid., p. 512.

En palabras de ABACHE CARVAJAL, lo anterior supone, por vía de consecuencia, que durante ese período tampoco se habrían causado intereses moratorios, ni habrían sido aplicables sanciones, por la (inexistencia de) falta o retardo en el cumplimiento de las obligaciones tributarias, dado el estado de prórroga automática de los plazos y términos de los procedimientos de determinación[66].

5) BASES CONSTITUCIONALES Y LEGALES PARA LA ADOPCIÓN DE OTRAS MEDIDAS

Como indicamos arriba, uno de los principales quebrantos que trajo consigo la pandemia del COVID-19, fue la grave afectación a la economía de los países incididos en razón de la adopción de lo que la OCDE ha catalogado como "medidas imprescindibles pero paralizantes"[67].

Establece el artículo 45 del Código Orgánico Tributario (COT)[68] que:

> "El Ejecutivo Nacional podrá conceder, con carácter general, prórrogas y demás facilidades para el pago de obligaciones no vencidas, así como fraccionamientos y plazos para el pago de deudas atrasadas, cuando el normal cumplimiento de la obligación tributaria se vea impedido por caso fortuito o fuerza mayor, o en virtud de circunstancias excepcionales que afecten la economía del país.

> Las prórrogas, fraccionamientos y plazos concedidos de conformidad con este artículo, no causarán los intereses previstos en el artículo 66 de este Código."

Partiendo de lo anterior, resulta evidente que la pandemia del COVID-19 sin duda encuadra dentro de los dos supuestos de hecho contemplados por la norma, pues esta es ambas cosas, es decir: Un caso fortuito o de fuerza mayor y una circunstancia excepcional que afecta la economía del país. A pesar de ello, ni el Decreto 4.160, ni ninguno de los decretos dictados dentro del marco del estado de excepción, ha resuelto este asunto, sino que en algunos casos pudiera argumentarse que acrecentaron las dificultades (*e.g.* al trasladar la mayor parte de la carga al sector privado de la economía).

Sólo habría existido una medida paliativa en materia tributaria, y eso si se hubiera tomado como cierta la tesis de la suspensión de pleno derecho y con efectos generales de los procedimientos administrativos tributarios por virtud de lo dispuesto en el artículo 8 y la Disposición Final Sexta del Decreto 4.160, cuya aplicación se encontraba condicionada a que efectivamente se formalizaran tales medidas a través de un Decreto Presidencial que debía limitarlas material, temporal y espacialmente, como ocurrió con respecto del Estado Nueva

---

[66] Ibid., p. 508.
[67] Cfr. "Coronavirus (COVID-19) ..." OCDE, p. 1.
[68] Gaceta Oficial N° 6.507 Extraordinario del 29 de enero de 2020.

Esparta, por ejemplo. Pero, aunque absolutamente lógica, esta no dejaba de ser una teoría, pues ni el Decreto 4.160 ni ninguno de los posteriores dictados dentro del marco de su vigencia, así lo contemplan expresamente.

Dijimos entonces que era indispensable que el Estado venezolano implementara otras medidas, y no sólo porque ello resultara lo más conveniente o razonable; es decir, no porque "debía" adoptarlas, sino porque está *constitucionalmente obligado a hacerlo*, según explicaremos a continuación.

Explica TORO HARDY, que el objeto de estudio de la economía no es otro que el de "resolver el problema económico"[69], por lo que conviene hacer uso de varios conceptos de dicha ciencia que serán de utilidad para comprender lo que sigue.

Expone TORO HARDY que en el estudio de la economía surgen dos campos fundamentales de análisis: el micro y el macro. La *microeconomía* se ocupa del análisis del comportamiento de *los elementos individuales de una economía*, como lo son las actividades de productores y consumidores, a través de la participación de estos agentes en mercados específicos; mientras que la *macroeconomía* se refiere al estudio de *la economía en su conjunto*, es decir, a los agregados económicos tales como el producto nacional total, el empleo total, la inflación, etc., y cuyas causas se estudian a partir de la acción gubernamental.

Aclarado lo anterior, entendemos que desde el punto de vista jurídico el problema puede *y debe* ser contemplado desde *cuatro perspectivas* que conforman las piedras angulares (*corner stones*) fundamentales para afrontar la grave situación creada por el COVID-19, en el ámbito específico del cumplimiento de los deberes formales y obligaciones tributarias.

A) CONSTITUCIONALES

El derecho a la vida y a la salud son derechos humanos *supraconstitucionales* (artículos 43[70] y 83[71] de la Constitución) que el Estado debe proteger en cualquier circunstancia y que, por lo tanto, están por encima del deber constitucional de contribuir al sostenimiento de las cargas públicas (artículo 133[72] de la

---

[69] TORO HARDY, José, *"Fundamentos de Teoría Económica."*, Editorial Panapo, Caracas, 2005, p. 44.

[70] Artículo 43 de la Constitución: "**El derecho a la vida es inviolable**. Ninguna ley podrá establecer la pena de muerte, ni autoridad alguna aplicarla. El Estado protegerá la vida de las personas que se encuentren privadas de su libertad, prestando el servicio militar o civil, o sometidas a su autoridad en cualquier otra forma."

[71] Artículo 83 de la Constitución: "La salud es un derecho social fundamental, obligación del Estado, **que lo garantizará como parte del derecho a la vida**. El Estado promoverá y desarrollará políticas orientadas a elevar la calidad de vida, el bienestar colectivo y el acceso a los servicios. Todas las personas tienen derecho a la protección de la salud, así como el deber de participar activamente en su promoción y defensa, y el de cumplir con las medidas sanitarias y de saneamiento que establezca la ley de conformidad con los tratados y convenios internacionales suscritos y ratificados por la República".

[72] Artículo 133 de la Constitución: "Toda persona tiene el deber de coadyuvar a los gastos públicos mediante el pago de impuestos, tasas y contribuciones que establezca la ley".

Constitución) y de la potestad administrativa de recaudar tributos (cualquier tributo, *i.e.* Impuesto Sobre la Renta, Impuesto al Valor Agregado, Impuesto a las Grandes Transacciones Financieras, etc.) todo de acuerdo con los artículos 2[73], 19[74], 22[75] y 23[76] de la Constitución.

En el marco del estado de excepción de escala *global* creado por la pandemia del COVID-19, que fue reconocido de forma local por un acto del poder público (el Decreto 4.160), el Estado no puede obligar a las personas naturales a enfrentar el *falso dilema* de anteponer el cumplimiento de sus obligaciones tributarias a la protección de su salud o su vida. De hecho, la Constitución impone el deber a *todos* los ciudadanos de *defender y promover la vigencia de los derechos humanos*, no sólo los propios, sino también los de sus semejantes en el marco de la responsabilidad y solidaridad sociales.[77]

Tampoco es constitucionalmente admisible para el Estado obligar a las personas jurídicas a enfrentarse al *falso dilema* de anteponer el cumplimiento de sus obligaciones tributarias a su propia existencia u operatividad, pues igualmente es obligación del Estado proteger la economía, la iniciativa privada, aumentar la productividad, la creación de bienes y servicios, promover el desarrollo armónico de la economía nacional con el fin de generar fuentes de trabajo, alto valor agregado nacional, elevar el nivel de vida de la población y fortalecer la soberanía económica del país, garantizando la seguridad jurídica, solidez, dinamismo, sustentabilidad, permanencia y equidad del crecimiento de la economía, para garantizar una justa distribución de la riqueza mediante una planificación estratégica democrática participativa y de consulta abierta, conforme al artículo 299 de la Constitución[78].

---

[73] Artículo 2 de la Constitución: "Venezuela se constituye en un Estado democrático y social de Derecho y de Justicia, **que propugna como valores superiores de su ordenamiento jurídico y de su actuación, la vida,** la libertad, la justicia, la igualdad, la solidaridad, la democracia, la responsabilidad social **y, en general, la preeminencia de los derechos humanos**, la ética y el pluralismo político." (Destacado subrayado nuestro).

[74] Artículo 19 de la Constitución: "**El Estado garantizará a toda persona, conforme al principio de progresividad y sin discriminación alguna, el goce y ejercicio irrenunciable indivisible e interdependiente de los derechos humanos.** Su respeto y garantía son obligatorios para los órganos del Poder Público,** de conformidad con esta Constitución, los tratados sobre derechos humanos suscritos y ratificados por la República y con las leyes que los desarrollen."(Destacado y subrayado nuestro).

[75] Artículo 22 de la Constitución: "La enunciación de los derechos y garantías contenidos en esta Constitución y en los instrumentos internacionales sobre derechos humanos no debe entenderse como negación de otros que, siendo inherentes a la persona, no figuren expresamente en ellos. La falta de ley reglamentaria de estos derechos no menoscaba el ejercicio de los mismos".

[76] Artículo 23 de la Constitución "Los tratados, pactos y convenciones relativos a derechos humanos, suscritos y ratificados por Venezuela, tienen jerarquía constitucional y prevalecen en el orden interno, en la medida en que contengan normas sobre su goce y ejercicio más favorables a las establecidas en esta Constitución y en las leyes de la República, y son de aplicación inmediata y directa por los tribunales y demás órganos del Poder Público.

[77] Artículo 132. "Toda persona tiene el deber de cumplir sus responsabilidades sociales y participar solidariamente en la vida política, civil y comunitaria del país, **promoviendo y defendiendo los derechos humanos** como fundamento de la convivencia democrática y de la paz social." (Destacado y subrayado nuestro).

[78] Artículo 299 de la Constitución: "**El régimen socioeconómico de la República Bolivariana de Venezuela se fundamenta en los principios de** justicia social, democracia, eficiencia, libre

En adición a ello, el mandato contenido en el artículo 112 de la Constitución[79] *obliga* al Estado a promover la iniciativa privada, garantizando: (i) la creación y justa distribución de la riqueza, así como (ii) la producción de bienes y servicios que satisfagan las necesidades de la población, la libertad de trabajo, empresa, comercio, industria, sin perjuicio de su facultad para dictar medidas para planificar, racionalizar y regular la economía e impulsar el desarrollo integral del país".

Asimismo, se ha destacado en otro lugar[80] que la Constitución crea en su artículo 320 una *obligación para el Estado* en relación con la protección de la estabilidad económica[81] y que el preámbulo de la Constitución aclara que el mandato establecido por el constituyente en cabeza del Estado y, específicamente, de la Administración Pública Nacional[82], en materia de elaboración de políticas económicas, tiene como fin último la obtención del "bienestar social" y "el desarrollo armónico nacional y la justa distribución de la riqueza", a través de "un marco normativo estable que brinde seguridad jurídica a la actividad económica".[83]

---

competencia, protección del ambiente, **productividad** y solidaridad, **a los fines de asegurar el desarrollo humano integral y una existencia digna y provechosa para la colectividad.** El Estado conjuntamente con la iniciativa privada, promoverá el **desarrollo armónico de la economía nacional con el fin de generar fuentes de trabajo, alto valor agregado nacional, elevar el nivel de vida de la población y fortalecer la soberanía económica del país,** garantizando la seguridad jurídica, solidez, dinamismo, sustentabilidad, permanencia y equidad del crecimiento de la economía, para lograr una justa distribución de la riqueza mediante una planificación estratégica democrática, participativa y de consulta abierta." (Destacados y subrayados nuestros).

[79] Artículo 112 de la Constitución "Todas las personas pueden dedicarse libremente a la actividad económica de su preferencia, sin más limitaciones que las previstas en esta Constitución y las que establezcan las leyes, por razones de desarrollo humano, seguridad, sanidad, protección del ambiente u otras de interés social. **El Estado promoverá la iniciativa privada, garantizando la creación y justa distribución de la riqueza, así como la producción de bienes y servicios que satisfagan las necesidades de la población, la libertad de trabajo, empresa, comercio, industria,** sin perjuicio de su facultad para dictar medidas para planificar, racionalizar y regular la economía e impulsar el desarrollo integral del país".

[80] TAGLIAFERRO DEL PERAL, Andrés. "Autonomía o anarquía tributaria municipal". *Patologías del sistema tributario venezolano. XVIII Jornadas de Derecho Tributario 2019.* Asociación Venezolana de Derecho Tributario (AVDT), Caracas, 2019, p. 571. Disponible en: https://www.avdt.org.ve/download/aa-vv-patologias-del-sistema-tributario-venezolano-memorias-de-las-xviii-jornadas-venezolanas-de-derecho-tributario-asociacion-venezolana-de-derecho-tributario-caracas-2019/.

[81] Artículo 320 de la Constitución: "**El Estado debe promover y defender la estabilidad económica, evitar la vulnerabilidad de la economía y velar por la estabilidad monetaria y de precios para asegurar el bienestar social.** El ministerio responsable de las finanzas y el Banco Central de Venezuela **contribuirán a la armonización de la política fiscal con la política monetaria,** facilitando el logro de los objetivos macroeconómicos…" (las negrillas son nuestras).

[82] Artículo 156 de la Constitución: "Es de la competencia del Poder Público Nacional: (…) 21. Las políticas macroeconómicas, financieras y fiscales de la República".

[83] Parágrafos segundo y tercero, del capítulo I, del título VI del preámbulo de la Constitución: "**El Estado no está ausente, tiene un papel fundamental como regulador de la economía para asegurar el desarrollo humano integral,** defender el ambiente, promover la creación de valor agregado nacional y de fuentes de trabajo, **garantizando la seguridad jurídica para fomentar,**

Finalmente, huelga recordar que el artículo 316 de la Constitución, que consagra los fines y principios estructurales del sistema tributario venezolano, dispone expresamente que éste procurará la justa distribución de las cargas públicas según *la capacidad económica del contribuyente*, atendiendo al principio de progresividad, así como *la protección de la economía nacional y la elevación del nivel de vida de la población*, sustentándose para ello en un sistema eficiente para la recaudación de los tributos[84].

Ninguno de estos propósitos fundamentales puede alcanzarse si el Estado no protege a la economía privada durante el estado de excepción, con medidas que alivien o al menos posterguen sus cargas fiscales formales y materiales; si ello no ocurre, estaría violando la Constitución y precipitando a las empresas hacia su desaparición, con lo cual potenciaría los ya devastadores efectos económicos de la pandemia COVID-19.

Necesario es reiterar que no se trata de medidas *convenientes* o que el Estado *debería* adoptar. Son *obligaciones* que la Constitución *impone* al Estado, en todas sus manifestaciones, y que si éste no cumple, incurre en responsabilidad patrimonial por los daños que su actuación o la falta de ella, ocasione en las personas (naturales o jurídicas).

Teniendo en cuenta lo expuesto, el Estado y, concretamente, la Administración Pública Nacional, tenía la obligación constitucional de decretar la suspensión del cumplimiento material de las obligaciones tributarias, así como el cumplimiento de los deberes formales tributarios (que tienen un carácter meramente instrumental y tienen como único objetivo garantizar el cumplimiento de las obligaciones tributarias) para garantizar la vigencia plena de valores *superiores* como el derecho a la vida y a la salud de las personas naturales y la subsistencia y viabilidad económica de las empresas privadas, como dinamizadoras de la economía, que generan empleo, bienes y servicios para la colectividad y riqueza para su equitativa distribución.

Al forzar a las personas y a las empresas a continuar cumpliendo deberes formales y obligaciones tributarias, incluso imponiéndoles sanciones, el Estado venezolano violó derechos humanos reconocidos en la Constitución, y transgredió los valores y principios fundamentales que gobiernan el sistema

---

junto con la iniciativa privada, **el desarrollo armónico de la economía nacional y la justa distribución de la riqueza**...".

"(...) **El Estado debe orientar las políticas macroeconómicas** y sectoriales para promover el crecimiento y el bienestar. **Se reconoce como esencial la acción reguladora del Estado para establecer un marco normativo estable que brinde seguridad jurídica a la actividad económica**..." (negrillas y subrayado nos pertenecen).

[84] Artículo 316 de la Constitución: "El sistema tributario procurará la justa distribución de las cargas públicas según la capacidad económica del o de la contribuyente, atendiendo al principio de progresividad, así como la protección de la economía nacional y la elevación del nivel de vida de la población; para ello se sustentará en un sistema eficiente para la recaudación de los tributos".

económico y el sistema tributario venezolano, y es responsable por los daños patrimoniales que esa actuación contraria a la Constitución ha causado.

B) OBLIGACIONALES

La obligación tributaria, según reza el artículo 13 del COT, surge entre el Estado en las distintas expresiones del Poder Público y los sujetos pasivos en cuanto ocurra el presupuesto de hecho previsto en la ley, y constituye un vínculo de carácter personal, aunque su cumplimiento se asegure mediante garantía real o con privilegios especiales.

Se ha afirmado que, entre la obligación tributaria y la obligación de derecho privado, existe una identidad estructural (objeto, sujeto y causa)[85]. En la teoría general de las obligaciones, quien adquiere un vínculo obligacional, contractual o extracontractual, no puede elegir si cumple o no; antes por el contrario, en el caso de las obligaciones jurídicas –por oposición a las naturales– es su deber hacerlo, correspondiéndole en consecuencia ejecutar todas y cada una de las prestaciones que le impone dicho ligamen, so pena de ser compelido a ello.

Pero el deudor no puede cumplir de cualquier forma, porque las obligaciones han de cumplirse tal como han sido pactadas. Este es el principio general que preside todo el régimen jurídico de las obligaciones y que en nuestro ordenamiento jurídico encuentra expresa regulación en el artículo 1.264 del CCV, de acuerdo con el cual: *"Las obligaciones deben cumplirse exactamente como han sido contraídas"*.

Por lo tanto, el deudor está obligado al cumplimiento *exacto* de la obligación y ello implica cumplir de un *modo* predeterminado, en un *lugar* específico, en un *plazo* establecido y con la diligencia, al menos, de un buen padre de familia, todo ello según lo pactado por las partes o según lo que imponga la ley.

Ahora bien, la violación de este principio fundamental al que se denomina *incumplimiento*, compromete la responsabilidad del deudor y lo somete a la obligación adicional de *indemnizar* los daños y los perjuicios que su conducta ha causado al acreedor. Así lo expresa también el artículo 1.264 del CCV al señalar que: *"El deudor es responsable de daños y perjuicios, en caso de contravención"*.

En general, el incumplimiento de las obligaciones tiene dos manifestaciones fundamentales, a saber, el *incumplimiento total*, que supone simple y llanamente no ejecutar en absoluto las prestaciones convenidas o impuestas por la ley; y el *cumplimiento inexacto*, que a su vez se divide en cumplimiento defectuoso o en una forma distinta de cómo fue pactada la obligación, y cumplimiento tardío o fuera del plazo convenido o fijado por la ley.

---

[85] FRAGA-PITTALUGA, Luis. *Los Intereses moratorios en las obligaciones tributarias. Estudio y jurisprudencia.* Fundación Estudios de Derecho Administrativo (FUNEDA), Caracas, 2008, p. 23. Disponible en: https://fragapittaluga.com.ve/fraga/index.php/component/k2/item/19-los-intereses-moratorios-en-las-obligaciones-tributarias.

El retardo en el cumplimiento de las obligaciones es tal vez la hipótesis más frecuente y común de cumplimiento inexacto. A este tipo de conducta suele denominársele *mora*, y al deudor que incurre en ella *moroso*.

La relación obligacional tributaria, en cuanto a su cumplimiento, está sujeta a las mismas circunstancias que la obligación de derecho privado y, desde la perspectiva de la culpa, sólo pueden plantearse los siguientes escenarios: El deudor incumple porque "no quiere" (dolosamente), porque fue imprudente o negligente (culposamente) o porque "no puede".

Explica MADURO LUYANDO que el incumplimiento culposo es aquel que deriva de la culpa del deudor y por "culpa del deudor" debemos entender tal expresión en su acepción más amplia, que comprende tanto el incumplimiento intencional o doloso del deudor como el incumplimiento derivado de la simple imprudencia o negligencia[86].

Ahora bien, si el deudor incumple con la obligación, porque "no puede" cumplir, es porque existe una circunstancia objetiva (ajena a la voluntad y a la conducta del deudor), sobrevenida, imprevista e insuperable que le impide cumplir de forma absoluta (causa extraña no imputable) o lo fuerza a cumplir en forma defectuosa o tardía con una finalidad de auto preservación (estado de necesidad).

Las primeras circunstancias, llamadas *causas extrañas no imputables*, eximen al deudor de responsabilidad por el incumplimiento o el cumplimiento defectuoso o tardío de la obligación y encuentran su regulación en el Derecho Común en el artículo 1.271 del CCV.[87]

La doctrina señala como hechos constitutivos de la causa extraña no imputable: (i) *el caso fortuito y la fuerza mayor*, modernamente tratados como sinónimos y asociados a hechos provenientes tanto de la naturaleza como del hombre (*e.g.* inundaciones, incendios, terremotos, etc.) (ii) *el hecho de un tercero*, que constituye una causa extraña no imputable siempre y cuando la acción de aquel sea la única causa del incumplimiento; (iii) *el hecho del príncipe*, entendido como disposiciones prohibitivas emanadas del Estado por razones de interés público que al ser de obligatorio acatamiento por las partes, ocasionan la imposibilidad sobrevenida de cumplir con la obligación y (iv) *la culpa de la víctima o del acreedor*, que, al igual que ocurre con el hecho de un tercero, cuando es la única causa del incumplimiento, entonces no habrá responsabilidad por parte del deudor.

---

[86] MADURO LUYANDO, Eloy et al., *Curso de Obligaciones. Derecho Civil III*. Tomo I. Universidad Católica Andrés Bello, Caracas, 2009, p. 185.

[87] Artículo 1.271 del CCV: "El deudor será condenado al pago de los daños y perjuicios, tanto por inejecución de la obligación como por retardo en la ejecución, si no prueba que la inejecución o el retardo provienen de una causa extraña que no le sea imputable, aunque de su parte no haya habido mala fe."

Por su parte, el *estado de necesidad*, contemplado por el artículo 1.188 del CCV[88], es una figura extrapolada del Derecho Penal al Derecho Civil y consiste en el daño que causa un agente para protegerse a sí mismo o a un tercero de un daño inminente y mayor. El estado de necesidad no exonera al agente de la reparación, sólo atenúa la extensión de la misma, en la medida que el juez lo estime procedente de acuerdo con la equidad.

Aclarado lo anterior, tenemos que el ordenamiento jurídico tributario reacciona frente al sujeto pasivo que cumple tardíamente la obligación tributaria. Dicha reacción se proyecta en dos sentidos: Uno *punitivo* y otro *indemnizatorio*.

En el plano *punitivo*, el ordenamiento jurídico tributario sanciona pecuniariamente al sujeto pasivo de la obligación tributaria por no cumplir con las prestaciones que ésta le impone dentro del plazo previsto en la ley (situación que analizaremos con mayor profundidad en el siguiente punto).

La segunda vertiente de la reacción que prevé el ordenamiento jurídico para el cumplimiento tardío de las obligaciones tributarias, cuya finalidad, como hemos dicho, no es punitiva, sino *indemnizatoria* o *resarcitoria* del daño patrimonial ocasionado, es la obligación que pesa sobre el sujeto pasivo de pagar, en adición al importe del tributo y de las sanciones pecuniarias a que haya lugar, *intereses de mora*.

El COT de 2020, en su artículo 66, se aparta del Modelo de Código Tributario para América Latina (MCTAL), y siguiendo la misma redacción de los COT de 1982[89], 1992[90], 1994[91], 2001[92] y 2014[93], califica los intereses a ser pagados por el deudor que cumple con retardo la obligación tributaria, como *moratorios*[94]. Esta calificación no es casual, sino que tiene importantísimas consecuencias que no es posible pasar por alto.

La mora supone un retardo en el cumplimiento de la obligación, por lo que los intereses moratorios sólo pueden causarse cuando se ha producido dicho retraso. Como ya fue explicado, en nuestro ordenamiento jurídico el deudor no puede ser condenado al pago de daños y perjuicios derivados del incum-

---

[88] Artículo 1.188 del CCV: "El que causa un daño a otro para preservarse a sí mismo o para proteger a un tercero de un daño inminente y mucho más grave, no está obligado a reparación sino en la medida en que el Juez lo estime equitativo."

[89] Gaceta Oficial N° 2.992 Extraordinario del 3 de agosto de 1982.

[90] Gaceta Oficial N° 4.466 Extraordinario del 11 de septiembre de 1992.

[91] Gaceta Oficial N° 4.727 Extraordinario del 27 de mayo de 1994.

[92] Gaceta Oficial N° 37.305 del 17 de octubre de 2001.

[93] Gaceta Oficial N° 6.152 Extraordinario del 18 de noviembre de 2014.

[94] Artículo 66 del COT de 2020: "La falta de pago de la obligación tributaria dentro del plazo establecido hace surgir, de pleno derecho y sin necesidad de requerimiento previo de la Administración Tributaria, la obligación de pagar intereses **moratorios** desde el vencimiento del plazo establecido para la autoliquidación y pago del tributo hasta la extinción total de la deuda, equivalentes a 1.2 veces de la tasa activa bancaria aplicable, respectivamente, por cada uno de los períodos en que dichas tasas estuvieron vigentes" (subrayado y negrillas nos pertenecen).

plimiento total de la obligación o del retardo en el cumplimiento de la misma, si prueba que la inejecución o el retardo derivan de la ocurrencia de una causa extraña no imputable.

Así, aunque la obligación se cumpla tardíamente y por ende se materialice un retardo, *no habrá mora ni intereses moratorios*, cuando el cumplimiento inexacto por retardo proviene del hecho del príncipe, la fuerza mayor, el caso fortuito, el hecho de un tercero o la culpa de la víctima, todo de acuerdo con los principios generales que derivan de los artículos 1.271 y 1.272 del CCV. Este principio es perfectamente trasladable al ámbito de los intereses de mora en el Derecho Tributario, precisamente porque el COT califica tales intereses como *moratorios*.

Esto ha sido reconocido por la propia Administración Tributaria Nacional, el Servicio Nacional Integrado de Administración Aduanera y Tributaria (SENIAT), que al respecto ha señalado lo siguiente:

> "El mencionado forjamiento ocasionó un retardo involuntario en el pago de la obligación con lo cual, a juicio de esta Gerencia, queda demostrado que se cumplieron los requisitos necesarios para estar en presencia de una causa extraña no imputable, como lo son la imposibilidad sobrevenida, imprevisible y que imposibilita al deudor el cumplimiento de su obligación. De todo lo expuesto este Superior Jerárquico concluye que la Gerencia Regional de Tributos Internos de la Región Capital incurrió en el vicio de falso supuesto, alegado por la contribuyente, al considerar que hubo un retardo culposo en el pago del impuesto, cuando en realidad el retardo se debió a una causa extraña no imputable a la contribuyente".[95]

Si el legislador tributario se hubiese referido a secas a "intereses", no habría duda de que los mismos procederían en forma objetiva, es decir, automáticamente y sin consideración alguna de la causa generatriz del incumplimiento, sin que fuere necesario indagar las razones por las cuales el deudor no satisfizo en tiempo oportuno la deuda tributaria. En este hipotético escenario, el mero vencimiento del plazo legalmente establecido para pagar haría nacer la obligación accesoria de pagar intereses, sin que tal ligamen resultare afectado o alterado por algún hecho o acontecimiento extraño a la simple constatación matemática del retardo.

Esto es lo que ocurre en España, en donde a pesar de que la Ley General Tributaria califica los intereses causados por el retardo en el cumplimiento de las obligaciones tributarias como de *demora*, en realidad no lo son, pues como explica con acierto Juan LÓPEZ MARTÍNEZ, en la: "...Ley General Tributaria se produce un desplazamiento del fundamento indemnizatorio del interés residenciado en el carácter culpable con el que se producía el retraso, hacia una 'responsabilidad objetiva', en cuanto que se exige el mal llamado interés de

---

[95] SENIAT, Oficio No. GJT-DRAJ-A-2002-700 de fecha 3 de abril de 2002, caso: THOMSON CFS DE VENEZUELA, C.A.

demora, sin que se produzca este requisito de la culpabilidad en el retraso, consustancial con el concepto de mora".[96]

El COT venezolano usa en su artículo 66 la palabra *moratorios* para aludir al tipo de intereses que genera el incumplimiento de la obligación. El uso de esta expresión no puede entenderse como un frívolo deseo del legislador de hacer más florido y abigarrado el lenguaje de la ley; obviamente, lo ha hecho para expresar una *cualidad específica* de tales intereses que los diferencia de los demás tipos de interés, y esta es, ateniéndose al derecho común, el carácter *doloso* o *culposo* del retardo en el cumplimiento que da lugar a los mismos.

Leer el artículo 66 del COT en forma distinta y concluir que el legislador dijo más de lo que quería (*dixit plus quam voluit*) o quiso decir menos de lo que expresa la ley, es violar un principio cardinal de la hermenéutica jurídica, recogido en el artículo 4 del CCV y reproducido por el artículo 5 del COT, de acuerdo con el cual a la ley *debe* atribuírsele el sentido que aparece evidente del significado propio de las palabras y la palabra *moratorios* alude, en derecho, a la mora y ésta al retardo *doloso* o *culposo*, y no al mero retardo, en la satisfacción de la deuda.

Como corolario de todo lo expuesto conviene advertir que no es posible invocar el manido argumento según el cual *lo accesorio sigue la suerte de lo principal,* queriendo significar con el mismo que, si como hemos reconocido, las causas extrañas no imputables no excusan al sujeto pasivo del tributo del cumplimiento de la obligación tributaria principal, tampoco pueden excusarlo del pago de los intereses, que no son más que accesorios de ésta. Este argumento de interpretación no encuentra aplicación alguna simple y llanamente porque la ley no lo permite. En Derecho Tributario lo accesorio sigue la suerte de lo principal, a menos que la ley disponga otra cosa, tal como ocurre en el caso de la obligación tributaria con los intereses moratorios, pues aunque no hay duda que éstos son accesorios de aquélla, no siempre han de seguir su suerte.

La jurisprudencia del Tribunal Supremo de Justicia en Sala Político Administrativa, en fallo de fecha 27 de septiembre de 2005, caso Lerma, C.A., ha dicho que: "*...La finalidad de dichos intereses es indemnizatoria, debido a que **no se pretende castigar un retraso culpable**, sino de compensar financieramente por el retraso en el pago de la deuda tributaria...*"[97]. (Resaltado y subrayado nuestro).

Ciertamente la finalidad de los intereses de mora es indemnizatoria y no punitiva, porque su objetivo es reparar el *daño* que causa el retraso en el cumplimiento de la obligación. En este caso la situación es idéntica a lo que ocurre en el Derecho Civil, con respecto al cual dijimos que los intereses de mora

---

[96] LÓPEZ MARTÍNEZ, Juan. *Régimen Jurídico de los llamados 'intereses moratorios' en materia tributaria (Un análisis de su ubicación dogmática en el seno de la deuda tributaria).* Civitas, Madrid, 1994, pp. 142-143.

[97] Criterio reiterado en el fallo del TSJ/SPA de fecha 22.03.07, caso: APPLICA, C.A.

tienen siempre y en todo caso un carácter *indemnizatorio* del daño que se ha ocasionado al acreedor al privarlo de satisfacer su crédito en el plazo previsto. Esto ha sido reconocido así desde vieja data y hasta nuestros días por la jurisprudencia. En efecto, la Junta de Apelaciones del Impuesto sobre la Renta, en sentencia N° 253 del 20 de octubre de 1948, señaló que:

> "...*los intereses moratorios liquidados a los contribuyentes* **no constituyen una sanción pecuniaria**, **sino una indemnización** *que la Nación legalmente establece a su favor, no procediendo por tanto el Recurso de gracia ante el Ministro que se establece para las multas.*" (Destacados y subrayados nuestros).

Este criterio fue reiterado por toda la jurisprudencia posterior a nuestro primer COT[98] y recientemente confirmado por la sentencia N° 0188 de la Sala Político Administrativa del 1° de septiembre de 2021, Caso SONAUTO, C.A.[99]

Aclarado lo anterior, es necesario señalar que, sin lugar a dudas, la pandemia causada por el COVID-19 es una circunstancia objetiva, sobrevenida, imprevista e insuperable que impide en forma absoluta en muchos casos o, dificulta en forma exagerada en otros, el cumplimiento tanto de los deberes formales como de las obligaciones tributarias.

En el primer caso (absoluta imposibilidad de cumplimiento) estaremos en presencia de un caso fortuito o fuerza mayor, es decir, de una causa extraña no imputable que acarrea la ausencia de responsabilidad del deudor por el incumplimiento. Entonces, si no hay responsabilidad por incumplimiento, no hay obligación de resarcir daño alguno al acreedor, de lo que se sigue que no se causan intereses de mora por el cumplimiento tardío de las obligaciones tributarias.

En el segundo caso, en el que el cumplimiento de las obligaciones y deberes formales tributarios no sea absolutamente imposible para el contribuyente, pero implique poner en riesgo la salud y la vida de las personas o la subsistencia y viabilidad de las empresas, activa la aplicación de la teoría del *estado de necesidad*, donde el deudor, ante la perspectiva de perder la vida, enfermarse gravemente o, en el caso de las personas jurídicas, que la empresa quiebre y deba cerrar, está autorizado para protegerse a sí mismo aunque ello implique postergar el derecho del acreedor, en este caso de la Administración Tributaria, en cualquiera de sus vertientes, al cumplimiento exacto y oportuno de la obligación.

En este último caso, si bien no habrá una exención al agente de la reparación, sí deberá atenuarse la extensión de la misma, en la medida que el juez lo estime procedente de acuerdo con la equidad.

---

[98] *Cf.* Ss. CSJ/SPA, 10.08.93 caso: MADOSA, CSJ/CP, 14.12.99, caso: OSWALDO PÁEZ-PUMAR ET ALL CONTRA ARTÍCULO 59 DEL COT; TSJ/SPA, 28.09.05, caso: LERMA, C.A., *ET PASSIM*.

[99] S. SPA-TSJ N° 0188/2021 del 1° de septiembre. Caso SONAUTO, C.A., http://historico.tsj.gob.ve/decisiones/spa/septiembre/313204-00188-1921-2021-2017-0048.html.

A nivel jurisprudencial, si bien no pudimos encontrar una decisión que dejara constancia de la exitosa alegación de la pandemia del COVID-19 como un supuesto de hecho que configura una causa extraña no imputable o un estado de necesidad, en sentencia del 26 de abril de 2021 el Tribunal Superior de lo Contencioso Tributario de la Región de Los Andes contempló la situación excepcional causada por la pandemia dentro de sus consideraciones para decretar procedente la solicitud de una medida de amparo cautelar de suspensión de efectos de una Resolución de Imposición de Sanción[100]. Por su parte, la Sala Político-Administrativa del Tribunal Supremo de Justicia ha reconocido en diversas decisiones que el COVID-19 es un "hecho público, notorio y comunicacional"[101], lo que significa que es un hecho exento de prueba.

C) SANCIONATORIAS

Como mencionamos arriba, en el plano punitivo el ordenamiento jurídico tributario sanciona pecuniariamente al sujeto pasivo de la obligación tributaria por no cumplir con las prestaciones que ésta le impone dentro del plazo previsto en la ley.

Si bien la falta de pago oportuno de la obligación tributaria, así como el incumplimiento de los deberes formales relativos a la declaración y pago, constituyen ilícitos tributarios, debe recordarse que, dada su naturaleza[102], para que pueda activarse la potestad sancionatoria *(ius puniendi)* del Estado, se requiere la comisión de un *ilícito*, el cual es técnicamente descrito como: una (i) conducta (acción u omisión) (ii) típica, (iii) antijurídica y (iv) culpable (imputabilidad).

Establece expresamente el numeral 3 del artículo 85 del COT que el caso fortuito y la fuerza mayor, son eximentes de la responsabilidad por ilícitos tributarios. De lo anterior se sigue que, cuando entre la conducta del deudor del tributo y el resultado que se materializa en el incumplimiento de la norma tributaria, media una causa extraña no imputable, en este supuesto el *caso fortuito* o la *fuerza mayor* que representa la pandemia del COVID-19, se excluye la *culpa* y por tanto no hay *responsabilidad*, porque se rompe la relación de causalidad necesaria entre la acción u omisión y el resultado antijurídico, tal como lo dispone con claridad el COT[103].

---

[100] S. Tribunal Superior de lo Contencioso Tributario de la Región de Los Andes del 26 de abril de 2021, Caso BOMBAS TÁCHIRA, C.A., http://jca.tsj.gob.ve/DECISIONES/2021/ABRIL/1324-26-3388-007-2021.HTML

[101] Vid. p. ej. s. SPA-TSJ N° 49/2021 del 17 de marzo. Caso: LUIS ENRIQUE MARÍN, http://historico.tsj.gob.ve/decisiones/spa/marzo/311490-00049-17321-2021-2017-0837.html y s. SPA-TSJ N° 192/2021 del 21 de septiembre. Caso MULTINACIONAL DE SEGUROS, C.A., http://historico.tsj.gob.ve/decisiones/spa/septiembre/313205-00192-1921-2021-2019-0092.html.

[102] WEFFE, Carlos. *El Ilícito Tributario. Naturaleza Jurídica*. Ediciones Paredes, Caracas, 2004, p. 133-135. Disponible en: https://www.weffe.net/weffe/index.php/component/k2/item/377-el-ilicito-tributario-naturaleza-juridica-paredes-editores-2004.

[103] Numeral 3 del artículo 85 del COT: "Son eximentes de responsabilidad: (...) 3. El caso fortuito y la fuerza mayor".

En consecuencia, no podría imponerse sanción alguna a los contribuyentes que exitosamente alegasen que su incumplimiento de obligaciones y deberes formales tributarios fue debido a una de tales circunstancias.

D) Vinculadas al procedimiento de fiscalización y determinación de la obligación tributaria

Conforme señalamos arriba, coincidimos con la opinión de Meier y Romero-Muci, quienes consideran que estos procedimientos administrativos y todos los plazos relativos a las declaraciones y pagos de tributos, se entenderían suspendidos de pleno derecho y con efectos generales, a partir de momento en que entraran en vigor los Decretos que declararan la suspensión de actividades o las restricciones al tránsito, es decir, una vez publicados en la Gaceta Oficial.

Ello derivado del reconocimiento que hace el Decreto 4.160 sobre la inimputabilidad a particulares y administraciones de las consecuencias devenidas de la suspensión o interrupción de un procedimiento administrativo en razón de la suspensión de actividades y las restricciones de circulación que en él se establecían[104], y de una interpretación armónica de las normas que establecen la irrestringibilidad de las garantías al debido proceso en los estados de excepción, contempladas por Convenios Internacionales[105] y recogidas en nuestro ordenamiento jurídico por la Constitución y la LOEE[106].

Si como bien afirmaron ROMERO-MUCI y MEIER, la circunstancia de fuerza mayor reconocida en términos generales *justifica* la demora del cumplimiento de obligaciones, entonces, por vía de consecuencia, debe entenderse que los plazos de esas obligaciones se encontrarían suspendidos mientras se encontraran en vigor los Decretos que regularan tal suspensión de actividades.

Habida cuenta de ello, puede afirmarse que al ser dictados los Decretos Presidenciales, en los términos expuestos arriba, en las localidades objeto de su aplicación espacial, se encontraron efectivamente suspendidos: (i) los procedimientos de autodeterminación de la obligación tributaria y (ii) los procedimientos de fiscalización, así como cualquier actuación dirigida al cobro de la obligación tributaria y cualquier procedimiento destinado a imponer sanciones o (iii) aplicar medidas administrativas de carácter cautelar para asegurar la recuperación del tributo.

---

[104] Disposición Final Sexta del Decreto 4.160.
[105] Artículos 2 y 4 del Pacto Internacional de Derechos Civiles y Políticos y 2 y 27 de la Convención Americana sobre Derechos Humanos.
[106] Artículos 49 y 339 de la Constitución.

6) MEDIDAS DE ALIVIO FISCAL PARA AMINORAR LOS EFECTOS ECONÓMICOS CAUSADOS POR EL COVID-19

No tenemos ninguna duda al afirmar que la adopción de medidas de alivio fiscal es una decisión que el Estado venezolano estaba *obligado* a tomar, con base en la interpretación armónica de los cuatro pilares o *corner stones* que se definieron anteriormente, y del sentido común que ha guiado el actuar de numerosos países en coordinación con organismos multilaterales.

En este orden de ideas, creímos útil hacer un breve inventario de las medidas de alivio fiscal que se adoptaron en otros países y que, en el ámbito interno, fueron implementadas por algunos entes político-territoriales en la esfera de su poder y potestades tributarias.

A) A NIVEL INTERNACIONAL

A inicios de la pandemia del COVID-19, la OCDE sugirió a los gobiernos respuestas de política fiscal de emergencia para limitar los daños al potencial productivo y proteger a los vulnerables, entre las cuales se destacan: (i) Exonerar o diferir las contribuciones la seguridad social de los empleadores y los trabajadores, así como los impuestos asociados al pago de nóminas; (ii) Simplificación de los procedimientos para reclamar la exención del IVA; (iii) Aplazar o renunciar a los impuestos que se recaudan sobre una base imponible que no varían con el ciclo económico inmediato (*V. gr.* Impuesto a los Grandes Patrimonios); (iv) el aumento de la posibilidad de arrastre de pérdidas a ejercicios fiscales posteriores, etc.[107]; y, específicamente a las Administraciones Tributarias, la OCDE sugirió implementar políticas en apoyo de los contribuyentes afectados por el COVID-19 entre las cuales se destacan: (i) Extensión de plazos para presentar declaraciones de impuestos; (ii) diferimiento de pagos; (iii) suspensión o devolución de montos cobrados por sanciones e intereses de mora; (iv) fraccionamientos de pago, entre otras[108].

La autoridad fiscal británica resolvió el aplazamiento de las declaraciones de IVA por un plazo de 3 meses para todos los contribuyentes ordinarios de este impuesto sin excepción, y un diferimiento hasta el 31 de enero de 2021, del pago del impuesto sobre la renta que vencía en julio de 2020, aplicable a los trabajadores autónomos.

---

[107] *"Emergency tax policy responses to the Covid-19 pandemic: Limiting damage to productive potential and protecting the vulnerable"* (Respuestas de política fiscal de emergencia a la pandemia de Covid-19: Limitar el daño al potencial productivo y proteger a los vulnerables). OCDE. Consultado el 23 de marzo de 2020 en: https://oecd.dam-broadcast.com/pm_7379_119_119695-dj2g5d5oun.pdf

[108] *"Tax administration responses to Covid-19: support for taxpayers"* (Respuestas de la administración tributaria al Covid-19: apoyo a los contribuyentes) OCDE. Consultado el 23 de marzo de 2020 en: https://oecd.dam-broadcast.com/pm_7379_119_119698-4f8bfnegoj.pdf

La autoridad tributaria alemana asumió la reducción de los pagos fraccionados del Impuesto sobre Sociedades y otros tributos sujetos al pago anticipado, hasta el 31 de diciembre de 2020, si tales pagos podían ocasionar daños o dificultades significativas para las empresas. Se resolvió asimismo flexibilizar los requisitos para la aceptación de aplazamientos en el pago de impuestos hasta el 31 de diciembre de 2020 y la no liquidación de intereses de mora, asociados a dichos aplazamientos[109]. Por su parte, el gobierno francés decidió diferir el pago de las cotizaciones sociales a las que estaban obligadas las empresas, hasta por 3 meses; acelerar los procedimientos de reintegro o devolución de impuestos y conceder rebajas de impuestos directos, previo el cumplimiento de ciertos requisitos.[110] En los Países Bajos se suprimieron las sanciones por falta de pago de los impuestos[111] mientras que Noruega se optó por suspender los anticipos de impuestos para las empresas del 15 de abril al 1° de septiembre de 2020[112].

Por su parte, el Centro Interamericano de Administraciones Tributarias (CIAT) publicó un resumen con la información provista por 13 países miembros del CIAT sobre las medidas fiscales implementadas en respuesta a la pandemia causada por el COVID-19, entre las que resaltan: (i) las prórrogas para el pago del Impuesto Sobre la Renta concedidos por Bolivia, Brasil, Canadá y España; (ii) las prórrogas para pagos de impuestos indirectos (*i.e.* IVA) concedidas por Costa Rica y Portugal; y (iii) las acciones tomadas por Argentina, Brasil, Bolivia y Colombia, que se relacionaban específicamente con la industria médica, por ejemplo; la eliminación de los impuestos a la importación de productos médicos, o la disponibilidad de deducciones por donaciones a centros de salud aprobados por el gobierno[113].

Chile acordó el aplazamiento de los pagos del IVA por tres meses contados a partir de marzo de 2020. Aplicable a los negocios con ventas inferiores a 350.000 Unidades de Fomento (UF)[114] (aprox. 12 millones de dólares). Se les ofreció a dichos negocios la posibilidad de pagar el IVA en 6 a 12 cuotas mensuales (dependiendo de su tamaño) a una tasa de interés del 0%. Esta medi-

---

[109] DEL CASTILLO GOLDING, Jorge. "Impuestos en tiempos de Covid-19" (26 de marzo de 2020). Consultado el 27 de marzo de 2020 en: https://www.expansion.com/opinion/2020/03/26/5e7ca928e5fdeae3788b4620.html

[110] "Coronavirus COVID-19: Les mesures de soutien aux entreprises" (Coronavirus COVID-19: Medidas de apoyo a las empresas) (27 de marzo de 2020) Departamento de Economía, Finanzas, Política y Cuentas Públicas de Francia. Consultado el 27 de marzo de 2020 en: https://www.economie.gouv.fr/coronavirus-soutien-entreprises.

[111] "Useful toolkit", ("Útil conjunto de herramientas"). OCDE. Consultado el 27 de marzo de 2020 en: http://www.oecd.org/tax/covid-19-tax-policy-and-other-measures.xlsm

[112] Ibid.

[113] "Reporte CIAT sobre medidas tributarias para atender los desafíos que impone el COVID-19 20-3-2020" del 20 de marzo de 2020. CIAT., p. 2.

[114] La Unidad de Fomento (UF) es una unidad de cuenta usada en Chile, reajustable de acuerdo con la inflación.

da –se estimó– debió beneficiar a 240.000 empresas[115]. Asimismo, se acordó el aplazamiento del pago del impuesto sobre la propiedad que debió pagarse en abril de 2020, con un tipo de interés del 0%. Aplicable a los negocios con ventas inferiores a UF 350.000 (aprox. 12 millones de dólares). El pago diferido se debía pagar junto con las 3 próximas cuotas con vencimientos en junio, septiembre y noviembre de 2020.

En México, el Gobierno del Estado de Sonora anunció para marzo y abril de 2020 un descuento del 50% en el pago del impuesto sobre la nómina para las empresas de hasta 50 empleados y un descuento del 100% en el impuesto sobre el alojamiento. El Gobierno del Estado también anunció el aplazamiento para el pago de los permisos para la venta de bebidas alcohólicas y para la revalidación de los permisos de los vehículos, y también la suspensión de los actos de inspección fiscal. Asimismo, el Gobierno del Distrito Federal amplió el plazo para obtener un descuento en el pago del Impuesto sobre la Propiedad de Vehículos desde finales de marzo hasta finales de abril de 2020. El Gobierno del Distrito Federal también anunció el aplazamiento de las obligaciones de declaración y pago de impuestos incluidas en el Código Tributario del Distrito Federal, ampliando el plazo hasta el final del mes. Las actas de inspección fiscal se suspendieron del 23 de marzo al 19 de abril de 2020. Además, el Estado de México también amplió el plazo para el pago del Impuesto sobre la Propiedad de Vehículos hasta finales de junio de 2020.[116]

Por su parte, países miembros Unión Europea (UE) tales como Bélgica, Italia, Luxemburgo, Polonia, España, Malta y otros países no miembros, tales como Rusia, Turquía y Ucrania, adoptaron diversas medidas unilaterales en materias de impuestos similares a las mencionadas anteriormente, dirigidas a paliar el impacto económico adverso.[117]

B) A NIVEL LOCAL

Inicialmente, en acatamiento de lo dispuesto a la Disposición Final Segunda del Decreto 4.160[118], al menos ocho entes Municipales[119] decretaron alivios fiscales, como, por ejemplo, la concesión de prórrogas y exoneración de las sanciones establecidas por la comisión de determinados ilícitos tribu-

---

[115] "Useful toolkit", ("Útil conjunto de herramientas"). OCDE. Consultado el 27 de marzo de 2020 en: http://www.oecd.org/tax/covid-19-tax-policy-and-other-measures.xlsm

[116] Ibid.

[117] La práctica fiscal de Dentons en Europa ha preparado un cuadro resumen de estas medidas que puede ser consultado en el siguiente enlace: https://insights.dentons.com/360/15137/uploads/brand-24519-client-alert-tax-corona-01.pdf.

[118] Disposición Final Segunda del Decreto 4.160: "La Administración Pública Nacional, Estadal y Municipal, central y descentralizada, prestará el apoyo para las medidas e implementará los planes y protocolos aplicables según sus competencias para prevenir y controlar este suceso sanitario, bajo la coordinación que corresponda al Ejecutivo Nacional".

[119] Municipios Girardot del Estado Aragua, Valencia del Estado Carabobo, San Diego del Estado Carabobo, Guacara del Estado Carabobo, Puerto Cabello del Estado Carabobo, Iribarren del Estado Lara, Chacao del Estado Miranda, Lagunillas del Estado Zulia.

tarios con el fin de morigerar la situación de los contribuyentes afectados por el COVID-19 y las medidas preventivas de cuarentena social. A título de ejemplo, destacamos tres casos:

- Mediante el Decreto N° 015-2020 dictado por el Alcalde del **Municipio Chacao del Estado Miranda** el 16 de marzo de 2020 y publicado en la Gaceta Municipal Ordinaria N° 1.989 de esa misma fecha, se concedió: (i) una prórroga, desde el 1° de abril hasta 15 de abril de 2020, ambas fechas inclusive, para la declaración y pago del Impuesto Municipal a las Actividades Económicas correspondiente al mes de febrero de 2020; (ii) una prórroga, desde el 1° de abril hasta 15 de abril de 2020, ambas fechas inclusive, para la declaración y pago del Impuesto de Inmuebles Urbanos y del Impuesto sobre Vehículos, correspondiente al primer trimestre del 2020.

- Por Decretos Nos. DA/0080/2020 y DA/0082/2020 dictados por el Alcalde del **Municipio Valencia del Estado Carabobo** publicados en las Gacetas Municipales Nos. 20/7568 y 20/7571 de fechas 13 y 17 de marzo de 2020, respectivamente, se decretó el "estado de alerta" en dicho Municipio. Posteriormente mediante el Decreto N° DA/0084/2020 se concedió: (i) una prórroga para la declaración del Impuesto Municipal a las Actividades Económicas para el período 2-2020 (febrero), hasta el 31 de marzo de 2020; y (ii) una exoneración a los contribuyentes de la sanción prevista en el Artículo 93 de la Ordenanza del Impuesto Municipal a las Actividades Económicas de dicho Municipio.

- A través de Decreto publicado en Gaceta Municipal N° 146 de fecha 18 de marzo de 2020, el **Municipio Girardot del Estado Aragua** concedió una prórroga para la declaración y pago del Impuesto Municipal a las Actividades Económicas hasta el 30 de abril de 2020 que normalmente debía declararse hasta el día 15 de cada mes.

Posteriormente, a nivel nacional, el Ejecutivo dictó el Decreto N° 4.171 de fecha *2 de abril de 2020*[120] mediante el cual se exoneró del pago del Impuesto sobre la Renta, el enriquecimiento anual de fuente territorial obtenido por las personas naturales residentes en el país, durante el periodo fiscal del año 2019, cuyo salario normal o ingreso proveniente del ejercicio de su actividad, al cierre de dicho periodo, no superara el monto equivalente a 3 salarios mínimos vigentes al 31 de diciembre de 2019[121], es decir, *dos días después* desde que se cumplió el plazo para declarar y pagar el impuesto (31 de marzo de 2020). Es

---

[120] Gaceta Oficial N° 6.523 Extraordinario del 2 de abril de 2020.

[121] El salario mínimo vigente para dicha fecha era de Bs. 0,15 (Bs. 150.000,00, en la unidad monetaria del momento), según el Decreto Presidencial N° 3.997 publicado en la Gaceta Oficial N° 6.484 Extraordinario del 11 de octubre de 2019. Es decir, que el tope de la exención fue de Bs. 0,45; *cifra equivalente a US$ 5,55*, para el momento en que se dictó el Decreto N° 4.171, de acuerdo con el tipo de cambio de referencia publicado por el Banco Central de Venezuela en su página web, http://www.bcv.org.ve/estadisticas/tipo-cambio-de-referencia-smc.

evidente que esta medida, además de extemporánea, no significó alivio alguno para las personas naturales, contribuyentes del Impuesto sobre la Renta.

Finalmente, la Providencia del SENIAT N° SNAT/2020/00057 del 27 de agosto de 2020[122] modificó el período de imposición del Régimen *"Temporal"* de pago de anticipo de Impuesto al Valor Agregado e Impuesto sobre la Renta para los sujetos pasivos calificados como especiales, pasando éste de ser semanal a quincenal (allende los cuestionamientos que pudieran emitirse sobre el hecho de que se haya pretendido modificar un *"Decreto Constituyente"*[123] a través de un acto de rango sublegal).

7) MEDIDAS DE ALIVIO FISCAL QUE DEBIERON SER ADOPTADAS POR EL EJECUTIVO NACIONAL (*Y QUE NO LO FUERON*)

Partiendo de las recomendaciones hechas por los organismos multilaterales, especialmente el CIAT y la OCDE, las medidas adoptadas por múltiples jurisdicciones a nivel internacional e incluso local, y con base en los fundamentos constitucionales y legales que rigen el régimen socioeconómico de nuestro ordenamiento jurídico *en aquel momento* recomendamos al Ejecutivo Nacional que en aras de limitar el daño al potencial productivo del país y proteger a los sectores más vulnerables a la pandemia del COVID-19 adoptara las siguientes medidas en materia fiscal:

- Prórroga del plazo de presentación de las declaraciones definitivas del Impuesto Sobre la Renta hasta el 30 de junio de 2020 o, en su defecto, suspensión y diferimiento del pago de la segunda y tercera porción.

- Supresión de las sanciones establecidas el COT de 2020 por la comisión de ilícitos tributarios vinculados al incumplimiento de los deberes formales y materiales por tres meses.

- Suspensión del régimen temporal de anticipos de IVA e Impuesto Sobre la Renta por dos meses.

- Suspensión del Impuesto a las Grandes Transacciones Financieras (IGTF) por tres meses.

- Reducción de la alícuota del IVA al 10% hasta el 31 de diciembre de 2020.

---

[122] Providencia Nro. SNAT/2020/00057, mediante la cual se establece el calendario de Sujetos Pasivos Especiales y Agentes de Retención para la declaración y pago del Impuesto al Valor Agregado, retenciones en materia de Impuesto al Valor Agregado y anticipos que deben cumplirse para el año 2020 (Gaceta Oficial N° 41.954 del 31 de agosto de 2020).

[123] Decreto Constituyente mediante el cual se establece el Régimen Temporal de Pago de Anticipo del Impuesto al Valor Agregado e Impuesto Sobre la Renta para los Sujetos Pasivos Calificados como Especiales que se dediquen a realizar actividad económica distinta de la explotación de minas, hidrocarburos y de actividades conexas, y no sean perceptores de regalías derivadas de dichas explotaciones (Gaceta Oficial N° 6.396 Extraordinario del 21 de agosto de 2018).

- Suspensión de los aportes a la Seguridad Social y las contribuciones parafiscales atadas al pago de nómina por tres meses.

- Exoneración o, en su defecto, concesión de facilidades de pago para el Impuesto a los Grandes Patrimonios (IGP) (ejercicio fiscal 1° de octubre de 2019 al 30 de septiembre de 2020).

No obstante, a nivel nacional, salvo por los ya mencionados Decretos Presidenciales Nos. 4.166 del 17 de marzo de 2020[124] y 4.171 del 2 de abril de 2020[125] y la modificación del período de imposición del Régimen *"Temporal"* de pago de anticipo de Impuesto al Valor Agregado e Impuesto sobre la Renta para los sujetos pasivos calificados como especiales, no se adoptó ninguna otra medida de índole fiscal.

Huelga decir que estas medidas fueron insuficientes y no representaron alivio alguno para las personas o las empresas, en cuanto a la carga económica que representa el complejo entramado tributario venezolano y que, en un contexto de total paralización y colapso económico, implicaron una disminución –cuando no una completa anulación– de la posibilidad que ostentaban los contribuyentes de cumplir con sus exigencias.

Esta realidad resulta *injustificable* sobre todo tomando en consideración que, sin necesidad de dictar leyes nuevas o modificar las existentes, el Ejecutivo Nacional podría haber adoptado medidas de alivio fiscal verdaderamente significativas en cuanto concierne a los tributos nacionales.

Es por este motivo que, en las líneas que siguen, nos hemos propuesto la tarea de reexaminar la situación e inventariar las medidas que pudo haber adoptado el Ejecutivo Nacional (*y que no adoptó*) que podían haber moderado mucho, en lo económico, el impacto del COVID-19.

A) Impuesto sobre la Renta (ISR)

(i) Considerando las (*cuestionables*[126]) modificaciones introducidas por el COT de 2020 al mecanismo de reajuste de la Unidad Tributaria (UT),

---

[124] Mediante el cual se exoneró del pago del IVA, impuesto de importación y tasa por determinación del régimen aduanero, así como cualquier otro impuesto o tasa aplicable de conformidad con el ordenamiento jurídico vigente, a las importaciones definitivas de bienes muebles corporales (mascarillas, tapabocas y otros insumos relacionados) realizadas por los órganos y entes de la Administración Pública Nacional, destinados a evitar la expansión de la pandemia del COVID-19 (Gaceta Oficial N° 41.841 del 17 de marzo de 2020).

[125] Mediante el cual se exoneró del pago del Impuesto sobre la Renta, el enriquecimiento anual de fuente territorial obtenido por las personas naturales residentes en el país, durante el periodo fiscal del año 2019, cuyo salario normal o ingreso proveniente del ejercicio de su actividad, al cierre de dicho periodo, no superara el monto equivalente a 3 salarios mínimos vigentes al 31 de diciembre de 2019 (Gaceta Oficial N° 6.523 Extraordinario del 2 de abril de 2020).

[126] Vid. TAGLIAFERRO DEL PERAL, Andrés. "Evolución legal de la Unidad Tributaria (UT) 1994-2021" en *Las Sanciones Tributarias y su Cálculo* en el canal de YouTube de Luis Fraga-Pittaluga el 2 de abril de 2021. Disponible en https://www.youtube.com/watch?v=OPTnrRwBUH0&t=1094s, (Mins. 01:18 – 18:02).

el Ejecutivo Nacional podría haber ajustado por sí mismo el valor de la UT a un nivel que recogiera más cercanamente la inflación que sufre nuestra economía, para así restablecer la progresividad del sistema de tramos del impuesto sobre la renta, y también para restablecer la materialidad de los desgravámenes medidos en UT, que son las únicas deducciones permitidas a los asalariados, y que hoy han perdido por completo toda materialidad por esta misma subvaluación de la UT.

(ii) El Ejecutivo Nacional podría haber hecho uso de la facultad que le confiere el artículo 195 de la Ley de Impuesto Sobre la Renta (LISR)[127] y haber exonerado de este tributo a determinados sectores que se considerasen de particular importancia para el desarrollo económico nacional o que generasen mayor capacidad de empleo, así como también exonerar los enriquecimientos derivados de las industrias o proyectos que fueren establecidos o desarrollados en determinadas regiones del país.

(iii) También, de acuerdo con el artículo 197 de la LISR, el Ejecutivo Nacional podría haber modificado o establecido alícuotas o tarifas de impuesto reducidas para determinados sujetos pasivos o sectores económicos.

(iv) En cuanto al ya mencionado Régimen *"Temporal"* de pago de anticipo de Impuesto al Valor Agregado e Impuesto sobre la Renta, el Ejecutivo Nacional estaba plenamente facultado para derogar o en su defecto suspender temporalmente el esquema y no sólo haberse limitado a modificar su período de imposición.

(v) En cuanto al régimen ordinario de anticipo de impuesto sobre la renta que se aplica a aquellos contribuyentes que no son sujetos pasivos especiales, el Ejecutivo Nacional habría podido suspender la obligación de declarar y pagar la declaración estimada del Impuesto Sobre la Renta, y conceder plazos más largos (de hasta un año) para el pago de las porciones del anticipo, y asimismo resolver que sólo se pagaría el 75% del monto que arrojase la declaración estimada.

(vi) Finalmente, de acuerdo con el artículo 61 del Reglamento de la LISR (RLISR)[128], el Ejecutivo Nacional habría podido autorizar la depreciación o amortización acelerada de los costos de los activos permanentes y demás elementos invertidos en la producción de la renta.[129]

---

[127] Gaceta Oficial N° 6.210 Extraordinario del 30 de diciembre de 2015.

[128] Gaceta Oficial N° 5.662 Extraordinario del 24 de septiembre de 2003.

[129] Artículo 61 del RLISR: "En casos concretos y tomando en cuenta consideraciones económicas de estricto interés nacional, el Ejecutivo Nacional mediante Decreto, podrá previo estudio de sus efectos, autorizar la depreciación o amortización acelerada de los costos de los activos permanentes y demás elementos invertidos en la producción de la renta a que se refiere el numeral 5 del artículo 27 de la Ley, y particularmente cuando se trate de empresas que se dediquen al procesamiento del petróleo pesado, extrapesado o gas natural" (subrayado nos pertenece).

B) IMPUESTO AL VALOR AGREGADO (IVA)

(i) En el caso del IVA, una medida que pudo ser adoptada de inmediato por el Ejecutivo Nacional, sin necesidad una ley, era reducir la tarifa o alícuota general del impuesto (16%), que podría haberse disminuido a cualquier tarifa inferior hasta un mínimo de 8% de acuerdo con el artículo 27 de la Ley que establece el Impuesto al Valor Agregado (IVA).[130]

(ii) En segundo lugar, el Ejecutivo Nacional podría haber exonerado del pago de este tributo no sólo a las importaciones y ventas de determinados bienes (como lo hizo el Decreto 4.166 del 17 de marzo de 2020), sino también a la prestación de ciertos servicios, así como establecer un régimen de recuperación del IVA soportado por aquellas personas que realizaran las actividades exoneradas, a través de la emisión de certificados físicos o electrónicos para el pago de este impuesto, o mediante mecanismos que permitieran la deducción, rebaja, cesión o compensación del impuesto soportado.

C) IMPUESTO A LAS "GRANDES TRANSACCIONES FINANCIERAS" (IGTF)

De conformidad con el Decreto Constituyente (s/n) mediante el cual se reformó el Decreto con Rango, Valor y Fuerza de Ley de Impuesto a las Grandes Transacciones Financieras (LIGTF)[131] y el Decreto Presidencial N° 3.654 del 8 de noviembre de 2018[132] la alícuota de este impuesto (aplicable únicamente a los sujetos pasivos calificados como especiales) es de 2% sobre el monto bruto de la operación gravada, pero el Ejecutivo Nacional podría haberla reducido hasta el límite mínimo de CERO por ciento (0%), sin necesidad de modificar la ley[133].

D) IMPUESTO A LOS "GRANDES PATRIMONIOS" (IGP)

El artículo 14 de la Ley *"Constitucional"*[134] que crea el Impuesto a los Grandes Patrimonios[135] (aplicable únicamente a los sujetos pasivos calificados como

---

[130]   Gaceta Oficial N° 6.507 Extraordinario del 29 de enero de 2020.

[131]   Gaceta Oficial n.° 6.396 Extraordinario del 21 de agosto de 2018.

[132]   Decreto N° 3.654, mediante el cual se fija en 2% la alícuota del Impuesto a las Grandes Transacciones Financieras (Gaceta Oficial N° 41.520 del 8 de noviembre de 2018).

[133]   Artículo 13 de la LIGTF: "La alícuota de este impuesto podrá ser modificada por el Ejecutivo Nacional y estará comprendida de un límite mínimo 0% hasta un máximo de 2%". (Subrayado es nuestro).

[134]   La más autorizada doctrina ha afirmado que las denominadas leyes constitucionales son una "…figura por demás inexistente en el ordenamiento constitucional venezolano, conforme al cual el único órgano con competencia para sancionar leyes es la Asamblea Nacional". Véase sobre ello, BREWER-CARÍAS, Allan, *Usurpación Constituyente 1999, 2017. La historia se repite: una vez como farsa y la otra como tragedia.* Colección Estudios Jurídicos, No. 121. Editorial Jurídica Venezolana Internacional, Caracas, 2018. Disponible en: https://allanbrewercarias.com/wp-content/uploads/2018/02/14-2-2018-USURPACI%C3%93N-CONSTITUYENTE-1.pdf.

[135]   Gaceta Oficial N° 41.696 del 16 de agosto de 2019.

especiales), establece que el Ejecutivo Nacional está facultado, y en consecuencia, habría podido otorgar exoneraciones del pago de este impuesto a:

- Determinadas categorías de sujetos pasivos especiales;
- Sectores estratégicos para la inversión extranjera y el desarrollo nacional;
- Determinadas categorías de activos, bonos de deuda pública nacional o cualquier otra modalidad de título valor emitido por la República o por sus entes con fines empresariales.

E) IMPUESTOS DE IMPORTACIÓN

La Ley Orgánica de Aduanas[136] faculta al Ejecutivo Nacional para conceder exoneraciones; por ejemplo, para la importación de productos alimenticios de primera necesidad y medicinas, así como para modificar el arancel de aduanas y el impuesto *ad valorem* de ciertos productos. Por su parte, la Administración Aduanera, habría podido por sí misma exonerar total o parcialmente de impuestos, y dispensar de restricciones, registros u otros requisitos, el ingreso o la salida temporal o definitiva de mercancías destinadas a socorro con ocasión del Estado de Alarma declarado por el Ejecutivo Nacional.[137]

Adicionalmente, con fundamento en cualesquiera de los Decretos que declararon el Estado de Excepción de Emergencia Económica que estuvieron en vigor desde el inicio de la pandemia[138], el Ejecutivo Nacional se encontraba habilitado para conceder exoneraciones de impuestos y tasas aduaneras para "la importación de bienes de capital y materias primas necesarias para la producción, la industria nacional y los servicios esenciales"[139].

F) EMERGENCIA ECONÓMICA

Por último, también con fundamento en los Decretos de Emergencia Económica, el Ejecutivo Nacional estaba en la posibilidad de dictar medidas especiales de incentivo para los sectores productivo, industrial, comercial y de

---

[136] Gaceta Oficial N° 6.507 Extraordinario del 29 de enero de 2020.

[137] Artículos 127 y 5°.12 de la Ley Orgánica de Aduanas.

[138] Cuya última versión data del 26 de diciembre de 2020 (Decreto Nro. 4.396, publicado en la Gaceta Oficial N° 6.606 del 26 de diciembre de 2020); prorrogado por 60 días adicionales por el Decreto Nro. 4.440 del 23 de febrero de 2020 (Gaceta Oficial N° 6.615 del 23 de febrero de 2021).

[139] Artículo 2° del Decreto Nro. 4.396: "A fin de evitar los perniciosos efectos de la guerra económica dirigida contra el pueblo venezolano, y con fundamento en la declaratoria de Estado de Excepción y de Emergencia Económica efectuada en el artículo precedente, podrán ser restringidas las garantías para el ejercicio de los derechos consagrados en la Constitución de la República Bolivariana de Venezuela, salvo las indicadas en el artículo 337 constitucional, in fine, y las señaladas en el artículo 7° de la Ley Orgánica sobre Estados de Excepción, cuando se trate de la aplicación de alguna de las medidas excepcionales que a continuación se indican: (…) 8. Establecer sistemas de exoneración de impuestos y tasas a la importación de bienes de capital y materia prima necesarios para la producción, la industria nacional y los servicios esenciales" (subrayado es nuestro).

servicios, que promovieran la inversión privada de empresarios nacionales para el impulso de la economía[140]; desde luego, los *incentivos fiscales* tales como las rebajas o exoneraciones de impuestos, son ejemplos paradigmáticos en este aspecto.

8) CONCLUSIÓN

La crisis de la pandemia del COVID-19 ha tenido consecuencias que van más allá de la propagación de la enfermedad y los esfuerzos para controlarla.

Los efectos de la crisis fueron, desde su inicio, múltiples y de suma gravedad, y se manifestaron rápidamente en diversos ámbitos (sanitario, educativo, familiar, laboral, social, político, entre otros). Pero, sin duda alguna, uno de los aspectos donde el COVID-19 impactó y seguirá impactando en mayor medida por un buen tiempo, es en lo económico.

Mientras atravesamos esta crisis mundial, una de las pocas certezas que nos ha dejado la experiencia, es que la política fiscal desempeñó y continúa desempeñando un papel importante en la respuesta de los gobiernos para apoyar a los particulares y las empresas, así como en las futuras rondas de medidas políticas, incluida la reconstrucción de nuestras economías que tendrá lugar una vez que –en última instancia– se logre contener la crisis sanitaria.

Asimismo, queda claro que no es posible la recuperación económica sin el concurso de la iniciativa privada y ésta requiere apoyo del Estado, no necesariamente en la forma de subsidios o auxilios financieros, pero sí en la adopción de medidas para aliviar las cargas fiscales, que son un costo esencial en cualquier actividad económica.

En este sentido, reiteramos que el Estado venezolano no tiene *opciones* o *alternativas* a *elegir*, sino *obligaciones* que derivan de la Constitución. De acuerdo con la interpretación que hemos hecho de nuestra Carta Magna, las medidas de alivio fiscal no sólo son "necesarias y convenientes", sino *imposiciones ineludibles que el Estado está obligado a implementar* para enfrentar y remontar esta inédita y terrible coyuntura.

Lo que es más, como hemos podido ver, el Poder Ejecutivo *Nacional* tuvo a su alcance un amplio abanico de posibilidades en el ámbito de la fiscalidad,

---

[140] Artículo 2° del Decreto Nro. 4.396: "A fin de evitar los perniciosos efectos de la guerra económica dirigida contra el pueblo venezolano, y con fundamento en la declaratoria de Estado de Excepción y de Emergencia Económica efectuada en el artículo precedente, podrán ser restringidas las garantías para el ejercicio de los derechos consagrados en la Constitución de la República Bolivariana de Venezuela, salvo las indicadas en el artículo 337 constitucional, in fine, y las señaladas en el artículo 7° de la Ley Orgánica sobre Estados de Excepción, cuando se trate de la aplicación de alguna de las medidas excepcionales que a continuación se indican: (…) 9. <u>La implementación de medidas especiales de incentivo a los sectores productivo, industrial, comercial y de servicios que promuevan la inversión privada de empresarios nacionales, con divisas propias, en el reimpulso de la economía del País.</u>" (subrayado es nuestro).

para moderar el terrible impacto económico de la pandemia del COVID-19 sobre la actividad económica privada.

Sin embargo y hasta el día de hoy, esta es una tarea pendiente, pues –salvo las contadas excepciones que hemos comentado arriba y cuya efectividad real es cuestionable– poco se ha hecho para aliviar la carga fiscal de los ciudadanos y las empresas privadas.

Muy por el contrario, la Administración Tributaria Nacional (SENIAT) continúa presionando a los contribuyentes y particularmente a los sujetos pasivos especiales, para que cumplan sus obligaciones y deberes formales tributarios al pie de la letra y sin dilación alguna, como si nada hubiera ocurrido, cuando como hemos visto es el propio Gobierno Nacional el que ha dictado 6 decretos de Estado de Alarma desde el 13 de marzo de 2020[141] que dan cuenta de la circunstancia "excepcional, extraordinaria y coyuntural" que representa la pandemia del COVID-19 y el peligro que esta representa para la salud y la seguridad de las personas.

Así las cosas, al forzar a las personas y a las empresas a continuar cumpliendo deberes formales y obligaciones tributarias, incluso imponiéndoles sanciones, el Estado venezolano violó derechos humanos reconocidos en la Constitución, y transgredió los valores y principios fundamentales que gobiernan el sistema económico y el sistema tributario venezolano, y es responsable por los daños patrimoniales que esa actuación contraria a la Constitución haya causado.

Por último, enfatizamos que las distintas Administraciones Tributarias deberán tomar en cuenta durante los procedimientos administrativos de primer y segundo grado que:

- La pandemia causada por el COVID-19 fue, *al menos en su inicio*, una circunstancia objetiva, sobrevenida, imprevista e insuperable (caso fortuito o fuerza mayor) que impidió en forma absoluta en muchos casos o, dificultó en forma exagerada en otros, el cumplimiento de las obligaciones materiales y los deberes formales tributarios.

- En los casos en que la pandemia del COVID-19 haya acarreado la *absoluta imposibilidad de cumplimiento* de un sujeto pasivo de sus deberes materiales o formales tributarios, estaremos en presencia de un caso fortuito o fuerza mayor, es decir, de una causa extraña no imputable que acarrea la ausencia de responsabilidad del sujeto pasivo, no siendo posible imponer sanción alguna, ni determinar intereses moratorios.

- En los supuestos en que el cumplimiento de las obligaciones y deberes formales tributarios no haya sido absolutamente imposible, pero hubie-

---

[141] Sin contar sus prórrogas y los Decretos que restringieron la circulación en determinadas áreas del territorio.

ra implicado poner en riesgo la salud y la vida de los sujetos pasivos o de su personal o la subsistencia y viabilidad de sus empresas, estos habrían estado autorizados sacrificar el derecho de la Administración Tributaria al cumplimiento exacto y oportuno de la obligación, en pro de su protección (*estado de necesidad*). En este caso, si bien no habría una exención absoluta de la reparación del acreedor (la Administración Tributaria), sí deberá atenuarse la extensión de la misma, en la medida que el juez lo estime procedente de acuerdo con la equidad.

9) BIBLIOGRAFÍA

ABACHE CARVAJAL, Serviliano. "COVID-19 y determinación tributaria" en *Estudios Jurídicos sobre la Pandemia del COVID-19 y el Decreto de Estado de Alarma en Venezuela*, Caracas, Academia de Ciencias Políticas y Sociales (ACIENPOL)/ Editorial Jurídica Venezolana Internacional, 2020. Disponible en: https://www.acienpol.org.ve/libros/estudios-juridicos-de-la-pandemia-del-covid-19-y-el-decreto-de-estado-de-alarma-en-venezuela/.

BREWER-CARÍAS, Allan. *Comentarios al régimen constitucional y legal de los decretos de estados de excepción*. Disponible en: http://allanbrewercarias. net/Content/449725d9-f1cb-474b-8ab2-41efb849fea8/Content/II,%20 4,%20441.%20COMENTARIOS%20AL%20REGIMEN%20CONSTITU-CIONAL%20Y%20LEGAL%20DE%20LOS%20DECRETOS%20DE%20 EXCEPCION.pdf.

_____. *Usurpación Constituyente 1999, 2017. La historia se repite: una vez como farsa y la otra como tragedia. Colección Estudios Jurídicos, No. 121.* Editorial Jurídica Venezolana Internacional, Caracas, 2018. Disponible en: https://allanbrewercarias.com/wp-content/uploads/2018/02/14-2-2018-USURPACI%C3%93N-CONSTITUYENTE-1.pdf.

FRAGA-PITTALUGA, Luis. *Los Intereses moratorios en las obligaciones tributarias. Estudio y jurisprudencia.* Fundación Estudios de Derecho Administrativo (FUNEDA), Caracas, 2008. Disponible en: https://fragapittaluga.com. ve/fraga/index.php/component/k2/item/19-los-intereses-moratorios-en-las-obligaciones-tributarias.

LÓPEZ MARTÍNEZ, Juan. *Régimen Jurídico de los llamados 'intereses moratorios' en materia tributaria (Un análisis de su ubicación dogmática en el seno de la deuda tributaria).* Civitas, Madrid, 1994.

MADURO LUYANDO, Eloy. et al. *Curso de Obligaciones. Derecho Civil III. Tomo I.* Universidad Católica Andrés Bello, Caracas, 2009.

MEIER GARCÍA, Eduardo. *Breves notas sobre la situación de los procedimientos tributarios ante la declaratoria de estado de alarma (COVID-19).* Disponible en: http://fragapittaluga.com.ve/fraga/index.php/component/k2/ item/23-breves-notas-sobre-la-situacion-de-los-procedimientos-tributarios-ante-la-declaratoria-de-estado-de-alarma-covid-19

TAGLIAFERRO DEL PERAL, Andrés. "Autonomía o anarquía tributaria municipal" en *Patologías del sistema tributario venezolano. XVIII Jornadas de Derecho Tributario 2019*. Asociación Venezolana de Derecho Tributario (AVDT), Caracas, 2019. Disponible en: https://www.avdt.org.ve/download/aa-vv-patologias-del-sistema-tributario-venezolano-memorias-de-las-xviii-jornadas-venezolanas-de-derecho-tributario-asociacion-venezolana-de-derecho-tributario-caracas-2019/.

TORO HARDY, José. *Fundamentos de Teoría Económica*, Editorial Panapo, Caracas, 2005.

WEFFE, Carlos. *El Ilícito Tributario. Naturaleza Jurídica*. Ediciones Paredes, Caracas, 2004. Disponible en: https://www.weffe.net/weffe/index.php/component/k2/item/377-el-ilicito-tributario-naturaleza-juridica-paredes-editores-2004.

A VUELTAS CON LA TRIBUTACIÓN EN EL ESTADO DE ALARMA (COVID-19)

EDUARDO MEIER GARCÍA[*]

SUMARIO

1. PRESENTACIÓN

Esta es una muy somera revisión del artículo publicado originalmente en la "Revista Derecho y Sociedad" en marzo de 2020[1], bajo el título "Breves notas sobre la situación de los procedimientos tributarios ante la declaratoria de Estado de Alarma (COVID-19)", que también circuló en otras páginas web muy visitadas[2], suscitando cierto interés y abriendo un interesante debate del que daremos cuenta para esta publicación de la Asociación Venezolana de Derecho Tributario.

---

[*] Abogado por la Universidad Central de Venezuela (1995). Doctor por la Universidad Carlos III de Madrid del Programa Oficial de Estudios Avanzados en Derechos Humanos (2013). Ha sido profesor de seminarios del Doctorado en Ciencias, Mención Derecho de la Universidad Central de Venezuela. Obtuvo el Máster Oficial en Estudios Avanzados en Derechos Humanos, Universidad Carlos III de Madrid (2010), el Máster en Derechos Fundamentales, Instituto de Derechos Humanos "Bartolomé de la Casas" ("Gregorio Peces-Barba), Universidad Carlos III de Madrid (2000-2001) y los Cursos de especialización en Derecho Tributario de la Universidad de Salamanca, de la Universidad Internacional de Andalucía y de la Universidad Central de Venezuela. Ex Becario de la Agencia Española de Cooperación Internacional y Desarrollo y del Banco Santander-Universidad de Zaragoza. Ha publicado artículos en revistas arbitradas publicadas en Madrid, México, D.F., Santiago de Chile, San José de Costa Rica, Caracas y Belo Horizonte. Ganador de los Premios Academia de Ciencias Políticas y Sociales correspondiente al período 2011-2012, al trabajo "La eficacia de las sentencias de la Corte Interamericana de Derechos Humanos frente a las prácticas ilegítimas de la Sala Constitucional" (publicado en 2013), del "Premio Pedro Manuel Arcaya" (2017) con el libro "Pedro Manuel Arcaya. La vocación del jurista" (publicado en 2020) y del Premio Dr. Pedro R. Tinoco (h)", al trabajo "Pedro R. Tinoco (h) y el itinerario liberal democrático" (2022) emeier@dra.com.ve

[1] Disponible en: https://derysoc.com/breves-notas-sobre-la-situacion-de-los-procedimientos-tributarios-ante-la-declaratoria-de-estado-de-alarma-covid-19/

[2] Disponible en la página web de Luis Fraga Pittaluga: http://fragapittaluga.com.ve/fraga/index.php/component/k2/item/23-breves-notas-sobre-la-situacion-de-los-procedimientos-tributarios-ante-la-declaratoria-de-estado-de-alarma-covid-19 y en el Centro de Arbitraje de la Cámara de Caracas, en: https://arbitrajeccc.org/articulos/breves-notas-sobre-la-situacion-de-los-procedimientos-tributarios-ante-la-declaratoria-de-estado-de-alarma-covid-19/

Cuando se escriben estas líneas han pasado casi dos años desde la primera declaratoria de Estado de Alarma, sin que las sucesivas declaratorias y prórrogas hayan subsanado el conjunto de indeterminaciones y vaguedades derivadas del Decreto N° 4.160[3] que regula el Estado de Alarma[4]. Al contrario, esto confirma que la carga emotiva o ideológica, la ambigüedad y vaguedad del derecho en Venezuela es un asunto deliberado, intencional.

El Derecho, como precisa Alejandro Nieto, ha dejado de ser digno de este nombre, esa pieza tan necesaria para el equilibrio social que está desapareciendo y siendo sustituida -muy especialmente en nuestro país- "...por un sucedáneo que, con el mismo nombre, está produciendo efectos devastadores en la Sociedad y en la Política"[5].

Ese sucedáneo del derecho en nuestro país ha servido muy poco para paliar la indeterminación generada por la crisis sanitaria derivada del coronavirus (COVID-19). Su deliberada oscuridad ha amplificado los problemas derivados de la incertidumbre de esta enfermedad infecciosa, declarada por la Organización Mundial de la Salud (OMS) como una pandemia que afecta a la humanidad a escala planetaria.

Los Decretos N° 4.167[6] y 4.168[7] ratifican la inamovilidad laboral y establecen un régimen especial para relajar las reglas sobre el cobro de los créditos

---

3   **Decreto N° 4.160** mediante el cual se decreta el Estado de Alarma en todo el Territorio Nacional, dadas las circunstancias de orden social que ponen gravemente en riesgo la salud pública y la seguridad de los ciudadanos y las ciudadanas habitantes de la República Bolivariana, a fin de que el Ejecutivo Nacional adopte las medidas urgentes, efectivas y necesarias, de protección y preservación de la salud de la población venezolana, a fin de mitigar y erradicar los riesgos de epidemia relacionados con el coronavirus (COVID-19) y sus posibles cepas, garantizando la atención oportuna, eficaz y eficiente de los casos que se originen, publicado en la Gaceta Oficial N° 6.519 Extraordinario de 13 de marzo de 2020.

4   **Artículo 338 de la Constitución:** "Podrá decretarse el estado de alarma cuando se produzcan catástrofes, calamidades públicas u otros acontecimientos similares que pongan seriamente en peligro la seguridad de la Nación o de sus ciudadanos... Dicho estado de excepción durará hasta treinta días, siendo prorrogable hasta por treinta días más.
Artículo 8 Ley Orgánica sobre Estados de Excepción (LOEE) (Gaceta Oficial N° 37.261 de fecha 15 de agosto de 2001). "El Presidente de la República, en Consejo de Ministros, en uso de las facultades que le otorgan los artículos 337, 338 y 339 de la Constitución de la República Bolivariana de Venezuela, podrá decretar el estado de alarma, en todo o parte del territorio nacional, cuando se produzcan catástrofes, calamidades públicas u otros acontecimientos similares, que pongan seriamente en peligro la seguridad de la Nación, de sus ciudadanos y ciudadanas o de sus instituciones".
Artículo 9 LOEE "El decreto que declare el estado de alarma establecerá el ámbito territorial y su vigencia, la cual no podrá exceder de treinta días, pudiendo ser prorrogado hasta por treinta días más a la fecha de su promulgación".

5   NIETO, Alejandro, "Contra el Derecho", Sesión del día 1 de diciembre 2009, *Anales de la Real Academia de Ciencias Morales y Políticas*, N° 87 (2010), p. 124.

6   Publicado en la Gaceta Oficial de la República Bolivariana de Venezuela N° 6.520 Extraordinario 23 de marzo de 2020.

7   Publicado en la Gaceta Oficial de la República Bolivariana de Venezuela N° 6.521 Extraordinario de 23 de marzo de 2020.

bancarios, con la suspensión del cobro de créditos por plazos de hasta 180 días. Mientras que el Decreto N° 4.577[8] de fecha 7 de abril de 2021, suspende por un lapso de seis meses el pago de los cánones de arrendamiento de inmuebles de uso comercial y de aquellos utilizados como vivienda principal, a fin de aliviar la situación económica de los arrendatarios por efecto de la pandemia mundial del COVID-19.

Estas normas de excepción se justifican en que la pandemia ha reducido significativamente la actividad comercial de todos los sectores productivos del país, generando para los comerciantes prestadores de servicios y la familia venezolana dificultades económicas para afrontar el pago de los cánones de arrendamiento, o para materializar el pago de los créditos bancarios, lo cual amerita una acción inmediata por parte del Estado venezolano, para asegurar la continuidad y viabilidad del funcionamiento de estos sectores.

No obstante, esas mismas razones son preteridas frente a los mismos sujetos jurídicos, ahora en su condición de contribuyentes, lo que justificaría prorrogar, aplazar o fraccionar con carácter general el pago de tributos como el impuesto sobre la renta, el ilegítimo impuesto a las grandes transacciones financieras o flexibilizar el enteramiento semanal o quincenal del Impuesto al Valor Agregado. Sin embargo, la carga emotiva o ideológica que se deduce claramente de estas omisiones normativas es una característica generalizada que se impone en el ordenamiento jurídico venezolano contemporáneo, cuando lo lógico era la concesión taxativa de medidas paliativas de corte fiscal.

Resulta lógico que la suspensión de las normas esté supeditada a los principios de universalidad, igualdad e interdicción de la arbitrariedad, de modo que si hay situaciones similares o idénticas se les debe dar un trato similar o idéntico, esto es, en atención a los objetivos básicos de los derechos humanos y la buena fe, de cuyo cumplimiento depende la legitimidad de todas las medidas tomadas para procurar restablecer la normalidad y superar la circunstancias que produjeron la excepción.

Ciertamente, hace dos años la Academia de Ciencias Políticas y Sociales advirtió sobre "...la suspensión de las actividades de la mayoría de los contribuyentes, el personal responsable del cumplimiento de las obligaciones tributarias se encuentra en sus casas acatando las medidas de aislamiento, y los flujos de efectivo necesarios para el pago de los tributos, y retenciones, se encuentran mermados por la parálisis derivada a las medidas de cuarentena, recomendando a las distintas Administraciones Tributarias reconocer la complejidad de la situación..., la cual configura un caso de fuerza mayor, que hace presumir una imposibilidad de cumplimiento tempestivo..."[9].

---

8   Publicado en la Gaceta Oficial de la República Bolivariana de Venezuela N° 42.101.

9   Pronunciamiento de la Academia de Ciencias Políticas y sociales sobre el estado de alarma decretado en ante la pandemia del coronavirus (COVID-19) de 18 de marzo de 2020.

Esto se agravó cuando en 2020 la Superintendencia Nacional de Instituciones del Sector Bancario (SUDEBAN) decidió suspender «excepcionalmente» y *sine die* desde el lunes 16 de marzo la atención directa en agencias de la banca, de manera que las oficinas bancarias permanecerán cerradas, incluyendo taquillas externas y sedes administrativas[10].

En este sentido, este trabajo es una vuelta a los argumentos que intentaban determinar la interpretación adecuada de la Disposición Final Sexta del Decreto N° 4.160, según la cual: "La suspensión o interrupción de un procedimiento administrativo como consecuencia de las medidas de suspensión de actividades o las restricciones a la circulación que fueren dictadas no podrá ser considerada causa imputable al interesado, pero tampoco podrá ser invocada como mora o retardo en el cumplimiento de las obligaciones de la administración pública. En todo caso, una vez cesada la suspensión o restricción, la administración deberá reanudar inmediatamente el procedimiento".

Pero esta vez tomamos la precaución de aclarar que en nuestros trabajos académicos, siempre intentamos describir el derecho vigente en un Estado en el que la separación entre el *"derecho que es"* y el *"derecho que debe ser"* es tan pronunciada que deslegitima la existencia del *Derecho* mismo, al punto de hacer menguar su obediencia por parte de sus destinatarios. Procuramos así mismo considerar las posibles respuestas del jurista y de la sociedad frente a un "Derecho" que está más cerca del poder que del ciudadano; un derecho positivo que abandonó su función natural de resolución de conflictos para convertirse en fuente de estos; un Derecho que funge de aliado del poder y que no sirve para pedir cuentas al Estado sino para garantizar la impunidad de quienes actúan en su nombre o con su aquiescencia.

En otras ocasiones hemos advertido sobre la inconveniencia de la "discriminación dirigista como perjuicio" (Neumark) y la ilegítima predeterminación de orden económico -*homo eo economicus* (Moschetti), cargada de prejuicios políticos antes que de consideraciones jurídico-económicas[11]. La ausencia de medidas paliativas de corte fiscal a título expreso para superar el Estado de Alarma confirman este sesgo ideológico.

Las opiniones aquí vertidas son de nuestra absoluta responsabilidad y no constituyen incitación pública al incumplimiento de obligaciones tributarias, ni suministro de medios, apoyo ni participación en ilícitos tributarios, sino la sola expresión legítima de interpretaciones de los textos legales y reglamentarios relativos a los tributos frente al Estado de Alarma decretado, cuya máxima ambigüedad, vaguedad e indeterminación lo hacen un *caso difícil* al presentar

---

[10] Circular SIB-DSB-CJ-OD N° 02415 del 15 de marzo de 2020.

[11] MEIER GARCÍA, Eduardo, "Constitución fachada: a propósito de la tributación selectiva en el ISR", En: El Impuesto sobre la renta. Aspectos de una necesaria reforma, XVII Jornadas Venezolanas de Derecho Tributario, Asociación Venezolana de Derecho Tributario, Caracas, 2017, p.174.

problemas para identificar sus premisas normativas y para encontrar una única respuesta correcta para el caso.

2. ALCANCE Y CONTENIDO DEL ESTADO DE ALARMA

El Decreto de Estado de Alarma pretende, por una parte **(i)** facultar al Ejecutivo Nacional en todo el territorio nacional a adoptar medidas extraordinarias (urgentes, efectivas y necesarias), de protección y preservación de la salud de la población venezolana, para mitigar y erradicar los riesgos de epidemia relacionados con el coronavirus (COVID-19), y superar las circunstancias de orden social que ponen gravemente en riesgo la salud pública y la seguridad de los ciudadanos.

Pero también el Decreto N° 4.160 **(ii)** vendría a regular *ad hoc* la relación de los órganos del Poder Público con los particulares y de estos entre sí, preservando un haz de derechos de los ciudadanos[12] y mitigando el posible impacto económico que la situación de contención pueda producir en la esfera jurídica-económica de los particulares.

En ese conjunto de medidas es fundamental la preservación de la relación jurídica administrativa en el *interregno* del estado de excepción, para evitar perjuicios graves en los derechos e intereses de los ciudadanos, lo que desde luego incluye la suspensión, interrupción, paralización o morigeración de las circunstancias que puedan implicar la no superación de los hechos justificativos del estado de alarma o evitar nuevas circunstancias gravosas o daños sobrevenidos.

La causa eficiente del Decreto gravita en la urgente necesidad de controlar las circunstancias de orden social que ponen gravemente en riesgo la salud pública y la seguridad de los ciudadanos, esto es, frenar y controlar la propagación de la pandemia del Coronavirus.

Como ha señalado la Comisión Interamericana de Derechos Humanos, la pandemia del COVID-19 constituye una situación de riesgo real, que exige a los Estados adoptar medidas de forma inmediata y de manera diligente para

---

[12] **Artículo 141 de la Constitución:** "La Administración Pública está al servicio de los ciudadanos... y se fundamenta en los principios de honestidad, participación, celeridad, eficacia, eficiencia, transparencia, rendición de cuentas y responsabilidad en el ejercicio de la función pública, con sometimiento pleno a la ley y al derecho". **Artículo 5 de la Ley Orgánica de la Administración Pública** "La Administración Pública está al servicio de los particulares y en su actuación dará preferencia a la atención de los requerimientos de la población y a la satisfacción de sus necesidades. La Administración Pública debe asegurar a los particulares la efectividad de sus derechos cuando se relacionen con ella. Además, tendrá entre sus objetivos la continua mejora de los procedimientos, servicios y prestaciones públicas, de acuerdo con las políticas fijadas y teniendo en cuenta los recursos disponibles, determinando al respecto las prestaciones que proporcionan los servicios de la Administración Pública, sus contenidos y los correspondientes estándares de calidad". Gaceta Oficial N° 37.305 de fecha 17 de octubre de 2001.

prevenir la ocurrencia de afectaciones al derecho a la salud, la integridad personal y la vida. Tales medidas deben estar enfocadas de manera prioritaria a prevenir los contagios y brindar un tratamiento médico adecuado a las personas que lo requieran[13].

De modo que el decreto contiene una serie de medidas que pretenden evitar la exposición al coronavirus COVID-19, como la suspensión de las actividades laborales del sector privado y público, así como la suspensión de las funciones administrativas mediante la presencia y atención de los funcionarios en sede administrativa[14]. o la restricción de la libre circulación de vehículos y personas, los traslados y desplazamientos en transporte público, entre otros.

Sin embargo, el alcance del Estado de Alarma además de facultar al Ejecutivo Nacional a actuar en todo el territorio nacional y en todos los niveles de gobierno, no interrumpe el funcionamiento de los otros Poderes Públicos (Nacional, Estadal y Municipal; Legislativo, Judicial, Electoral y Ciudadano), los cuales deben cooperar con el Ejecutivo Nacional a los fines de la realización de las medidas contenidas en el decreto[15], y *a fortiori* controlar, en su caso, la legalidad[16] y la justificación y proporcionalidad de las medidas adoptadas con base al estado de excepción[17], que serán objeto de supervisión e inspección de las medidas que siempre deben adoptarse conforme a derecho[18].

Así, el Decreto Nº 4.160 en su Disposición Final Segunda contempla que "La Administración Pública Nacional, Estadal y Municipal, central y descentralizada, prestará el apoyo para las medidas e implementará los planes y protocolos aplicables según sus competencias para prevenir y controlar este suceso sanitario, bajo la coordinación que corresponda al Ejecutivo Nacional".

3. LA NECESIDAD, PROPORCIONALIDAD Y OPORTUNIDAD DEL ESTADO DE ALARMA

Según el artículo 4 de la Ley Orgánica sobre Estados de Excepción (LOEE) toda medida de excepción debe ser proporcional a la situación que se quiere afrontar en lo que respecta a la gravedad, naturaleza y ámbito de aplicación. Mientras que el decreto que declare los estados de excepción será dicta-

---

[13] Resolución de la Comisión Interamericana de Derechos Humanos de la OEA NO. 1/2020 PANDEMIA Y DERECHOS HUMANOS EN LAS AMÉRICAS (Adoptado por la CIDH el 10 de abril de 2020), pp. 1-22.

[14] **Artículo 36.** Los órganos y entes de la Administración Pública Nacional, así como las empresas y demás formas asociativas privadas, están en la obligación de colaborar con la Comisión COVID 19 en el ejercicio de sus funciones.

[15] **Artículo 3 LOEE.**

[16] **Artículo 6 LOEE.**

[17] **Artículo 40 LOEE:** "Todos los jueces o juezas de la República, en el ámbito de su competencia de Amparo Constitucional, están facultados para controlar la justificación y proporcionalidad de las medidas adoptadas con base al estado de excepción".

[18] **Artículo 6 LOEE.**

do en caso de estricta necesidad para solventar la situación de anormalidad, ampliando las facultades del Ejecutivo Nacional, con la restricción temporal de las garantías constitucionales permitidas y la ejecución, seguimiento, supervisión e inspección de las medidas que se adopten conforme a derecho (Artículo 6)

Además, toda medida de excepción debe tener una duración limitada a las exigencias de la situación que se quiere afrontar, sin que tal medida pierda su carácter excepcional o de no permanencia (Artículo 5 de la LOEE).

Las medidas dictadas deben respetar los principios de proporcionalidad, de necesidad, de idoneidad, de menor intervención, de última *ratio* de las medidas restrictivas y de racionalidad, entre otros.

La declaratoria del Estado de Alarma no impide acoger siempre la interpretación del ordenamiento jurídico en el sentido más favorable a los derechos fundamentales en juego.

En este sentido, según la información disponible resulta necesario y congruente con el Estado de Alarma proteger a los particulares en la esfera de sus derechos e intereses, suspendiendo o paralizando los procedimientos administrativos de cualquier índole que puedan derivar en situaciones gravosas, ablatorias o generar mayor indefensión.

4. El límite de los límites a los derechos en el Estado de Alarma

Según el Artículo 7 de la LOEE de conformidad con lo establecido en los artículos 339[19] de la Constitución de la República Bolivariana de Venezuela, 4[20], 2[21] del Pacto Internacional de Derechos Civiles y Políticos y

---

[19] **Artículo 339 de la Constitución:** El Decreto que declare el estado de excepción, en el cual se regulará el ejercicio del derecho cuya garantía se restringe, será presentado, dentro de los ocho días siguientes de haberse dictado, a la Asamblea Nacional, o a la Comisión Delegada, para su consideración y aprobación, y a la Sala Constitucional del Tribunal Supremo de Justicia, para que se pronuncie sobre su constitucionalidad. El Decreto cumplirá con las exigencias, principios y garantías establecidos en el Pacto Internacional de Derechos Civiles y Políticos y en la Convención Americana sobre Derechos Humanos. El Presidente o Presidenta de la República podrá solicitar su prórroga por un plazo igual, y será revocado por el Ejecutivo Nacional o por la Asamblea Nacional o por su Comisión Delegada, antes del término señalado, al cesar las causas que lo motivaron.
La declaratoria del estado de excepción no interrumpe el funcionamiento de los órganos del Poder Público.

[20] PIDCP. Artículo 4. 1. En situaciones excepcionales que pongan en peligro la vida de la nación y cuya existencia haya sido proclamada oficialmente, los Estados Partes en el presente Pacto podrán adoptar disposiciones que, en la medida estrictamente limitada a las exigencias de la situación, suspendan las obligaciones contraídas en virtud de este Pacto, siempre que tales disposiciones no sean incompatibles con las demás obligaciones que les impone el derecho internacional y no entrañen discriminación alguna fundada únicamente en motivos de raza, color, sexo, idioma, religión u origen social.

27[22], 2[23] de la Convención Americana sobre Derechos Humanos, no podrán ser restringidas las garantías de los derechos a: 1. La vida; 2. El reconocimiento a la personalidad Jurídica; 3. La protección de la familia; 4. La igualdad ante la ley; 5. La nacionalidad; 6. La libertad personal y la prohibición de práctica de desaparición forzada de personas; 7. La integridad personal, física, psíquica y

---

2. La disposición precedente no autoriza suspensión alguna de los artículos 6, 7, 8 (párrafos 1 y 2), 11, 15, 16 y 18.

3. Todo Estado Parte en el presente Pacto que haga uso del derecho de suspensión deberá informar inmediatamente a los demás Estados Partes en el presente Pacto, por conducto del Secretario General de las Naciones Unidas, de las disposiciones cuya aplicación haya suspendido y de los motivos que hayan suscitado la suspensión. Se hará una nueva comunicación por el mismo conducto en la fecha en que se haya dado por terminada tal suspensión.

[21] PIDCP. Artículo 2.1. Cada uno de los Estados Partes en el presente Pacto se compromete a respetar y a garantizar a todos los individuos que se encuentren en su territorio y estén sujetos a su jurisdicción los derechos reconocidos en el presente Pacto, sin distinción alguna de raza, color, sexo, idioma, religión, opinión política o de otra índole, origen nacional o social, posición económica, nacimiento o cualquier otra condición social. 2. Cada Estado Parte se compromete a adoptar, con arreglo a sus procedimientos constitucionales y a las disposiciones del presente Pacto, las medidas oportunas para dictar las disposiciones legislativas o de otro carácter que fueren necesarias para hacer efectivos los derechos reconocidos en el presente Pacto y que no estuviesen ya garantizados por disposiciones legislativas o de otro carácter. 3. Cada uno de los Estados Partes en el presente Pacto se compromete a garantizar que:
a) Toda persona cuyos derechos o libertades reconocidos en el presente Pacto hayan sido violados podrá interponer un recurso efectivo, aun cuando tal violación hubiera sido cometida por personas que actuaban en ejercicio de sus funciones oficiales;
b) La autoridad competente, judicial, administrativa o legislativa, o cualquiera otra autoridad competente prevista por el sistema legal del Estado, decidirá sobre los derechos de toda persona que interponga tal recurso, y desarrollará las posibilidades de recurso judicial;
c) Las autoridades competentes cumplirán toda decisión en que se haya estimado procedente el recurso.

[22] Artículo 27 CADH. Suspensión de Garantías 1. En caso de guerra, de peligro público o de otra emergencia que amenace la independencia o seguridad del Estado parte, éste podrá adoptar disposiciones que, en la medida y por el tiempo estrictamente limitados a las exigencias de la situación, suspendan las obligaciones contraídas en virtud de esta Convención, siempre que tales disposiciones no sean incompatibles con las demás obligaciones que les impone el derecho internacional y no entrañen discriminación alguna fundada en motivos de raza, color, sexo, idioma, religión u origen social. 2. La disposición precedente no autoriza la suspensión de los derechos determinados en los siguientes artículos: 3 (Derecho al Reconocimiento de la Personalidad Jurídica); 4 (Derecho a la Vida); 5 (Derecho a la Integridad Personal); 6 (Prohibición de la Esclavitud y Servidumbre); 9 (Principio de Legalidad y de Retroactividad); 12 (Libertad de Conciencia y de Religión); 17 (Protección a la Familia); 18 (Derecho al Nombre); 19 (Derechos del Niño); 20 (Derecho a la Nacionalidad), y 23 (Derechos Políticos), ni de las garantías judiciales indispensables para la protección de tales derechos.3. Todo Estado parte que haga uso del derecho de suspensión deberá informar inmediatamente a los demás Estados Partes en la presente Convención, por conducto del Secretario General de la Organización de los Estados Americanos, de las disposiciones cuya aplicación haya suspendido, de los motivos que hayan suscitado la suspensión y de la fecha en que haya dado por terminada tal suspensión.

[23] Artículo 2 CADH. Deber de Adoptar Disposiciones de Derecho Interno. Si el ejercicio de los derechos y libertades mencionados en el artículo 1 no estuviere ya garantizado por disposiciones legislativas o de otro carácter, los Estados Partes se comprometen a adoptar, con arreglo a sus procedimientos constitucionales y a las disposiciones de esta Convención, las medidas legislativas o de otro carácter que fueren necesarias para hacer efectivos tales derechos y libertades.

moral; 8. No ser sometido a esclavitud o servidumbre; 9. La libertad de pensamiento, conciencia y religión; 10. La legalidad y la irretroactividad de las leyes, especialmente de las leyes penales; 11. El debido proceso; 12. El amparo constitucional; 13. La participación, el sufragio y el acceso a la función pública; 14. La información.

De acuerdo al principio *favor libertatis* o *pro persona* se exige procurar la alternativa de solución más beneficiosa para la persona y sus derechos fundamentales, de modo tal que toda restricción a los derechos sea la mínima necesaria y por ende la protección, como principio preferente, la máxima posible.

Así, las disposiciones del Pacto Internacional de Derechos Civiles y Políticos que permiten ciertas limitaciones a los derechos en un estado de excepción deben interpretarse de manera restrictiva, porque hasta en un estado de excepción deberá prevalecer siempre el imperio de la Ley, como se señala en los Principios de Siracusa sobre las Disposiciones de Limitación y Derogación del Pacto Internacional de Derechos Civiles y Políticos (PIDCP)[24].

En este sentido, el PIDCP subordina todos los procedimientos a los objetivos básicos de los derechos humanos. Incluso, la proclamación de buena fe de un estado de excepción permite suspender obligaciones específicas del Pacto pero no autoriza una inobservancia general de las obligaciones internacionales. Así, el párrafo 1 del artículo 5 del Pacto establece límites definidos a las medidas que puedan adoptarse según lo dispuesto en el Pacto: "Ninguna disposición del presente Pacto podrá ser interpretada en el sentido de conceder derecho alguno a un Estado, grupo o individuo para emprender actividades o realizar actos encaminados a la destrucción de cualquiera de los derechos y libertades reconocidos en el Pacto o a su limitación en mayor medida que la prevista en él". El párrafo 2 del artículo 29 de la Declaración Universal de Derechos Humanos define la finalidad última del derecho: "En el ejercicio de sus derechos y en el disfrute de sus libertades, toda persona estará solamente sujeta a las limitaciones establecidas por la ley con el único fin de asegurar, el procedimiento y el respeto de los derechos y libertades de los demás, y de satisfacer las justas exigencias de la moral, del orden público y del bienestar general en una sociedad democrática".

5. SUSPENSIÓN O INTERRUPCIÓN DE LOS PROCEDIMIENTOS TRIBUTARIOS

Según la Disposición Final Sexta del Decreto N° 4.160: "La suspensión o interrupción de un procedimiento administrativo como consecuencia de las medidas de suspensión de actividades o las restricciones a la circulación que

---

[24] Naciones Unidas/Consejo Económico y Social Comisión de Derechos Humanos 41° Período de sesiones Nota verbal de fecha 24 de agosto de 1984 enviada al Secretario General por el Representante Permanente de los Países Bajos ante la oficina de Naciones Unidas en Ginebra.

fueren dictadas no podrá ser considerada causa imputable al interesado, pero tampoco podrá ser invocada como mora o retardo en el cumplimiento de las obligaciones de la administración pública. En todo caso, una vez cesada la suspensión o restricción, la administración deberá reanudar inmediatamente el procedimiento".

La paralización de actividades interrumpe los procedimientos administrativos. Eso es justamente lo que hizo el Decreto N° 4.160, restringió la circulación de personas y suspendió actividades, dando lugar a la paralización *ope legis* y *erga omnes* de los procedimientos administrativos, sin la necesidad de declaratoria administrativa desde el 13 de marzo de 2020 hasta que cese la suspensión, en cuyo caso se reanudarán los procedimientos.

La primera parte de la Disposición Final Sexta se refiere a que la suspensión o interrupción de un procedimiento administrativo no podrá ser considerada causa imputable al interesado.

Lo que nos recuerda el contenido del Artículo 64 de la Ley Orgánica de Procedimientos Administrativos[25] que contempla la perención como causa de terminación del procedimiento, siempre que la paralización sea imputable al particular[26].

En tal sentido, partiendo de este artículo y aplicando el argumento *a contrario sensu* como argumento «creador» de normas, a fin de justificar una solución distinta, se deduce que la Disposición Final Sexta del Decreto N° 4.160 se refiere a la paralización de los procedimientos administrativos no imputables al particular, como tampoco a la Administración al no poderse invocar "como mora o retardo en el cumplimiento de las obligaciones de la administración pública."

Se trata entonces de una paralización de los procedimientos por causa extraña o no imputable; que además debe ser sobrevenida, imprevisible e inevitable[27], de manera análoga a lo previsto en el artículo 1271 del Código Civil que alude genéricamente a una "causa extraña" que no le sea imputable al deudor, la cual es el género que incluye entre sus especies: el "caso fortuito" y la "fuerza mayor" (CC, art. 1272)[28].

[25] Gaceta Oficial N° 2.818 Extraordinaria de 1° de julio de 1981.

[26] Artículo 64 de la LOPA: "Si el procedimiento iniciado a instancia de un particular se paraliza durante dos (2) meses por causa imputable al interesado, se operará la perención de dicho procedimiento. El término comenzará a partir de la fecha en que la autoridad administrativa notifique al interesado. Vencido el plazo sin que el interesado hubiere reactivado el procedimiento, el funcionario procederá a declarar la perención".

[27] Tribunal Superior Octavo de lo Contencioso Administrativo de la Región Capital, Sent. 20-1-09, Exp. 0647/SMP , http://caracas.tsj.gob.ve/decisiones/2009/enero/2259-20-0647-.html.

[28] Señala María Candelaria Domínguez (Curso-de-Derecho-Civil-III-Obligaciones, Revista Venezolana de Legislación y Jurisprudencia, C.A, Caracas, 2019, p. 167) La causa extraña no imputable supone aquellas circunstancias ajenas a la voluntad del deudor que le hacen imposible el cumplimiento de la prestación debida y por tal lo exoneran de responsabilidad a aquel. Se

No se trata por tanto únicamente de la prórroga y demás facilidades para el pago de obligaciones no vencidas, así como fraccionamientos y plazos para el pago de deudas atrasadas, cuando el normal cumplimiento de la obligación tributaria se vea impedido por caso fortuito o fuerza mayor, o en virtud de circunstancias excepcionales que afecten la economía del país, que puede conceder el Ejecutivo Nacional con carácter general, conforme al Artículo 45 del COT (2014).

Se trata de una más compleja paralización también de carácter general, por razones urgentes, que implica una paralización de todos los procedimientos por causa extraña o no imputable a los particulares ni a la Administración.

Resulta evidente que dicha suspensión o interrupción afectará a todos los procedimientos administrativos en curso, lo que incluye desde luego a los de naturaleza tributaria, teniendo como consecuencia:

(i)   La suspensión *ope legis* de los plazos y lapsos, sin la necesidad de declaratoria administrativa desde el 13 de marzo de 2020[29].

(ii) Se suspenden términos y se interrumpen los plazos para la tramitación de los procedimientos de determinación de oficio.

(iii) El cómputo de los plazos se reanudará en el momento en que pierda vigor el Decreto, que tendrá una vigencia de 30 días, prorrogables por igual período[30], hasta tanto se estime adecuada el estado de contención de la enfermedad epidémica del coronavirus (COVID-19) o sus posibles cepas, y controlados sus factores de contagio.

(iv) Finalmente, se suspenden los plazos de prescripción de los derechos de la Administración tributaria para verificar, fiscalizar y determinar la obligación tributaria con sus accesorios, para imponer sanciones tributarias, distintas a las penas restrictivas de la libertad, para exigir el pago de las deudas tributarias y de las sanciones pecuniarias firmes y

---

ubican tales causas entre aquellas que eliminan la relación de causalidad13 como elemento de la responsabilidad civil. Constituyen pues, obstáculos o circunstancias que propician el incumplimiento involuntario, teniendo generalmente, efectos liberatorios y eventuales efectos restitutorios. "Se trata de un acontecimiento ajeno a la voluntad del deudor, impredecible o bien inevitable, que no se puede resistir que le impide cumplir definitiva y totalmente la obligación asumida"14. Implica una expresión genérica que engloba todas las modalidades de cumplimiento involuntario15. Se justifica porque nadie está obligado a lo imposible16. Se hace referencia a esta figura cuando la prestación que fue teóricamente posible en el momento de su constitución ha devenido imposible después, ocasionando así la insatisfacción del interés del acreedor.17 De tal suerte que la causa extraña no imputable se presenta en el ámbito del Derecho de las obligaciones18, como un evento o acontecimiento ajeno a la voluntad del deudor que sobrevenidamente le impide absolutamente el cumplimiento de la obligación inicialmente pactada.

29 **Disposición Final Décima Segunda.**

30 **Disposición Final Octava:** "Este decreto tendrá una vigencia de 30 días, prorrogables por igual período, hasta tanto se estime adecuada el estado de contención de la enfermedad epidémica coronavirus (COVID-19) o sus posibles cepas, y controlados sus factores de contagio".

el derecho a la recuperación de impuestos y a la devolución de pagos indebidos.

(v) Se interrumpen los procedimientos que se hayan iniciado a instancia de parte, los procedimientos de reintegro, iniciados mediante la presentación de autoliquidaciones, los procedimientos consultivos, solicitudes de fraccionamiento de pago, pagos bajo protesto, compensaciones, reintegros, así como los procedimientos de autoliquidación, autodeterminación o liquidación iniciados mediante la presentación de una declaración jurada.

(vi) Se interrumpen los procedimientos de determinación de oficio, de fiscalización o determinación de tributos, y otros que se hayan iniciado de oficio por la Administración, así como los procedimientos de segundo grado (jerárquicos, reconsideración y revisión), entre otros.

6. SUSPENSIÓN DE LAS AUTOLIQUIDACIONES DEL ISLR E IVA

La doctrina señala que no han sido pocas las definiciones dadas al *procedimiento administrativo*. Sin embargo, en su mayoría coinciden en que se trata de un conjunto o una serie de actos o trámites coligados entre sí y tendientes a una única finalidad (Massimo Severo Giannini, Manuel María Diez), cumplidos por una autoridad administrativa o un particular (José Araujo Juárez), que se presentan como requisitos o formalidades legalmente necesarios para la elaboración de un acto administrativo (Gustavo Urdaneta Troconis, Sabino Álvarez Gendín)"[31].

Como señala Brewer "[g]eneralmente las leyes de procedimiento no establecen una tipología de los procedimientos de acuerdo con los efectos del acto administrativo que resulte de su desarrollo; sin embargo, de ella dependerá la precisión de cuándo puede o debe iniciarse el procedimiento a petición de parte interesada y cuando puede o debe iniciarse de oficio" Siguiendo la tipología difundida por Massimo Severo Giannini, precisa que de acuerdo a la naturaleza de los efectos de los actos administrativos que resultan de los procedimientos administrativos, pueden distinguirse cuatro tipos de procedimientos: los declarativos, los "ablatorios", los concesorios y los autorizatorios"[32].

En esta clasificación encontramos los procedimientos declarativos que tienen por resultado actos que otorgan certeza de hechos jurídicos relevantes, y consisten en declaraciones de ciencia o de conocimiento y en verificaciones[33].

---

[31] BADELL MADRID, Rafael, "Consideraciones Generales Sobre El Acto Administrativo", *I Jornadas De Derecho Administrativo en la Universidad Católica Andrés Bello en Homenaje a José Araujo Juárez*, Consultada en: https://www.badellgrau.com/?pag=14&ct=2011

[32] BREWER-CARÍAS, A., "Principios del procedimiento administrativo en España y América Latina", *200 años del Colegio de Abogados*, Colegio de Abogados del Distrito Federal, Libro-Homenaje, Tomo I, Ávila Arte Impresores, Caracas, 1989, p.355.

[33] BREWER-CARÍAS, A., *op.cit.*, Caracas, 1989, p.355.

De los artículos 13, 36 y 66 y 140 del Código Orgánico Tributario se deduce el carácter procedimental de la determinación del tributo y su condición de procedimiento administrativo. A saber:

> **"Artículo 13 COT:** La obligación tributaria surge entre el Estado, en las distintas expresiones del Poder Público, y los sujetos pasivos, en cuanto ocurra el presupuesto de hecho previsto en la ley. La obligación tributaria constituye un vínculo de carácter personal, aunque su cumplimiento se asegure mediante garantía real o con privilegios especiales.
>
> **Artículo 36 COT:** El hecho imponible es el presupuesto establecido por la ley para tipificar el tributo, y cuya realización origina el nacimiento de la obligación tributaria.
>
> **Artículo 66 COT:** La falta de pago de la obligación tributaria dentro del plazo establecido hace surgir, de pleno derecho y sin necesidad de requerimiento previo de la Administración Tributaria, la obligación de pagar intereses moratorios desde el vencimiento del plazo establecido para la autoliquidación y pago del tributo hasta la extinción total de la deuda
>
> **Artículo 140 COT:** Los contribuyentes y responsables, ocurridos los hechos previstos en la Ley cuya realización origina el nacimiento de una obligación tributaria, deberán determinar y cumplir por sí mismos dicha obligación o proporcionar la información necesaria para que la determinación sea efectuada por la Administración Tributaria, según lo dispuesto en las leyes y demás normas de carácter tributario".

De lo que resulta indubitable el carácter procedimental de la autodeterminación tributaria, considerada la forma por excelencia, a través de la cual se declara... la existencia y cuantía de la obligación fiscal, modalidad esta que realiza el propio sujeto pasivo, por medio de la declaración -y autoliquidación- de impuestos. Que el contribuyente autodetermine (declare y liquide) el nacimiento y cuantía de la obligación tributaria, a través de su declaración de jurada obedece a las razones de incapacidad operativa de la Administración Tributaria para realizar las determinaciones de cada contribuyente[34].

Incluso, la preferencia del procedimiento de autodeterminación está contemplada en los artículos 140 y 141[35] del COT, por lo que puede afirmarse que el Código Orgánico Tributario establece un orden de prelación en las distintas formas de llevarse a cabo el proceso de determinación tributaria, a saber: 1.- En primer término, los contribuyentes deberán determinar y cumplir por si

---

[34] ABACHE CARVAJAL, Serviliano, *La Determinación de la Obligación Tributaria*, en *Manual Venezolano de Derecho Tributario*, Coordinadores Generales Jesús Sol Gil / Leonardo Palacios Márquez, Elvira Dupouy Mendoza / Juan Carlos Fermín, Caracas, 2013, p.p. 468-469.

[35] **Artículo 141 COT:** "La determinación por la Administración Tributaria se realizará aplicando los siguientes sistemas: 1. Sobre base cierta, con apoyo en todos los elementos que permitan conocer en forma directa los hechos imponibles. 2. Sobre base presuntiva, en mérito de los elementos, hechos y circunstancias que por su vinculación o conexión con el hecho imponible permitan determinar la existencia y cuantía de la obligación tributarla".

mismos la obligación tributaria... 2.- De no estar prevista o consagrada en la Ley especial respectiva la autodeterminación, se le impone al sujeto pasivo la obligación de proporcionar la información necesaria, a través por ejemplo de la declaración del hecho imponible, para que la determinación sea efectuada por la Administración tributaria; y 3.- Por último, en el orden previsto, la Administración tributaria podrá proceder a la determinación oficiosa, bien sobre base cierta o sobre base presunta, solo en los supuestos previstos en el artículo [141] del COT"[36].

De lo que resulta razonable que el procedimiento administrativo al haber sido previsto como cauce o *iter* procedimental en el que debe desarrollarse las facultades de la Administración Tributaria y los derechos del contribuyente para el adecuado cumplimiento de la obligación tributaria, entendida esta siempre como una relación de derecho y no de poder, [l]a autodeterminación o autoliquidación sea considerado un procedimiento tributario[37], un procedimiento especial en los términos de la LOPA[38].

El procedimiento de autodeterminación sería entonces "aquel procedimiento en el que el sujeto pasivo (contribuyente o responsable) especifica en una declaración jurada los aspectos relacionados con el hecho imponible, obtiene la base de cálculo y aplica la alícuota correspondiente para determinar la cuota tributaria. Debido a que la autoliquidación se efectúa con ocasión de una declaración jurada o bajo juramento, responsabiliza al declarante por sus consecuencias, razón por la cual, debe reflejar en forma fidedigna la obligación tributaria, sin perjuicio de su verificación y eventual rectificación por parte de la Administración Tributaria[39].

En este sentido, el fallo de la Sala Político-Administrativa, Especial Tributaria de la Corte Suprema de Justicia el 27 de enero de 1995, señaló que la *verificación* procede al momento de comprobar "*la exactitud de la declaración del hecho imponible, en cumplimiento del proceso de autodeterminación que la ley le impone*"[40].

De modo tal que la suspensión o interrupción, en fin, la paralización de los procedimientos administrativos, tienen causa en las medidas de suspensión

---

[36] SÁNCHEZ GONZÁLEZ, Salvador, *El procedimiento de fiscalización y determinación de la obligación tributaria*, 2da Edición, FUNEDA, Caracas, 2012, p.p. 31 y 32.

[37] BAUTE CARABALLO, Pedro E. "Otros procedimientos administrativos previstos en el Código Orgánico Tributario", en *Manual Venezolano de Derecho Tributario*, Coordinadores Generales Jesús Sol Gil / Leonardo Palacios Márquez, Elvira Dupouy Mendoza / Juan Carlos Fermín, Caracas, 2013, p.616.

[38] **Artículo 47 LOPA.** Los procedimientos administrativos contenidos en leyes especiales se aplicarán con preferencia al procedimiento ordinario previsto en este capítulo en las materias que constituyan la especialidad.

[39] BAUTE CARABALLO, Pedro E. *ob.cit.*, Caracas, 2013, p.616.

[40] Sentencia de la Sala Político-Administrativa, Especial Tributaria de la Corte Suprema de Justicia del 27 de enero de 1995, con ponencia de la Magistrada Conjuez Dra. Ilse Van Der Velde, en el caso Julio Velutini Octavio vs. República.

de actividades o las restricciones a la circulación que fueren dictadas. En fin, si el Estado de Alarma fue dictado por la comprobada estricta necesidad de solventar la situación de anormalidad, en nada ayuda a cumplir con esto, mantener en curso toda clase de procedimientos administrativos, que solo generaran más indefensión e incertidumbre.

De allí que, apelando al argumento teleológico (del griego *telos,* finalidad), debemos atender al «espíritu», «finalidad», «objetivos», etc., del Decreto a la hora de determinar el significado de sus disposiciones, de modo que toda paralización de procedimientos atiende a la necesidad de evitar perjuicios graves en los derechos e intereses de los ciudadanos derivados de la suspensión de actividades o las restricciones a la circulación que fueren dictadas[41].

Igualmente, se puede aplicar el argumento analógico incluso en aplicación de una norma de derecho comparado[42] que regula otro caso similar, porque entre el caso a decidir y el caso regulado por la norma aplicada analógicamente existen similitudes relevantes. Es el caso de los gobiernos de los países del entorno que han otorgado aplazamiento de pago de tributos, suspensión de los términos y la interrupción de los plazos administrativos de los procedimientos tributarios, entre otras medidas[43].

---

[41] MARTÍNEZ ZORRILLA, David, *Metodología jurídica y argumentación*, Marcial Pons, Madrid, 2010, p.72.

[42] Sobre la comparación constitucional como quinto método de interpretación: HABERLE, P. *Rechtsvergleichung im Kraftfeld des Verfassungsstaates,* 1992, pp. 36 ss., con más detalle.

[43] **Colombia:** Prórroga para el pago del ISLR para el segundo semestre de 2020. Aplica a los contribuyentes de los sectores hoteleros, transporte aéreo y espectáculos. Subsiste el deber de declarar dentro del lapso. Fuente: https://forbes.co/2020/03/17/economia-y-finanzas/dian-cambio-fechas-de-impuestos-para-2020/ ; **Argentina:** Suspensión de los plazos procedimentales mientras dura la emergencia (del 18 al 31 de marzo). Durante la vigencia de la medida, queda en suspenso el cómputo de los plazos que rigen para la respuesta de los contribuyentes a los requerimientos en los procedimientos tributarios. La medida no implica ninguna modificación ni prórroga sobre los vencimientos de impuestos. Fuente: http://www.afip.gov.ar/noticias/20200318-Feria-fiscal.asp; **Perú:** Prórroga de los plazos de vencimiento de las declaraciones juradas que vencieran en marzo. Aplica a las micro, pequeñas y medianas empresas. Suspensión temporal las fiscalizaciones y citaciones programadas. Fuente: https://peru21.pe/economia/coronavirus-covid-19-peru-sunat-otorga-prorroga-de-los-plazos-de-vencimiento-tras-decreto-de-estado-de-emergencia-nndc-noticia/ https://busquedas.elperuano.pe/normaslegales/decreto-supremo-que-precisa-el-decreto-supremo-n-044-2020-p-decreto-supremo-n-046-2020-pcm-1865070-1/; **Italia:** Suspensión de todos los pagos, cobros tributarios y fiscalizaciones dentro del período del 8 al 31 de marzo. Los pagos deberán ser efectuados con posterioridad al 30 de junio. Fuente:https://www.finanze.gov.it/export/sites/finanze/it/.content/Documenti/Varie/Comunicato-Agenzia-delle-entrate-Riscossione.pdf; **Francia:** Se faculta a las empresas para solicitar el diferimiento del pago de los impuestos directos sin penalización. Asimismo, las empresas pueden oponerse al débito de sus cuentas bancarias del impuesto corporativo o solicitar el reembolso del impuesto pagado durante marzo. Se faculta a los contribuyentes dedicados a actividades profesionales independientes diferir el pago de sus ingresos por prestación de servicios profesionales. Fuente: https://www.impots.gouv.fr/portail/node/13465/; https://www.lavanguardia.com/internacional/20200316/474212594165/coronavirus-macron-medidas-choque-indeditas-francia.html; **España:** Suspensión de los términos y la interrupción de los plazos administrativos de los procedimientos iniciados con ante-

Vendría bien citar al Gobierno de Costa Rica que ante la falta de liquidez y capacidad para adquirir obligaciones crediticias, priorizó la posibilidad de que las empresas utilicen su disponible para pagar salarios antes que atender el pago de impuestos, presentado al parlamento la "Ley de Alivio Fiscal ante el COVID-19" como parte de las medidas extraordinarias para mitigar el impacto del coronavirus a la ciudadanía. Establece una moratoria para los pagos de los impuestos a la renta, al valor agregado y aduaneros, en los meses de abril, mayo y junio de 2020, la cual podrá ser prorrogada por una única vez por el Presidente de la República, extendiéndose hasta el 31 de julio de 2020[44].

Siguiendo con la argumentación, podemos invocar el argumento *a fortiori* acudiendo a otra norma o regulación particular para resolver el caso (una norma que resuelve otro caso distinto), justificando su aplicación por el hecho de que la *razón o fundamento* que subyace en la norma aplicada se manifiesta aun *con mayor intensidad* en el caso a decidir. Nos referimos a la Resolución s/n y s/f de la Sala Plena del Tribunal Supremo de Justicia que resuelve que "[n]ingún Tribunal despachará desde el lunes 16 de marzo hasta el lunes 13 de abril de 2020, ambas fechas inclusive. Durante ese período permanecerán en suspenso las causas y no correrán los lapsos procesales. Ello no impide que se practiquen las actuaciones urgentes para el aseguramiento de los derechos de alguna de las partes, de conformidad con la ley. Los órganos jurisdiccionales tomarán las debidas previsiones para que no sea suspendido el servicio público de administración de justicia. Al efecto se acordará su habilitación para que se proceda al despacho de los asuntos urgentes. Pero mantiene habilitados todos los días del período antes mencionado en materia de amparo constitucional En cuanto a los Tribunales con competencia en materia penal, se mantendrá la continuidad del servicio público de administración de justicia a nivel nacional solo para los asuntos urgentes".

---

rioridad del 18 de marzo de 2020. Esta suspensión no aplica para el deber de presentar declaraciones y autoliquidaciones tributarias. Las Pymes y las personas naturales (autónomos) podrán solicitar aplazamientos en el pago de impuestos para facilitar la liquidez. Fuentes: https://www.agenciatributaria.es/AEAT.internet/Inicio/RSS/Todas_las_Novedades/Le_interesa_conocer/Instrucciones_provisionales_para_solicitar_aplazamientos_de_acuerdo_con_las_reglas_de_facilitacion_de_liquidez_para_pymes_y_a___de_12_de_marzo.shtml;https://www.agenciatributaria.es/AEAT.internet/Inicio/La_Agencia_Tributaria/Campanas/_Campanas_/Medidas_Tributarias_COVID_19/Avisos_importantes/No_se_interrumpen_los_plazos_para_la_presentacion_de_declaraciones_y_autoliquidaciones_tributarias.shtml;https://www.boe.es/boe/dias/2020/03/13/pdfs/BOE-A-2020-3580.pdf **República Dominicana**: PRÓRROGA DEL IMPUESTO SOBRE LA RENTA PARA PERSONAS FÍSICAS Y CONTRIBUYENTES ACOGIDOS AL RÉGIMEN SIMPLIFICADO DE TRIBUTACIÓN Como apoyo a la situación excepcional que vive nuestro país ante la circulación del virus COVID 19 y conforme a lo establecido en el artículo 17 del Código Tributario, la Dirección General de Impuestos Internos (DGII) concederá prórrogas para el cumplimiento del Impuesto Sobre la Renta de las personas físicas (IR-1) del periodo fiscal 2019 y del Impuesto Sobre la Renta para los contribuyentes acogidos al Régimen Simplificado de Tributación (RST) Fuentes: https://dgii.gov.do/publicacionesOficiales/avisosInformativos/Documents/2020/21-20.pdf

[44] Fuente: https://www.hacienda.go.cr/noticias/15702-hacienda-agradece-a-asamblea-legislativa-la pronta-aprobacion-de-la-ley-de-alivio-fiscal-ante-el-covid-19

En este sentido, si se suspende los procesos en los términos antes señalados, también deben suspenderse *a fortiori* los procedimientos administrativos, incluyendo los tributarios, porque si se suspende con carácter general el control jurisdiccional de legalidad de los actos de la administración pública, con mayor razón o fundamento deben suspenderse los procedimientos administrativos.

Así mismo, partiendo de una *interpretación correctora-extensiva*, es perfectamente factible ampliar el ámbito de aplicación de la norma que paraliza los procedimientos, haciéndola aplicable a casos que, de acuerdo con una interpretación literal, quedarían excluidos de su ámbito de aplicación[45].

Ello equivale a la suspensión o paralización de los procedimientos de autodeterminación, autoliquidación y pago del Impuesto sobre la Renta, del Impuesto al Valor Agregado y de cualquier otro tributo nacional, estadal, municipal o parafiscal desde el 13 de marzo de 2020 y hasta que se cumpla la vigencia de 30 días de Decreto N° 4.160 o se cumpla la condición de la Disposición Final Sexta "…una vez cesada la suspensión o restricción, la administración deberá reanudar inmediatamente el procedimiento."

7. ARGUMENTO *A MAIORI AD MINUS*, ARGUMENTO APAGÓGICO Y LA INTERPRETACIÓN SISTEMÁTICA Y META-TEXTUAL SOBRE LA SUSPENSIÓN *OPE LEGIS*

Según nuestra interpretación la suspensión de los procedimientos tributarios (incluyendo la autoliquidación del ISLR e IVA) ocurrió *ope legis* y frente a todos (*erga omnes*) desde la publicación del Decreto de Estado de Alarma. Coincide con nosotros, Humberto Romero-Muci[46], cuando afirma que "todos los plazos relativos a las declaraciones y pagos de tributos deben entenderse suspendidos de pleno derecho desde la publicación del [Decreto 4.160] hasta su terminación.", aclarando que tal postura tiene su fundamento en la interpretación, *a fortiori*, de la disposición final sexta del Decreto 4.160, que reconoce a la suspensión de actividades o a la restricción de circulación como causa de fuerza mayor o causa no imputable al cumplimiento de obligaciones tanto de particulares y administraciones en procedimientos administrativos y en la plena vigencia de la garantía del debido proceso en situaciones de estados de excepción (numeral 11 del artículo 7 de la LOEE y artículo 339 Constitución).

Por su parte, Fraga y Tagliaferro[47] a pesar de manifestar su acuerdo con nuestra posición en que la Disposición Sexta del Decreto 4.160 es clara al es-

---

[45] MARTÍNEZ ZORRILLA, David, *ob.cit.*, 2010, p.65.

[46] Citado por Fraga Pittaluga, Luis y Tagliaferro, Andrés, «Implicaciones del COVID-19 sobre el cumplimiento de las obligaciones tributarias», en http://fragapittaluga.com.ve /fraga/index. php/component/k2/item/24-implicaciones-del-covid-19-sobre-elcumplimiento-de-las-obligaciones-tributarias

[47] *Ibidem.*

tablecer la suspensión del procedimiento de determinación de la obligación tributaria como especie del género "procedimiento administrativo"; están en desacuerdo en cuando a que dicha suspensión se produjo "desde el 13 de marzo de 2020" o, "desde la fecha de publicación del Decreto 4.160 hasta su terminación."

Estos autores se fundamentan en una interpretación gramatical del artículo 8 y la Disposición Final Sexta del Decreto 4.160, señalando que el Decreto 4.160 mediante el cual se declara el estado de excepción no establece en su texto tal suspensión o interrupción (como si lo hace con respecto de las actividades académicas y espectáculos públicos), sino que –como se dijo- en cuanto a la suspensión de actividades, dentro de las cuales se incluyen expresamente las laborales, el Decreto 4.160 se limita a establecer en su artículo 8 que el Presidente de la República "podrá" ordenar tales medidas, debiendo entenderse esto como la *posibilidad* que tiene de hacerlo[48].

La interpretación textual es caracterizada por la doctrina, como la actividad que consiste en determinar el significado de una disposición, el componente elemental de cualquier texto jurídico normativo: un enunciado, previamente aislado por el intérprete, en el discurso de las fuentes, obteniendo de esta una o más normas explícitas, acreditadas o acreditables como sus interpretaciones jurídicamente correctas[49].

Sin embargo, el problema de esta interpretación gramatical es que el intérprete no cumple su tarea si se queda únicamente en observar la expresión literal de la norma, sin buscar en cada caso la *ratio* objetivamente inmanente a estas y que debe ser deducida con base en la individuación del fundamento y en el fin de las normas mismas. De allí que se diga que, según un difundido modo de ver las cosas, la interpretación específicamente jurídica comienza justo allí donde termina la interpretación lexical y gramatical[50].

En efecto, desde Savigny se sabe que una interpretación literal, gramatical, en fin, aislada, conduce a resultados irracionales e incoherentes. De modo que para dotar de sentido a un texto legal y procurar su «significado correcto» dependerá no solo del **elemento gramatical** (consistente en el lenguaje de las leyes, las palabras empleadas por el legislador para comunicar su pensamiento), sino de un **elemento lógico** (consistente en la descomposición del pensamiento del legislador o las relaciones lógicas entre las distintas partes de la ley), de un **elemento histórico** (consistente en el estado del derecho sobre la materia en la época de promulgación de la ley), y finalmente de un **elemento sistemático** (consistente en el lazo que ligaría las instituciones y reglas de derecho en una unidad)[51].

---

[48] *Ibidem.*
[49] CHIASSONI, Pierluigi, *Técnicas de interpretación jurídica,* Breviario para juristas, Marcial Pons, Madrid, 2011, p.p. 94, 168 y 232.
[50] *Ibidem.*
[51] RODRÍGUEZ, Jorge Luis, *Teoría analítica del derecho*, Marcial Pons, Madrid, 2021, pp. 621-625.

De modo tal que una interpretación acorde con un texto que restringe derechos, como es el Decreto 4.160 del Estado de Alarma, debe ser siempre una interpretación finalista, una interpretación correctora, esto es, la que atiende a los argumentos sistemáticos. "La idea básica de este tipo de argumentos consiste en determinar el sentido de una formulación normativa tomando en cuenta no solo el significado de los términos que la conforman, sino también su articulación con otros textos legales. Esta articulación con otros textos permitiría, frente a una formulación normativa con varios significados, privilegiar aquel que resulte congruente con otras disposiciones"[52].

En este caso es necesario procurar una interpretación adecuada, una interpretación sistemática y meta-textual[53] que permita deducir una base enunciativa conforme a la Constitución y la Ley Orgánica sobre Estados de Excepción. Este método y procedimiento de interpretación insta al intérprete a realizar una serie de operaciones heterogéneas procediendo a "la interpretación de los artículos o apartados pertinentes de uno o más documentos normativos, con el fin de identificar la base enunciativa: el conjunto de las disposiciones de las que obtener normas útiles para regular un caso..."[54], esto es, el artículo 21 de la Ley Orgánica sobre Estados de Excepción y los artículos 337, 338 y 339 de la Constitución.

Partiendo de un razonamiento *a fortiori a maiori ad minus* si el de Decreto 4.160 del Estado de Alarma suspendió derechos y garantías constitucionales como la libre circulación o la inviolabilidad del hogar, con la cuarentena de carácter obligatorio, la inspección por los órganos de seguridad de establecimientos, personas y vehículos, etc., con mayor razón debe entenderse que la suspensión de los procedimientos tributarios ocurrió *ope legis* y frente a todos (*erga omnes*) desde la publicación del Decreto de Estado de Alarma.

Si empleamos otro tipo de argumento para justificar interpretaciones correctoras, como es el caso del argumento apagógico o *ad absurdum*, partiendo de la supuesta «razonabilidad» del legislador imposibilitaría atribuir a una formulación normativa un significado que consista en una norma absurda en cualquier sentido.

Pongamos el caso de un *Decreto que regule un Estado de Alarma sin regularlo*, es decir, que solo prevea el encabezado, las normas descriptivas, pero no contenga normas prescriptivas, de modo que en el texto no se suspenda expresamente, literal o textualmente ninguna actividad y tampoco se haga acompañar de decretos y normas complementarias o de desarrollo de las medidas excepcionales. Entonces, estaríamos ante una norma con consecuencias aplicativas (manifiestamente) absurdas o irrazonables. De allí la razonabilidad del artículo 21 de la Ley Orgánica sobre Estados de Excepción que contempla que "[e]l decreto que declare el estado de excepción suspende temporalmente, en las

---

[52] *Ibidem*, p.625.
[53] CHIASSONI, Pierluigi, *ob.cit.*, 2011, p. 114 y s.s.
[54] *Ibidem*, p.70.

leyes vigentes, los artículos incompatibles con las medidas dictadas en dicho decreto."

Asimismo, Fraga y Tagliaferro pasan por alto que cualquier intento de comprensión de ese sucedáneo del derecho que despojó de su sitial al antaño ordenamiento jurídico (siempre perfectible, por supuesto) y al ideal del legislador racional en Venezuela, debe apartarse de la literalidad del precepto y acercarse más a las interpretaciones correctoras o extensivas[55].

Esto es consecuencia de un ordenamiento jurídico "desquiciado", en el que se ha trastocado hasta el sistema de fuentes. En Venezuela el Derecho se convirtió en un instrumento al servicio de la ideología y de fines políticos, incluso con la pretensión de crear un nuevo sistema de fuentes maleable a los contenidos ideológicos deseados, como el caso de la Ley Constitucional y el Decreto constituyente emanados de una usurpadora Asamblea Constituyente que no dictó una nueva Constitución, pero sí reformó el Código Orgánico Tributario, la Ley Orgánica de Aduanas y la Ley que establece el Impuesto al Valor Agregado y creó un impuesto a los grandes patrimonios, entre otras cosas. De modo que frente a las garantías jurídicas formales inoperantes, ineficaces o carentes, el operador jurídico debe procurar una solución útil para garantizar que el derecho positivo pueda seguir siendo un sistema de seguridad.

Para determinar cuál es la respuesta jurídicamente correcta frente a ese sucedáneo del derecho hay que estar consciente de que el Derecho -y menos aún ese sucedáneo que se instaló en Venezuela- no comienza ni termina en el derecho positivo, que toda lectura de las normas, sean principios o reglas, incluso frente a la ausencia de normas debe hacerse a la luz de la Constitución[56]; porque en Venezuela los problemas jurídicos trascienden a la propia redacción de los preceptos (problemas de ambigüedad, vaguedad o indeterminación de los conceptos utilizados), a la subsunción al caso concreto o a su contextualización temporal o sistemática con otros preceptos o ámbitos de la regulación.

Otra razón para apartarse de la literalidad de la norma frente a ese sucedáneo del derecho tiene que ver, como lo precisa Ferrajoli, con el cambio del estatuto epistemológico de la ciencia del derecho. Esa cultura jurídica militante del paradigma constitucional que le asignó un nuevo rol a la ciencia jurídica, ahora investida de un rol crítico y proyectivo en relación con su propio objeto: crítico en relación con las antinomias, cuya supresión le corresponde reclamar, proyectivo frente a las lagunas, cuya subsanación le corresponde reclamar. Esto es lo que resume Ferrajoli en la aparición del derecho ilegítimo, gracias a la rigidez de las actuales constituciones cuando se producen violaciones de la consti-

---

[55] MARTÍNEZ ZORRILLA, David, *ob.cit.*, 2010, p.65.

[56] MEIER, Eduardo, "Tributación y Libertad: a propósito del decreto constituyente de anticipo de impuestos", *Derecho Tributario Contemporáneo. Libro Homenaje a los 50 Años de la Asociación Venezolana de Derecho Tributario*, Coordinadores Leonardo Palacios Márquez, Serviliano Abache Carvajal, AVDT- EJV, Caracas, 2019, p.280.

tución por acción, o sea, antinomias consistentes en la indebida producción de normas inválidas, y violaciones por omisión, es decir, lagunas consistentes en la asimismo indebida no-producción de leyes de actuación[57].

Esto es lo que ha ocurrido con la legislación de excepción derivada de la pandemia. Por lo que resulta lógico para la propia supervivencia del sistema que los operadores jurídicos se constriñan buscar la solidez de las razones que apoyan la premisa normativa elegida más que en el derecho positivo en la ciencia jurídica, concebida precisamente, como lo afirma Ferrajoli "como una meta-garantía en relación con las garantías jurídicas eventualmente inoperantes, ineficaces o carentes, que actúa mediante la verificación y la censura externas del derecho inválido o incompleto"[58].

Así mismo, Fraga y Tagliaferro obvian una interpretación correctora del Decreto 4.160 a la luz del artículo 21 de la Ley Orgánica sobre Estados de Excepción que contempla que "[e]l decreto que declare el estado de excepción suspende temporalmente, en las leyes vigentes, los artículos incompatibles con las medidas dictadas en dicho decreto".

El artículo 21 de la Ley Orgánica sobre Estados de Excepción prevé una suspensión general, *ope legis* y frente a todos (*erga omnes*) de los artículos previstos en las leyes ordinarias, especiales y orgánicas incompatibles con las medidas dictadas en el decreto de estado de excepción. Sin dudas que esta suspensión general tiene como finalidad abarcar otros supuestos no previstos por el legislador de excepción por la misma dinámica de la emergencia y su imprevisibilidad intrínseca. Desde luego que toda suspensión general además de ser temporal debe dirigirse al cumplimiento de la finalidad última del Decreto: recuperar la normalidad.

Esto último de la mano del argumento teleológico, de modo que toda paralización de procedimientos atiende a la necesidad de evitar perjuicios graves en los derechos e intereses de los ciudadanos derivados de la suspensión de actividades o las restricciones a la circulación que fueren dictadas. Recordemos que estamos frente a un ordenamiento temporal, de excepción pero que conforme al artículo 339 de la Constitución "no interrumpe el funcionamiento de los órganos del Poder Público". Pero ese funcionamiento de los órganos del poder público no se pensó para cumplir con la celosa continuidad de los procedimientos administrativos (tributarios), sino con el único fin, con el único *iter* de regresar a la normalidad, de superar las causas sociales o naturales que produjeron la conmoción, la emergencia o la alarma.

---

[57] FERRAJOLI, L., *La democracia a través de los derechos. El constitucionalismo garantista como modelo teórico y como proyecto político*, trad. Perfecto Andrés Ibáñez, Editorial Trotta, Madrid, 2014, p.83.

[58] FERRAJOLI, L., *Derechos y garantías. La ley del más débil*. Introducción de Perfecto Andrés Ibáñez, Traducción de Perfecto Andrés Ibáñez y Andrea Greppi, Editorial Trotta, 4ta edición, Madrid, 2004, p.33.

8. ERROR EXCULPATORIO

Según nuestra interpretación la suspensión de los procedimientos tributarios (incluyendo la autoliquidación del ISLR e IVA) ocurrió *ope legis* y frente a todos (*erga omnes*) desde la publicación el Decreto de Estado de Alarma, lo que conlleva como lógica consecuencia el eximente de responsabilidad por ilícitos tributarios, derivada bien del caso fortuito y la fuerza mayor (Artículo 85.3 del COT), incluso por error excusable de derecho (Artículo 85.3 del COT) porque la vaguedad es especialmente intensa, hasta el punto de ser prácticamente ineliminable.

Siendo muy probable que la posición interpretativa expuesta pueda enfrentar el rechazo de la Administración Tributaria, en el supuesto de que esta formule un reparo, existen argumentos jurídicos sólidos para defender, en un eventual proceso judicial con importantes posibilidades de éxito, que la posición de la suspensión de los procedimientos tributarios (incluyendo la autoliquidación del ISLR e IVA) ocurrió *ope legis* y frente a todos (*erga omnes*) desde la publicación el Decreto de Estado de Alarma.

9. CONCLUSIÓN

En el Estado de Alarma no podrá ser restringida la garantía del debido proceso[59]. De allí que resulte lógico para (i) preservar la igualdad procesal o *igualdad de armas* de los contribuyentes frente a la Administración Tributaria, (ii) evitar situaciones que produzcan la bola de nieve de la inseguridad y el germen de la iniquidad y (iii) evitar situaciones de desigualdad manifiesta, sujeta al criterio de cada órgano judicial o administrativo y a falta de una instancia unificadora; predicar y defender que la Disposición Final Sexta del Decreto N° 4.160, suspende o paraliza con efectos inmediatos *ope legis* y frente a todos (*erga omnes*) los procedimientos de autodeterminación, autoliquidación y pago de los tributos, así como los procedimientos de primer y segundo grado desde el 13 de marzo de 2020 y hasta que se cumpla la vigencia de 30 días de Decreto de Estado de Alarma o su prórroga.

La paralización de actividades interrumpe los procedimientos administrativos. Eso es justamente lo que hizo el Decreto N° 4.160, restringió la circulación de personas y suspendió actividades, dando lugar a la paralización *ope legis* y *erga omnes* de los procedimientos administrativos hasta que cese la suspensión, en cuyo caso se reanudarán los procedimientos.

En refuerzo de lo anterior, el artículo 21 de la Ley Orgánica sobre Estados de Excepción prevé una suspensión general, *ope legis* y frente a todos (*erga*

---

[59] **Artículo 7 de la LOEE y Artículo 49 de la Constitución.** "El debido proceso se aplicará a todas las actuaciones judiciales y administrativas".

omnes) de los artículos previstos en las leyes ordinarias, especiales y orgánicas incompatibles con las medidas dictadas en el decreto de estado de excepción. Sin dudas que esta suspensión general tiene como finalidad abarcar otros supuestos no previstos por el legislador de excepción por la misma dinámica de la emergencia y su imprevisibilidad intrínseca. Desde luego que toda suspensión general además de ser temporal debe dirigirse al cumplimiento de la finalidad última del Decreto: recuperar la normalidad.

Si se suspenden los procesos judiciales de control de legalidad y constitucionalidad de los actos de la Administración Tributaria, salvo los amparos constitucionales, *a fortiori* deben estar suspendidos los procedimientos que dan lugar a los actos administrativos que no pueden ser controlados en este interregno.

BIBLIOGRAFÍA

ABACHE CARVAJAL, Serviliano, *La Determinación de la Obligación Tributaria*, en *Manual Venezolano de Derecho Tributario*, Coordinadores Generales Jesús Sol Gil / Leonardo Palacios Márquez, Elvira Dupouy Mendoza / Juan Carlos Fermín, Caracas, 2013.

BADELL MADRID, Rafael, "Consideraciones Generales Sobre El Acto Administrativo", *I Jornadas De Derecho Administrativo en la Universidad Católica Andrés Bello en Homenaje a José Araujo Juárez*, Consultada en: https://www.badellgrau.com/?pag=14&ct=2011.

BAUTE CARABALLO, Pedro E. "Otros procedimientos administrativos previstos en el Código Orgánico Tributario", en *Manual Venezolano de Derecho Tributario*, Coordinadores Generales Jesús Sol Gil / Leonardo Palacios Márquez, Elvira Dupouy MENDOZA / Juan Carlos Fermín, Caracas, 2013.

BREWER-CARÍAS, A., "Principios del procedimiento administrativo en España y América Latina", *200 años del Colegio de Abogados*, Colegio de Abogados del Distrito Federal, Libro-Homenaje, Tomo I, Ávila Arte Impresores, Caracas, 1989.

CHIASSONI, PIERLUIGI, *Técnicas de interpretación jurídica, Breviario para juristas*, Marcial Pons, Madrid, 2011.

FRAGA PITTALUGA, Luis y Tagliaferro, Andrés, «Implicaciones del COVID-19 sobre el cumplimiento de las obligaciones tributarias», en http://fragapittaluga.com.ve /fraga/index.php/component/k2/item /24-implicaciones-del-covid-19-sobre-elcumplimiento-de-las-obligaciones-tributarias.

MARTÍNEZ ZORRILLA, David, *Metodología jurídica y argumentación*, Marcial Pons, Madrid, 2010.

MEIER, Eduardo, "Tributación y Libertad: a propósito del decreto constituyente de anticipo de impuestos", *Derecho Tributario Contemporáneo. Libro Homenaje a los 50 Años de la Asociación Venezolana de Derecho Tributario*, Coordinadores Leonardo Palacios Márquez, Serviliano Abache Carvajal, AVDT- EJV, Caracas, 2019.

RODRÍGUEZ, Jorge Luis, *Teoría analítica del derecho*, Marcial Pons, Madrid, 2021.

SÁNCHEZ GONZÁLEZ, Salvador, *El procedimiento de fiscalización y determinación de la obligación tributaria*, 2da Edición, FUNEDA, Caracas, 2012.

COVID-19
Y DETERMINACIÓN TRIBUTARIA[*]

SERVILIANO ABACHE CARVAJAL[**]

---

[*] Trabajo originalmente publicado en: BREWER-CARÍAS, Allan R., y ROMERO-MUCI, Humberto (Coords.), *Estudios jurídicos sobre la pandemia del COVID-19 y el Decreto de Estado de Alarma en Venezuela,* Academia de Ciencias Políticas y Sociales - Editorial Jurídica Venezolana Internacional, Colección Estudios N° 123, Caracas, 2020.

[**] Abogado mención *Magna Cum Laude,* Universidad Central de Venezuela. Especialista en Derecho Tributario mención *Honorífica,* Universidad Central de Venezuela. Máster en Argumentación Jurídica mención *Sobresaliente,* Universidad de Alicante, España. Experto en Fiscalidad Internacional, Universidad de Santiago de Compostela, España. Doctorando en Derecho, Universidad de Santiago de Compostela, España. Profesor, Universidad Central de Venezuela y Universidad Católica Andrés Bello. Consejo Directivo y Coordinador del Comité Editorial de la Revista de Derecho Tributario, Asociación Venezolana de Derecho Tributario. Representante Titular por Venezuela al Directorio, Instituto Latinoamericano de Derecho Tributario.

abiertas al público (*autodeterminación*). 6. La declaratoria del «Estado de Alarma» y las Circulares N° SIB-DSB-CJ-OD-02415 y N° SIB-DSB-CJ-OD-02793 de la SUDEBAN, como concreción de una de las definiciones legales de «días inhábiles» que establece el enunciado jurídico no práctico. 7. A modo de conclusión. La extensión procedimental de los ámbitos de ejercicio del *derecho del contribuyente a que toda actuación determinativa se realice en días y horas hábiles*, y su corolario lógico: los supuestos de prórrogas automáticas de los plazos y términos de los procedimientos de determinación tributaria.

0. INTRODUCCIÓN

El 13 de marzo de 2020 se dictó el Decreto N° 4.160[1], mediante el cual se declaró el «Estado de Alarma»[2] para atender la emergencia sanitaria generada por el COVID-19 (acrónimo en inglés de *coronavirus disease 2019*) en el territorio nacional, con ocasión a la declaratoria del 11 de marzo de 2020 de pandemia por parte de la Organización Mundial de la Salud, que ha obligado a la mayoría de los países –como es suficientemente conocido, por lo que no profundizaremos en este aspecto– a declarar medidas de aislamiento social, cuarentena, estados de emergencia sanitaria y de higiene e, inclusive, acciones económicas en virtud del impacto que ha producido la propagación del virus en los distintos sectores productivos.

En este sentido, Venezuela no es la excepción, por lo que en el denominado Decreto de declaratoria de «Estado de Alarma» –y en las demás regulaciones dictadas posteriormente[3]– se han implementado medidas de distanciamiento

---

[1] Publicado en Gaceta Oficial N° 6.519 Extraordinario, 13 de marzo de 2020; prorrogado por treinta días el 12 de abril de 2020, mediante Decreto N° 4.186 publicado en Gaceta Oficial N° 6.528 Extraordinario, de esa misma fecha; y al margen del contenido formal del recién dictado Decreto N° 4.198 publicado en Gaceta Oficial N° 6.535 Extraordinario, 12 de mayo de 2020, éste no «declaró», sino materialmente *prorrogó* –una vez más– por treinta días adicionales el «Estado de Alarma», evidenciándose la *manipulación semántica de dominación* del discurso normativo del mismo, pretendiendo alterar la realidad con el lenguaje empleado a fines de soslayar el artículo 338 de la Constitución (publicada inicialmente en Gaceta Oficial N° 36.860, 30 de diciembre de 1999 y reimpresa posteriormente con algunas «correcciones» en Gaceta Oficial N° 5.453 Extraordinario, 24 de marzo de 2000, cuya primera enmienda, así como el texto íntegro de la Constitución, fueron publicados en Gaceta Oficial N° 5.908 Extraordinario, 19 de febrero de 2009), conforme con el cual: «Podrá decretarse el estado de alarma cuando se produzcan catástrofes, calamidades públicas u otros acontecimientos similares que pongan seriamente en peligro la seguridad de la Nación o de sus ciudadanos y ciudadanas. **Dicho estado de excepción durará hasta treinta días, siendo prorrogable hasta por treinta días más**» (resaltado agregado).

[2] Para varias críticas sobre el mismo, *vid.* BREWER-CARÍAS, Allan R., «El decreto del estado de alarma en Venezuela con ocasión de la pandemia del coronavirus: inconstitucional, mal concebido, mal redactado, fraudulento y bien inefectivo», en https://allanbrewercarias.com/wp-content/uploads/2020/04/Brewer.-El-estado-de-alarma-con-ocasi%C3%B3n-de-la-pandemia-del-Coronavirus.-14-4-2020-1.pdf.

[3] En orden cronológico, las principales medidas a nivel nacional han sido las siguientes: (i) Circular N° SIB-DSB-CJ-OD-02415 dictada por la Superintendencia Nacional de Instituciones del

Sector Bancario (SUDEBAN), titulada «Continuidad del servicio bancario en línea durante el estado de alarma», 15 de marzo de 2020, disponible en https://twitter.com/SudebanInforma/status/1239288994061586437?s=20; (ii) Decreto N° 4.166, mediante el cual «Se exonera del pago del Impuesto al Valor Agregado, Impuesto de Importación y Tasa por Determinación del Régimen Aduanero, así como cualquier otro impuesto o tasa aplicable de conformidad con el ordenamiento jurídico vigente, a las importaciones definitivas de bienes muebles corporales (mascarillas, tapabocas y otros insumos relacionados) realizadas por los Órganos y Entes de la Administración Pública Nacional, destinados a evitar la expansión de la pandemia Coronavirus (COVID-19), que en él se señalan», publicado en Gaceta Oficial N° 41.841, 17 de marzo de 2020; (iii) Comunicado S/N dictado por el Instituto Nacional de Aeronáutica Civil (INAC), mediante el cual «informa al pueblo venezolano que desde este 17 de marzo, se restringen las operaciones aéreas de Aviación General y Comercial, hacia y dentro de la República Bolivariana de Venezuela», 17 de marzo de 2020, disponible en https://www.instagram.com/p/B92EN pAHS2Q/?igshid=xocsw5k62zhg y en https://twitter.com/IAIM_VE/status/12399818461060 79233?s=19; (iv) Resolución N° 001-2020 dictada por la Sala Plena del Tribunal Supremo de Justicia (TSJ), mediante la cual se establece que «Ningún Tribunal despachará desde el lunes 16 de marzo hasta el lunes 13 de abril del 2020, ambas fechas inclusive», 20 de marzo de 2020, disponible en https://www.facebook.com/notes/tribunal-supremo-de-justicia/tsj-garantiza-continuidad-del-servicio-de-administraci%C3%B3n-de-justicia-durante-el-/2849828871791565/; (v) Decreto N° 4.167, denominado «Decreto N° 1 en el marco del Estado de Alarma para atender la emergencia sanitaria del coronavirus (COVID-19), por medio del cual se ratifica la inamovilidad laboral de las trabajadoras y trabajadores del sector público y privado», publicado en Gaceta Oficial N° 6.520 Extraordinario, 23 de marzo de 2020; (vi) Decreto N° 4.168, denominado «Decreto N° 02 en el marco del Estado de Alarma para atender la emergencia sanitaria del coronavirus (COVID-19), por medio del cual se dictan las medidas de protección económica que se mencionan», publicado en Gaceta Oficial N° 6.521 Extraordinario, 23 de marzo de 2020; (vii) Decreto N° 4.169, denominado «Decreto N° 03 en el marco del Estado de Alarma para atender la emergencia sanitaria del coronavirus (COVID-19), por medio del cual se suspende el pago de los cánones de arrendamiento de inmuebles de uso comercial y de aquellos utilizados como vivienda principal», publicado en Gaceta Oficial N° 6.522 Extraordinario, 23 de marzo de 2020; (viii) Resolución N° 008.20 dictada por la SUDEBAN, sobre las «Normas relativas a las condiciones especiales para los créditos otorgados antes de la entrada en vigencia del Decreto N° 4.168 de fecha 23 de marzo de 2020», 23 de marzo de 2020, disponible en https://m.facebook.com/story.php?story_fbid=2491587947731911&id=1747022515521795; (ix) Resolución N° 20-03-01 dictada por el Banco Central de Venezuela (BCV), «mediante la cual se dictan las Normas que Regirán la Constitución del Encaje», 30 de marzo de 2020, publicada en Gaceta Oficial N° 41.850, 30 de marzo de 2020; (x) Resolución N° 023 dictada por el Ministerio del Poder Popular para Hábitat y Vivienda, «mediante la cual se suspende de manera especial y excepcional el pago de los cánones de arrendamientos de inmuebles utilizados para vivienda principal hasta el 1° de septiembre de 2020», 1 de abril de 2020, publicada en Gaceta Oficial N° 41.852, 1° de abril de 2020; (xi) Decreto N° 4.171, «mediante el cual se exonera del pago del Impuesto sobre la Renta, el enriquecimiento anual de fuente territorial, obtenido por las personas naturales residentes en el país, durante el período fiscal del año 2019, cuyo salario normal o ingreso proveniente del ejercicio de su actividad, al cierre de dicho período no supere el monto equivalente a tres (3) salarios mínimos vigentes al 31 de diciembre de 2019», publicado en Gaceta Oficial N° 6.523 Extraordinario, 2 de abril de 2020; (xii) Resolución N° 079 dictada por el Ministerio del Poder Popular para la Salud, mediante la cual «Se exonera del pago del Impuesto al Valor Agregado, Impuesto de Importación y Tasa por Determinación del Régimen Aduanero, así como cualquier otro impuesto o tasa aplicable de conformidad con el ordenamiento jurídico vigente, a las importaciones definitivas de bienes muebles corporales (mascarillas, tapabocas y otros insumos relacionados) realizadas por los Órganos y Entes de la Administración Pública Nacional, destinados a evitar la expansión de la pandemia Coronavirus (COVID-19)», publicada en Gaceta Oficial N° 41.854, 3 de abril de 2020; (xiii) Comunicado S/N dictado por el INAC, mediante el cual «informa al pueblo venezolano la extensión de la restricción de operaciones aéreas en todo el territorio nacional por 30 días, a partir del 12 de abril», 12 de abril de 2020, disponible en https://twitter.com/INAC_Venezuela/status/12494 25115386908674?s=19; (xiv) Resolución N° 002-2020 dictada por la Sala Plena del TSJ, mediante la cual «Se prorroga por treinta (30) días, el plazo establecido en la Resolución número 001-2020, dictada por la Sala Plena del Tribunal Supremo de Justicia el 13 (sic) de marzo de 2020», social, lo que supone la suspensión o paralización de actividades –en general– de los sectores público y privado, cuestión que apareja diversas consecuencias jurídicas[4], entre otras, las relativas al cumplimiento de las obligaciones tributarias cuyo régimen está delimitado en el Código Orgánico Tributario[5].

---

13 de abril de 2020, disponible en https://www.facebook.com/notes/tribunal-supremo-de-justicia/tsj-prorroga-por-30-d%C3%ADas-sistema-de-guardias-para-garantizar-el-servicio-de-admi/2904426979665087/; (xv) Comunicado S/N dictado por el INAC, mediante el cual «informa la extensión de la restricción de operaciones aéreas en el territorio nacional por 30 días, a partir del 12 de mayo hasta el próximo 12 de junio», 12 de mayo de 2020, disponible en https://www.instagram.com/p/CAGXLVQHx6b/?igshid=mtibeitkvivl; (xvi) Resolución N° 003-2020 dictada por la Sala Plena del TSJ, mediante la cual «Se prorroga por treinta (30) días, el plazo establecido en la Resolución número 002-2020, dictada por la Sala Plena del Tribunal Supremo de Justicia el 13 de abril de 2020», 12 de mayo de 2020, disponible en https://m.facebook.com/notes/maikel-moreno-tsj/tsj-prorroga-por-30-d%C3%ADas-sistema-de-guar-dias-para-garantizar-servicio-de-adminis/1312207969113077/; y (xvii) Circular N° SIB-DSB-CJ-OD-02793 dictada por la SUDEBAN, titulada «Continuidad del servicio bancario durante el estado de alarma y flexibilización de la cuarentena», 31 de mayo de 2020, disponible en https://twitter.com/SudebanInforma/status/1267189484241719299?s=08 y en https://www.instagram.com/p/CA3YoXCFPy0/?igshid=1rrrao3zbya5e.

4 Para varios estudios sobre las distintas implicaciones jurídicas del COVID-19 en Venezuela, *vid.* AA.VV., «El COVID-19 y el Derecho: algunos temas para el debate», *Blog de Derecho y Socie-dad*, en http://www.derysoc.com/especiales/el-covid-19-y-el-derecho-algunos-temas-para-el-debate/; y AA.VV., «Especial COVID-19», *Biblioteca AVEDA*, en https://www.aveda.org.ve/biblioteca/.

5 Publicada su reciente «reforma» en Gaceta Oficial N° 6.507 Extraordinario, 29 de enero de 2020, la cual fue dictada por la denominada «Asamblea Nacional Constituyente», que por razón de la inexistencia jurídica de las pretendidas «tipologías normativas» que emana («leyes constitucionales», «decretos constituyentes», etc.) y dada su patente inconstitucionalidad por violación del principio de reserva legal tributaria (*vid.* FRAGA-PITTALUGA, Luis, «Algunos comentarios sobre la reforma del Código Orgánico Tributario de 2020», en http://fragapitta-luga.com.ve/fraga/index.php/component/k2/item/9-algunos-comentarios-sobre-la-refor-ma-del-codigo-organico-tributario-de-2020), la misma adolece de la más severa e insalvable *invalidez*, en tanto no fue: (i) dictada por el órgano competente, (ii) siguiendo el procedimiento establecido, (iii) respetando las normas de rango superior. Debe siempre tenerse presente que la materia tributaria es de estricta reserva legal (*ley formal*: producto del parlamento), por lo que su pretendida regulación por parte de otro «poder» –como ocurrió con esta «reforma»–, atenta directamente contra la libertad individual y, en consecuencia, contra la Constitución misma. En efecto, *la autoimposición es libertad*, por lo que la «no-autoimposición» es una manifestación despótica, abusiva y, en fin, autoritaria del poder, mediante la cual se subvierte la libertad individual y se pulveriza la propiedad privada. Sobre el principio de reserva legal tributaria, *vid.* FRAGA-PITTALUGA, Luis, *Principios constitucionales de la tributación*, Editorial Jurídica Venezolana, Colección Estudios Jurídicos N° 95, Caracas, 2012, p. 41-68. Nuestras consideraciones sobre este estándar de la tributación pueden consultarse en: ABACHE CAR-VAJAL, Serviliano, «Liberalismo y tributación. Especial atención al principio de reserva legal de los tributos», *Revista Instituto Colombiano de Derecho Tributario*, N° 69, Instituto Colombiano de Derecho Tributario, Bogotá, 2013, p. 27-51; y su caracterización más reciente como *derecho subjetivo*, en: ABACHE CARVAJAL, Serviliano, «El derecho a la legalidad tributaria del contribuyente: una cuestión de libertad y propiedad privada», en ESPINOSA BERECOCHEA, Carlos (Coord.), *Derechos de los contribuyentes*, Academia Mexicana de Derecho Fiscal, Ciudad de México, 2019, p. 31-70. Sobre ésta y tantas otras consideraciones que demuestran la abierta inconstitucionalidad de la «Asamblea Nacional Constituyente» y de sus «actos», *vid.* BREWER-CARÍAS, Allan R., y GARCÍA SOTO, Carlos (Comp.), *Estudios sobre la Asamblea Nacional Constituyente y su inconstitucional convocatoria en 2017*, Editorial Jurídica Venezolana - Editorial Temis, Caracas, 2017, *in totum*.

En el foro tributario venezolano se han preparado varios estudios que analizan las consecuencias del Decreto N° 4.160, con especial interés en su Disposición Final Sexta[6], a propósito del debate sobre la suspensión o interrupción *ope legis* (o no) de los procedimientos administrativos, en general, y de los administrativos-tributarios, en particular y, con ello, la incertidumbre que ha imperado alrededor del cumplimiento de las obligaciones fiscales, presentándose sólidos argumentos que justifican –con razones de distinto cuño: derechos a la vida y a la salud por encima de deberes tributarios, causa extraña no imputable [caso fortuito o fuerza mayor], eximentes penales tributarios, etc.– el *no-deber* de cumplimiento por parte de los contribuyentes mientras que dure esta inédita situación[7].

Nuestra aproximación es más modesta. Nos enfocamos –exclusivamente– en el *procedimiento de determinación de la obligación tributaria y los derechos del contribuyente*[8], el cual, si bien se ha comentado en los trabajos referidos, no ha sido el *aspecto medular* de los mismos y que, en nuestra opinión, se presenta como un *tema clave* del asunto, que además habilita una *solución práctica* a la situación de los sujetos pasivos –con expreso fundamento normativo en el propio Código Orgánico Tributario y al margen de la Disposición Final Sexta del Decreto de «Estado de Alarma»– ante la inexistencia de *medidas de alivio fiscal coyuntural* (diferimiento, suspensión, fraccionamiento, entre otras)[9] del cumplimiento de

---

6   Disposición Final Sexta del Decreto N° 4.160: «La suspensión o interrupción de un procedimiento administrativo como consecuencia de las medidas de suspensión de actividades o las restricciones a la circulación que fueren dictadas no podrá ser considerada causa imputable al interesado, pero tampoco podrá ser invocada como mora o retardo en el cumplimiento de las obligaciones de la administración pública. En todo caso, una vez cesada la suspensión o restricción, la administración deberá reanudar inmediatamente el procedimiento».

7   Al respecto, *vid.* FRAGA-PITTALUGA, Luis y TAGLIAFERRO, Andrés, «Implicaciones del COVID-19 sobre el cumplimiento de las obligaciones tributarias», en http://fragapittaluga. com.ve/fraga/index.php/component/k2/item/24-implicaciones-del-covid-19-sobre-el-cumplimiento-de-las-obligaciones-tributarias; MEIER, Eduardo, «Breves notas sobre la situación de los procedimientos tributarios ante la declaratoria de Estado de Alarma (COVID-19)», en http://fragapittaluga.com.ve/fraga/index.php/component/k2/item/23-breves-notas-sobre-la-situacion-de-los-procedimientos-tributarios-ante-la-declaratoria-de-estado-de-alarma-covid-19, y en http://www.derysoc.com/especial-nro-3/breves-notas-sobre-la-situacion-de-los-procedimientos-tributarios-ante-la-declaratoria-de-estado-de-alarma-covid-19/; y CABALLERO, Rosa, «Algunas reflexiones en torno al cumplimiento de las obligaciones tributarias en el contexto del COVID-19», en http://www.derysoc.com/especial-nro-3/algunas-reflexiones-en-torno-al-cumplimiento-de-las-obligaciones-tributarias-en-el-contexto-del-covid-19/.

8   Nuestras más recientes consideraciones sobre este importante tema, en: ABACHE CARVAJAL, Serviliano, «Los derechos del contribuyente en el procedimiento de determinación tributaria», en RAMÍREZ LANDAETA, Belén (Coord.), *Jornadas académica en homenaje al profesor Allan R. Brewer-Carías. 80 años*, Fundación Estudios de Derecho Administrativo - Universitas Fundación, Caracas, 2020, p. 88-123.

9   Sobre las medidas tributarias que pueden adoptarse en este contexto, *vid.* GARCÍA NOVOA, César, «La fiscalidad ante la crisis del Covid-19», inédito; y FERNÁNDEZ, Daniel y DIRKMA-AT, Olav, «Un plan económico sensato ante la emergencia COVID-19 para Guatemala», en https://trends.ufm.edu/articulo/plan-economico-sensato-ante-la-emergencia-covid-19-para-guatemala/

las obligaciones tributarias, dictadas por parte de las autoridades competentes[10]. A estos fines, nos centraremos en un *derecho subjetivo* –en particular– de los sujetos pasivos, al cual nos referimos como: *el derecho del contribuyente a que toda actuación determinativa se realice en días y horas hábiles*.

Para lo anterior, en la primera parte repasaremos brevemente el concepto de determinación tributaria y sus distintas modalidades o tipologías por el sujeto (autodeterminación, determinación mixta, etc.), con la finalidad de precisar el alcance o ámbito procedimental de ejercicio de los derechos del contribuyente en el procedimiento de determinación tributaria.

En la segunda parte se atenderá de manera resumida la teoría de los enunciados jurídicos, específicamente las normas *prácticas* y *no prácticas*, para caracterizar como norma práctica la contentiva del *derecho del contribuyente a que toda actuación determinativa se realice en días y horas hábiles*, regulado en el artículo 162 del Código Orgánico Tributario, pasando por su concepción como «pretensión justificada» y la correlación «deber-derecho» que supone, cuya utilidad aplicativa resultará evidente. Luego, nos encargaremos de analizar la norma práctica contenida en el numeral 3° del artículo 10 del Código, así como la norma no práctica referida a las definiciones legales de «días inhábiles» establecidas en el parágrafo único del artículo 10 del Código Orgánico Tributario, cuyos sentidos precisaremos, a propósito de la declaratoria del «Estado de Alarma» y las Circulares N° SIB-DSB-CJ-OD-02415 y N° SIB-DSB-CJ-OD-02793 dictadas por la SUDEBAN.

Finalmente, enfocaremos nuestra conclusión en la extensión de los ámbitos de ejercicio del *derecho del contribuyente a que toda actuación determinativa se realice en días y horas hábiles*, y su corolario lógico: los supuestos de *prórrogas automáticas* de los plazos y términos de los procedimientos de determinación tributaria, en general, y durante esta situación, en particular.

PRIMERA PARTE.
EL PROCEDIMIENTO DE DETERMINACIÓN TRIBUTARIA.
CONCEPTO Y MODALIDADES POR EL SUJETO

1. CONCEPTO DEL PROCEDIMIENTO
DE DETERMINACIÓN TRIBUTARIA

En doctrina son varias las nociones apuntadas y conceptos delimitados sobre el procedimiento de determinación de la obligación tributaria. Según JARACH «la determinación tributaria es un acto jurídico de la administración en el cual ésta manifiesta su pretensión, contra determinadas personas en carácter

---

[10] Salvo las dos ya relacionadas en materia de impuesto al valor agregado e impuesto sobre la renta, y las dictadas –un poco más de una docena– por algunos Municipios.

de contribuyentes o responsables, de obtener el pago de la obligación tributaria sustantiva»[11].

Al respecto, GIULIANI FONROUGE considera que éste «consiste en el acto o conjunto de actos emanados de la administración, de los particulares o de ambos coordinadamente, destinados a establecer en cada caso particular, la configuración del presupuesto de hecho, la medida de lo imponible y el alcance cuantitativo de la obligación»[12].

Para VILLEGAS este procedimiento «es el acto o conjunto de actos dirigidos a precisar en cada caso si existe una deuda tributaria (*an debeatur*), quién es el obligado a pagar el tributo al fisco (sujeto pasivo) y cuál es el importe de la deuda (*quantum debeatur*)»[13].

Por su parte, Ilse VAN DER VELDE llegó a expresar que «debemos aplicar el vocablo *determinación* para identificar a esa operación mediante la cual se busca precisar la existencia, o inexistencia, de la obligación tributaria, en cada caso en particular, con todos los elementos referidos al sujeto activo, al sujeto pasivo, a la base imponible, al monto de la deuda tributaria o liberación de ésta»[14]. Y también fue VAN DER VELDE[15], una de las voces de la doctrina venezolana que se encargó de precisar la diferencia –en no pocos casos obviada– entre la determinación y la liquidación tributarias, siendo ésta la fase final de aquélla: la *cuantificación* de la obligación.

---

[11]   JARACH, Dino, *Curso Superior de Derecho tributario*, Liceo Profesional Cima, Buenos Aires, 1969, p. 402.

[12]   GIULIANI FONROUGE, Carlos M., *Derecho financiero*, vol. I, Ediciones Depalma, 2ª edición, Buenos Aires, 1970, p. 481.

[13]   VILLEGAS, Héctor B., *Curso de finanzas, Derecho financiero y tributario*, Editorial Astrea, 8ª edición, Buenos Aires, 2002, p. 395.

[14]   VAN DER VELDE HEDDERICH, Ilse, *In Memoriam Ilse van der Velde Hedderich* (compilado y adaptado por Alejandro RAMÍREZ VAN DER VELDE), Asociación Venezolana de Derecho Tributario, Caracas, 2001, p. 6.

[15]   «En efecto, en algunos casos se utiliza indistintamente la palabra "liquidación", tal como lo hizo nuestro legislador tributario al definir el concepto en los términos siguientes: (…). Aparece así, frente al lector, la expresión "liquidación" como sinónimo de "determinación", sin embargo técnicamente ello no es correcto, por cuanto si vamos a usar el término "liquidación" como sinónimo de "determinación" debemos distinguir entre la acepción de "liquidación" lato sensu y "liquidación" stricto sensu, es decir, la primera corresponde a identificar al acto o conjunto de actos que conducen a precisar la existencia de la obligación tributaria o su inexistencia y la segunda corresponde al aspecto final del procedimiento, identificada con la planilla o instrumento que contiene la cuenta o resultado cuantificado de aquella "operación". De tal manera que, en una clara y acertada utilización de conceptos, debemos aplicar el vocablo *determinación* para identificar a esa operación mediante la cual se busca precisar la existencia, o inexistencia, de la obligación tributaria, en cada caso en particular, con todos los elementos referidos al sujeto activo, al sujeto pasivo, a la base imponible, al monto de la deuda tributaria o liberación de ésta, etc.; en tanto debemos limitar el uso de la expresión *liquidación*, al acto último de la "determinación tributaria", como ya antes expresamos, a la cuantificación de la deuda tributaria, o su liberación, como resultado de aquel acto o proceso realizado» (comillas y cursivas de la autora, y paréntesis agregado). *Ibíd.*, p. 5-6.

Conjugando los conceptos anteriores, se puede afirmar que el procedimiento de determinación consiste en la realización de un acto o discurrir de un conjunto de éstos, por parte de los sujetos de la relación jurídico-tributaria (sujeto pasivo, sujeto activo o ambos de manera conjunta), así como por el propio juez –como se apreciará enseguida–, dirigidos a declarar o constituir (dependiendo de la naturaleza que se le reconozca[16]) la existencia del débito-crédito fiscal a cargo de un sujeto individualizado, por medio de la constatación particular del hecho imponible, y a cuantificar su extensión económica (liquidación).

2. MODALIDADES DEL PROCEDIMIENTO DE DETERMINACIÓN TRIBUTARIA POR EL SUJETO

A este respecto, el Código Orgánico Tributario señala en su artículo 140, que la determinación tributaria podrá realizarse por los sujetos pasivo y activo, de manera autónoma o conjunta, en los términos siguientes:

«Los contribuyentes y responsables, ocurridos los hechos previstos en la Ley cuya realización origina el nacimiento de una obligación tributaria, deberán determinar y cumplir por sí mismos dicha obligación o proporcionar la información necesaria para que la determinación sea efectuada por la Administración Tributaria, según lo dispuesto en las leyes y demás normas de carácter tributario. // No obstante, la Administración Tributaria podrá proceder a la determinación de oficio, sobre base cierta o sobre base presuntiva, así como solicitar las medidas cautelares conforme a las disposiciones de este Código, en cualesquiera de las siguientes situaciones: (...)».

Como se observa, la primera parte de la norma hace referencia a la denominada autodeterminación («... *deberán determinar y cumplir por sí mismos...*»); la segunda parte regula la determinación mixta («...o *proporcionar la información necesaria para que la determinación sea efectuada por la Administración Tributaria...*»); y, en tercer lugar, el segundo párrafo de la disposición en comentarios establece la determinación oficiosa («...la *Administración Tributaria podrá proceder a la determinación de oficio...*»).

Por lo anterior, se ha considerado que existe un orden de prelación en cuanto a la determinación por el sujeto, de acuerdo con lo plasmado en el referido artículo 140, debiendo realizarse de la siguiente manera: (i) por el sujeto pasivo de la obligación tributaria; (ii) de forma mixta (sujetos pasivo y activo); y (iii) por el sujeto activo, esto es, la Administración Tributaria[17].

---

[16] Para nuestra propuesta sobre la naturaleza jurídica del procedimiento determinativo, *vid.* ABACHE CARVAJAL, Serviliano, «Las razones de la determinación tributaria. Repensando su naturaleza jurídica desde la teoría general y filosofía del Derecho», en RUIZ LÓPEZ, Domingo (Coord.), *XVIII Congreso AMDF. Facultades de las autoridades fiscales*, Academia Mexicana de Derecho Fiscal, Ciudad de México, 2018, p. 529-564.

[17] Cf. VAN DER VELDE HEDDERICH, Ilse, *op. cit.*, p. 14; y SÁNCHEZ GONZÁLEZ, Salvador, *El procedimiento de fiscalización y determinación de la obligación tributaria. Actualizado a la jurisprudencia*, Fundación Estudios de Derecho Administración, 2ª edición, Carcas, 2012, p. 31-32.

2.1. AUTODETERMINACIÓN O POR EL SUJETO PASIVO

Se podría decir que la autodeterminación tributaria es la forma por excelencia, a través de la cual se declara (o constituye, dependiendo de la naturaleza que se le reconozca, en los términos anteriormente precisados) la existencia y cuantía de la obligación fiscal, modalidad ésta que realiza el propio sujeto pasivo, por medio de la declaración[18] –y autoliquidación[19]– de impuestos. Su fundamento suele ubicarse en la incapacidad operativa que embarga a la Administración Tributaria para realizar las determinaciones de cada contribuyente[20].

Ejemplos de esta forma de determinación sobran en el ordenamiento tributario venezolano, a saber: impuesto sobre la renta, impuesto al valor agregado, entre otros, en los cuales el contribuyente autodetermina el nacimiento (declaración) y cuantía (liquidación) de la obligación tributaria, a través de su declaración de impuestos.

2.2. DETERMINACIÓN MIXTA O POR AMBOS SUJETOS

En lo que corresponde a la determinación mixta, como su denominación apunta, la misma se realiza conjuntamente por los sujetos pasivo y activo de la obligación tributaria, en la cual el primero suministra la información necesaria y pertinente para declarar la existencia (o inexistencia) y cuantía de su eventual obligación al segundo, y éste procede a determinar dicho débito fiscal.

Un ejemplo de esta modalidad determinativa mixta se presenta en la Ordenanza de Impuesto Municipal a las Actividades Económicas (IMAE) del Municipio Chacao[21], en cuyo artículo 45 se establece que:

«Entre el 1° y el 31 de enero de cada año, el contribuyente deberá presentar su Declaración Definitiva de Ingresos ante la Administración Tributaria, a través de medios físicos o electrónicos, que contenga el monto de los ingresos brutos efectivamente obtenidos durante el ejercicio fiscal anterior.// Parágrafo Único: Presentada la Declaración Definitiva de Ingresos, la Administración Tributaria Municipal procederá a emitir el documento respectivo, en el cual determinará el monto del impuesto definitivo a pagar por el contribuyente, durante el ejercicio fiscal correspondiente».

---

[18] Por declaración de impuestos debe entenderse el «acto que manifiesta el saber y la voluntad de cumplir una obligación, sin eficacia definitoria de la obligación sustancial. Su finalidad consiste en colaborar con la administración haciéndole saber el conocimiento y la voluntad del obligado de extinguir una determinada obligación». JARACH, Dino, *Finanzas públicas y Derecho Tributario*, Editorial Cangallo, Buenos Aires, 1ª edición, 2ª reimpresión, 1993, p. 435. Sobre la declaración de impuestos, también *vid.* SAMMARTINO, Salvatore, «La declaración de impuesto», en AMATUCCI, Andrea (Dir.), *Tratado de Derecho tributario*, tomo II, Temis, Bogotá, 2001, p. 311-348.

[19] Al respecto, *vid.* FERNÁNDEZ PAVES, María José, *La autoliquidación tributaria*, Instituto de Estudios Fiscales - Marcial Pons, Madrid, 1995, *in totum*.

[20] Cf. SÁNCHEZ GONZÁLEZ, Salvador, *op. cit.*, p. 29.

[21] Publicada en Gaceta Municipal del Municipio Chacao N° 8.641 Extraordinario, 30 de noviembre de 2017.

Como se observa, el sujeto pasivo tiene la obligación de presentar ante la Administración Tributaria su declaración jurada de ingresos, con la cual ésta determinará (declarará la existencia y fijará cuantía) el impuesto a pagar.

2.3. DETERMINACIÓN OFICIOSA O POR EL SUJETO ACTIVO

La determinación oficiosa es la realizada por la Administración Tributaria. En efecto, este tipo de determinación «está previsto para aquéllos casos en que ésta, haciendo uso de la facultad que le concede la Ley, sustituye o complementa la determinación que debió realizar el contribuyente o responsable (autodeterminación) y que éste no hizo, o la hizo insuficientemente»[22], lo cual se materializa a través de los cauces formales previstos en el Código Orgánico Tributario relativos a los procedimientos de fiscalización y verificación, o lo que es lo mismo, tanto fiscalización cuanto verificación tributarias son modalidades de determinación oficiosa[23] o, bajo la forma de clasificar los procedimientos administrativos por el *grado*, se identifican como procedimientos de *primer grado* (o *constitutivos*) de la voluntad administrativa, por oposición a los de *segundo grado* o (*recursivos*), los cuales también gozan de *naturaleza determinativa*[24].

A tenor del artículo 140 del Código Orgánico Tributario, la Administración podrá determinar de oficio la obligación tributaria, en los siguientes supuestos:

«1. Cuando el contribuyente o responsable hubiere omitido presentar la declaración.// 2. Cuando la declaración ofreciera dudas relativas a su veracidad o exactitud.// 3. Cuando el contribuyente debidamente requerido conforme a la ley, no exhiba los libros y documentos pertinentes o no aporte los elementos necesarios para efectuar la determinación.// 4. Cuando la declaración no esté respaldada por los documentos, conta-

---

[22] SÁNCHEZ GONZÁLEZ, Salvador, *op. cit.*, p. 31.

[23] En igual sentido, *vid.* RAMÍREZ VAN DER VELDE, Alejandro, «Los procedimientos administrativos previstos en el nuevo Código Orgánico Tributario», en SOL GIL, Jesús (Coord.), *Estudios sobre el Código Orgánico Tributario de 2001*, Asociación Venezolana de Derecho Tributario, Caracas, 2002, p. 558.

[24] Si bien el procedimiento de recurso jerárquico no puede caracterizarse como un procedimiento de determinación oficioso, entre otras razones, porque además de no ser iniciado por la Administración Tributaria, esa clasificación es sólo viable analíticamente para los procedimientos de *primer grado* o *constitutivos* de la voluntad administrativa, no es menos cierto que sí es un procedimiento *recursivo* de *segundo grado determinativo*, en la medida que en el mismo también se declara la existencia y delimita la cuantía de la deuda, esto es, *se determina la obligación tributaria*. Así lo enseña RUAN SANTOS: «Este concepto (refiriéndose a la noción de determinación tributaria), cuyo núcleo está constituido por el objeto de las actuaciones –declarar la existencia y cuantía de la obligación tributaria– **refleja el enfoque global de la actividad determinativa y comprende, a la vez que vincula, todos los actos de gestión administrativa encaminados a ese objeto**, desde las declaraciones presentadas por los contribuyentes, pasando por todas las actuaciones administrativas de verificación, fiscalización, liquidación y **revisión hasta la decisión definitiva de la Administración**» (paréntesis y resaltados agregados). RUAN SANTOS, Gabriel, «La función de determinación en el nuevo Código Orgánico Tributario (fiscalización y determinación)», en SOL GIL, Jesús (Coord.), *Estudios sobre el Código Orgánico Tributario de 2001*, Asociación Venezolana de Derecho Tributario, Caracas, 2002, p. 410. También resulta oportuno aclarar, que sólo nos referiremos a los *procedimientos determinativos* indicados por ser los principales –que no únicos– regulados en el Código Orgánico Tributario, debiendo tenerse en cuenta que todas las consideraciones que efectuaremos les son igualmente aplicables a los demás.

bilidad u otros medios que permitan conocer los antecedentes, así como el monto de las operaciones que deban servir para el cálculo del tributo.// 5. Cuando los libros, registros y demás documentos no reflejen el patrimonio real del contribuyente.// 6. Cuando así lo establezcan este Código o las leyes tributarias, las cuales deberán señalar expresamente las condiciones y requisitos para que proceda».

Este tipo de determinación oficiosa, se puede llevar a cabo, como indican los artículos 140 y 141 del Código Orgánico Tributario, a través de los métodos conocidos como *base cierta* y *base presuntiva*, los cuales integran la clasificación de la tipología determinativa por el objeto.

2.4. DETERMINACIÓN JUDICIAL O POR EL ÓRGANO JURISDICCIONAL

Finalmente, la determinación de la obligación tributaria no es exclusiva de los sujetos activo y pasivo de la misma. Ésta también tiene lugar en sede judicial, indistintamente de que el Código Orgánico Tributario nada dice expresamente al respecto, cuyo fundamento en el ordenamiento jurídico venezolano se ubica en las facultades de los jueces de lo contencioso tributario –como especie de los contencioso administrativos–, las cuales no se limitan a la declaratoria de la nulidad del acto sometido al control judicial de legalidad, sino que van más allá, siendo verdaderas potestades de plena jurisdicción[25], tal como lo ha sentado la Sala Político-Administrativa del Tribunal Supremo de Justicia, en los términos siguientes:

«De lo anterior se deriva que los órganos jurisdiccionales integrantes de la jurisdicción contencioso-tributaria, pueden llevar a cabo la determinación de obligaciones tributarias así como de sus correspondientes sanciones; es decir, proceder al cálculo de la deuda tributaria y sus accesorios, pues dicha determinación radica en la facultad de control que la Constitución y la Ley reconocen a la jurisdicción contencioso-administrativa –y a la especial contencioso-tributaria– sobre la actividad de la Administración, más aún cuando el objeto controvertido desde el punto de vista de ingresos del Estado, **es la certeza en la determinación de la cuota tributaria en un asunto determinado.**// En efecto, el control por parte de los órganos jurisdiccionales integrantes de la jurisdicción contencioso-tributaria, no debe limitarse única y exclusivamente a precisar si la determinación efectuada por la Administración Tributaria fue ajustada a derecho o no, sino que puede llevar a cabo la restitución de la situación jurídica infringida por la actividad administrativa, pues la determinación no es un acto constitutivo de un derecho, sino un acto

---

[25] Artículo 259 de la Constitución: «La jurisdicción contencioso administrativa corresponde al Tribunal Supremo de Justicia y a los demás tribunales que determine la ley. Los órganos de la jurisdicción contencioso administrativa son competentes para anular los actos administrativos generales o individuales contrarios a derecho, incluso por desviación de poder; condenar al pago de sumas de dinero y a la reparación de daños y perjuicios originados en responsabilidad de la Administración; conocer de reclamos por la prestación de servicios públicos; y disponer lo necesario para el restablecimiento de las situaciones jurídicas subjetivas lesionadas por la actividad administrativa».

declarativo de la existencia o inexistencia de una obligación tributaria; es decir, **lo que se busca es la certeza de la cuota tributaria que debe exigirse**, la cual no puede ser ajena al control del órgano jurisdiccional competente.// Sobre la base de lo anteriormente expuesto, puede señalarse que la determinación de la obligación tributaria llevada a cabo por el órgano jurisdiccional, procede en aquellos casos en los cuales exista previamente un procedimiento de determinación realizado por la Administración o por el contribuyente y la cual fuere contraria a derecho. Asimismo, es necesario para que proceda la determinación por parte de los órganos jurisdiccionales que existan en autos elementos que permitan al juez precisar la exactitud de la obligación tributaria y sus accesorios.// En consecuencia, la jurisdicción contencioso-tributaria puede no sólo declarar la conformidad a derecho o no de la determinación que se somete a su examen, sino que podrá, tomando en cuenta los elementos de autos, restituir la situación jurídica infringida, llevando a cabo la determinación o los ajustes de la obligación tributaria y de sus accesorios, **estableciendo con certeza la cuota tributaria que corresponde pagar a la contribuyente**, tal como ocurrió en el presente caso.// Por ello, no encuentra esta Sala justificación alguna que impida a los órganos jurisdiccionales competentes, la facultad de llevar a cabo la determinación de la obligación tributaria y sus accesorios, **más cuando la misma actúa en uso de sus facultades de control de la actividad administrativa, pues de esta manera se le brinda a las partes la efectividad de la tutela judicial solicitada**»[26] (resaltado agregado).

En efecto, y en los términos expuestos en la jurisprudencia citada, cuando la determinación tributaria es realizada por el órgano judicial, entonces –y sólo entonces[27]– el acto determinativo tendrá naturaleza jurisdiccional, pues el mismo es dictado por un tercero independiente de las partes (Administración y contribuyente) del litigio[28].

SEGUNDA PARTE.
COVID-19 Y EL DERECHO DEL CONTRIBUYENTE A QUE TODA ACTUACIÓN DETERMINATIVA SE REALICE EN DÍAS Y HORAS HÁBILES

Repasadas la noción y las tipologías del procedimiento de determinación tributaria, corresponde atender –de manera bastante resumida– la teoría de los

---

[26] Sentencia de 22 de noviembre de 2006, Tribunal Supremo de Justicia, Sala Político-Administrativa, caso *Editorial Diario Los Andes, C. A.*, consultada en *Revista de Derecho Tributario*, Nº 113, Asociación Venezolana de Derecho Tributario, Caracas, 2007, p. 251.

[27] Así lo ha sentado la doctrina argentina, la cual en su momento cuestionó y rechazó mayoritariamente la teoría del maestro Dino JARACH, quien le reconoció naturaleza jurisdiccional al acto administrativo de determinación, argumentando la sustanciación de un contradictorio entre Administración y contribuyentes. Al respecto, *vid.* ZICCARDI, Horacio, «Derecho tributario administrativo o formal», en GARCÍA BELSUNCE, Horacio (Dir.), *Tratado de tributación*, tomo I-Derecho Tributario, vol. II, Editorial Astrea, Buenos Aires, 2003, p. 226-228.

[28] Cf. *Ibíd.*, p. 228.

enunciados jurídicos, específicamente las normas *prácticas* y *no prácticas*[29], para caracterizar como norma práctica la contentiva del *derecho del contribuyente a que toda actuación determinativa se realice en días y horas hábiles*, establecido en el artículo 162 del Código Orgánico Tributario, así como su concepción como «pretensión justificada» y la correlación «deber-derecho» que supone.

Luego nos ocuparemos de la norma práctica contenida en el numeral 3° del artículo 10 del Código Orgánico Tributario, así como de la norma no práctica referida a las *definiciones legales* de «días inhábiles» establecidas en el parágrafo único del mismo artículo 10 del Código, que habilitará la aplicación de las normas prácticas indicadas, a propósito de la declaratoria del «Estado de Alarma» y las Circulares N° SIB-DSB-CJ-OD-02415 y N° SIB-DSB-CJ-OD-02793 dictadas por la SUDEBAN, todo lo cual nos permitirá delimitar los supuestos de *prórrogas automáticas* de los plazos y términos de los procedimientos de determinación tributaria, en respeto del *derecho del contribuyente a que toda actuación determinativa se realice en días y horas hábiles*.

3. LAS NORMAS PRÁCTICAS Y NO PRÁCTICAS EN LA TEORÍA DE LOS ENUNCIADOS JURÍDICOS. UNA BREVE (PERO IMPORTANTE) DISTINCIÓN ANALÍTICA

Dentro de la teoría de los enunciados jurídicos, una clasificación bastante útil desde un sentido práctico, es la correspondiente a las normas *prácticas* y *no prácticas*. Así, las primeras *guían* la conducta desde las perspectivas *permisivas*, *prohibitivas* y *obligatorias*, mientras que las segundas establecen *definiciones* para delimitar la interpretación jurídica de las categorías definidas y, con ello, habilitan la aplicación de las normas *prácticas*. Las segundas (las *no prácticas*) sirven para concretar la aplicación de las primeras (las *prácticas*). Si bien, en principio, los enunciados *no prácticos* no guían propiamente la conducta –por lo menos no *directamente* hablando–, lo cierto es que sí lo hacen de manera *indirecta* al definir la categoría jurídica que es empleada en la norma práctica que guía la conducta directamente, gozando, así, de *finalidad práctica*.

Como explican ATIENZA y RUIZ MANERO: «dentro de los enunciados jurídicos, esto es, los pertenecientes a un determinado sistema jurídico, no todos tienen –o, al menos, no tienen de manera directa– carácter práctico, en cuanto que algunos de ellos (las definiciones) no tienen como función –o como función directa– guiar (o justificar) las conductas, sino identificar el significado de otros enunciados que sí tienen, de una u otra forma, esta última función»[30].

---

[29] Para nuestras consideraciones –más desarrolladas– sobre la teoría de los enunciados jurídicos, en particular sobre las *normas prácticas* y *no prácticas*, *vid.* ABACHE CARVAJAL, Serviliano, *La (des)institucionalización del impuesto sobre la renta*, Academia de Ciencias Políticas y Sociales - Editorial Jurídica Venezolana - Asociación Venezolana de Derecho Tributario, Serie Estudios de la Academia N° 113, Caracas, 2019, p. 194-200.

[30] ATIENZA, Manuel y RUIZ MANERO, Juan, *Las piezas del Derecho. Teoría de los enunciados jurídicos*, Editorial Ariel, 2ª edición, Barcelona, 2004, p. 189-190.

Los enunciados prácticos, por su parte, se pueden clasificar en *regulativos* (dirigidos a *guiar* la conducta de los individuos) y *constitutivos* (que también *guían* la «conducta», pero de los poderes públicos, mediante la atribución de competencias). A estos efectos basta con precisar que los primeros *guían* la conducta de los individuos, los particulares (en nuestro caso, contribuyentes y demás sujetos pasivos de la relación jurídico-tributaria), mientras que los segundos hacen lo propio con los órganos que integran los poderes públicos (legislativo, ejecutivo [Administración Tributaria] y judicial), esto es, delimitan su actuación al conferirles poderes o atribuirles competencias.

4. EL *DERECHO* (O «PRETENSIÓN JUSTIFICADA») *DEL CONTRIBUYENTE A QUE TODA ACTUACIÓN DETERMINATIVA SE REALICE EN DÍAS Y HORAS HÁBILES,* ESTABLECIDO EN EL ARTÍCULO 162 DEL CÓDIGO ORGÁNICO TRIBUTARIO: UN ENUNCIADO JURÍDICO PRÁCTICO QUE GUÍA LA *CONDUCTA DETERMINATIVA*

4.1. EL *DERECHO SUBJETIVO* COMO «PRETENSIÓN JUSTIFICADA» Y LA *CORRELACIÓN* «DEBER-DERECHO»

Han sido muchas las formas de explicar la categoría jurídica de *derecho subjetivo*. Así, HOHFELD[31] recuerda el uso amplio y sin mayores discriminaciones que se suele hacer de la expresión «derecho subjetivo», dándole la mayor importancia a hallar algún indicio o pista en el lenguaje jurídico –como él mismo dice– que ayude a lograr un significado definido y apropiado. Y es en la «relación jurídica fundamental» que ubica, a modo de *correlativos*, entre el deber y el derecho subjetivo, donde encuentra su pista. En efecto, explica que el «deber» entraña una *relación correlativa* con el derecho subjetivo, así como el «no-derecho» (la ausencia de derecho subjetivo) traba una *relación de oposición* al derecho subjetivo. Con lo anterior, HOHFELD califica como sinónimo de derecho subjetivo –con razón– a la palabra «pretensión» o *claim*.

Y es en esa línea, que GUASTINI[32] designa los derechos subjetivos como «pretensiones justificadas», en la medida que la categoría está integrada por dos elementos: (i) una pretensión o *claim*, y (ii) una justificación de dicha pretensión, que no es otra cosa que una norma. Explica que una pretensión sin fundamento normativo o, simplemente, «infundada», no pudiera denominarse derecho por su falta de justificación. En definitiva, un derecho subjetivo es una *pretensión* conferida a un sujeto –por una norma– frente a otro, a quien se le impone una obligación *correlativa*.

---

[31] Cf. HOHFELD, Wesley Newcomb, *Conceptos jurídicos fundamentales,* Fontamara, 3ª edición, México, D. F., 1995, p. 47-50.

[32] Cf. GUASTINI, Riccardo, *Distinguiendo. Estudios de teoría y metateoría del Derecho,* Gedisa Editorial, Barcelona, 1999, p. 180-181.

Abonando en similar sentido, también resulta del mayor interés a nuestros fines la acepción de «derecho como correlato de una obligación activa (hacer) o pasiva (no hacer)». En efecto, ésta consiste –como lo explica NINO[33] siguiendo a KELSEN– en enfocar la relación jurídica desde la situación del *beneficiario* de un deber jurídico, en lugar de hacerlo desde la posición del *obligado*. En otras palabras, el *derecho subjetivo* no es más que el *correlato* de una obligación (de hacer o no hacer), razón por la cual esa categoría no denota una situación diferente de la referida por el *deber jurídico*.

4.2. EL ARTÍCULO 162 DEL CÓDIGO ORGÁNICO TRIBUTARIO COMO ENUNCIADO JURÍDICO PRÁCTICO, EL *DERECHO SUBJETIVO* (O «PRETENSIÓN JUSTIFICADA») *DEL CONTRIBUYENTE A QUE TODA ACTUACIÓN DETERMINATIVA SE REALICE EN DÍAS Y HORAS HÁBILES QUE ESTABLECE,* Y LA *CORRELACIÓN* «DEBER-DERECHO» QUE SUPONE

El artículo 162 del Código Orgánico Tributario regula un enunciado jurídico de carácter *práctico* en la medida que *guía la conducta* de la Administración Tributaria y del contribuyente, al establecer la *obligación* en cabeza de aquélla de practicar sus *actuaciones* y atender las que éstos *practiquen ante ella*, en días y horas hábiles, *correlativamente* delimitando que los sujetos pasivos tienen el *derecho subjetivo* (o «pretensión justificada») a no atender[34] (comparecer o recibir)[35],

---

[33] Cf. NINO, Carlos Santiago, *Introducción al análisis del Derecho*, Editorial Astrea, 2ª edición, 14ª reimpresión, Buenos Aires, 2007, p. 202-204.

[34] «1.4.5. **Derecho a no atender actuaciones fiscalizadoras en días y horas inhábiles//** Los artículos 152 [hoy 162] y 165 [hoy 175] del Código Orgánico Tributario expresamente establecen la obligación en cabeza de la Administración Tributaria de practicar sus actuaciones (y, dentro de ellas, sus notificaciones) en días y horas hábiles, de ahí que los sujetos pasivos tengan correlativamente el derecho a no atender dichas actuaciones en días y horas inhábiles» (corchetes agregados). ABACHE CARVAJAL, Serviliano, «La potestad fiscalizadora», en SOL GIL, Jesús, PALACIOS MÁRQUEZ, Leonardo, DUPOUY MENDOZA, Elvira y FERMÍN FERNÁNDEZ, Juan Carlos (Coords.), *Manual de Derecho Tributario Venezolano*, tomo I, Asociación Venezolana de Derecho Tributario, Caracas, 2013, p. 560.

[35] Unas aproximaciones anteriores a este *derecho*, si bien planteadas desde una perspectiva distinta a la del procedimiento de determinación tributaria, pero igualmente valiosas y de la mayor importancia como antecedentes del mismo, son las expuestas por FRAGA-PITTALUGA y BLANCO-URIBE. Como lo explicara FRAGA-PITTALUGA hace más de veinte años, en el marco del *deber de comparecer* del contribuyente: «el administrado tiene el derecho a que su comparecencia sea exigida sólo en días y horas hábiles, a menos que, en su interés, sea procedente la habilitación y asimismo, tiene derecho a que se deje constancia de su comparecencia en forma oficial». FRAGA-PITTALUGA, Luis, *La defensa del contribuyente frente a la Administración Tributaria*, Fundación Estudios en Derecho Administrativo, Caracas, 1998, p. 20. Por su parte, BLANCO-URIBE ha reflexionado sobre este derecho del contribuyente, bajo el enfoque siguiente: «Sobre este punto convendría denunciar la práctica administrativa, en consecuencia ilegal, de practicar notificaciones e incluso de inmediato proceder a ejecutar clausuras de establecimientos, en horas inhábiles del mediodía o hasta en días de fin de semana, que además de violar este mandato, pueden ocasionar mayores perjuicios, afectando la debida proporcionalidad y

ni realizar[36], dichas actuaciones en días y horas inhábiles. El enunciado delimita, a tenor literal, lo siguiente:

> Artículo 162 del Código Orgánico Tributario: «**Las actuaciones de la Administración Tributaria y las que se realicen ante ella, deberán** practicarse en **días y horas hábiles**, sin perjuicio de las habilitaciones que autorice la Administración Tributaria de conformidad con las leyes y reglamentos» (resaltado y subrayado agregados).

Esta norma *práctica* es –a su vez– tanto *constitutiva* como *regulativa*. En efecto, la primera parte del artículo («Las *actuaciones de la Administración Tributaria*») se puede caracterizar como un enunciado *constitutivo*, debido a que guía la «conducta», pero de la Administración Tributaria como poder público, mediante la delimitación del ejercicio de sus competencias administrativas en días y horas hábiles como *obligación* y concreción del principio de legalidad administrativa, *ex* artículos 137[37] y 141[38] de la Constitución. Luego, la segunda parte del enunciado («y *las que se realicen ante ella*») es asimilable bajo el rótulo de los enunciados *regulativos*, en tanto *guía la conducta* de los sujetos pasivos tributarios, reconociéndoles el *derecho subjetivo* a no atender –ni realizar– dichas actuaciones en días y horas inhábiles.

Como puede observarse, la Administración Tributaria tiene la *obligación* – en general– de realizar sus actuaciones (de investigación, comprobación, recaudación, etc.) en días y horas hábiles, por lo que, partiendo de que la actuación –por excelencia– de ésta es su *actuación determinativa*[39], con más razón (argumento *a fortiori*, en su especie *a minore ad maiorem*[40]), al igual que todas

---

alteran (sic) el principio de presunción de inocencia.// ¿Cómo es posible que no se pueda presentar escritos ni acceder al expediente administrativo a la una de la tarde de un lunes, o a cualquier hora de un sábado, pero la Administración Tributaria esté en esos momentos practicando notificaciones y cierres?». BLANCO-URIBE QUINTERO, Alberto, «Hacia un estatuto del contribuyente durante la fiscalización», en PARRA ARANGUREN, Fernando (Edit.), *Ensayos de Derecho administrativo. Libro Homenaje a Nectario Andrade Labarca*, vol. I, Tribunal Supremo de Justicia, Caracas, 2004, p. 141.

36 Una aproximación nuestra reciente a este *derecho*, en: ABACHE CARVAJAL, Serviliano, «Los derechos...» *cit.*, p. 102-104.

37 Artículo 137 de la Constitución: «La Constitución y la ley definirán las atribuciones de los órganos que ejercen el Poder Público, a las cuales deben sujetarse las actividades que realicen».

38 Artículo 141 de la Constitución: «La Administración Pública está al servicio de los ciudadanos y ciudadanas y se fundamenta en los principios de honestidad, participación, celeridad, eficacia, eficiencia, transparencia, rendición de cuentas y responsabilidad en el ejercicio de la función pública, con sometimiento pleno a la ley y al derecho».

39 Al punto que el maestro VALDÉS COSTA *define* al propio «Derecho tributario formal» o «Derecho administrativo tributario» desde la perspectiva del *procedimiento de determinación tributaria*, de la manera siguiente: «8. DERECHO TRIBUTARIO FORMAL O ADMINISTRATIVO TRIBUTARIO (D.T.F. O D. ADM. TRIB.).// Se refiere a la aplicación de la norma material al caso concreto, **en los diversos aspectos de la determinación** (*accertamento, lançamento*, liquidación), y percepción del tributo, control y decisión de los recursos administrativos planteados por los interesados» (resaltado agregado). VALDÉS COSTA, Ramón, *Instituciones de Derecho tributario*, Ediciones Depalma, Buenos Aires, 1996, p. 14.

40 «Si está prohibido lo menos, está prohibido lo más. Si no conviene lo menos, tampoco lo más», siendo «aplicable a deberes u obligaciones». VEGA REÑON, Luis, «A contrario / a fortiori / a

sus demás actuaciones, el ejercicio de la «función de determinación»[41] *debe* –en particular– realizarla también en días y horas hábiles, *correlativamente* teniendo el contribuyente el *derecho a que toda actuación determinativa se realice en días y horas hábiles.*

Ahora bien, en los términos recién explicados sobre la caracterización del *derecho subjetivo* como «pretensión justificada», en la norma bajo análisis se observa como la «pretensión» o *claim* se identifica con la realización de *actuaciones determinativas* en días y horas hábiles, y la «justificación» se ubica en el enunciado mismo contenido en el artículo 162 del Código.

Es importante precisar en que si el contribuyente tiene –como en efecto– el *derecho* a que toda determinación se lleve a cabo en días y horas hábiles por parte de (y para) la Administración Tributaria, con más razón (argumento *a fortiori*, ahora en su especie *a maiore ad minorem*[42]) tiene el *derecho* a realizar sus propias autodeterminaciones en dichos días y horas hábiles (así se desprende del citado artículo 162 del Código: «Las *actuaciones de la Administración Tributaria y las que se realicen ante ella, deberán practicarse en días y horas hábiles*»), lo que, por argumento *a contrario*, le permite no materializar actuaciones determinativas en días y horas inhábiles, *e. g.* presentar sus declaraciones impositivas.

Inclusive, si todas las *actuaciones determinativas* (administrativas y del contribuyente) *deben* practicarse en días y horas hábiles, entonces también sería concebible que al igual que la Administración, el contribuyente –además del *derecho*– tendría la «obligación» de hacerlas en días y horas hábiles, lo que nuevamente por argumento *a contrario*, significaría que no está obligado (no-obligación) a realizarlas en días y horas inhábiles.

Se presenta evidente, entonces, que al tener la Administración Tributaria la *obligación* de realizar sus *actuaciones determinativas* en días y horas hábiles (hacer), o de no realizarlas en días y horas inhábiles (no hacer), *correlativamente* tienen los contribuyentes el *derecho subjetivo* –o «pretensión justificada»– de no recibir o atender las *actuaciones determinativas* de la Administración en días y horas inhábiles. Igualmente, al tener la Administración Tributaria la *obligación* de recibir y tramitar las *actuaciones determinativas* que los contribuyentes realicen ante ésta en días y horas hábiles (hacer), *correlativamente* tienen los contribuyentes el *derecho subjetivo* –o «pretensión justificada»– de realizar sus *actuaciones determinativas* en días y horas hábiles, o de no realizarlas en días y horas inhábiles.

---

pari / a simili, argumentos», en VEGA REÑON, Luis y OLMOS GÓMEZ, Paula (Eds.), *Compendio de lógica, argumentación y retórica*, Editorial Trotta, Madrid, 2011, p. 15 y 16, respectivamente.

[41] Cf. RUAN SANTOS, Gabriel, *op. cit.*, p. 405-449; y ABACHE CARVAJAL, Serviliano, «La función de determinación. Dialogando con Gabriel Ruan Santos», en WEFFE H., Carlos E., y ATENCIO VALLADARES, Gilberto (Coords.), *Liber Amicorum: homenaje a Gabriel Ruan Santos*, Asociación Venezolana de Derecho Tributario, Caracas, 2018, p. 507-537.

[42] «Si vale para lo más, vale para lo menos. Quien puede lo más, puede lo menos», siendo «aplicable a derechos o autorizaciones».VEGA REÑON, Luis, *op. cit.*, p. 15 y 16, respectivamente.

Se aprecia de forma bastante manifiesta como el artículo en cuestión es, en efecto, una norma *práctica*, en tanto *guía la conducta* de la Administración y del contribuyente, estableciendo a favor de éste el *derecho a que toda actuación determinativa se realice en días y horas hábiles*, cuya aplicación (y ejercicio) es habilitada gracias a la norma *no práctica* establecida en el parágrafo único del artículo 10 del Código Orgánico Tributario, en tanto define qué se entiende por «día inhábil» y, por argumento *a contrario*, por «día hábil». Veamos, entonces, qué establece ese enunciado.

5. El artículo 10 del Código Orgánico Tributario y las definiciones legales de «días inhábiles» contenidas en su parágrafo único: un enunciado jurídico práctico y no práctico de especial relevancia

Llegamos, así, al muy importante –a nuestros fines– artículo 10 del Código Orgánico Tributario[43], el cual, en tanto *norma práctica y no práctica* se encarga, por un lado, de guiar la *actuación determinativa* de la Administración Tributaria y del contribuyente, y por el otro, en su parágrafo único define legalmente qué se entiende por «días inhábiles», delimitando su interpretación jurídica (sentido) de cara a la aplicación de la *norma práctica* contenida en el recién analizado artículo 162 del Código que, en efecto, guía (directamente) la conducta de ambos sujetos de la relación jurídico-tributaria a propósito del procedimiento de determinación (*declaración y liquidación*). A tenor literal, la norma en cuestión indica lo siguiente:

> Artículo 10 del Código Orgánico Tributario: «Los plazos legales y reglamentarios se contarán de la siguiente manera:// 1. Los plazos por años o meses serán continuos y terminarán el día equivalente del año o mes respectivo. El lapso que se cumpla en un día que carezca el mes, se entenderá vencido el último día de ese mes.// 2. Los plazos establecidos por días se contarán por días hábiles, salvo que la ley disponga que sean continuos.// **3. En todos los casos los términos y plazos que <u>vencieran en día inhábil</u> para la Administración Tributaria, <u>se entienden prorrogados hasta el primer día hábil siguiente</u>.**// 4. En todos los casos los plazos establecidos en días hábiles se entenderán como días hábiles de la Administración Tributaria.// **Parágrafo Único. <u>Se consideran inhábiles</u> tanto los días declarados feriados conforme a disposiciones legales, como aquellos en los cuales la respectiva oficina administrativa**

43 Para una aproximación anterior de nuestra parte al análisis de esta norma, *vid.* BAUMEISTER TOLEDO, Alberto y ABACHE CARVAJAL, Serviliano, «El síndrome de la iniquidad administrativa en los trámites sucesorales tributarios: un ensayo crítico», en DUPOUY, Elvira y DE VALERA, Irene (Coords.), *Temas de actualidad tributaria. Libro homenaje a Jaime Parra Pérez*, Academia de Ciencias Políticas y Sociales - Asociación Venezolana de Derecho Tributario, Caracas, 2009, p. 129-150.

no hubiere estado abierta al público, lo que deberá comprobar el contribuyente o responsable por los medios que determine la ley. Igualmente se consideran inhábiles, a los solos efectos de la declaración y pago de las obligaciones tributarias, los días en que las instituciones financieras autorizadas para actuar como oficinas receptoras de fondos nacionales no estuvieren abiertas al público, conforme lo determine su calendario anual de actividades» (resaltado y subrayado agregados).

Como se observa, la norma se refiere en su encabezado y numerales a la forma del cómputo de los *plazos y términos* legales (y reglamentarios), bien se establezcan por años, meses o días hábiles, teniendo particular relevancia a nuestros fines lo dispuesto en el numeral 3°, sobre el cual volveremos en seguida. Por su parte, el parágrafo único contempla, a propósito de la definición legal de «días inhábiles», dos supuestos *generales* y uno *especial*, a los cuales dedicaremos detenida atención.

5.1. ANÁLISIS GENERAL DEL ARTÍCULO 10 DEL CÓDIGO ORGÁNICO TRIBUTARIO: EL CÓMPUTO DE PLAZOS Y TÉRMINOS

Esta norma se ocupa de indicar la forma en que deben computarse los plazos y términos legales (así como los reglamentarios), en la medida que éstos pueden fijarse por años, meses o días, refiriéndose éstos últimos, como lo indica expresamente la disposición (numeral 2°), a «días hábiles», entendiendo por los mismos los *«días hábiles de la Administración Tributaria»* (numeral 4°), salvo que se indique de manera excepcional por la ley que se contarán por «días continuos» (numeral 2°).

Especial mención amerita el numeral 3°, conforme con el cual *«En todos los casos los términos y plazos que __vencieran en día inhábil__ para la Administración Tributaria, __se entienden prorrogados hasta el primer día hábil siguiente__»* (resaltado y subrayado agregados). Luce evidente que esta norma *práctica* que guía la conducta de la Administración y del contribuyente no fue pensada –en detalle– para una situación tal como la actual, de duración prolongada y sucesión consecutiva de días inhábiles de forma indefinida, en tanto en cuanto no sólo es factible que se «venzan» *plazos y términos* en «días inhábiles determinados», sino que es perfectamente posible –como está ocurriendo y así lo demuestran los hechos– que los mismos *transcurran* durante un «período indeterminado de días inhábiles», habida cuenta que, en el caso de plazos establecidos por años o meses, los mismos se computan de forma *continua* (numeral 1°: *«Los plazos por años o meses serán continuos»*), en cuyas situaciones también se verán automáticamente *«prorrogados hasta el primer día hábil siguiente»* esos *plazos y términos* que *venzan* en un «día inhábil».

Lo que se quiere dejar claro es que, por ser los plazos y términos «anuales» o «mensuales» *continuos*, su *vencimiento* es el que *se prorroga hasta el primer día hábil siguiente*, no afectándose su *transcurso* –conforme las normas bajo análisis– durante «días inhábiles», mientras que en el caso de los plazos y términos contados por «días hábiles», evidentemente no sólo su *vencimiento* en un «día inhábil» *se prorroga hasta el primer día hábil siguiente*, sino que los mismos *no transcurren* (no pueden hacerlo) durante «días inhábiles consecutivos», por ser ésta –precisamente– su medida unitaria temporal de cómputo (*e. g.* el lapso de 180 días para presentar la declaración sucesoral[44]).

A estos fines, deben tenerse en cuenta –claro está– los argumentos presentados por la doctrina (suspensión *ope legis* de los procedimientos administrativos, preeminencia de derechos constitucionales sobre deberes fiscales, presencia de causa extraña no imputable, etc.)[45], que sí pueden justificar el *no-transcurso* de estos plazos (anuales o mensuales) ante una *excepcional situación* como la generada por la declaratoria del «Estado de Alarma» en el marco del COVID-19, máxime si se repara en que, volviendo a un *enfoque determinativo*, al estar inoperativos Administración Tributaria y contribuyentes, no sería razonable exigirles –por igual– que deban cumplir con *todas sus actuaciones determinativas anuales o mensuales pendientes* «el primer día hábil siguiente» luego de esta coyuntura.

5.2. ANÁLISIS PARTICULAR DEL PARÁGRAFO ÚNICO DEL ARTÍCULO 10 DEL CÓDIGO ORGÁNICO TRIBUTARIO: LAS DEFINICIONES LEGALES DE «DÍAS INHÁBILES»

En los términos que ya lo adelantáramos, la norma *no práctica* contenida en el parágrafo único establece dos supuestos *generales* y uno *especial*, dentro de la definición legal de «días inhábiles», cuales son: (i) los días declarados feriados conforme con las disposiciones legales, y (ii) los días en los cuales la oficina administrativa de que se trate no hubiere estado abierta al público; ambos como supuestos *generales*; y (iii) «a los solos efectos de» la *declaración y pago de las obligaciones tributarias*, los días en que las instituciones financieras autorizadas para actuar como oficinas receptoras de fondos nacionales *no estuvieren abiertas al público*; como supuesto *especial*. Analicemos estos supuestos.

5.2.1. DÍAS DECLARADOS FERIADOS (*AUTODETERMINACIÓN, DETERMINACIÓN MIXTA, DETERMINACIÓN OFICIOSA Y RECURSO JERÁRQUICO*)

En cuanto a los supuestos *generales* de la definición de «días inhábiles», el primero no exige mayores comentarios, en la medida que éste se refiere –de

---

[44] Artículo 27 de la Ley de Impuesto sobre Sucesiones, Donaciones y Demás Ramos Conexos (publicada en Gaceta Oficial N° 5.391 Extraordinario, 22 de octubre de 1999): «A los fines de la liquidación del impuesto, los herederos y legatarios, o uno cualquiera de ellos, deberán presentar dentro de los ciento ochenta (180) días siguientes a la apertura de la sucesión una declaración jurada del patrimonio gravado conforme a la presente Ley».

[45] Cf. MEIER, Eduardo, *op. cit.*, p. 6-14; y FRAGA-PITTALUGA, Luis y TAGLIAFERRO, Andrés, *op. cit.*, p. 8-24.

manera precisa– a los *días feriados*, abarcando, así, como tampoco será difícil pensar, *todos* los procedimientos de determinación tributaria, tanto los indicados bajo la clasificación *por el sujeto* (autodeterminación, determinación mixta y determinación de oficio)[46], como el procedimiento *recursivo determinativo* (recurso jerárquico), debido a que durante días feriados, Administración Pública y sector privado –por igual– simplemente no trabajan, formalmente hablando.

Esto significa que los plazos y términos establecidos en días no *corren* –ni *vencen*, como será evidente– por computarse por «días hábiles», mientras que los fijados por años y meses, si bien en principio «transcurren» –con la salvedad señalada– en la medida que son *continuos*, no *vencen* hasta el primer día hábil siguiente.

5.2.2. DÍAS EN QUE LA RESPECTIVA OFICINA ADMINISTRATIVA NO HUBIERE ESTADO ABIERTA AL PÚBLICO (*DETERMINACIÓN MIXTA, DETERMINACIÓN OFICIOSA Y RECURSO JERÁRQUICO*)

Por su parte, el segundo supuesto aunque también es bastante claro (*los días en los cuales la oficina administrativa de que se trate no hubiere estado abierta al público*), sí merece algunos comentarios. De un lado, el *escenario fáctico* que el mismo plantea (oficinas cerradas al público de la Administración Tributaria), deja ver que dicho supuesto circunscribe su ámbito de aplicación a los procedimientos de *determinación mixta, determinación de oficio* y el *recurso jerárquico* como procedimiento de segundo grado (recursivo), en la medida que no es posible «sustanciar» –salvo que sea *a espaldas* del contribuyente, con todas las inconstitucionalidades que ello supone[47]– ninguno de los anteriores si la

---

[46] Deliberadamente excluimos la *determinación judicial* a estos fines, debido a que, como es sabido, los tribunales se rigen por otra tipología de días, esto es, los «días de despacho», que en la actual situación de «Estado de Alarma» se encuentran suspendidos por las Resoluciones Nº 001-2020, 002-2020 y 003-2020 dictadas por la Sala Plena del Tribunal Supremo de Justicia.

[47] Sobre el tema de las pretendidas «sustanciaciones» de procedimientos tributarios *a espaldas* del contribuyente, en violación de sus derechos a la defensa, al debido proceso, de información y participación, a ser oído o de contradictorio, a promover y evacuar pruebas, y a la presunción de inocencia, hemos tenido la oportunidad de investigar desde hace algún tiempo, a propósito del denominado «procedimiento» de *verificación tributaria*. Al respecto, pueden –entre otros– consultarse los siguientes estudios: ABACHE CARVAJAL, Serviliano, «Regulación, incongruencias e inconstitucionalidad del procedimiento de verificación tributaria del Código Orgánico Tributario de 2001», *Revista de Derecho Tributario*, Nº 111, Asociación Venezolana de Derecho Tributario, Caracas, 2006, p. 227-280; ABACHE CARVAJAL, Serviliano, «La responsabilidad patrimonial del Estado "administrador, juez y legislador" tributario venezolano. Especial referencia al paradigmático caso del procedimiento de verificación» (Relatoría Nacional - Venezuela), *Memorias de las XXV Jornadas Latinoamericanas de Derecho Tributario*, tomo II, Abeledo Perrot - Instituto Latinoamericano de Derecho Tributario - Instituto Colombiano de Derecho Tributario, Buenos Aires, 2010, p. 343-367; ABACHE CARVAJAL, Serviliano, «Praxis (administrativa y judicial) en torno al procedimiento de verificación tributaria: estado actual», *Anuario de Derecho Público*, Nº 3, Fundación Estudios de Derecho Administrativo, Caracas, 2010, p. 401-417; ABACHE CARVAJAL, Serviliano, «La verificación a los 30 años de codificación tributaria en Venezuela. Crónica de un sinsentido legislativo, administrativo y jurisprudencial», en GARCÍA PACHECO, Ingrid (Coord.), *30 años de la codificación del Derecho tributario venezolano. Memorias de las XI Jornadas Venezolanas de Derecho Tributario*, tomo II, Asociación Venezo-

oficina competente está cerrada al público y, con ello, los plazos y términos procedimentales no están *transcurriendo* (salvo los anuales o mensuales, con la aclaratoria expuesta), ni pueden *vencer*, en los términos ya precisados.

Por otro lado, teniéndose en cuenta que es un supuesto *general* y, por ello, no comprensivo del ámbito de aplicación *especial* de la *declaración y pago de las obligaciones tributarias*, el mero hecho de que la oficina estuviese abierta durante la pandemia, allende lo criticable de tal medida por el palpable riesgo (de contagio) que ello supondría para la *salud*[48] (y hasta la *vida*[49] misma) de las personas, tanto las que estuviesen trabajando como los particulares que asistiesen a las mismas –por demás contrariando lo establecido en el artículo 5[50] del Decreto de «Estado de Alarma»–, significaría que necesariamente estará limitada la atención al público para procedimientos administrativos *distintos* –y ésta es la clave– de los correspondientes a la *declaración y pago de las obligaciones tributarias*.

Lo que se quiere dejar claro es que dicho enunciado no se basta por sí sólo para considerar, por el mero hecho de que las oficinas de la Administración Tributaria estuviesen abiertas, que los contribuyentes «pudiesen» –o, peor aún, estuviesen «obligados»– a *declarar y pagar* los distintos tributos–, en la medida que debe tenerse en cuenta, a los efectos de interpretar cuándo se está ante un «día inhábil» para ese caso particular, el tercer y especial supuesto del mismo, conforme con el cual «*se consideran inhábiles, a los solos efectos de la declaración y pago de las obligaciones tributarias, los días en que las instituciones financieras autorizadas para actuar como oficinas receptoras de fondos nacionales no estuvieren abiertas al público, conforme lo determine su calendario anual de actividades*», esto es, aun cuando alguna oficina de la Administración Tributaria esté abierta para el público, lo cierto es que para los fines *especiales* –y expresamente indicados– de

---

lana de Derecho Tributario, Caracas, 2012, p. 99-144; y ABACHE CARVAJAL, Serviliano, «El procedimiento de verificación de declaraciones y cumplimiento de deberes formales», en SOL GIL, Jesús, PALACIOS MÁRQUEZ, Leonardo, DUPOUY MENDOZA, Elvira y FERMÍN FERNÁNDEZ, Juan Carlos (Coords.), *Manual Venezolano de Derecho Tributario*, tomo I, Asociación Venezolana de Derecho Tributario, Caracas, 2013, p. 579-591.

[48] Artículo 83 de la Constitución: «**La salud es un derecho social fundamental, obligación del Estado, que lo garantizará como parte del derecho a la vida.** El Estado promoverá y desarrollará políticas orientadas a elevar la calidad de vida, el bienestar colectivo y el acceso a los servicios. Todas las personas tienen derecho a la protección de la salud, así como el deber de participar activamente en su promoción y defensa, y el de cumplir con las medidas sanitarias y de saneamiento que establezca la ley de conformidad con los tratados y convenios internacionales suscritos y ratificados por la República» (resaltado agregado).

[49] Artículo 43 de la Constitución: «**El derecho a la vida es inviolable.** Ninguna ley podrá establecer la pena de muerte, ni autoridad alguna aplicarla. El Estado protegerá la vida de las personas que se encuentren privadas de su libertad, prestando el servicio militar o civil, o sometidas a su autoridad en cualquier otra forma» (resaltado agregado).

[50] Artículo 5 del Decreto Nº 4.160: «Las personas naturales, así como las personas jurídicas privadas, **están en la obligación de cumplir lo dispuesto en este Decreto y serán individualmente responsables** cuando su incumplimiento ponga en riesgo la salud de la ciudadanía o la cabal ejecución de las disposiciones de este Decreto. Éstas deberán prestar su concurso cuando, por razones de urgencia, sea requerido por las autoridades competentes» (resaltado agregado).

la «*declaración y pago*» de las obligaciones tributarias, deben –además– estar los bancos autorizados abiertos al público, como veremos enseguida.

Aunado a lo anterior, si bien –en *circunstancias ordinarias*– el hecho de que la respectiva oficina administrativa estuviere abierta al público se traduciría en la normal sustanciación de los indicados procedimientos de *determinación mixta, determinación de oficio* y *recurso jerárquico*, lo cierto es que en las actuales *circunstancias extraordinarias* de posible contagio y propagación de la pandemia COVID-19, y en acatamiento de las medidas declaradas con ocasión al «Estado de Alarma», los contribuyentes: (i) se encuentran en una situación de inoperatividad por *suspensión de sus actividades laborales*[51], no estando el personal encargado del cumplimiento de sus obligaciones tributarias en sus respectivas empresas[52]; por lo que (ii) *no pueden* participar en dichos *procedimientos determinativos*[53], cuya eventual *pseudo-sustanciación* a espaldas (*inaudita altera pars*) de los sujetos pasivos, en los términos ya adelantados, atentaría abiertamente contra sus derechos a la defensa y al debido proceso, *ex* artículo 49[54] de la Constitución.

Y en cuanto a que la circunstancia de que la respectiva oficina no esté abierta al público «*deberá comprobar[la] el contribuyente o responsable por los medios que determine la ley*» (corchetes agregados), resulta de la mayor importancia tener

---

[51] «Nicolás Maduro ordena cuarentena y suspende actividades laborales en Caracas y seis estados», 15 de marzo de 2020, *Monitor ProDaVinci*, en https://prodavinci.com/nicolas-maduro-ordena-cuarentena-y-suspende-actividades-laborales-en-caracas-y-seis-estados/.

[52] «*En materia tributaria*, en virtud de la suspensión de las actividades de la mayoría de los contribuyentes, el personal responsable del cumplimiento de las obligaciones tributarias se encuentra en sus casas acatando las medidas de aislamiento, y los flujos de efectivo necesarios para el pago de los tributos, y retenciones, se encuentran mermados por la parálisis derivada a las medidas de cuarentena. En virtud de ello, las distintas Administraciones Tributarias deben reconocer la complejidad de la situación actual, la cual configura un caso de fuerza mayor, que hace presumir una imposibilidad de cumplimiento tempestivo por los contribuyentes como de los responsables, tanto de obligaciones tributarias materiales como formales, incluidos accesorios; y de tomar alternativamente medidas dirigidas a mitigar sus efectos en el ámbito fiscal, como son por parte del Seniat y de las administraciones tributarias estadales y municipales: otorgar prórrogas para las declaraciones y pago de impuestos contribuyentes y responsables; fraccionamiento de pagos, así como, modificar los calendarios para la declaración y pago de los tributos» (cursivas del texto original). Academia de Ciencias Políticas y Sociales, «Pronunciamiento de la Academia de Ciencias Políticas y Sociales sobre el Estado de Alarma decretado ante la pandemia del Coronavirus (COVID-19)», p. 6, en https://www.acienpol.org.ve/wp-content/uploads/2020/03/PRONUNCIAMIENTO-SOBRE-EL-ESTADO-DE-ALARMA-epidemia-coronavirus.pdf.

[53] Artículo 36 del Decreto N° 4.160: «Los órganos y entes de la Administración Pública Nacional, así como **las empresas** y demás formas asociativas privadas, **están en la obligación de colaborar con la Comisión COVID 19 en el ejercicio de sus funciones**» (resaltado agregado).

[54] Artículo 49 de la Constitución: «El debido proceso se aplicará a todas las actuaciones judiciales y administrativas y, en consecuencia:// 1. La defensa y la asistencia jurídica son derechos inviolables en todo estado y grado de la investigación y del proceso. Toda persona tiene derecho a ser notificada de los cargos por los cuales se le investiga; de acceder a las pruebas y de disponer del tiempo y de los medios adecuados para ejercer su defensa. Serán nulas las pruebas obtenidas mediante violación del debido proceso. Toda persona declarada culpable tiene derecho a recurrir del fallo, con las excepciones establecidas en esta Constitución y en la ley».

en cuenta, como con detenimiento lo ha desarrollado la doctrina, que en materia de carga probatoria deben tenerse presentes –a efectos de su flexibilización– los principios *favor probationis* y de *proximidad, cercanía o facilidad a la obtención de la prueba,* conforme con los cuales la producción de la prueba debe situarse en *la parte que esté en mejores condiciones para demostrar los hechos controvertidos*[55], en este caso, la Administración Tributaria (*parte en mejores condiciones*) para demostrar el hecho controvertido en cuestión (*que la respectiva oficina administrativa no hubiere estado abierta al público*)[56].

Además, la jurisprudencia[57] ha atribuido –exclusivamente– a la Administración Tributaria la carga de la prueba cuando, entre otros supuestos, el contribuyente alega un *hecho negativo absoluto,* como lo es que la «la respectiva oficina administrativa no estaba abierta al público».

En definitiva, al margen del discurso normativo del enunciado bajo análisis, corresponderá a la Administración Tributaria –por la necesaria flexibilización de la carga probatoria ante la aplicación de los principios indicados–, demostrar en todo caso que *su* respectiva oficina administrativa «*hubiere estado abierta al público*», para lo cual, de haber sido así, no tendrá mayor dificultad de probarlo por tratarse de una dependencia interna de su propia estructura administrativa[58].

---

[55] Así lo explica GONZÁLEZ PÉREZ: «En aplicación del principio de la buena fe en su vertiente procesal, con el criterio de la facilidad se puede llegar a desplazar la carga de la prueba a aquella parte a la que resulte más fácil su prueba». GONZÁLEZ PÉREZ, Jesús, *Manual de Derecho procesal administrativo,* Editorial Civitas, 3ª edición, Madrid, 2001, p. 328.

[56] En este sentido, se ha indicado que una de las ventajas y consecuencias más importantes de la aplicación del principio *favor probationis,* ha sido la creación de *presunciones hominis de culpa* en contra de la parte obligada a probar –por su facilidad a la obtención de la prueba en cuestión, que esclarecerá los hechos controvertidos–, y no lo hace. Cf. QUINTERO TIRADO, Mariolga, «Algunas consideraciones sobre la prueba en el ámbito civil con algunas menciones en el área mercantil», *Revista Venezolana de Estudios de Derecho Procesal,* N° 2, Livrosca, C. A., Caracas, 2000, p. 136 y s.

[57] En materia *administrativa,* entre otras, *vid.* sentencia de 25 de abril de 1985, Corte Primera de lo Contencioso Administrativo, caso *Raquel A. Villalón v. República (Consejo Nacional para el Desarrollo de la Industria Nuclear),* consultada en *Revista de Derecho Público,* N° 22, Editorial Jurídica Venezolana, Caracas, 1985, p. 183-184; y sentencia de 24 de marzo de 1994, Corte Primera de lo Contencioso Administrativo, consultada en *Revista de Derecho Público,* N° 57-58, Editorial Jurídica Venezolana, Caracas, 1994, p. 350. En materia *tributaria, vid.* las sentencias a continuación identificadas y relacionadas de los siguientes Tribunales Superiores de lo Contencioso Tributario: Segundo, de 31 de octubre y 29 de noviembre 1984; Tercero, de 8 octubre de 1984; Quinto, de 1° noviembre 1984; Séptimo, de 11 de octubre y 29 de noviembre de 1984; Octavo, de 23 y 29 octubre de 1984; y Noveno, de 8 y 18 octubre de 1984, en PIERRE TAPIA, Óscar, *Jurisprudencia de los Tribunales Superiores de lo Contencioso Tributario,* N° 1, p. 5-9, 19-26, 15-19, 9-15; y N° 2, p. 53-58, 5-9, 9-13, respectivamente, inventariadas y citadas en: BLANCO-URIBE QUINTERO, Alberto, «La ejecutoriedad de los actos administrativos», *Revista de Derecho Público,* N° 27, Editorial Jurídica Venezolana, Caracas, 1986, p. 153-154.

[58] Sobre la carga probatoria en los procedimientos y procesos tributarios, nuestras consideraciones en: ABACHE CARVAJAL, Serviliano, *La atipicidad de la «presunción» de legitimidad del acto administrativo y la carga de la prueba en el proceso tributario,* Editorial Jurídica Venezolana - Fundación Estudios de Derecho Administrativo, Colección Estudios Jurídicos N° 93, Caracas, 2012, p. 252-274.

5.2.3. DÍAS EN QUE LAS INSTITUCIONES FINANCIERAS NO ESTUVIEREN ABIERTAS AL PÚBLICO (*AUTODETERMINACIÓN*)

Se hace evidente, entonces, que el tercer y *especial* supuesto contemplado dentro de la definición legal de «días inhábiles», delimita su ámbito de aplicación «*a los solos efectos de la declaración y pago de las obligaciones tributarias*», que es otra forma de decir «a los efectos de la *autodeterminación de las obligaciones tributarias*», que comprende por parte del contribuyente tanto la *declaración* (existencia) como la *liquidación* (cuantía) de los tributos, para cuyo caso se entienden «inhábiles» los días en que «*las instituciones financieras autorizadas para actuar como oficinas receptoras de fondos nacionales no estuvieren abiertas al público, conforme lo determine su calendario anual de actividades*».

Si bien el «pago» de las obligaciones fiscales no forma parte del procedimiento de determinación, su inclusión en el discurso normativo («declaración *y pago*») de esta definición legal de «día inhábil», permite desentrañar el sentido contextual de la primera parte de la expresión «declaración» y, con ello, del supuesto *especial*, en su acepción de sinónimo o equivalente a *autodeterminación tributaria*, debido a que ésta es la única modalidad determinativa que puede –sin ser ello forzoso– estar acompañada del posterior «pago» de los tributos *declarados* y *liquidados* por el propio contribuyente.

De otro lado, el enunciado también admite entender que se refiere a la «presentación de declaración» (y subsiguiente pago) de las obligaciones fiscales, cuya vinculación con la autodeterminación tributaria resulta manifiesta, en tanto que es en la declaración impositiva donde se concreta esta modalidad determinativa por el sujeto pasivo, partiendo de que es el propio contribuyente quien declara y cuantifica el tributo.

Lo anterior supone, entonces, que se encontraría fuera de su ámbito de aplicación la *determinación mixta*, la *determinación de oficio* como procedimiento de primer grado (constitutivo) y el *recurso jerárquico* como procedimiento de segundo grado (recursivo), los cuales si bien son *procedimientos determinativos*, no se identifican –por las razones precisadas– con el supuesto definitorio *especial* de «declaración *y pago*» de tributos. Si no fuese por el agregado del expediente del «pago», o si en su lugar se refiriese a la «declaración *y liquidación*» de tributos, también se ubicarían (conceptualmente) dentro de su ámbito de aplicación la *determinación mixta*, la *determinación de oficio* y el propio *recurso jerárquico*, en la medida que *todos* suponen la «declaración» de la *existencia* de la obligación tributaria, así como –en caso de existir– la «liquidación» de su *cuantía*, esto es, su *determinación tributaria*, debiendo tenerse en cuenta, claro está, la consideración del necesario *escenario fáctico* comentado (oficinas competentes de la Administración Tributaria abiertas al público), como condición necesaria para la *sustanciación* de esos procedimientos en *circunstancias normales*, como ya fue comentado.

En este supuesto *especial* referido, entonces, a la modalidad de *autodeterminación tributaria* o por el sujeto pasivo, al igual que fuera precisado en relación con los supuestos *generales* de definiciones de «días inhábiles» (*días declarados feriados y días en los cuales la oficina administrativa de que se trate no hubiere estado abierta al público*), los plazos y términos *distintos* a los fijados por días, si bien «transcurren» –otra vez, con la salvedad presentada –, no *vencen* hasta el primer día hábil siguiente, mientras que los indicados en días no *corren* ni *vencen*, por computarse por «días hábiles».

Antes de pasar al próximo punto vale precisar, dada la parte *in fine* del parágrafo único bajo análisis («*conforme lo determine su calendario anual de actividades*»), que si bien la regla general de operatividad funcional regular de las instituciones financieras y, con ello, que las mismas estén abiertas al público, viene dado por su calendario anual de actividades, no es menos cierto que *circunstancias excepcionales* (*v. g.* el COVID-19), perfectamente pueden dar lugar a que las autoridades competentes resuelvan, como en este caso y en ejercicio de la *potestad de policía administrativa*[59], que entidades públicas y privadas (*e. g.* bancos y demás instituciones financieras) no abran sus puertas al público por razones de *seguridad* y *salud pública*. De esto, nos encargaremos a continuación.

6. La declaratoria del «Estado de Alarma» y las Circulares Nº SIB-DSB-CJ-OD-02415 y Nº SIB-DSB-CJ-OD-02793 de la SUDEBAN, como concreción de una de las definiciones legales de «días inhábiles» que establece el enunciado jurídico no práctico

La parte *in fine* del artículo 9 del Decreto Nº 4.160, mediante el cual se declaró el «Estado de Alarma», señaló que correspondería a la SUDEBAN divulgar –a la brevedad– las condiciones de prestación del servicio bancario público y privado, así como su «régimen de suspensión», en los términos siguientes:

> «La Superintendencia de Instituciones del Sector Bancario, SUDEBAN, sin dilación alguna, divulgará por todos los medios disponibles las condiciones de prestación de los servicios de banca pública y privada, así como el **régimen de suspensión de servicios**, incluidos los conexos, y el de actividades laborales de sus trabajadores» (resaltado y subrayado agregados).

---

[59] Que consiste, como es sabido y sin entrar en mayores consideraciones –descriptivas y críticas– sobre su conceptuación, en esa facultad de *ordenación* y *limitación* de la Administración Pública, mediante la cual se regula la libertad general y la libertad económica en particular del administrado, con la finalidad de garantizar el *orden público* en sus tres clásicas vertientes, a saber: (i) *seguridad pública*, (ii) *salud pública*, y (iii) tranquilidad (paz) pública.

Atendiendo ese precepto, a dos días de la declaratoria del «Estado de Alarma», esto es, el 15 de marzo de 2020, la SUDEBAN dictó en ejercicio de sus competencias administrativas la Circular Nº SIB-DSB-CJ-OD-02415, de conformidad con la cual:

> «(…) estarán excepcionalmente **suspendidas** todas las **actividades que impliquen atención directa a los clientes, usuarios y usuarias y el público en general a través de su red de agencias, taquillas, oficinas y sedes administrativas en todo el país.**// Asimismo, deberán garantizarse la asistencia del personal mínimo requerido para el funcionamiento y uso óptimo de los cajeros automáticos, banca por internet, medios de pagos electrónicos, tales como Pago Móvil Interbancario (P2P, P2C, C2P), Transferencias, Puntos de Venta y cualquier otra modalidad de **servicios bancarios en línea considerados en los respectivos planes de prestación de servicios para días no laborables**, todo ello, en atención a la naturaleza de servicio público de las actividades que prestan, bajo la estricta observancia de las medidas preventivas instruidas por el Ejecutivo Nacional y la Organización Mundial de la Salud (O.M.S).// La presente medida mantendrá su rigor hasta tanto este Ente Rector modifique los términos de la presente Circular» (resaltado y subrayado agregados).

Es claro el mandato normativo dirigido a todos los bancos en el país, teniendo la mayor relevancia para la cuestión bajo estudio, debido a la limitación y ordenación de las actividades bancarias expresamente decidida, siendo éste –precisamente– el supuesto *especial* que caracteriza como «inhábiles» los días a efectos *autodeterminativos tributarios*, de conformidad con el analizado parágrafo único del artículo 10 del Código Orgánico Tributario («*los días en que las instituciones financieras autorizadas para actuar como oficinas receptoras de fondos nacionales no estuvieren abiertas al público*»).

Igualmente reviste importancia la mención sobre la prestación de servicios bancarios *on-line* (banca por internet, medios de pagos electrónicos, etc.) para «días no laborables», con lo cual expresamente se acepta que dicha modalidad de servicios se prestan de manera especial en el supuesto de tratarse –precisamente– de «días no laborales» –por ser un servicio de interés público–, que no es otra cosa que decir: «días inhábiles»[60].

---

[60] Aunque el supuesto *especial* del parágrafo único del artículo 10 del Código Orgánico Tributario es preciso –por lo que no admite una interpretación diferente– al establecer que: «*Igualmente se consideran inhábiles, a los solos efectos de la declaración y pago de las obligaciones tributarias, los días en que las instituciones financieras autorizadas para actuar como oficinas receptoras de fondos nacionales no estuvieren abiertas al público, conforme lo determine su calendario anual de actividades*» (resaltado y subrayado agregados), teniendo en cuenta las más creativas fórmulas *contra legem* que, en más de una ocasión, se han pretendido sustentar para que el contribuyente realice actuaciones a las que –simplemente– *no está obligado*, luce oportuna la ocasión para indicar que el hecho de que (i) los bancos estén, como lo dice la propia circular, continuando con el «*funcionamiento y uso óptimo de los cajeros automáticos, banca por internet, medios de pagos electrónicos, tales como Pago Móvil Interbancario (P2P, P2C, C2P), Transferencias, Puntos de Venta y cualquier otra modalidad de servicios bancarios en línea considerados en los respectivos planes de prestación de*

Y como expresamente lo indica la Circular, la misma «*mantendrá su rigor*» (es decir, estará *vigente* y *aplicable*) hasta que la propia SUDEBAN modifique sus términos. O lo que es lo mismo, a efectos *autodeterminativos* se entienden «inhábiles» los días que transcurran durante la «suspensión excepcional» de todas las actividades que impliquen atención directa a los clientes y al público en general, de conformidad con el tantas veces referido parágrafo único del artículo 10 del Código Orgánico Tributario, estando automáticamente «*prorrogados hasta el primer día hábil siguiente*» todos los plazos y términos correspondientes a los *procedimientos de autodeterminación tributaria*, como ha sido desarrollado.

Al respecto, la SUDEBAN acaba de «dictar» el domingo 31 de mayo de 2020 –a modo de *alcance* de la anterior– la Circular Nº SIB-DSB-CJ-OD-02793, a tenor de la cual:

«(…) este Órgano Supervisor instruye lo siguiente, a partir del día lunes 1 de junio de 2020, en virtud del **inicio de la fase de flexibilización de la cuarentena, que contempla un período de cinco (5) días de labores y diez (10) de suspensión de actividades, exclusivamente para los sectores priorizados,** dentro de los que se incorporó al Sector Bancario (…). La atención al público se deberá dispensar de acuerdo al terminal de número de cédula de identidad, bajo el siguiente esquema:// **Lunes:** 0, 1, 2, 3 y 4// **Martes:** 0, 1, 2, 3 y 4// **Miércoles:** 5, 6, 7, 8 y 9// **Jueves:** 5, 6, 7, 8 y 9// **Viernes:** Usuarios Personas Jurídicas.// (…) Ahora bien, en cuanto a los días estipulados bajo la **modalidad de suspensión de actividades,** adicionalmente los servicios bancarios en línea ya descritos en la presente Circular deberán tomarse las previsiones para asegurar complementariamente el desarrollo de las siguientes actividades:// Procesos para la concesión de créditos asociados a la preservación del aparato productivo del país y especialmente los referidos a la cartera productiva única nacional.// Soporte tecnológico e infraestructura necesario para la continuidad de los proyectos de tecnología críticos, y especialmente los referidos a banca electrónica y medios de pago.// Atención de fallas tecnológicas y físicas en la infraestructura.// Entrega de tarjetas de débito y crédito a pensionados y otros clientes.// Asignación del servicio de punto de venta.// Atención y resolución de fraudes y reclamos.// Contención y mitigación de fraudes tecnológicos.// Finalmente, las instrucciones respecto al período de 5 días de la fase de flexibilización de la cuarentena,

---

servicios para días no laborables», (ii) las declaraciones impositivas se puedan cargar *electrónicamente,* y (iii) los pagos de tributos se puedan efectuar mediante *transferencias bancarias*; lo cierto es que *ninguna* de esas circunstancias fácticas encuadra o se subsume en el *supuesto especial definitorio* de «día inhábil» regulado por la norma en cuestión, cual es –única y exclusivamente– que *las oficinas bancarias receptoras de fondos nacionales no estén abiertas al público*, como en efecto debe entenderse en cumplimiento de la Circular Nº SIB-DSB-CJ-OD-02315 de la SUDEBAN. A otras voces: los *sistemas* y *plataformas electrónicas* no son oficinas receptoras de fondos nacionales abiertas al público. Cualquier intento de justificar lo contrario –por no tener basamento legal– se presentará como una actuación al margen de la ley, carente de fuerza vinculante alguna y, por ello, incapaz de guiar la *conducta determinativa* del contribuyente.

en el Sector Bancario, no serán aplicables a las agencias que se encuentren ubicadas en las Zonas donde el Ejecutivo Nacional mantenga la rigurosidad de las medidas» (resaltado del texto original).

Lo primero que hay que señalar sobre esta Circular es que, como se presenta evidente, al regularse en la misma «*La atención al público*» en la forma que enseguida analizaremos, no está haciendo otra cosa que *ratificar* que *todos* los días que han transcurrido desde la emisión de la Circular N° SIB-DSB-CJ-OD-02415 hasta la nueva (en los términos que veremos), indiscutiblemente han sido «días inhábiles» a efectos *autodeterminativos*, debido a que los bancos no estuvieron abiertos al público.

Dicho lo anterior, teniendo en cuenta –conforme la nueva Circular de SU-DEBAN– que no todos los días serán «hábiles» *para todas las personas*, sino que los mismos serán «hábiles» (i) dependiendo del último número de la cédula, para las *personas naturales*, y (ii) sólo los días viernes, para las *personas jurídicas en sentido estricto*; se entiende entonces que para las personas naturales el primer día hábil siguiente para *autodeterminar* (declarar y liquidar) tributos, será el lunes 1° de junio de 2020 (cuyas cédulas de identidad terminen en los números 0, 1, 2, 3 y 4) y el miércoles 3 de junio (cuyas cédulas de identidad terminen en los números 5, 6, 7, 8 y 9); y para las personas jurídicas en sentido estricto el primer día hábil siguiente –también a fines *autodeterminativos*– será el viernes 5 de junio, mientras que su próximo día hábil será el 26 de junio, por razón de la metodología adoptada de flexibilización de cinco (5) días de actividades y diez (10) de suspensión, como se indica en la Circular, en cumplimiento del «Plan de Medidas de Flexibilización de la Cuarentena Nacional, Consciente y Voluntaria»[61].

También debe repararse en la nueva mención que se hace en esta Circular sobre los servicios bancarios *on-line* para los «*días estipulados bajo la modalidad de suspensión de actividades*», refiriéndose expresamente –una vez más– a los servicios que se prestan de forma especial los «días no laborales» o «días inhábiles», en cuyo listado nada se indica sobre el cumplimiento de obligaciones tributarias, en sintonía con lo ya precisado al respecto.

Finalmente, luce evidente que «*en las Zonas donde el Ejecutivo Nacional mantenga la rigurosidad de las medidas*», los días seguirán siendo «inhábiles» a efectos *autodeterminativos*, habida cuenta que en las mismas no se aplicarán las instrucciones correspondientes a la flexibilización de cinco (5) días de actividades y, con ello, las instituciones financieras autorizadas para actuar como oficinas receptoras de fondos nacionales seguirán cerradas al público, manteniéndose esta situación fáctica subsumida en la tercera definición de «días inhábiles» del parágrafo único del artículo 10 del Código Orgánico Tributario.

---

[61] Disponible en https://t.co/Doy7dNg27H.

7. A MODO DE CONCLUSIÓN. LA EXTENSIÓN PROCEDIMENTAL DE LOS ÁMBITOS DE EJERCICIO DEL *DERECHO DEL CONTRIBUYENTE A QUE TODA ACTUACIÓN DETERMINATIVA SE REALICE EN DÍAS Y HORAS HÁBILES,* Y SU COROLARIO LÓGICO: LOS SUPUESTOS DE PRÓRROGAS AUTOMÁTICAS DE LOS PLAZOS Y TÉRMINOS DE LOS PROCEDIMIENTOS DE DETERMINACIÓN TRIBUTARIA

La relación entre la norma contenida en el artículo 162 del Código Orgánico Tributario y la establecida en el parágrafo único de su artículo 10, como se ha podido observar, se plantea de la siguiente manera:

El artículo 162 del Código establece que «*Las actuaciones de la Administración Tributaria y las que se realicen ante ella, deberán practicarse en días y horas hábiles*», enunciado éste que califica –en los términos ya precisados– como uno de carácter *práctico,* en tanto en cuanto expresamente *guía* la conducta de la Administración (*obligada*) y del contribuyente (*beneficiado*). Por su parte, el parágrafo único del artículo 10 del Código Orgánico Tributario define *qué* se entiende por «día inhábil», conforme los tres supuestos recién analizados (*días declarados feriados; días en que la respectiva oficina administrativa no hubiere estado abierta al público;* y *días en que las instituciones financieras no estuvieren abiertas al público*), calificando, en este sentido, como norma *no práctica,* porque delimita el sentido de la interpretación que debe dársele a la categoría jurídica «día inhábil» y si bien no guía (directamente) la conducta de los contribuyentes, habilita la *aplicación* de la norma práctica que sí lo hace, así como el *ejercicio* del derecho subjetivo que regula. Si no se definiese *qué* se entiende por «día inhábil», la norma práctica que reconoce el derecho del contribuyente a que toda actuación determinativa se realice en días y horas hábiles no sería aplicable –o sería difícil hacerlo–, ante la incertidumbre sobre el sentido de esa categoría.

En suma, las distintas definiciones legales (supuestos *generales* y supuesto *especial*) de la categoría jurídica «día inhábil» establecidas en el parágrafo único del artículo 10 del Código Orgánico Tributario y su utilización para lograr la *aplicación práctica* de su artículo 162 y del numeral 3º del mismo artículo 10, permiten delimitar –en cualquier situación– la extensión procedimental de los ámbitos de ejercicio del *derecho del contribuyente a que toda actuación determinativa se realice en días y horas hábiles* que, como corolario lógico, habilitan precisar los tres supuestos de prórrogas automáticas de los plazos y términos de los procedimientos de determinación en dichos «días inhábiles», a saber:

(i) «*Días declarados feriados*»: comprenden *todos* los procedimientos de determinación, tanto los que atienden a la clasificación *por el sujeto* (autodeterminación, determinación mixta y determinación oficiosa), como el de *determinación recursivo* (recurso jerárquico), razón por la cual *todos* los vencimientos de sus plazos y términos –así como los transcursos de los que estén establecidos en días– se prorrogan automáticamente hasta el primer día hábil siguiente;

(ii) «*Días en que la respectiva oficina administrativa no hubiere estado abierta al público*»: comprenden los procedimientos de *determinación mixta* y *determinación oficiosa* (fiscalización y verificación), así como el procedimiento de *determinación recursivo* (recurso jerárquico), razón por la cual *todos* los vencimientos de sus plazos y términos –así como los transcursos de los que estén establecidos en días– se prorrogan automáticamente hasta el primer día hábil siguiente;

(iii) «*Días en que las instituciones financieras no estuvieren abiertas al público*»: comprenden *todos* los procedimientos de *autodeterminación* (declaraciones y liquidaciones de impuesto sobre la renta, impuesto al valor agregado, etc.), razón por la cual *todos* los vencimientos de sus plazos y términos –así como los transcursos de los que estén establecidos en días– se prorrogan automáticamente hasta el primer día hábil siguiente.

Es así como, en la situación actual, *todos* los vencimientos de plazos y términos –así como los transcursos de los que estén establecidos en días– de los procedimientos de *determinación mixta* y *determinación de oficio* (fiscalizaciones y verificaciones), y de los procedimientos de *determinación recursivos* (recursos jerárquicos) estarán automáticamente prorrogados hasta el primer día hábil siguiente en la medida que «*la respectiva oficina administrativa no hubiere estado abierta al público*».

Por su lado, *todos* los vencimientos de plazos y términos –así como los transcursos de los que estén establecidos en días– de los procedimientos de *autodeterminación* (declaraciones y liquidaciones de impuesto sobre la renta, impuesto al valor agregado, etc.) están automáticamente prorrogados durante el tiempo que «*las instituciones financieras no estuvieren abiertas al público*», esto es, desde el dictado de la Circular N° SIB-DSB-CJ-OD-02315 de la SUDEBAN el 15 de marzo de 2020 y hasta el primer día hábil siguiente que, en los términos propuestos, de conformidad con la Circular N° SIB-DSB-CJ-OD-02793 de la SUDEBAN el 31 de mayo de 2020, será el lunes 1° de junio de 2020, para las personas naturales cuyas cédulas de identidad terminen en los números 0, 1, 2, 3 y 4, y el miércoles 3 de junio, para las personas naturales cuyas cédulas de identidad terminen en los números 5, 6, 7, 8 y 9; así como el viernes 5 de junio, para las personas jurídicas en sentido estricto; excepción hecha de «*las Zonas donde el Ejecutivo Nacional mantenga la rigurosidad de las medidas*», en los términos precisados[62].

---

[62] Huelga decir que –evidentemente– los «*días declarados feriados*» que coincidan con esta coyuntura también serán «*días inhábiles*» a fines determinativos, razón por la cual *todos* los vencimientos de plazos y términos –así como los transcursos de los que estén establecidos en días– de los procedimientos de *autodeterminación, determinación mixta* y *determinación de oficio* (fiscalizaciones y verificaciones), y de los procedimientos de *determinación recursivos* (recursos jerárquicos), estarán automáticamente prorrogados hasta el primer día hábil siguiente.

Lo anterior supone, por vía de consecuencia, que tampoco se causarán *intereses moratorios*, ni serán aplicables *sanciones*, por razón de la (inexistencia de) falta o retardo en el cumplimiento de las obligaciones tributarias, dado el estado de *prórroga automática* de los plazos y términos de los procedimientos de determinación.

Caracas, 1° de junio de 2020

BIBLIOGRAFÍA

AA.VV., «El COVID-19 y el Derecho: algunos temas para el debate», *Blog de Derecho y Sociedad*, en http://www.derysoc.com/especiales/el-covid-19-y-el-derecho-algunos-temas-para-el-debate/.

AA.VV., «Especial COVID-19», *Biblioteca AVEDA*, en https://www.aveda.org.ve/biblioteca/.

ABACHE CARVAJAL, Serviliano, «Los derechos del contribuyente en el procedimiento de determinación tributaria», en RAMÍREZ LANDAETA, Belén (Coord.), *Jornadas académica en homenaje al profesor Allan R. Brewer-Carías. 80 años*, Fundación Estudios de Derecho Administrativo - Universitas Fundación, Caracas, 2020.

——————————, *La (des)institucionalización del impuesto sobre la renta*, Academia de Ciencias Políticas y Sociales - Editorial Jurídica Venezolana - Asociación Venezolana de Derecho Tributario, Serie Estudios de la Academia N° 113, Caracas, 2019.

——————————, «El derecho a la legalidad tributaria del contribuyente: una cuestión de libertad y propiedad privada», en ESPINOSA BERECOCHEA, Carlos (Coord.), *Derechos de los contribuyentes*, Academia Mexicana de Derecho Fiscal, Ciudad de México, 2019.

——————————, «Las razones de la determinación tributaria. Repensando su naturaleza jurídica desde la teoría general y filosofía del Derecho», en RUIZ LÓPEZ, Domingo (Coord.), *XVIII Congreso AMDF. Facultades de las autoridades fiscales*, Academia Mexicana de Derecho Fiscal, Ciudad de México, 2018.

——————————, «La función de determinación. Dialogando con Gabriel Ruan Santos», en WEFFE H., Carlos E., y ATENCIO VALLADARES, Gilberto (Coords.), *Liber Amicorum: homenaje a Gabriel Ruan Santos*, Asociación Venezolana de Derecho Tributario, Caracas, 2018.

——————————, «Liberalismo y tributación. Especial atención al principio de reserva legal de los tributos», *Revista Instituto Colombiano de Derecho Tributario*, N° 69, Instituto Colombiano de Derecho Tributario, Bogotá, 2013.

_____, «La potestad fiscalizadora», en SOL GIL, Jesús, PALACIOS MÁRQUEZ, Leonardo, DUPOUY MENDOZA, Elvira y FERMÍN FERNÁNDEZ, Juan Carlos (Coords.), *Manual de Derecho Tributario Venezolano*, tomo I, Asociación Venezolana de Derecho Tributario, Caracas, 2013.

_____, «El procedimiento de verificación de declaraciones y cumplimiento de deberes formales», en SOL GIL, Jesús, PALACIOS MÁRQUEZ, Leonardo, DUPOUY MENDOZA, Elvira y FERMÍN FERNÁNDEZ, Juan Carlos (Coords.), *Manual Venezolano de Derecho Tributario*, tomo I, Asociación Venezolana de Derecho Tributario, Caracas, 2013.

_____, «La verificación a los 30 años de codificación tributaria en Venezuela. Crónica de un sinsentido legislativo, administrativo y jurisprudencial», en García Pacheco, Ingrid (Coord.), *30 años de la codificación del Derecho tributario venezolano. Memorias de las XI Jornadas Venezolanas de Derecho Tributario*, tomo II, Asociación Venezolana de Derecho Tributario, Caracas, 2012.

_____, *La atipicidad de la «presunción» de legitimidad del acto administrativo y la carga de la prueba en el proceso tributario*, Editorial Jurídica Venezolana - Fundación Estudios de Derecho Administrativo, Colección Estudios Jurídicos N° 93, Caracas, 2012.

_____, «Praxis (administrativa y judicial) en torno al procedimiento de verificación tributaria: estado actual», *Anuario de Derecho Público*, N° 3, Fundación Estudios de Derecho Administrativo, Caracas, 2010.

_____, «La responsabilidad patrimonial del Estado "administrador, juez y legislador" tributario venezolano. Especial referencia al paradigmático caso del procedimiento de verificación» (Relatoría Nacional - Venezuela), *Memorias de las XXV Jornadas Latinoamericanas de Derecho Tributario*, tomo II, Abeledo Perrot - Instituto Latinoamericano de Derecho Tributario - Instituto Colombiano de Derecho Tributario, Buenos Aires, 2010.

_____, «Regulación, incongruencias e inconstitucionalidad del procedimiento de verificación tributaria del Código Orgánico Tributario de 2001», *Revista de Derecho Tributario*, N° 111, Asociación Venezolana de Derecho Tributario, Caracas, 2006.

Academia de Ciencias Políticas y Sociales, «Pronunciamiento de la Academia de Ciencias Políticas y Sociales sobre el Estado de Alarma decretado ante la pandemia del Coronavirus (COVID-19)», en https://www.acienpol.org.ve/wp-content/uploads/2020/03/PRONUNCIAMIEN-TO-SOBRE-EL-ESTADO-DE-ALARMA-epidemia-coronavirus.pdf.

ATIENZA, Manuel y RUIZ MANERO, Juan, *Las piezas del Derecho. Teoría de los enunciados jurídicos*, Editorial Ariel, 2ª edición, Barcelona, 2004.

BAUMEISTER TOLEDO, Alberto y ABACHE CARVAJAL, Serviliano, «El síndrome de la iniquidad administrativa en los trámites sucesorales tributarios: un ensayo crítico», en DUPOUY, Elvira y DE VALERA, Irene

(Coords.), *Temas de actualidad tributaria. Libro homenaje a Jaime Parra Pérez,* Academia de Ciencias Políticas y Sociales - Asociación Venezolana de Derecho Tributario, Caracas, 2009.

BLANCO-URIBE QUINTERO, Alberto, «Hacia un estatuto del contribuyente durante la fiscalización», en PARRA ARANGUREN, Fernando (Edit.), *Ensayos de Derecho administrativo. Libro Homenaje a Nectario Andrade Labarca,* vol. I, Tribunal Supremo de Justicia, Caracas, 2004.

_____, «La ejecutoriedad de los actos administrativos», *Revista de Derecho Público,* Nº 27, Editorial Jurídica Venezolana, Caracas, 1986.

BREWER-CARÍAS, Allan R., «El decreto del estado de alarma en Venezuela con ocasión de la pandemia del coronavirus: inconstitucional, mal concebido, mal redactado, fraudulento y bien inefectivo», en https://allanbrewercarias.com/wp-content/uploads/2020/04/Brewer.-El-estado-de-alarma-con-ocasi%C3%B3n-de-la-pandemia-del-Coronavirus.-14-4-2020-1.pdf.

_____, y GARCÍA SOTO, Carlos (Comp.), *Estudios sobre la Asamblea Nacional Constituyente y su inconstitucional convocatoria en 2017,* Editorial Jurídica Venezolana - Editorial Temis, Caracas, 2017.

CABALLERO, Rosa, «Algunas reflexiones en torno al cumplimiento de las obligaciones tributarias en el contexto del COVID-19», en http://www.derysoc.com/especial-nro-3/algunas-reflexiones-en-torno-al-cumplimiento-de-las-obligaciones-tributarias-en-el-contexto-del-covid-19/.

FERNÁNDEZ, Daniel y DIRKMAAT, Olav, «Un plan económico sensato ante la emergencia COVID-19 para Guatemala», en https://trends.ufm.edu/articulo/plan-economico-sensato-ante-la-emergencia-covid-19-para-guatemala/.

FERNÁNDEZ PAVES, María José, *La autoliquidación tributaria,* Instituto de Estudios Fiscales - Marcial Pons, Madrid, 1995.

FRAGA-PITTALUGA, Luis, «Algunos comentarios sobre la reforma del Código Orgánico Tributario de 2020», en http://fragapittaluga.com.ve/fraga/index.php/component/k2/item/9-algunos-comentarios-sobre-la-reforma-del-codigo-organico-tributario-de-2020.

_____, *Principios constitucionales de la tributación,* Editorial Jurídica Venezolana, Colección Estudios Jurídicos Nº 95, Caracas, 2012.

_____, *La defensa del contribuyente frente a la Administración Tributaria,* Fundación Estudios en Derecho Administrativo, Caracas, 1998.

_____, y TAGLIAFERRO, Andrés, «Implicaciones del COVID-19 sobre el cumplimiento de las obligaciones tributarias», en http://fragapittaluga.com.ve/fraga/index.php/component/k2/item/24-implicaciones-del-covid-19-sobre-el-cumplimiento-de-las-obligaciones-tributarias.

GARCÍA NOVOA, César, «La fiscalidad ante la crisis del Covid-19», *Revista de Derecho Tributario*, N° 166, Asociación Venezolana de Derecho Tributario, Caracas, 2020 (en edición).

GIULIANI FONROUGE, Carlos M., *Derecho financiero*, vol. I, Ediciones Depalma, 2ª edición, Buenos Aires, 1970.

GONZÁLEZ PÉREZ, Jesús, *Manual de Derecho procesal administrativo*, Editorial Civitas, 3ª edición, Madrid, 2001

GUASTINI, Riccardo, *Distinguiendo. Estudios de teoría y metateoría del Derecho*, Gedisa Editorial, Barcelona, 1999.

HOHFELD, Wesley Newcomb, *Conceptos jurídicos fundamentales*, Fontamara, 3ª edición, México, D. F., 1995.

JARACH, Dino, *Finanzas públicas y Derecho Tributario*, Editorial Cangallo, Buenos Aires, 1ª edición, 2ª reimpresión, 1993.

_____, *Curso Superior de Derecho tributario*, Liceo Profesional Cima, Buenos Aires, 1969.

MEIER, Eduardo, «Breves notas sobre la situación de los procedimientos tributarios ante la declaratoria de Estado de Alarma (COVID-19)», en http://fragapittaluga.com.ve/fraga/index.php/component/k2/item/23-breves-notas-sobre-la-situacion-de-los-procedimientos-tributarios-ante-la-declaratoria-de-estado-de-alarma-covid-19, y en http://www.derysoc.com/especial-nro-3/breves-notas-sobre-la-situacion-de-los-procedimientos-tributarios-ante-la-declaratoria-de-estado-de-alarma-covid-19/.

Monitor ProDaVinci, «Nicolás Maduro ordena cuarentena y suspende actividades laborales en Caracas y seis estados», en https://prodavinci.com/nicolas-maduro-ordena-cuarentena-y-suspende-actividades-laborales-en-caracas-y-seis-estados/.

NINO, Carlos Santiago, *Introducción al análisis del Derecho*, Editorial Astrea, 2ª edición, 14ª reimpresión, Buenos Aires, 2007.

QUINTERO TIRADO, Mariolga, «Algunas consideraciones sobre la prueba en el ámbito civil con algunas menciones en el área mercantil», *Revista Venezolana de Estudios de Derecho Procesal*, N° 2, Livrosca, C. A., Caracas, 2000.

RAMÍREZ VAN DER VELDE, Alejandro, «Los procedimientos administrativos previstos en el nuevo Código Orgánico Tributario», en SOL GIL, Jesús (Coord.), *Estudios sobre el Código Orgánico Tributario de 2001*, Asociación Venezolana de Derecho Tributario, Caracas, 2002.

RUAN SANTOS, Gabriel, «La función de determinación en el nuevo Código Orgánico Tributario (fiscalización y determinación)», en SOL GIL, Jesús

(Coord.), *Estudios sobre el Código Orgánico Tributario de 2001*, Asociación Venezolana de Derecho Tributario, Caracas, 2002.

SAMMARTINO, Salvatore, «La declaración de impuesto», en AMATUCCI, Andrea (Dir.), *Tratado de Derecho tributario*, tomo II, Temis, Bogotá, 2001.

SÁNCHEZ GONZÁLEZ, Salvador, *El procedimiento de fiscalización y determinación de la obligación tributaria. Actualizado a la jurisprudencia*, Fundación Estudios de Derecho Administración, 2ª edición, Carcas, 2012.

VALDÉS COSTA, Ramón, *Instituciones de Derecho tributario*, Ediciones Depalma, Buenos Aires, 1996.

VAN DER VELDE HEDDERICH, Ilse, *In Memoriam Ilse van der Velde Hedderich* (compilado y adaptado por Alejandro RAMÍREZ VAN DER VELDE), Asociación Venezolana de Derecho Tributario, Caracas, 2001.

VEGA REÑON, Luis, «A contrario / a fortiori / a pari / a simili, argumentos», en VEGA REÑON, Luis y OLMOS GÓMEZ, Paula (Eds.), *Compendio de lógica, argumentación y retórica*, Editorial Trotta, Madrid, 2011.

VILLEGAS, Héctor B., *Curso de finanzas, Derecho financiero y tributario*, Editorial Astrea, 8ª edición, Buenos Aires, 2002.

ZICCARDI, Horacio, «Derecho tributario administrativo o formal», en GARCÍA BELSUNCE, Horacio (Dir.), *Tratado de tributación*, tomo I-Derecho Tributario, vol. II, Editorial Astrea, Buenos Aires, 2003.

REFLEXIÓN SOBRE LOS EFECTOS DE LA PANDEMIA EN LAS OBLIGACIONES TRIBUTARIAS

GABRIEL RUAN SANTOS[*]

1. El Decreto 4160 del 13 de marzo de 2020, que declara el estado de alarma nacional para enfrentar la pandemia del Coronavirus 2019, el cual es uno de los *estados de excepción* que prevé la Constitución, configura el marco principal de toda la situación jurídica de emergencia motivada por la pandemia, así declarada por la Organización Mundial de la Salud. Este marco excepcional, derivado de una calamidad internacional, ha instaurado una situación de "cuarentena social" y de restricción de garantías constitucionales, con incidencia particular en las libertades políticas, económicas, de tránsito y movilización, de reunión y de trabajo, que se traduce en muchas medidas coercitivas directas e indirectas, expresas e implícitas, formales o de hecho, *fuera de toda normalidad.*

Dentro de este marco actual y principal, debe anotarse la suspensión de los procedimientos administrativos en curso o por iniciarse, que –según la disposición final sexta del Decreto 4160- se le atribuye el efecto de exoneración total o parcial de responsabilidad para la Administración y para los ciudadanos.[1] A lo cual añadimos, a nivel legislativo de los tributos, los artículos 10, 162, 45 y 85 del Código Orgánico Tributario (COT) que complementan el cuadro. Así mismo añadimos la circular de SUDEBAN SIB-DSB-CJ-OD-02315 del 15 de marzo de 2020, que ordenó el cierre de las agencias bancarias en todo el país. Por todo ello, consideramos que este *estado de alarma* da lugar *ipso jure* a la calificación de "causa extraña no imputable", bien como evento de *fuerza mayor* en general o bien como hecho de la autoridad, que corresponde asignar a la pandemia del covid-19 y al régimen derivado, entre cuyos caracteres destacan: la imprevisibilidad y la inevitabilidad de los hechos, fuera del ámbito de control del deudor, que ocasionan la imposibilidad parcial o total del cumplimiento de la obligación tributaria,

---

[*] Individuo de Número de la Academia de Ciencias Políticas y Sociales.

[1] *Disposición Final Sexta del Decreto:* "La suspensión o interrupción de un procedimiento administrativo como consecuencia de las medidas de suspensión de actividades o las restricciones a la circulación que fueren dictadas no podrá ser considerada causa imputable al interesado, pero tampoco podrá ser invocada como mora o retardo en el cumplimiento de las obligaciones de la administración pública. En todo caso, una vez cesada la suspensión o restricción, la administración deberá reanudar inmediatamente el procedimiento."

aunque no libere automáticamente del deber de comprobación de la imposibilidad concreta de cumplimiento de las obligaciones por causa de ese evento, para que se le pueda reconocer efecto exoneratorio o liberatorio de responsabilidad.[2]

2. Teniendo por norte el marco jurídico del estado de alarma motivado por el covid-19, expuesto ampliamente por muchos juristas, y sobre todo, en el entendido que la causa extraña no imputable tiene un tratamiento especial en el derecho tributario, porque se trata de la obligación tributaria impuesta coercitivamente por ley y de carácter unilateral por su contenido, podemos analizar brevemente cómo deberían operar las disposiciones generales citadas. Para esto, se hace necesario tener presente que la pandemia ha tenido una evolución en sus efectos jurídicos sobre las libertades públicas y en las consecuencias económicas que está produciendo en el mundo y en Venezuela, lo cual hace conveniente distinguir dos grandes hipótesis sucesivas en el tiempo para entender mejor dichos efectos: A) la responsabilidad tributaria mientras dure la cuarentena impuesta por el Ejecutivo Nacional; y B) dicha responsabilidad después que cese la cuarentena y se reanuden las actividades económicas paralizadas, total o parcialmente, pero subsistan las consecuencias desastrosas de la pandemia.

2.1. En cuanto a la hipótesis A, relativa a la responsabilidad tributaria -derivada del incumplimiento o cumplimiento defectuoso o con retardo de la obligación tributaria- eventualmente surgida mientras *mientras tenga vigor la cuarentena social*, opinamos -como la mayoría de los tributaristas venezolanos- que la suspensión de los procedimientos administrativos establecida en la disposición transitoria sexta del Decreto

---

[2] *Artículo 10 del COT:* "Los plazos legales y reglamentarios se contarán de la siguiente manera: 1. Los plazos por años o meses serán continuos y terminarán el día equivalente del año o mes respectivo. El lapso que se cumpla en un día del que carezca el mes, se entenderá vencido el último día de ese mes. 2. Los plazos establecidos por días se contarán por días hábiles, salvo que la ley disponga que sean continuos. 3. *En todos los casos los términos y plazos que vencieran en día inhábil para la Administración Tributaria, se entienden prorrogados hasta el primer día hábil siguiente.* 4. En todos los casos, los plazos establecidos en días hábiles se entenderán como días hábiles de la Administración Tributaria. *Parágrafo único. Se consideran inhábiles tanto los días declarados feriados conforme a disposiciones legales, como aquellos en los cuales la respectiva oficina no hubiere estado abierta al público,* lo que deberá comprobar el contribuyente o responsable por los medios que determine la ley. *Igualmente se consideran inhábiles, a los solos efectos de la declaración y pago de las obligaciones tributarias, los días en que las instituciones financieras autorizadas para actuar como oficinas receptoras de fondos nacionales no estuvieren abiertas al público,* conforme lo determine el calendario anual de actividades". *Artículo 162 del COT:* "Las actuaciones de la Administración Tributaria y las que se realicen ante ella, <u>deberán practicarse en días y horas hábiles,</u> sin perjuicio de las habilitaciones que autorice la Administración Tributaria, de conformidad con las leyes y reglamentos". *Circular N° SBI-DSB-CJ-OD-02315 de fecha 15-03-2020:* "omissis… <u>Estarán excepcionalmente suspendidas todas las actividades que impliquen atención directa a los clientes, usuarios y usuarias, y el público en general a través de su red de agencias, taquillas, oficinas y sedes administrativas en todo el país…</u> La presente medida mantendrá su rigor hasta tanto este Ente Rector modifique los términos de la presente Circular". Los destacados y subrayados son de quien suscribe.

4160, en concordancia con las normas del Parágrafo Único del artículo 10 y 162 del COT, que imponen a la Administración Tributaria y a los contribuyentes y responsables la actuación *sólo en días y horas hábiles*, salvo habilitación especial, y consiguientemente, que los plazos y términos no correrán en días inhábiles, debiendo además, estar operativas las oficinas de la Administración Tributaria y las agencias bancarias para la declaración y pago de las obligaciones tributarias, confieren fundamento jurídico objetivo y suficiente para la exoneración de responsabilidad de todos aquellos contribuyentes y responsables tributarios que no han estado en capacidad de cumplir con sus deberes formales y materiales, en los lapsos y términos legales, debido a las múltiples restricciones de la cuarentena social y consiguientemente, quedarían prorrogados automáticamente los lapsos y términos de referencias. Razonamiento que comprendería las actuaciones tanto de la Administración como de los contribuyentes y responsables conducentes al ejercicio de las potestades públicas y a los deberes y derechos de los obligados tributarios, es decir, determinaciones tributarias en sus distintas modalidades, declaraciones, fiscalizaciones, recursos administrativos, solicitudes, reintegros, etcétera; habida cuenta que los pagos configuran parte importante de los procedimientos de autodeterminación impositiva. Sin embargo, debido a que la Administración ha intentado "habilitar" vías alternas -no plazos adicionales- para el cumplimiento, presumiblemente para poder atender a los gastos del Estado derivados de la emergencia -en aparente contradicción con las restricciones del Decreto 4160- tocará a los obligados tributarios demostrar, frente a los reclamos de la Administración, la ilegalidad o la ineficacia de dichas vías alternas o la imposibilidad persistente de cumplimiento de las obligaciones de declaración y pago debido a otras causas extrañas no imputables, de índole general o particular.

"En definitiva -como sostiene Serviliano Abache en relación con el artículo 10 del COT, en armonía con el artículo 162 del mismo Código- y aunque luzca evidente, lo que queremos precisar es que la norma en cuestión debe leerse (interpretarse) de la siguiente manera: "En todos los casos los términos y plazos que vencieran en día inhábil, *o que transcurrieren durante períodos indeterminados de días inhábiles para la Administración Tributaria*, se entienden prorrogados hasta el primer día hábil siguiente, a efecto de imprimirle plena racionalidad práctica en situaciones como la actual".[3]

A este respecto, se destaca y así lo hace Abache, que la prueba del carácter hábil de los días y horas de la Administración correspondería *en justicia* a la misma Administración, de acuerdo con el moderno princi-

---

[3] Serviliano Abache; *Covid-19 y Determinación Tributaria*; consultado en original, número 5.1. Se recomienda la atenta lectura de este trabajo para el desarrollo de la Hipótesis A que se comenta.

pio de la facilidad o acceso a la prueba, en tanto que para el obligado tributario la demostración de la inhabilidad de esos días y horas configurarían una inaceptable prueba negativa, lo cual permite afirmar la injusticia de la norma del Parágrafo Único del artículo 10 del COT que atribuye la carga íntegra de esta prueba al contribuyente, en desmedro de su derecho de defensa. La prueba del carácter hábil o inhábil de los días y horas, como prueba positiva, no debería limitarse al solo hecho de que las oficinas de la Administración hayan estado abiertas al público parcialmente algunos días, sino también a la disponibilidad de personal adecuado para la atención de los contribuyentes, a la posibilidad de transporte de los agentes encargados de elaborar, presentar y pagar las declaraciones de impuestos, a su asistencia a los lugares de trabajo, a la existencia de medidas sanitarias aptas para preservar la salud de las personas en dichos lugares, al acceso a los medios de pago normales de la banca, etcétera.

Desde luego, el incumplimiento ocurrido en esta hipótesis general, a más de no dar lugar a retardo culposo en el cumplimiento de las obligaciones, como se ha visto, dará fundamento a la válida aplicación de la "exención de responsabilidad por ilícitos tributarios", debido a fuerza mayor o caso fortuito, prevista en el numeral 3 del artículo 85 del COT, conducente dicha exención a la improcedencia de sanciones y cobro de intereses moratorios a favor del fisco. A lo cual nos referimos más adelante.

Ahora bien, los criterios sostenidos en este punto deberían ser adaptados a los cambios de la situación de emergencia derivados de la llamada "flexibilización de la cuarentena" adoptada por el Ejecutivo Nacional, sobre todo a partir del anuncio del 30 de mayo de 2020 de la "nueva normalidad relativa y vigilada", durante la cual se autoriza la actividad de diez sectores "priorizados", *incluyendo la banca*, que vienen a sumarse a los sectores esenciales de la economía, que han venido laborando sin interrupción desde el inicio de la cuarentena social; en todos los casos, dentro de las limitaciones de días y horarios impuestos por el Ejecutivo Nacional, así como todas aquellas de carácter territorial y personal. A pesar de que –mayormente- dichos cambios no hayan sido objeto de actos normativos formales, sino de *anuncios* de las autoridades, como cabría esperar de la ejecución de la norma de la Disposición Final Primera del Decreto 4160, según el cual el Ejecutivo Nacional (Presidente de la República, Vicepresidente de la República, ministros competentes, superintendencias, etcétera) "podrá dictar otras medidas de orden social, económico y sanitario ... con la finalidad de proseguir en la atención de la situación extraordinaria y excepcional que constituye el objeto de este Decreto".

2.2 En cuanto a la hipótesis B, relativa a la responsabilidad tributaria, *una vez que cese la cuarentena y se reanuden total o parcialmente las actividades económicas,* habida consideración de la incapacidad de pago que afectará a numerosos contribuyentes, muchos al borde de la ruina, quienes deberán concentrar sus menguados recursos en la recuperación de las empresas y del empleo, lo cual podría tomar muchos meses, opinamos que el Código Orgánico Tributario prevé las medidas que debería adoptar el Ejecutivo Nacional y aplicar la Administración, *para enfrentar sin evasivas,* con racionalidad y justicia, la situación.

Así, expresa el artículo 45 del COT, lo siguiente:

"El Ejecutivo Nacional podrá conceder, con carácter general, prórrogas y demás facilidades para el pago de obligaciones no vencidas, así como fraccionamientos y plazos para el pago de deudas atrasadas, cuando el *normal cumplimiento* de la obligación tributaria se vea impedido por caso fortuito o fuerza mayor, o en virtud de *circunstancias excepcionales que afecten la economía del país.* Las prórrogas, fraccionamientos y plazos concedidos de conformidad con este artículo, no causarán los intereses moratorios previstos en el artículo 66 del COT". (Destacados de quien suscribe).

El artículo 85 del COT, antes mencionado, establece por su parte, como "eximente de la responsabilidad por ilícitos tributarios" el caso fortuito y la fuerza mayor.

Se observa, en primer lugar, el distinto ámbito de regulación de ambas normas, pues el artículo 45 está referido al pago de las obligaciones tributarias y a los intereses moratorios, en su cualidad de indemnización patrimonial por el retardo en el cumplimiento de la obligación tributaria, que eventualmente pudieran generarse, mientras que el artículo 85 está referido a las causas eximentes de la responsabilidad por ilícitos tributarios- administrativos o penales- ocurridos en el campo de la relación tributaria integral instaurada entre la Administración Tributaria y los contribuyentes y responsables de esas obligaciones. Vale decir, se refiere a las sanciones que castigan todas las conductas infractoras.

Este ámbito diverso de aplicación de ambas disposiciones, aunque provengan de los mismos eventos, a nuestro juicio no deja de tener influencia sobre la interpretación del significado y alcance de ambas disposiciones, como pasamos a razonar seguidamente.

El artículo 45 atribuye al Ejecutivo Nacional una *potestad discrecional de conceder,* en forma general, prórrogas, fraccionamientos, plazos y demás facilidades para el pago de las obligaciones no vencidas y atrasadas, cuando el normal cumplimiento de esas obligaciones se vea impedido por causas extrañas no imputables: caso fortuito, fuerza mayor, o en virtud de "circunstancias excepcionales que afectan la economía del país". Caben entonces sobre este artículo las acotaciones siguientes:

- Aunque la potestad concedente mencionada sea de naturaleza discrecional, ello no significa que el Ejecutivo Nacional pueda desentenderse arbitrariamente de aplicarla de modo acorde con la gravedad de la situación, como aparentemente ha hecho o pretendido hacer hasta ahora. La discrecionalidad obedece en este caso únicamente a la dificultad para el legislador de prever todas las medidas pertinentes e idóneas para cada evento excepcional, librando su escogencia a la voluntad del Ejecutivo. Es importante recordar que la potestad se encuentra sometida en su ejercicio a los principios contenidos en la norma del artículo 12 de la Ley Orgánica de Procedimientos Administrativos, la cual prevé que cuando una norma *deje a juicio del* órgano *administrativo* la aplicación de cualquier facultad, ello se hará según los criterios de *proporcionalidad y adecuación* y con acatamiento de los fines y formalidades de la norma legal. A lo cual añadimos nosotros, siguiendo la mejor doctrina del derecho administrativo, que el Ejecutivo no es libre de actuar o no actuar ante la gravedad de la situación, sino que está obligado a actuar *oportunamente*, con los contenidos y formas que más se ajusten a los hechos y recursos disponibles. Por ello sostenemos que los contribuyentes y responsables tienen la legítima expectativa, si no el derecho, de obtener del Ejecutivo Nacional y de la Administración Tributaria el otorgamiento de las concesiones previstas en el artículo 45 comentado, cuya finalidad es incentivar el cumplimiento de la obligación tributaria, a pesar del desequilibrio patrimonial generado por la causa extraña no imputable, con preservación de la economía nacional.

A este respecto, nos permitimos recordar, como lo ha hecho la doctrina, que el derecho administrativo (siendo el tributario una ramificación autónoma del mismo) históricamente ha oscilado entre los polos de *la libertad y de la autoridad,* sirviendo en diversos momentos para preservar y proteger la libertad y los derechos del ciudadano, mientras que en otros momentos ha servido para reforzar los poderes de la autoridad en la obtención de sus fines públicos. Aunque este movimiento pendular ha tenido y tiene sus justificaciones en el devenir histórico de la materia, no dudamos al afirmar que la norma del artículo 45 del COT está concebida para proteger la libertad de los ciudadanos, frente al empeño de la autoridad de lograr sus objetivos aún a costa de la reducción de los derechos de los contribuyentes y de la destrucción de sus patrimonios. Esto se desprende claramente del propósito de la norma de facilitar razonablemente el cumplimiento de la obligación tributaria, sin por ello prescindir del carácter de su obligatoriedad. Por ello, reprobamos que hasta el presente el Ejecutivo Nacional no haya procedido a conceder las facilidades que prevé la norma en la situación de emergencia que vive el país, lo cual calificamos como un abuso de poder contrario al fin de la norma.

- Notamos que la norma habla de impedimento para *el normal cumplimiento* de la obligación tributaria. Interpretamos que la norma no exige la imposibilidad total ni definitiva de dar cumplimiento a la obligación, sino la existencia de un impedimento serio para cumplir normalmente con la obligación, o sea, como cabría esperar de no existir la situación excepcional. La redacción de la norma permite inferir que esto es así, aunque la doctrina del derecho civil relativa al cumplimiento de las obligaciones sea aparentemente más rigurosa y haya requerido en algún momento pasado la imposibilidad total y absoluta de cumplimiento para la exoneración de la responsabilidad contractual, causante de la extinción o suspensión de la obligación, según los casos, en atención al principio cardinal de que las obligaciones deben ser cumplidas tal cual como fueron contraídas. La diferencia se origina en que el artículo 45 tiene por fin aportar incentivos para el cumplimiento de la obligación tributaria y la mitigación de los efectos del retardo en el cumplimiento frente a una situación excepcional, y no la liberación de la responsabilidad, de manera que su meta es flexibilizar el cumplimiento de la obligación, pero sin eliminar totalmente la responsabilidad por su incumplimiento.

- Luego, observamos que la norma prevé tres hipótesis de hecho que podrían motivar el ejercicio de la potestad concedente: el caso fortuito, la fuerza mayor y circunstancias excepcionales no específicas que afecten la economía del país. La doctrina civilista suele equiparar el caso fortuito y la fuerza mayor, sobre todo porque sus requisitos y efectos legales son los mismos. En cambio, las circunstancias excepcionales que afecten la economía, a más de ser una categoría no existente en la teoría civilista como causa extraña no imputable, entran en un ámbito no delimitado ni específico. Dichas circunstancias excepcionales generales suelen dificultar el cumplimiento de las obligaciones tributarias o hacerlo más gravoso, pero no impiden absolutamente el mismo, aunque sea con perjuicio de los contribuyentes. Sin embargo, no obstante la especialidad de la noción de circunstancias excepcionales, su existencia nos sugiere un cierto paralelismo con la teoría de la imprevisión en el derecho civil, a lo cual hacemos referencia seguidamente.

- Consideramos que dichas circunstancias excepcionales abren campo en el derecho tributario a la llamada *teoría de la imprevisión* en el derecho civil, la cual, aunque ha sido objetada por algunos autores civilistas, por debilitar el principio de intangibilidad de los contratos, cada día se impone con mayor fuerza en la economía, sobre todo en el medio del comercio exterior. Dicha teoría aplicable en la materia de los contratos bilaterales, hoy en día tiende a aplicarse a los contratos unilaterales también, a mi juicio porque la normativa civilista referida al cumplimiento de los contratos está referida efectivamente al cumplimiento de las obligaciones en general. Por ello, es posible pensar que la flexibilización de la responsabilidad patrimonial que ella implica pudiera aplicarse perfectamente a las obligaciones unilaterales, como sería el supuesto de las obligaciones tributarias, porque nada se opondría a ello en sana lógica. La teoría de la imprevisión, así como estas circunstancias excepcionales que afectan a la economía, tienen la virtud de hacer posible la *revisión* y *modificación* del contenido de la obligación, cuando una *excesiva onerosidad sobrevenida,* después de nacida la obligación, haga inviable su cumplimiento de la forma originalmente concebida. Aunque en el derecho civil contemporáneo de los contratos, la revisión de las obligaciones contractuales podría abarcar su reducción, así como la modificación de su objeto y demás condiciones económicas, mediante acuerdo de las partes o con intervención del juez competente, en el derecho tributario, por ser norma de derecho público, el alcance de la revisión sería más limitado, según lo previsto en la ley, pues estamos frente a obligaciones legales y no consensuales cuya onerosidad se ha visto excesivamente incrementada por circunstancias excepcionales de la economía. De allí que el artículo 45 del COT se contraiga a la posibilidad de prórrogas, alargamiento de lapsos, fraccionamientos y demás facilidades, que acuerde el Ejecutivo Nacional. De manera que la imprevisión en este campo jurídico presupone también la subsistencia de la obligación tributaria, y otorga poder a la Administración para conceder dichas facilidades, sin otro límite preconcebido como no sea el logro efectivo del cumplimiento de la obligación, pero sin atentar contra la economía nacional.[4]

De este modo, pensamos que esa misma onerosidad excesiva sobrevenida por causa de las circunstancias excepcionales de la economía, constriña a los contribuyentes a aplicar su escasa disponibili-

---

[4] Los principios del UNIDROIT sobre los Contratos Comerciales Internacionales definen la "excesiva onerosidad" así: Artículo 6.2.2. "Se presenta un caso de excesiva onerosidad (hardship) cuando ocurren sucesos que alteran fundamentalmente el equilibrio del contrato, ya sea por el incremento del costo de la prestación a cargo de una de las partes, o bien por una disminución del valor a cargo de la otra, y además cuando: a) dichos sucesos ocurren o son conocidos por la parte en desventaja después de la celebración del contrato; b) dichos sucesos no pudieron ser razonablemente previstos por la parte en desventaja antes de la celebración del contrato; c) dichos sucesos escapan al control de la parte en desventaja; y d) la parte en desventaja no asumió el riesgo de tales sucesos".

dad monetaria a la atención de deberes indispensables y de mayor jerarquía ética y jurídica que las obligaciones tributarias, como sería el pago de los salarios o compensaciones debidas a los trabajadores y empleados dependientes de las empresas, a quienes la paralización económica de la pandemia afecta notoriamente; en este supuesto cabría invocar la solidaridad y responsabilidad social, así como la asistencia humanitaria, que impone la norma del artículo 135 de la Constitución a los particulares, según su capacidad, para justificar ampliamente el retardo en el cumplimiento de las obligaciones con el fisco, aunque no la exoneración de responsabilidad, pues se trataría solamente de que los particulares compartirían con el Estado los riesgos de la emergencia ocasionada por la pandemia.

Sin embargo, no se nos escapa que esta excesiva onerosidad general no excluye que haya ciertos contribuyentes que se hayan beneficiado económicamente con la pandemia, porque han incrementado sus actividades e ingresos, como serían los casos de muchas de las empresas de medicamentos y alimentos, para las cuales no deberían regir las condiciones del artículo 45 comentado, sino el rigor del deber del pago temporáneo de los tributos, siempre que los medios técnicos y adjetivos lo permitan, y así contribuir con justicia a los gastos de la emergencia.

3. Por lo que respecta al artículo 85 del COT, cabe hacer otras consideraciones diferentes. En efecto, la norma establece una *exención de responsabilidad por los ilícitos tributarios* provocados por la fuerza mayor o el caso fortuito. Esto es, se contrae a la improcedencia del ejercicio de la potestad sancionatoria, cuando medien esas circunstancias fuera de la normalidad que han sido causa eficiente o determinante del incumplimiento de las obligaciones tributarias.

Ante la ausencia de normas que definan la fuerza mayor y el caso fortuito en el COT, hay que admitir que dicho concepto procede del derecho civil, en función integradora de derecho común, por aplicación del artículo 17 del mismo Código. Pues bien, en esta hipótesis es muy difícil sostener que la sola fuerza mayor originada por la pandemia siempre conduzca a la exención de responsabilidad, pues tocaría comprobar que dicho evento ocasionó el incumplimiento definitivo de la obligación. Sometidos a este requerimiento, notamos que la mayoría de los autores civilistas se pronunciarían porque tal imposibilidad sea absoluta y objetiva, y que obedezca a hechos exteriores al deudor, por no decir colectivos o generales.

No obstante lo anterior, y atendiendo a la experiencia, creemos que la Administración Tributaria –por imperativo de su oficio- se verá inclinada a imponer las sanciones a pesar del marco general descrito precedentemente, y adoptará una actitud defensiva frente a los reclamos y recursos de los contribuyentes y responsables. En este supuesto, es dable pensar que los órganos administrativos competentes exigirán la demostración particular a los obligados de cómo la pandemia o las medidas gubernamentales dictadas al respecto provocaron su incumplimiento total o parcial de sus obligaciones formales y materiales, así como de las circunstancias concretas e individuales que les impidieron cumplir, no obstante la suspensión general de procedimientos administrativos, el cierre de oficinas de la Administración y de las agencias bancarias y la ineficacia de los "medios de pago" puestos a su disposición por la Administración Tributaria. En este probable escenario, estimamos que dicha Administración asumiría implícitamente una concepción más bien relativa y subjetiva de la imposibilidad de cumplimiento, lo que también ha ocurrido en algún sector de la doctrina civilista, quedando constreñidos los obligados a probar con detalle su particular incapacidad de cumplir temporáneamente con sus deberes tributarios formales y materiales, con la diligencia de un "buen padre de familia" o de la "necesaria organización adecuada al fiel cumplimiento", más allá de la prueba de los hechos exteriores y generales revestidos de notoriedad. Esto imprimiría un carácter necesario mayor a la carga de la prueba en hombros de los contribuyentes y responsables.

Desde luego, las consideraciones anteriores no excluyen la aplicación alternativa de las circunstancias atenuantes previstas en el artículo 95 del COT, como serían el grado de instrucción del infractor, la presentación de la declaración y pago de la deuda para regularizar el crédito tributario, el cumplimiento de los requisitos omitidos que puedan dar origen a la sanción, o en fin, cualquier circunstancia que deba ser apreciada por la Administración en el transcurso del procedimiento, como por ejemplo, la misma onerosidad excesiva sobrevenida por causa de la pandemia.

4. Diversamente de los supuestos normativos de los artículos 45 y 85 del COT, aunque dentro de la misma sección del pago de las obligaciones, dicho código prevé las hipótesis de los artículos 46 y 47, las cuales están referidas a situaciones particulares de dificultad de los obligados tributarios para dar cumplimiento a las deudas no vencidas o atrasadas, siempre que se "justifiquen las causas que impiden el cumplimiento normal de la obligación" o que presenten algún carácter de "excepcionalidad", en el plano individual. Es muy importante señalar que para estos supuestos calificados por esas disposiciones como "financiamientos" las prórrogas, fraccionamientos, plazos y facilidades concedidas, causarán intereses retributivos a las tasas activas bancarias vigentes, ajustables por variaciones posteriores a las tasas vigentes al momento de la celebración del convenio respectivo.

Debe quedar claro que estos convenios de financiamiento del pago de obligaciones tributarias podrían ser celebrados en cualquier momento, sin necesidad de que hubieran circunstancias excepcionales que afectaran la economía nacional, como sería la hipótesis del artículo 45 de COT, por ello la norma del artículo 47 advierte que "la negativa de la Administración Tributaria de conceder fraccionamientos y plazos para el pago no tendrá recurso alguno", porque se trata de una actuación esencialmente negocial. Esta característica sería absolutamente incompatible con las hipótesis A y B descritas en este trabajo, relativas a circunstancias extrañas no imputables de carácter general que impiden el cumplimiento normal de la obligación tributaria, y que, como se ha visto, generan el deber del Ejecutivo Nacional y de la Administración de conceder las facilidades para el cumplimento de las obligaciones formales y materiales de los contribuyentes y responsables, bajo el signo de la emergencia económica.

Con fundamento en las consideraciones precedentes, exhortamos al Ejecutivo Nacional y a la Administración Tributaria a dar cumplimiento a los deberes que les imponen las disposiciones constitucionales y legales comentadas, y a respetar los *derechos correspectivos* de los ciudadanos que surgen de tales deberes, a fin de proteger la economía nacional. Igualmente, exhortamos a los obligados tributarios a ajustar su conducta a las normas previstas para afrontar la emergencia y en especial, a tener consciencia de la carga probatoria que les corresponde para poder tener acceso a los dispositivos jurídicos que acuerdan mitigaciones de las obligaciones tributarias y exoneraciones de responsabilidad ante la potestad sancionatoria del Estado.

En el mismo sentido exhortamos a las autoridades municipales a que, en el ejercicio de su autonomía, acuerden a los contribuyentes y responsables de los tributos de ese nivel de gobierno, los mismos derechos que otorgan los instrumentos normativos comentados en este escrito.

Caracas, junio de 2020.

DEL CUMPLIMIENTO DE LAS OBLIGACIONES TRIBUTARIAS EN EL MARCO DEL COVID-19

ROSA CABALLERO PERDOMO*

I. INTRODUCCIÓN

El pasado 10 de abril de 2020, el Consejo Ejecutivo de la Organización Mundial de la Salud (OMS) declaró pandemia universal al virus Covid-19 (Coronavirus) notificado por primera vez en Wuhan, China, el 31 de diciembre de 2019. Esta pandemia ha supuesto un acontecimiento inédito, generando una verdadera crisis sanitaria global, al lado de la económica que, aunque ha sido comparada con crisis anteriores (crisis financiera de 2008, crac del 29 y hasta la Segunda Guerra Mundial), nos coloca en un escenario apenas explorado,

---

* Abogada egresada de la Universidad Central de Venezuela. Especialista en Derecho Tributario, Mención Honorífica, Universidad Central de Venezuela. Estudios en la Especialización de Derecho Procesal, Universidad Central de Venezuela. Diplomada en Perfeccionamiento en Fiscalidad Internacional, Universidad de Santiago de Compostela, España. Miembro de Número de la Asociación Venezolana de Derecho Tributario. Miembro del Consejo Directivo de la Asociación Venezolana de Derecho Tributario (2019-2021, 2021-2023). Profesora de la Cátedra Contencioso Tributario en la Especialización de Derecho Tributario del Centro de Estudios de Postgrado de la Universidad Central de Venezuela. Miembro del Comité Académico de la Especialización de Derecho Tributario de la UCV. Socia Senior del Despacho de Abogados SOL CABALLERO & ASOCIADOS.
Los criterios emitidos en este trabajo son estrictamente personales y en ningún momento pueden reputarse como posición de la firma SOL CABALLERO & ASOCIADOS.

por haber una afectación directa global y no una derivada de meros daños colaterales.

En este contexto, es evidente que los estados han venido efectuando sus mejores esfuerzos a través de distintas políticas públicas y sanitarias para evitar o contener la propagación del COVID 19 y, por otra parte, han asumido políticas de alivio fiscal que, cuando menos, ayudan a mitigar la paralización de sus aparatos productivos y evitar el colapso de la economía. En efecto, se requieren de serias políticas fiscales que permitan no sólo evitar la destrucción de la economía, sino también generar las condiciones necesarias para adelantar su reactivación y minorizar los graves estragos post COVID 19.

En cifras concretas se ha reportado que el virus se ha manifestado en más de 180 países con el contagio de aproximadamente 2.2 millones de personas y más de 144.243 fallecidos, según registros de la Universidad Johns Hopkins. El impacto indirecto en la actividad económica por sector, producto de las cuarentenas decretadas en los distintos países, ha causado un shock de oferta y demanda mundial. Por su parte, la Organización Internacional del Trabajo (OIT) alertó en su último informe que esta paralización total o parcial de la economía ha afectado a casi 2.700 millones de trabajadores, reportándose mayores niveles de desempleo en el mundo, -6.7% de empleos afectados para el 2do trimestre del 2020, lo que significa aproximadamente, la pérdida de 195 millones de puestos de trabajo de tiempo completo; mientras que, en lo que respecta a la economía mundial, el Fondo Monetario Internacional (FMI) ha alertado en su último informe que aquélla entró en recesión por los efectos de la pandemia y su caída se proyecta en -3%.[1]

Con relación a América Latina, es evidente que la región enfrentará procesos recesivos en distintas magnitudes, producto del impacto de los ciclos de oferta y demanda por efecto del COVID 19 y, las dimensiones del daño y los tiempos de recuperación dependerán de las capacidades productivas de cada país y de las políticas públicas que los Estados asuman, especialmente las fiscales que, de ser las acertadas, podrían servir de muro de contención para evitar una grave depresión económica.

Las políticas de alivio fiscal son fundamentales para reactivar la economía en circunstancias extraordinarias y excepcionales como las que derivan del COVID 19. Si bien se comprende la necesidad del Estado de obtener ingresos por la vía tributaria, no es menos cierto que, en momentos coyunturales como los que enfrentamos, deben privilegiarse y tutelarse principalmente aquellos derechos fundamentales que quedan expuestos ante esta situación, como lo son, el derecho a la vida, a la salud y al trabajo.

---

[1] Información extraída de https://www.derechos.org.ve/opinion/covid-19-y-sus-consecuencias-economicas

Por tanto, consideramos que el Estado está en la verdadera obligación de resguardar tales derechos, antes que perseguir otros propósitos. Al mismo tiempo, el Estado debe cuidar y brindar las condiciones mínimas -o las que sean necesarias- para proteger el flujo de caja del sector privado, mediante medidas que permitan garantizar la propia existencia y operatividad de las empresas como negocio en marcha, lo que, a su vez, permitirá garantizar y salvaguardar puestos de trabajos y, como hemos apuntado, aminorar los efectos de la paralización de la economía.

Partiendo entonces de la importancia del establecimiento de políticas de auxilio o de desahogo fiscal, nos permitiremos esbozar algunas consideraciones respecto del cumplimiento de las obligaciones tributarias en el caso venezolano, enunciaremos algunas de las medidas fiscales que han sido adoptadas en medio de esta crisis y efectuaremos un especial análisis de aquellas circunstancias eximentes de responsabilidad ante el incumplimiento de las obligaciones tributarias por efecto de la declaratoria del Estado de Alarma por la pandemia del COVID 19.

II. El Decreto de Estado de Alarma como respuesta a la emergencia sanitaria

El pasado 13 de marzo de 2020, la Presidencia de la República dictó el *Decreto N° 4160*[2] mediante el cual declaró Estado de Alarma en todo el territorio nacional. Partiendo de circunstancias que ponen gravemente en riesgo la salud pública y la seguridad de los ciudadanos, el objetivo último de este Decreto es facultar al Ejecutivo Nacional para adoptar medidas urgentes, efectivas y necesarias para la protección y preservación de la salud de la población, a fin de mitigar y erradicar los riesgos de la epidemia del coronavirus (COVID-19).

Este Decreto fue prorrogado por treinta (30) días más, mediante Decreto N° 4186[3] y, en fecha 12 de mayo de 2020, se decreta nuevamente el Estado de Alarma en todo el país por treinta (30) días -prorrogables por 30 días más- (Decreto N° 4198[4]) considerando que *persisten las circunstancias excepcionales, extraordinarias y coyunturales que motivaron en fecha 13 de marzo la declaratoria de Estado de Alarma por la epidemia mundial del coronavirus COVID 19, y que dichas circunstancias se han agravado en el orden mundial ascendiendo a más de cuatro millones de personas contagiadas en el mundo, siendo indispensable actuar con una mayor rigurosidad en la adopción de medidas con la finalidad de proteger y garantizar los derechos a la vida, la salud, la alimentación, la seguridad y otros derechos fundamentales.*

---

2   Publicado en Gaceta Oficial N° 6519 Extraordinario, de fecha 13 de marzo de 2020.
3   Publicado en Gaceta Oficial N° 6528 Extraordinario, de fecha 12 de abril de 2020.
4   Publicado en Gaceta Oficial N° 6535 Extraordinario, de fecha 12 de mayo de 2020.

Es evidente, que se trata de una verdadera emergencia sanitaria global y los Decretos Presidenciales antes comentados, suponen el reconocimiento, a nivel local, de esa excepcional situación que justifica la adopción de una serie de medidas para preservar el derecho a la vida y a la salud de la población venezolana. Está claro que, al igual que ha sucedido en el resto del mundo, las medidas que se adopten tendrán un fuerte impacto en todos los ámbitos y sectores del país, lo que justifica que su implementación deba ser coordinada, no sólo para mitigar y reducir los riesgos de expansión de la pandemia, sino también para evitar la definitiva aniquilación del ya fracturado sistema productivo y económico venezolano.

II. PRINCIPALES ASPECTOS DEL DECRETO DE ESTADO DE ALARMA

Este Decreto contiene algunas medidas que merecen ser destacadas en vista de su importancia y trascendencia, lo que permitiría incluso justificar la aplicación preferente de aquéllas -por la protección de algunos derechos fundamentales- ante situaciones dudosas en las que pretendan contraponerse o privilegiarse la satisfacción de una obligación (como por ejemplo las de naturaleza tributaria) o la reivindicación de algún derecho que no ostenta la misma entidad que los fundamentales, especialmente protegidos en el marco del Estado de Alarma.

Así, en este Decreto N° 4198, observamos, en primer lugar, las "medidas inmediatas de prevención", entre las cuales está la facultad que se otorga al Presidente de la República, tanto para restringir el derecho a la libre circulación en determinadas áreas o zonas geográficas, como para ordenar la suspensión de ciertas actividades, salvando el caso de aquellas prestaciones de bienes o servicios vinculados al sector eléctrico, energético, telefónico y de telecomunicaciones, es decir, la prestación de servicios públicos domiciliarios, así como otros servicios vinculados con el sector salud, el sector alimentación y otros considerados como fundamentales y estratégicos para la satisfacción de necesidades básicas de la población.

Igual relevancia merece la expresa obligación que tienen las personas naturales y las personas jurídicas privadas de cumplir con las disposiciones establecidas en ese Decreto y su responsabilidad individual ante su incumplimiento, cuando ello suponga poner en riesgo la salud de la ciudadanía o la cabal ejecución de la norma.

Por último, debemos referirnos a las Disposiciones Finales Segunda, Quinta, Sexta y Séptima que, de manera sintetizada, establecen la obligación de la Administración Pública Nacional, Estadal y Municipal, centralizada y descentralizada, de prestar el apoyo necesario para implementar los planes y protocolos aplicables según sus competencias. Se incluye también un exhorto al Tribunal Supremo de Justicia a tomar las previsiones normativas que permitan regular las distintas situaciones resultantes de la aplicación de estas medidas extraordinarias y sus efectos sobre los procesos llevados ante el Poder Judicial. Y, una de las cosas más importantes, en la línea de lo adoptado por otros países, se consagra expresamente que la suspensión o interrupción de procedimientos administrativos como consecuencia de la suspensión de ciertas actividades o las restricciones a la circulación que fueren dictadas no será causa imputable al interesado, pero tampoco podrá ser invocada como mora o retardo en el cumplimiento de las obligaciones de la Administración Pública. Lo que viene a suponer en la práctica una paralización de tales procedimientos. No obstante, se dispone con claridad que, *una vez cesada la suspensión o la restricción,* la Administración deberá reanudar inmediatamente el procedimiento. Además, el exhorto general a los ciudadanos para que complementen las medidas establecidas en ese Decreto, desarrollando e implementando acciones orientadas a la autoprotección frente al virus.

IV. Principales medidas fiscales adoptadas en el marco del COVID 19

Como se indicó previamente, las políticas de alivio fiscal resultan absolutamente necesarias para minimizar la paralización del aparato productivo y, con ello, el colapso de la economía. En nuestro caso, consideramos que las medidas adoptadas a distintos niveles, han sido insuficientes y poco coordinadas. En este sentido, destacan las siguientes:

1. Decreto N° 4.166[5] mediante el cual se exonera del pago del Impuesto al Valor Agregado (IVA), Impuesto de Importación y Tasa por Determinación del Régimen Aduanero, así como cualquier otro impuesto o tasa aplicable de conformidad con el ordenamiento jurídico vigente, a las importaciones definitivas de bienes muebles corporales (mascarillas, tapabocas y otros insumos relacionados) realizadas por los **Órganos** y Entes de la Administración Pública Nacional, destinados a evitar la expansión de la pandemia Coronavirus (Covid-19). Esta Exoneración fue complementada por Resolución N° 079/2020[6] mediante la cual se exonera del pago del IVA, Impuesto de Importación y Tasa por Determinación del Régimen Aduanero, así como cualquier otro impuesto o tasa aplicable de conformidad con el ordenamiento jurídico vigente, a las importaciones definitivas de bienes muebles corporales (mascarillas, tapabocas y otros insumos relacionados incluidos en la lista de códigos arancelarios Anexa a la presente Resolución) realizadas por los **Órganos** y Entes de la Administración Pública Nacional, destinados a evitar la expansión de la pandemia Coronavirus (Covid-19). Es de destacar que este beneficio **únicamente** comprende a las importaciones efectuadas por la Adminis-

---

5 Publicado en Gaceta Oficial N° 41.841 de fecha 17 de marzo de 2020.
6 Publicada en Gaceta Oficial N° 41.854 de fecha 3 de abril de 2020.

tración Pública, es decir, se excluye al sector privado, limitando de esa forma la efectividad de esta exoneración

2. Decreto Nº 4.171[7], mediante el cual se exonera del pago del ISLR, el enriquecimiento anual de fuente territorial obtenido por las personas naturales residentes en el país, durante el ejercicio fiscal del año 2019, cuyo salario normal o ingreso proveniente de su actividad, al ejercicio de ese período, no supere al equivalente a 3 salarios mínimos vigentes al 31 de diciembre de 2019. Esta exoneración resultó ineficaz desde el punto de vista práctico, tanto por lo irrisorio del monto sujeto al beneficio, como por la extemporaneidad del Decreto -desde el punto de vista formal-. Recordemos que los contribuyentes tenían hasta el 31 de marzo de 2020, para declarar y pagar el Impuesto sobre la Renta (dado que no se emitió algún Decreto en el que expresamente se prorrogara o suspendiera este lapso, omisión totalmente reprochable, habida de las circunstancias excepcionales derivadas del Estado de Alarma).

3. Al menos poco más de una docena de Decretos emitidos por las autoridades tributarias municipales en los cuales se conceden prorrogas para la declaración y pago de tributos municipales o se conceden algunas rebajas o beneficios para el caso de los "pronto pagos".

Fuera de las normativas antes comentadas, no encontramos alguna otra que conceda algún alivio fiscal a los contribuyentes, fuertemente impactados por esta coyuntura económica -amén de las existentes en otros **órdenes,** a nivel local- que se han potenciado y maximizado en el marco del COVID 19.

V. El Decreto de Estado de Alarma y su impacto en el cumplimiento de las obligaciones tributarias

Pues bien, ante la ausencia de normativa expresa que establezca algún alivio respecto del cumplimiento de las obligaciones tributarias formales y materiales en el marco del Estado de Alarma, nos preguntamos si efectivamente todo contribuyente estaría obligado a declarar y pagar sus obligaciones tributarias, tal como lo haría en condiciones normales. Y es que, en nuestro caso, no se ha previsto ninguna medida como las moratorias contempladas en muchos países, como señaló el Foro de Administración Tributaria de la OCDE el 10 de abril de 2020, señalando los ejemplos de Canadá, Australia, Japón, Estados Unidos, Colombia, Suiza o Indonesia. Ni tampoco aplazamientos, como los previstos por la ley en España, Francia, Bélgica, Irlanda o Luxemburgo.

¿Quiere decir esto que los contribuyentes deberían cumplir con sus obligaciones tributarias, sustrayéndose de las circunstancias fácticas, al menos las

---

[7]   Publicado en Gaceta Oficial Nº 6.523 Extraordinario, de fecha 2 de abril de 2020.

existentes desde el 13 de marzo de 2020 -fecha del primer Decreto de Estado de Alarma-, aunado a otras tantas, como lo son, las restricciones al libre tránsito, las falla en el suministro eléctrico, las fallas de conectividad y la falta de combustible en todo el territorio nacional?. Incluso ¿Tendría el contribuyente el deber de cumplir con sus obligaciones tributarias, aun si ello compromete la operatividad de su negocio como empresa en marcha o afecta su capacidad de sostener el pago de su nómina o personal dependiente?.

Como hemos apuntado, ante la ausencia de una regulación especial emanada del Ejecutivo Nacional o de la respectiva Administración Tributaria, debemos remitirnos al Decreto N° 4198, mediante el cual se declara el Estado de Alarma, muy especialmente a su Disposición Final Sexta conforme a la cual:

> *"Disposición Sexta. La suspensión o interrupción de un procedimiento administrativo como consecuencia de las medidas de suspensión de actividades o las restricciones a la circulación que fueren dictadas no podrá ser considerada causa imputable al interesado, pero tampoco podrá ser invocada como mora o retardo en el cumplimiento de las obligaciones de la administración pública. En todo caso, una vez cesada la suspensión o restricción, la administración deberá reanudar inmediatamente el procedimiento".*

Desde una perspectiva general podríamos afirmar que esta Disposición Final Sexta[8] resulta aplicable a todos los procedimientos tributarios en sede administrativa, dada su relación género-especie. Esta disposición sería, por tanto, aplicable de forma automática tanto para los procedimientos de primer grado o de formación de la voluntad administrativa (determinación, fiscalización y verificación), como para los procedimientos administrativos de segundo grado o recursivos.

No obstante, y sin que ello suponga descartar de plano esa tesis -que en nuestra opinión posee sólido fundamento jurídico, y se levanta sobre la base de una interpretación armónica de la Constitución y del Decreto de Estado de Alarma-, consideramos que una posición conservadora debería comprender el análisis de otros aspectos y, uno de los más importantes, es el exhorto que la Administración Tributaria ha efectuado a los contribuyentes a través de sus redes sociales en el que señala que *"sus sedes estarán prestando servicios con la asistencia mínima requerida para operaciones aduaneras y tributarias"* y otros tantos en los que recuerdan a los contribuyentes su obligación de declarar y pagar los respectivos tributos[9].

---

[8] MEIER, Eduardo efectúa un análisis pormenorizado de esta Disposición Transitoria Sexta y su incidencia en la suspensión o interrupción de los procedimientos administrativos en su trabajo *Breves notas sobre la situación de los procedimientos tributarios ante la Declaratoria de Estado de Alarma (COVID 19)*, en http://www.derysoc.com/especial-nro-3/breves-notas-sobre-la-situacion-de-los-procedimientos-tributarios-ante-la-declaratoria-de-estado-de-alarma-covid-19/

[9] Ver https://twitter.com/SENIAT_Oficial

En cualquier caso, antes de poder arribar a una conclusión -o al menos a una posición sustentable- consideramos que todo análisis deberá ser casuístico. Y que un análisis singular de cada caso exige prestar especial atención a las siguientes disposiciones y/o actos normativos que estimamos de relevancia:

A) DE LOS ARTÍCULOS 10 Y 162 DEL CÓDIGO ORGÁNICO TRIBUTARIO

Respecto de los días y plazos en que deberán verificarse las actuaciones de la Administración, encontramos que el artículo 10 del Código Orgánico Tributario (COT) establece lo siguiente:

> *"**Artículo 10.** Los plazos legales y reglamentarios se contarán de la siguiente manera:*
>
> *1. Los plazos por años o meses serán continuos y terminarán el día equivalente del año o mes respectivo. El lapso que se cumpla en un día que carezca el es, se entenderá vencido el último día de ese mes.*
>
> *2. Los plazos establecidos por días se contarán por días hábiles, salvo que la ley disponga que sean continuos.*
>
> *3. <u>En todos los casos los términos y plazos que vencieran en día inhábil para la Administración Tributaria, se entienden prorrogados hasta el primer día hábil siguiente.</u>*
>
> *4. <u>En todos los casos los plazos establecidos en días hábiles se entenderán como días hábiles de la Administración Tributaria.</u>*
>
> *<u>**Parágrafo Único.** Se consideran inhábiles tanto los días declarados feriados conforme a las disposiciones legales, como aquellos en los cuales la respectiva oficina administrativa no hubiere estado abierta al público, lo que deberá comprobar el contribuyente o responsable por los medios que determine la ley. Igualmente se consideran inhábiles, a los solos efectos de la declaración y pago de las obligaciones tributarias, los días en que las instituciones financieras autorizadas para actuar como receptoras de fondos nacionales no estuvieren abiertas al público, conforme lo determine su calendario anual de actividades."</u>* (Subrayado propio)

Esta disposición se debe complementar con el artículo 162 del COT, conforme al cual:

> *"**Artículo 162.** Las actuaciones de la Administración Tributaria y las que se realicen ante ella, deberán practicarse en días y horas hábiles, sin perjuicio de las habilitaciones que autorice la Administración Tributaria de conformidad con las leyes y reglamentos".*

Las *supra* citadas disposiciones, establecen claramente que las actuaciones de la Administración Tributaria deberán practicarse en horas y días hábiles[10]

---

[10] Cf. ABACHE CARVAJAL, Serviliano. *COVID 19 y determinación tributaria.* Disponible en: https://www.avdt.org.ve/avdt/index.php/noticias/item/626-covid-19-y-determinacion-tributaria

y, de igual forma, el Parágrafo *Único* del artículo 10 del COT, prevé aquellos supuestos que deberán considerarse como *días inhábiles*, esto es, *(i)* los feriados nacionales, *(ii)* aquéllos en los cuales la respectiva oficina administrativa no hubiere estado abierta al público y, *(iii)* a los efectos de la declaración y pago de las obligaciones tributarias, los días en que las instituciones financieras autorizadas para actuar como oficinas receptoras de fondos nacionales no estuvieren abiertas al público.

Estos supuestos son de especial relevancia en el marco de esta situación excepcional, y es que, como se indicó previamente, ante la ausencia de normativa expresa que conceda alguna regulación especial para el cumplimiento de las obligaciones tributarias, no queda otra alternativa que la remisión a la normativa marco del Estado de Alarma y, muy especialmente, a la Disposición Final Sexta del mencionado Decreto N° 4198.

De manera que, si partimos que esa disposición supone la suspensión *ope legis* de todos los procedimientos tributarios, pero a su vez consideramos los exhortos del SENIAT a los contribuyentes para que cumplan con sus obligaciones tributarias[11], queda más que justificado efectuar el análisis exhaustivo de las normas que rigen la actuación de la administración, así como las relativas a los cómputos de los plazos, lapsos, días hábiles y otras similares, para fundamentar con solidez la mencionada suspensión *ope legis*.

En relación al *supra* citado artículo 10 del COT, señala ABACHE CARVAJAL que esa disposición *"(…) se encarga, por un lado, de guiar la actuación determinativa de la Administración Tributaria y del contribuyente y, por el otro, en su parágrafo único define legalmente que se entiende por días inhábiles, delimitando su interpretación jurídica (sentido) de cara a la aplicación de la norma práctica contenida en el recién analizado artículo 162 del Código que, en efecto, guía (directamente) la conducta de ambos sujetos de la relación jurídico tributaria, a propósito del procedimiento de determinación (declaración y liquidación) (…)"*[12].

Siguiendo a ABACHE CARVAJAL, entendemos que es necesario distinguir entre los diversos procedimientos determinativos de la obligación tributaria[13] a fin de comprender adecuadamente el alcance y aplicación del Parágrafo *Único* del artículo 10 del COT, específicamente, en lo que respecta a los días que deberán entenderse como inhábiles en el marco de tales procedimientos. Así las cosas, para el caso de los procedimientos administrativos de primer grado (fiscalización y verificación) y los recursivos o de segundo grado, se entenderá como día inhábil aquéllos en que la *respectiva oficina administrativa no hubiere*

---

[11] Se debe destacar que tales exhortos no son más que meros llamamientos <u>informales</u> efectuados por parte del SENIAT a través de sus redes sociales y que a la fecha no existe algún pronunciamiento oficial o acto normativo que ratifique el deber de los contribuyentes de cumplir con sus obligaciones tributarias aun en el marco de este Estado de Alarma.

[12] ABACHE CARVAJAL, Serviliano. *Op. cit.* p. 19.

[13] Cf. *Ibid.*, p. 8.

estado abierta al público[14]. Por tanto, podría afirmarse -en principio- que tales procedimientos estarían suspendidos desde la primera declaratoria de Estado de Alarma, argumento que se ve reforzado con el hecho de que las actividades de la Administración Tributaria no se encuentran listadas dentro de aquéllas que no fueron objeto de suspensión en el Decreto N° 4198.

Adicionalmente se tendría que considerar que cualquier actuación por parte de la Administración -en estas circunstancias excepcionales- en el marco de un procedimiento administrativo, supondría una verdadera afectación del derecho a la defensa y al debido proceso del contribuyente, habida cuenta de las múltiples circunstancias que dificultan que aquél pueda apersonarse ante la Administración y ejercer su derecho a la defensa accediendo a todos los medios y recursos que sean necesarios.

En lo que respecta a los *procedimientos autodeterminativos* -y siguiendo la línea argumentativa de ABACHE CARVAJAL[15]- debemos remitirnos al tercer supuesto a que refiere el Parágrafo Único del antes comentado artículo 10 del COT, conforme al cual *a los solos efectos de la declaración y pago de las obligaciones tributarias*, se entenderán como días inhábiles *los días en que las instituciones financieras autorizadas para actuar como oficinas receptoras de fondos nacionales no estuvieren abiertas al público*. Esta disposición, aunada a la suspensión de las actividades bancarias en todo el país -por así disponerlo el ente regulador del sector bancario- permitiría afirmar que los plazos para la declaración y pago de las obligaciones tributarias se encuentran suspendidos hasta el primer día hábil siguiente, una vez cesada la suspensión de las actividades en ese sector.

B) DE LAS *CIRCULARES NOS. SIB-DSB-C-J-OD02415* Y *SIB-DSB-C-J-OD02793*, EMITIDAS POR LA SUPERINTENDENCIA DE LAS INSTITUCIONES DEL SECTOR BANCARIO (SUDEBAN)

La *Circular N° SIB-DSB-C-J-OD02415*, emitida por la Superintendencia de las Instituciones del Sector Bancario (SUDEBAN), de fecha 15 de marzo de 2020, es de especial relevancia a efectos del presente análisis, por cuanto <u>suspendió excepcionalmente</u> desde el 16 de marzo hasta el 29 de mayo, todas las actividades que impliquen atención directa a los clientes y usuarios a través de la red de agencias, taquillas, oficinas y sedes administrativas en todo el país.

Igual importancia reviste la *Circular N° SIB-DSB-C-J-OD02793*, de fecha 31 de mayo de 2020, pues a través de aquélla ese órgano supervisor instruyó que, *a partir del 1 de junio de 2020, en virtud del inicio de la fase de flexibilización de la cuarentena*[16], *que contempla un período de cinco (5) días de labores y diez (10) días de*

---

[14] Cf. *Ibid.*, p. 23.

[15] Cf. *Ibid.*, p. 27.

[16] El pasado 30 de mayo, mediante alocución presidencial, Nicolas Maduro presentó el "Plan de Medidas de Flexibilización de la Cuarentena Nacional". Se trata de un nuevo esquema de

suspensión de actividades, exclusivamente para los sectores priorizados, dentro de los que se incorporó el sector bancario, las agencias bancarias: **(i)** tendrán actividad de atención al público en un horario comprendido de **9:00 a.m. a 1:00 p.m.**, **(ii)** la atención al público se deberá dispensar de acuerdo al terminal del número de cédula de identidad y, **(iii)** la red de agencias bancarias laborará conforme al cronograma de distribución semanal listado en la mencionada circular, considerando que unas instituciones bancarias servirán al público los días lunes y miércoles, mientras que otras lo harán los días martes y jueves y, para los días viernes, todas las entidades bancarias prestarán atención exclusivamente a personas jurídicas.

En lo que respecta a los días estipulados bajo la *modalidad de suspensión de actividades,* se efectúan -a título de previsiones- una serie de referencias especiales que deberán tomarse *para asegurar complementariamente el desarrollo de las actividades* allí enunciadas (p. ej.: entregas de tarjetas de débito y crédito a pensionados y otros clientes, asignación del servicio de punto de venta, atención y resolución de fraudes y reclamos, entre otros).

Por último, señala la Circular *N° SIB-DSB-C-J-OD02793,* que las instrucciones respecto al período de 5 días de la fase de flexibilización de la cuarentena en el sector bancario, no serán aplicables a las agencias que se encuentren ubicadas en las zonas en las cuales el Ejecutivo Nacional mantenga la rigurosidad de las medidas.

Las consideraciones que anteceden, concatenadas con los comentarios antes esbozados respecto del Parágrafo *Único* del artículo 10 del COT, nos permite afirmar con fundamento jurídico que, para el caso de los procedimientos autodeterminativos[17], esto es, los relativos a la declaración y pago de la obligación tributaria, los plazos se encontraron suspendidos automáticamente entre los días 16 de marzo y 29 de mayo, ambos días inclusive, por estar también suspendidas a nivel nacional, las actividades en todas las instituciones finan-

---

"5x10, 5 días de flexibilización y 10 días seguidos de cuarentena social". Este modelo será aplicado a partir de este 1 de junio en todo el territorio nacional, dentro del marco de la 1° fase de "flexibilización dinámica" de la cuarentena; quedando exceptuados los municipios fronterizos que mantendrán sus respectivos toques de queda. Los 9 sectores que entrarán en esta nueva dinámica son los siguientes: 1) agencias bancarias, en un horario comprendido entre las 9:00 a.m. a 1:00 p.m., 2) consultorios médicos, en un horario comprendido entre las 7:00 a.m. a 2:00 p.m., 3) construcción, en un horario comprendido entre las 8:00 a.m. a la 1:00 p.m., 4) ferreterías, en un horario comprendido entre las 11:00 a.m. a las 4:00 p.m. 5) peluquerías, en un horario comprendido entre las 10:00 a.m. a 4:00 p.m., 6) textil, calzado y materia prima química, en un horario comprendido entre las 10:00 a.m. a las 4:00 p.m., 6) talleres mecánicos en un horario comprendido entre las 9:00 a.m. a la 1:00 p.m., 8) servicios refrigeración y plomería en un horario comprendido entre las 9:00 a.m. a las 2:00 p.m. y, 9) transporte público, en un horario comprendido entre las 7:00 a.m. a las 5:00 p.m. Información disponible en: https://www.finanzasdigital.com/2020/05/nicolas-maduro-presenta-el-plan-de-medidas-de-flexibilizacion-de-la-cuarentena-nacional/

17 Ello siguiendo los argumentos expuestos por ABACHE CARVAJAL respecto de este supuesto especial que en su criterio debe aplicar a la modalidad de *autodeterminación tributaria o por el sujeto pasivo.*

cieras autorizadas para actuar como oficinas receptoras de fondos nacionales. Por tanto, deberá entenderse que los días que discurrieron entre el 16 de marzo y el 29 de mayo, correspondían a días inhábiles a los efectos de la declaración y pago de tributos y, por ende, para ese período habría una imposibilidad material para el contribuyente de cumplir con su obligación tributaria, muy específicamente, en lo que respecta al pago del tributo.

Ante este panorama, es posible que se pretenda que el contribuyente efectúe los pagos a través de la banca electrónica. No obstante, consideramos que una eventual referencia a la posibilidad de cumplir con la obligación tributaria a través de los pagos electrónicos, sería cuestionable, pues no todos los contribuyentes pueden acceder a esa alternativa de pago, ni tampoco estarían obligados a ella, por cuanto la selección de esa modalidad es potestativa para el sujeto pasivo[18] y, en el contexto actual, buena parte de los contribuyentes se ven impedidos a poseer cuentas en banco del Estado (y por ende procesar pagos electrónicos, que sólo pueden efectuarse a través de tales bancos) por efecto de las sanciones internacionales a las cuales está sometida Venezuela.

Un supuesto distinto -pero aún con muchas zonas grises- será el que pueda verificarse a partir del 1 de junio de 2020, de cara a las nuevas instrucciones giradas en la Circular N° SIB-DSB-C-J-OD02793, debido a la fase de flexibilización de la cuarentena y a la inclusión del sector bancario, dentro de los sectores priorizados exceptuados de la suspensión general de actividades.

Así, aun ante este panorama, se presentarán situaciones dudosas, e incluso interrogantes, que podrían quedar sin respuesta. En efecto, se debe considerar que tales actividades se reanudarán de forma especial y no bajo la modalidad ordinaria ello por cuanto: (i) sólo se brindará atención a las personas jurídicas los días viernes, (ii) las personas naturales sólo serán atendidas los días que le correspondan conforme al terminal de su cédula de identidad, (iii) la red de agencias bancarias no laborará de manera continua durante los cinco días de actividades -por los sucesivos 10 que no estarán abiertas al público mientras esté vigente esta nueva modalidad de flexibilización de la cuarentena- en otras palabras, algunas instituciones laborarán los días lunes y miércoles, mientras que otras lo harán los días martes y jueves, y sólo los días viernes, laborarán totas las entidades bancarias y, (iv) las agencias bancarias que se encuentren ubicadas en las zonas en las cuales el Ejecutivo Nacional mantenga la rigurosidad de las medidas, no reanudarán sus actividades al público.

Por tanto, a partir del 1 de junio deberá analizarse casuísticamente el supuesto de cada contribuyente para determinar si, a efectos de la declaración y pago de la obligación tributaria, estamos ante un día inhábil y, en conse-

---

[18] En España el Tribunal Supremo, en sentencia de 22 de febrero de 2012, señaló que sólo son admisibles las relaciones electrónicas obligatorias con los contribuyentes si se trata de sectores de ciudadanos respecto a los cuales está garantizado *el acceso y disponibilidad de medios tecnológicos precisos*.

cuencia, correspondería satisfacer la obligación al día hábil inmediatamente siguiente, o si, por el contrario, estamos ante un día hábil y, en principio, debería procederse al cumplimiento de la respectiva obligación. Veremos entonces un panorama variado, en el que no hay una fórmula o solución *única* que resulte aplicable a la totalidad de los contribuyentes.

C) DE LA RESOLUCIÓN NO. 003-2020, DE FECHA 13 DE MAYO DE 2020, EMITIDA POR LA SALA PLENA DEL TRIBUNAL SUPREMO DE JUSTICIA (TSJ)

Mediante la Resolución No. 003-2020, de fecha 13 de mayo de 2020, la Sala Plena del Tribunal Supremo de Justicia (TSJ), suspende las causas, los lapsos procesales y los días de despacho de los Tribunales de la República, durante el lapso comprendido entre el 13 de mayo hasta el 12 de junio de 2020, ambas fechas inclusive[19].

En efecto, conforme a lo establecido en la disposición primera de la mencionada Resolución, durante el período comprendido entre el 13 de mayo hasta el 12 de junio de 2020 *"permanecerán en suspenso las causas y no correrán los lapsos procesales"*, salvando el caso de los amparos constitucionales, en los cuales se considerarán habilitados todos los días del período antes mencionado, puesto que la vulneración de derechos constitucionales y su restitución o cese de tal vulneración, no podrían verse afectados, ni aun en el marco de un estado de excepción.

Esta Resolución cobra especial importancia en el análisis de las distintas normativas aplicables a los casos que analizamos y deberá interpretarse de manera concatenada con las regulaciones vigentes dictadas en el marco del COVID 19. Hemos apuntado que, conforme a lo establecido en el Parágrafo *Único* del artículo 10 del COT, se considera inhábil el día en el cual la respectiva oficina de la Administración acuerde no abrir al público, e igualmente hemos señalado que este supuesto aplicaría a los procedimientos de formación de la voluntad administrativa (procedimientos de primer grado, fiscalización, determinación y verificación), así como a los procedimientos recursivos o de segundo grado. También hemos señalado que algunas oficinas de la Administración Tributaria, a través de sus redes sociales, han declarado encontrarse abiertas al público.

Pues bien, esta situación resulta completamente gravosa de cara a la suspensión de las actividades del Poder Judicial. Y ello, en la medida en que podrían verificarse circunstancias en las que resulten vulnerados el derecho a la

---

[19] Previo a ello, encontramos la circular N° 001-2020, de fecha 13 de marzo de 2020, mediante la cual se suspenden por treinta (30) días los lapsos procesales, posteriormente prorrogada mediante Resolución N° 002-2020, de fecha 13 de abril de 2020, en la que se suspende por treinta (30) días más el plazo establecido en la antes citada Resolución.

defensa, el debido proceso e incluso a la tutela judicial efectiva, específicamente en aquellos supuestos en que el contribuyente se encuentre afectado por algún acto administrativo dictado dentro de algún procedimiento sustanciado en plena pandemia.

En efecto, si es cierta la supuesta continuidad de las actividades de la Administración Tributaria, es claro que podrían producirse algunas actuaciones en el marco de algún procedimiento administrativo. Así, por efecto de la suspensión de las actividades del Poder Judicial, las actuaciones surgidas dentro de tales procedimientos podrían quedar exceptuadas del control jurisdiccional por la vía ordinaria, lo que claramente vulneraría los *supra* citados derechos a la defensa, al debido proceso y a la tutela judicial efectiva.

Expuesto lo anterior, y dejando en evidencia las complejas circunstancias que se presentan en el marco de este Estado de Alarma, nos preguntamos si están dadas las condiciones para que los contribuyentes cumplan cabalmente con sus obligaciones tributarias y si es posible exigirles esa obligación aun en cualquier circunstancia. No olvidemos que el principal elemento que convierte en coactiva una obligación como la de pagar las deudas fiscales, es la existencia de sanciones en caso de incumplimiento.

Por tanto, y como apuntaremos más adelante, el debate se orientará a determinar si hay situaciones, en el contexto de la pandemia, en que tales sanciones no deberían imponerse.

En nuestra opinión, toda respuesta debe partir del reconocimiento de la emergencia sanitaria global a la que estamos sometidos y conduce, en cualquier caso, a tutelar y a considerar como prioritario ante cualquier escenario, el resguardo al derecho a la vida y a la salud de los ciudadanos. También la protección del derecho al trabajo, como derecho fundamental, que podría justificar que un contribuyente se decante por garantizar la existencia misma de su negocio o bien de proteger su nómina o personal, antes que cumplir con las obligaciones tributarias que se encuentren a su cargo. Se debe tener presente que estamos ante una situación sobrevenida, de fuerza mayor, y ello tiene una especial incidencia en la posición de cualquier obligado jurídico.

En efecto, este Estado de Alarma al que formalmente hemos estamos sometidos desde el 13 de marzo de 2020 hasta la presente fecha -con altas probabilidades de prorrogarse- ha afectado y modificado considerablemente el normal desarrollo de actividades ordinarias y, frente a ello, no parecería lógico, ni tampoco razonable, que el Estado pretenda del ciudadano el adecuado y normal cumplimiento de sus obligaciones tributarias, aun existiendo una serie de circunstancias reconocidas por el propio Estado, que le han servido de base para restringir derechos y garantías, siendo sumamente cuestionable que, dentro de este estado de alarma, se pretenda que el contribuyente ordene los medios que sean necesarios para cumplir con sus obligaciones tributarias, tal como lo haría en condiciones normales.

VI. Responsabilidad penal tributaria y eximentes de responsabilidad

Como se indicó previamente, encontramos sólidas razones para que cualquier contribuyente que incumpla o que cumpla de manera defectuosa con su obligación tributaria, pueda exceptuarse de tal circunstancia. Aún así, se debe tener presente la existencia del sistema sancionador como garantía de juridicidad del orden tributario, concretado a través de una serie de sanciones que aseguran la vigencia de las normas imperativas en esta materia. En efecto, el Código Orgánico Tributario dedica su Título III a los ilícitos tributarios y a las sanciones, proclamando en su artículo 81, la sancionabilidad de los ilícitos formales, materiales y penales. Pero también se debe tener presente que, frente a la pretensión de sancionar, podría hacerse valer aquellas situaciones sobrevenidas de fuerza mayor.

Por tal razón, consideramos que, ante el incumplimiento o cumplimiento defectuoso de la obligación tributaria en el panorama descrito, el contribuyente, valiéndose del sistema mixto de responsabilidad vigente en nuestro ordenamiento, estaría plenamente habilitado para invocar las eximente de responsabilidad por causa extraña no imputable (fuerza mayor (numeral 3 del artículo 85 del COT), error excusable (numeral 4 del artículo 85 *ejusdem*) e incluso, estado de necesidad (artículo 65, numeral 4, del Código Penal).

En efecto, se ha señalado que el único supuesto que elimina la relación de causalidad para el deudor es la causa extraña no imputable, cuyo fundamento jurídico deviene del artículo 1.271 del Código Civil, conforme al cual:

> *"Artículo 1.271. El deudor será condenado al pago de los daños y perjuicios, tanto por inejecución de la obligación como por retardo en la ejecución, si no prueba que la inejecución o el retardo provienen de una causa extraña que no le sea imputable, aunque de su parte no haya habido mala fe."*

De manera que el deudor estará constreñido a responder por daños y perjuicios en virtud del retardo o por inejecución de la obligación, salvo que logré demostrar que su incumplimiento obedeció a una causa extraña no imputable.

Expuesto lo anterior, de seguidas efectuaremos unas breves referencias en torno a las principales eximentes que podrían hacerse valer como causas extrañas no imputables y que eximen de responsabilidad al obligado tributario, en este contexto del COVID19.

A) Fuerza mayor

El numeral 3 del artículo 85 del COT, consagra el caso fortuito y la fuerza mayor como eximentes de responsabilidad penal tributaria. Se trata de acontecimientos que eximen al deudor de responsabilidad cuando incumple con las obligaciones contraídas, eliminando la relación de causalidad existente entre la conducta del agente -sea ésta culposa o no- y el daño causado.

La fuerza mayor y el caso fortuito son causas extrañas que califican como *"(…) un acontecimiento imprevisible e irresistible que impide a una persona ejecutar su obligación. Supone que el deudor se encuentre en la situación de serle imposible ejecutar su obligación y, además, que se halle en tal situación por causa de un acontecimiento que no pudo prever y, por tanto, que no estuvo en posibilidad de tomar precauciones para evitar verse colocado ahora en tal imposibilidad de cumplir con su obligación. (…)"*[20].

En definitiva, se trata de circunstancias independientes de la actuación del obligado que excluyen el elemento culpable y que conducen a una ausencia de responsabilidad que impiden que se verifique el resultado antijurídico. El caso fortuito y la fuerza mayor suponen que el incumplimiento no dependió de la voluntad del obligado, sino del propio acontecimiento y, en ambos casos deberán verificarse las siguientes condiciones: *(i)* que el acontecimiento produzca imposibilidad absoluta de poder ejecutar la obligación; *(ii)* que sea sobrevenido; *(iii)* imprevisible y, *(iv)* inevitable, aunado a la ausencia total de culpa y dolo por parte del deudor.

Conforme a lo expuesto, consideramos que en el contexto actual se dan las circunstancias para eximir de responsabilidad penal tributaria al sujeto pasivo que incumpla con su obligación tributaria por efecto de la fuerza mayor. En efecto, la declaratoria de Estado de Alarma, aunado a la suspensión general de actividades (exceptuando las vinculadas a servicios básicos o de primera necesidad), ha supuesto claras restricciones a la libre circulación y al tránsito y ha agravado la crisis en el país, acentuándose las deficiencias en el servicio de suministro de energía eléctrica, las fallas de conectividad y otras tantas que, sin duda alguna, afectan el normal cumplimiento de cualquier tipo de obligación. Por tanto, debe aceptarse la fuerza mayor y diferenciarse del mero *caso fortuito*, de modo que no sólo debe tratarse de un hecho imprevisible sino además que, aun en el caso de que se pudiese prever, resultase inevitable.

Es evidente que el COVID 19 es un hecho notorio, exento de prueba. Pero no podemos decir lo mismo respecto de las circunstancias particulares de cada contribuyente. Por tanto, siendo que el panorama actual resulta bastante confuso, se aconseja a todo contribuyente que asuma la diligencia necesaria -o la que le sea materialmente posible- para que, ante el incumplimiento de su obligación, pueda documentar y evidenciar por cualquier medio, aquellos hechos o circunstancias que le imposibilitaron, en su caso concreto y específico, el cumplir con su obligación.

Por otro lado, consideramos que si el contribuyente dispone de todos los medios y puede -aun encontrándonos en estas circunstancias propias del Esta-

[20] MELICH ORSINI, José. *La responsabilidad civil por hechos ilícitos*. Biblioteca de la Academia de Ciencias Políticas y Sociales. Serie de Estudios 45-46. Caracas, 2001. Pág. 105.

do de Alarma- cumplir normalmente con sus obligaciones de naturaleza tributarias, deberá hacer lo propio y no amparar un incumplimiento valiéndose de la fuerza mayor a que nos hemos referido.

B) Error de hecho y de derecho excusable

Esta eximente prevista en el numeral 4 del artículo 85 del COT, excluye la culpabilidad del deudor por suponer que la acción u omisión del obligado tributario, corresponde a un error excusable, es decir, cometido bajo la creencia de haber obrado en cumplimiento de una determinada conducta u obligación legal o contractual y bajo la firme convicción de estar realizando la actuación debida. Esta eximente supone la apreciación de las circunstancias fácticas que dieron lugar a la conducta desplegada por el presunto infractor y la razonabilidad de su actuación frente a la situación en concreto que excluya la culpa[21].

En suma, el error excusable supone que el obligado ha actuado de buena fe y en la convicción de que ha procedido de forma correcta y diligente. Recuérdese que el error excusable se refiere a la diligencia y, por tanto, a la culpabilidad, en relación con la actuación del sujeto. Mientras que el error vencible o invencible se refiere al conocimiento de algún elemento constitutivo de la infracción, de manera que sólo el error invencible excluye la culpabilidad e impide sancionar.

En este contexto, consideramos que también habría fundamentos para invocar la procedencia de esta eximente. Es posible que algunos contribuyentes se vean impedidos de cumplir con sus obligaciones por circunstancias de distinta naturaleza -aunque ellas tengan como raíz común el COVID 19-. En efecto, bien podría suceder que el contribuyente asuma la tesis de la suspensión *ope legis* de los plazos aplicables a los procedimientos administrativos de naturaleza tributaria.

De igual forma, es posible que el contribuyente se exceptúe del cumplimiento ordinario de sus obligaciones tributarias para preservar o privilegiar su derecho a la vida y a la salud (p. ej., el contribuyente que evita acudir a sus oficinas o al lugar en el que se encuentre la documentación contable necesaria para preparar las declaraciones -recuérdese que el proceso determinativo de la obligación tributaria, es un proceso complejo y no se limita a un mero cálculo aritmético o a un simple pago-). Incluso el contribuyente también podría alegar que la imposibilidad material de cumplir con la obligación, devino de la *cuarenta colectiva* a la que está sometida al país, aunado al respeto y apego irrestricto a las medidas de prevención contenidas en el Decreto de Estado de Alarma, y salvaguardando la responsabilidad personal a la que podría estar sometido en caso de que sus actos, pusieren en riesgo la salud de la ciudadanía o la cabal ejecución de las disposiciones contenidas en el mencionado Decreto.

---

[21] WEFFE H., Carlos. *Garantismo y Derecho Penal Tributario en Venezuela.* Editorial GLOBE C.A. Caracas, 2001. Pág. 600.

Al igual que se indicó en el caso de la fuerza mayor, es fundamental que el contribuyente este en capacidad de demostrar o documentar las circunstancias específicas que han dado lugar a su incumplimiento y que encuadran dentro de este supuesto de error excusable.

c) ESTADO DE NECESIDAD

También cabría admitir la imposibilidad de sancionar por falta de antijuridicidad, por concurrencia de la eximente de estado de necesidad, ello valorando situaciones en las que el sujeto no pueda pagar el tributo porque debe hacer frente a otros gastos de mayor importancia vital para él o su familia o pretende salvar la supervivencia de su actividad económica. Estos supuestos deberían admitirse en los casos planteados, teniendo en cuenta que no se ha previsto la concesión de aplazamientos, moratorias, suspensiones o diferimientos.

La fuerza obliga a elegir entre bienes jurídicos (por ejemplo, pagar tributos o preservar la actividad económica de una empresa, o cumplir con el pago de la nómina o personal dependiente, o pagar a proveedores a fin de garantizar la operatividad de la compañía). Tal estado de necesidad también excluiría la antijuridicidad de las sanciones tributarias, algo crucial que impediría aplicar la sanción, teniendo en cuenta la aplicación a las sanciones administrativas tributarias de los principios propios del derecho penal.

Conforme a lo establecido en el numeral 4° del artículo 65 del Código Penal, *el estado de necesidad* es una eximente de responsabilidad penal. Suele definirse como una situación de peligro actual para los intereses jurídicamente protegidos en la cual, no queda más remedio, que el sacrificio de unos intereses jurídicos, por bienes jurídicos pertenecientes a otra persona. Se trata pues, de una situación de peligro grave, actual o inminente y no causada, o al menos no causada dolosamente por el agente, para un bien jurídico ajeno. Efectivamente, conforme al señalado artículo *"no es punible el que obra constreñido por la necesidad de salvar su persona, o la de otro, de un peligro grave e inminente, al cual no haya dado voluntariamente causa y que no pueda evitar de otro modo".*

El estado de necesidad plantea tres supuestos fundamentales, estos son: *(i)* peligro grave, actual e inminente, *(ii)* que el agente no haya provocado dolosamente el peligro y, *(iii)* imposibilidad de evitar el mal (peligro) por un medio que no sea el sacrificio del bien jurídico ajeno. Por otra parte, el estado de necesidad plantea unos límites que vendrán dados por la proporcionalidad que deba existir entre el bien jurídico sacrificado y el bien jurídico salvaguardado, o en términos más exactos, entre el mal causado y el mal evitado.

De tal manera que esta eximente podría encontrar justificación en el contexto del COVID 19. En efecto, respecto del estado de necesidad como eximente que excluye la posibilidad de sancionar, por ausencia de juridicidad, GARCÍA NOVOA ha señalado lo siguiente *"(…) se ha discutido si podría considerarse estado de necesidad el supuesto en el que el sujeto pasivo no puede pagar el tributo porque debe hacer frente a otros gastos de mayor importancia vital para él o su familia, por ejemplo, que el pago del tributo impidiese la supervivencia económica de una empresa. A nuestro modo de ver, no existe impedimento alguno para que el legislador que perfila un sistema sancionatorio fiscal recoja supuestos de estado de necesidad. Pero para ello deben darse dos requisitos ineludibles; el bien jurídico en atención al cual se sacrifica la obligación de pagar el tributo debe encontrarse realmente en peligro, que ha de ser real y objetivamente apreciado. Y además, ese peligro debe de conllevar la necesidad de lesionar el crédito tributario, en este caso, la necesidad de no pagar el tributo. (...)"[22].*

En nuestro caso, tal como indicamos respecto de las eximentes relativas a la fuerza mayor y al error excusable, consideramos que el estado de necesidad como eximente de responsabilidad penal podría prosperar en el contexto de esta pandemia global, siempre que el contribuyente acredite, documente y cuente con los soportes necesarios que permitan evidenciar que incurrió en el incumplimiento de su deber de contribuir con el común sostenimiento de las cargas públicas, para salvaguardar, preservar o tutelar otros derechos o bienes jurídicos de entidad superior.

VII. CONCLUSIONES

Las consideraciones expuestas en el presente trabajo dejan en evidencia la grave crisis global y local a la que estamos expuestos por motivo del COVID 19. A diferencia de lo experimentado en otros países, Venezuela se encuentra en una mayor situación de vulnerabilidad, tanto al momento de la llegada de la pandemia, como de cara a los efectos post COVID 19. Resulta reprochable que el Estado Venezolano no haya tomado verdaderas medidas de alivio fiscal para evitar la definitiva paralización del tan afectado aparato productivo nacional y para evitar daños mayores tanto al sector privado, como a la población en general, fuertemente afectada no sólo por la severa crisis económica que nos aqueja, sino también por la deficiencia de los servicios públicos y la precariedad de nuestro sistema sanitario.

Por tanto, sería completamente cuestionable el pretender que los contribuyentes en este contexto, cumplan normalmente con sus obligaciones tributarias o que sobrepongan ese deber de contribuir al común sostenimiento de las cargas públicas, a la protección de derechos fundamentales como la vida y la salud, e incluso la protección del trabajo como derecho fundamental (ello en caso de que cumplir con la obligación tributaria suponga, por ejemplo, sacrificar la nómina de una compañía).

En todo caso, es evidente que la obligación tributaria no se extingue y, por tanto, el contribuyente debe cumplir con su obligación -dentro o fuera de los

---

[22] GARCÍA NOVOA, César. *La fiscalidad ante la crisis del COVID 19*. Revista de Derecho Tributario Nº 166. Asociación Venezolana de Derecho Tributario. Caracas, 2020 (en edición).

lapsos legalmente establecidos-. No obstante, ante ese incumplimiento (total o parcial) y ante la eventual imposición de sanciones, el sujeto pasivo podrá -valiéndose del sistema mixto de responsabilidad vigente en nuestro ordenamiento- invocar las eximentes de responsabilidad por causa extraña no imputable (fuerza mayor, numeral 3 del artículo 85 del COT), error excusable de derecho (numeral 4 del artículo 85 del COT) e incluso, estado de necesidad (artículo 65, numeral 4, del Código Penal). No habrá responsabilidad por concurrir fuerza mayor y no se podrán exigir intereses moratorios, al no existir retardo culposo en el cumplimiento de la obligación.

Consideramos que no existe una fórmula única de aplicación general, se trata de un verdadero traje a la medida de cada contribuyente, lo que amerita un verdadero análisis casuístico en el que será fundamental documentar -lógicamente, en la medida en que ello sea posible- la imposibilidad de cumplir con la obligación tributaria en los términos legalmente establecidos.

Caracas, 31 de mayo de 2020

VIII. BIBLIOGRAFÍA

ABACHE CARVAJAL, Serviliano. *COVID 19 y determinación tributaria,* en https://www.avdt.org.ve/avdt/index.php/noticias/item/626-covid-19-y-determinacion-tributaria

FRAGA PITTTALUGA, Luis y TAGLIAFERRO, Andrés. *Implicaciones del CO-VID-19 sobre el cumplimiento de las obligaciones tributarias,* en https://fragapittaluga.com.ve/fraga/index.php/component/k2/item/24-implicaciones-del-covid-19-sobre-el-cumplimiento-de-las-obligaciones-tributarias

GARCÍA NOVOA, César. *La fiscalidad ante la crisis del COVID 19.* Revista de Derecho Tributario N° 166. Asociación Venezolana de Derecho Tributario. Caracas, 2020 (en edición).

MEIER, Eduardo. *Breves notas sobre la situación de los procedimientos tributarios anta la Declaratoria de Estado de Alarma (COVID 19),* en http://www.derysoc.com/especial-nro-3/breves-notas-sobre-la-situacion-de-los-procedimientos-tributarios-ante-la-declaratoria-de-estado-de-alarma-covid-19/

MELICH ORSINI, José. *La responsabilidad civil por hechos ilícitos.* Biblioteca de la Academia de Ciencias Políticas y Sociales. Serie de Estudios 45-46. Caracas, 2001.

WEFFE H., Carlos. *Garantismo y Derecho Penal Tributario en Venezuela.* Editorial GLOBE C.A. Caracas, 2001.

CUMPLIMIENTO DE OBLIGACIONES TRIBUTARIAS EN TIEMPOS PANDÉMICOS (COVID-19)

ANNETTE ANNIA VARGAS*

SUMARIO

i) Introducción. La pandemia COVID-19 en tiempos modernos. ii) Declaratoria de estado de alarma con ocasión al COVID-19. iii) Medidas adoptadas por administraciones tributarias (nacional, estadal y municipal). iv) Posturas de parte del foro tributario venezolano sobre el cumplimiento de deberes tributarios en virtud del COVID-19. a) Aplicación de lo dispuesto en los artículos 10 y 162 del Código Orgánico Tributario; b) Suspensión de los procedimientos administrativos mientras dure el Estado de Alarma de conformidad con la disposición final sexta del Decreto de Alarma; c) Causa extraña no imputable. c.1) Caso fortuito y fuerza mayor. c.2) Nuestra propuesta con relación a la especie del género causa extraña no imputable aplicable con ocasión a la coyuntura del COVID-19. Hecho del Príncipe. c.3) Jurisprudencia de la Sala Político-Administrativa del Tribunal Supremo de Justicia en materia de causa extraña no imputable. d) Breves comentarios respecto a la (im)procedencia de intereses moratorios en la situación actual del COVID-19. v) Conclusiones.

I) INTRODUCCIÓN. LA PANDEMIA COVID-19 EN TIEMPOS MODERNOS

Los coronavirus constituyen una familia de virus que pueden afectar tanto a seres humanos como animales[1]. El inicio de la problemática del SARS-CoV-2 (en adelante "COVID-19[2]") se remonta aproximadamente a finales del año 2019, con su descubrimiento en el municipio de Wuhan, Provincia de Hubei,

---

* Abogada mención honorífica *Magna Cum Laude*, Universidad Central de Venezuela (UCV), cursante de Especialización en Derecho Financiero en la Universidad Católica Andrés Bello (UCAB). Abogada en el escritorio jurídico Torres, Plaz & Araujo - Abogados.

[1] *"En los humanos, se sabe que varios coronavirus causan infecciones respiratorias que pueden ir desde el resfriado común hasta enfermedades más graves como el síndrome respiratorio de Oriente Medio (MERS) y el síndrome respiratorio agudo severo (SRAS). El coronavirus que se ha descubierto más recientemente causa la enfermedad por coronavirus COVID-19."*, consultado en: https://www.who.int/es/emergencies/diseases/novel-coronavirus-2019/advice-for-public/q-a-coronaviruses

[2] Según explica la Organización Mundial de la Salud (OMS), el nombre de esta cepa se toma de las palabras "corona", "virus" y *disease* -enfermedad en inglés-, por su parte, el 19 representa el año en que surgió (el brote fue informado a finales de 2019).

ubicada en la República Popular China (en adelante "RPC"). Se trata de un virus altamente infeccioso y de rápida propagación entre seres humanos y, a pesar de los esfuerzos realizados para contenerlo (cierre de Wuhan y otras ciudades de la RPC), las medidas de emergencia tomadas no fueron suficientes para controlar sus niveles de trasmisión.

El 30 de enero de 2020 el Director General de la Organización Mundial de la Salud (en adelante "OMS") declaró que, debido a la existencia de más de 9.700 casos confirmados en la RPC y 106 casos confirmados en otros 19 países -y aceptando los consejos del Comité de Emergencia del Reglamento Sanitario Internacional (RSI)[3], así como de acuerdo con las disposiciones del mencionado Reglamento del año 2005[4]-, el brote de COVID-19 constituía una emergencia de salud pública de importancia internacional (ESPII)[5].

La enfermedad del COVID-19 fue declarada una pandemia[6] por la OMS el 11 de marzo de 2020 en alocución de apertura en la rueda de prensa ofrecida por su director general con relación al coronavirus[7]; en aquel momento las personas infectadas ascendían a 118.000 y 4.291 fallecidos, en un total de 114 países. Los números previamente señalados se han venido incrementando desde el mes de marzo de 2020 a la presente fecha[8].

Sin duda alguna, el COVD-19 se ha convertido en uno de los retos de mayor importancia que ha vivido el mundo moderno, al menos desde la finalización de la Segunda Guerra Mundial. Todos los países del mundo intentan evitar la propagación del virus, tomando medidas preventivas de distanciamiento

---

[3] Actualización epidemiológica nuevo coronavirus (COVID-19). Organización Mundial de la Salud (OMS). 28 de febrero de 2020. Consultado en: https://www.paho.org/hq/index. php?option=com_docman&view=list&slug=2020-alertas-epidemiologicas&Itemid=270&layo ut=default&lang=esv

[4] "El Reglamento Sanitario Internacional, o RSI (2005), representa un acuerdo entre 196 países, incluidos todos los Estados Miembros de la OMS, que convinieron en trabajar juntos en pro de la seguridad sanitaria mundial. Mediante el RSI, los países acordaron desarrollar su capacidad de detectar, evaluar y notificar eventos de salud pública. La OMS cumple una función de coordinación del RSI y, junto con sus asociados, ayuda a los países a crear capacidades." Consultado en: https://www.who.int/ihr/about/es/

[5] Reglamento Sanitario Internacional. Organización Mundial de la Salud (OMS). Tercera Edición. 2005. Consultado en: https://apps.who.int/iris/bitstream/handle/10665/246186/ 9789243580494-spa.pdf?sequence=1. Artículo 1. Definición de emergencia de salud pública de importancia internacional: "emergencia de salud pública de nivel internacional» significa un evento extraordinario que, de conformidad con el presente Reglamento, se ha determinado que: i) constituye un riesgo para la salud pública de otros Estados a causa de la propagación internacional de una enfermedad, y ii) podría exigir una respuesta internacional coordinada."

[6] Definición de pandemia: "Enfermedad epidémica que se extiende a muchos países o que ataca a casi todos los individuos de una localidad o región." Diccionario de la Real Academia Española (RAE). Consultado en: https://dle.rae.es/pandemia

[7] Alocución de apertura del Director General de la OMS en la rueda de prensa sobre la COVID-19 celebrada el 11 de marzo de 2020. Consultado en: https://www.who.int/es/dg/ speeches/detail/who-director-general-s-opening-remarks-at-the-media-briefing-on-covid-19---11-march-2020

[8] Se puede verificar el desarrollo del COVID-19 por país, en tiempo real, en el siguiente enlace https://coronavirus.app/map?selected=zC03Urt1iJJb2Tf6p0jd

social, las escuelas han cerrado sus puertas, los comercios sólo trabajan con entregas a domicilio, las autoridades de salud efectúan pruebas, se hace seguimiento de aquéllos que han tenido contacto con los infectados, así como los que han viajado recientemente a las ciudades del mundo con altos índices de contagio.

El COVID-19 excede una crisis de salud a nivel mundial, sus efectos se percibirán en cada país que se haya visto obligado a declarar estado de emergencia a lo largo de su territorio, pudiendo generar -casi con seguridad- en dichos Estados crisis sociales, económicas y políticas, las cuales tomará tiempo superar. La Organización Internacional del Trabajo (OIT) ha estimado que debido a la crisis puedan perderse al menos 25 millones de puestos de trabajo, los ingresos de las personas que percibían se esfuman y, a pesar de que en cada país la situación se vive de manera diferente y con mayor o menor intensidad, ninguno está exento de sufrir las consecuencias y secuelas que dejará esta pandemia.

Sumado a las dificultades derivadas de la pandemia, en Venezuela se agrega la crisis de salud, económica y política que aqueja al país desde hace años, lo que hace más arduo no sólo el manejo de la coyuntura actual como consecuencia del COVID-19, sino se complica la crisis humanitaria -ampliamente conocida desde años atrás- y la subsistencia de las empresas que integran el sector privado de país, el cual ha sido severamente golpeado debido a las políticas económicas del Gobierno Nacional; no obstante, la crisis también afectará al sector público, siendo el Estado venezolano el mayor empleador a nivel nacional.

De tal manera que, los retos de la economía y sociedad venezolana son bastante particulares y llenos de complejidades adicionales, debiendo manejar tanto la crisis interna previa, como la que deriva del coronavirus COVID-19.

II) DECLARATORIA DE ESTADO DE ALARMA CON OCASIÓN AL COVID-19

En Venezuela, confirmados oficialmente los dos primeros casos de pacientes contagiados por el COVID-19, el 13 de marzo de 2020 fue publicado el Decreto N° 4.160[9], mediante el cual se declara el estado de alarma -como una de las modalidades de estado de excepción- en todo el territorio nacional, con el objeto de hacer frente a la crisis desatada por el coronavirus. El referido Decreto N° 4.160[10] fue dictado de conformidad con lo dispuesto en los artículos

---

[9] Publicado en la Gaceta Oficial de la República Bolivariana de Venezuela N° 6.519 Extraordinario, del 13 de marzo de 2020.

[10] El Decreto 4.160 ha sido criticado por el profesor BREWER-CARÍAS, Allan R., en su trabajo "*El decreto del estado de alarma en Venezuela con ocasión de la pandemia del coronavirus: inconstitucional, mal concebido, mal redactado, fraudulento y bien inefectivo*", considerándolo inconstitucional por no remitir su texto a la Asamblea Nacional, encargada de ejercer el control político de los decretos de estados de excepción, vulnerando así las disposiciones de la CRBV (artículo 339), todo lo cual viciaría de nulidad el decreto de alarma y lo transforma en una vía de hecho. Adicional-

337, 338 y 339 de la Constitución de la República Bolivariana de Venezuela (CRBV)[11], y los artículos 8 y 9 de la Ley Orgánica sobre los Estados de Excepción (LOEE)[12].

Como en el resto de los países del mundo, la declaratoria de estado de alarma en el territorio nacional venezolano trajo como consecuencia la toma de medidas de prevención inmediata, donde se incluye la restricción de la circulación de personas y vehículos, suspensión de las actividades laborales -públicas y privadas- consideradas no esenciales y se ha instado a la ciudadanía a mantenerse resguardados en sus hogares y salir a las calles únicamente con el objeto de comprar alimentos y medicamentos.

El Decreto de alarma N° 4.160 se dictó para tener una vigencia inicial de 30 días, los cuales podrían prorrogarse por un plazo idéntico, hasta tanto se esti-

---

mente, se considera que su contenido es en gran parte "indeterminado y discrecional", que restringe garantías constitucionales, pero sin haberlas regulado formal y específicamente, lo cual, a su entender, no sólo sería inconstitucional, sino totalmente inadmisible en un Estado de derecho. Consultado en: https://allanbrewercarias.com/wp-content/uploads/2020/04/Brewer.-El-estado-de-alarma-con-ocasi%C3%B3n-de-la-pandemia-del-Coronavirus.-14-4-2020-1.pdf.

[11] Constitución de la República Bolivariana de Venezuela. Publicada en la Gaceta Oficial N° 5.453 del 24 de marzo de 2000.

"Artículo 337. El Presidente o Presidenta de la República, en Consejo de Ministros, podrá decretar los estados de excepción. Se califican expresamente como tales las circunstancias de orden social, económico, político, natural o ecológico, que afecten gravemente la seguridad de la Nación, de las instituciones y de los ciudadanos y ciudadanas, a cuyo respecto resultan insuficientes las facultades de las cuales se disponen para hacer frente a tales hechos. En tal caso, podrán ser restringidas temporalmente las garantías consagradas en esta Constitución, salvo las referidas a los derechos a la vida, prohibición de incomunicación o tortura, el derecho al debido proceso, el derecho a la información y los demás derechos humanos intangibles.

Artículo 338. Podrá decretarse el estado de alarma cuando se produzcan catástrofes, calamidades públicas u otros acontecimientos similares que pongan seriamente en peligro la seguridad de la Nación o de sus ciudadanos y ciudadanas. Dicho estado de excepción durará hasta treinta días, siendo prorrogable hasta por treinta días más.

Artículo 339. El decreto que declare el estado de excepción, en el cual se regulará el ejercicio del derecho cuya garantía se restringe, será presentado, dentro de los ocho días siguientes de haberse dictado, a la Asamblea Nacional, o a la Comisión Delegada, para su consideración y aprobación, y a la Sala Constitucional del Tribunal Supremo de Justicia, para que se pronuncie sobre su constitucionalidad. El decreto cumplirá con las exigencias, principios y garantías establecidos en el Pacto Internacional de Derechos Civiles y Políticos y en la Convención Americana sobre Derechos Humanos. El Presidente o Presidenta de la República podrá solicitar su prórroga por un plazo igual, y será revocado por el Ejecutivo Nacional o por la Asamblea Nacional o por su Comisión Delegada, antes del término señalado, al cesar las causas que lo motivaron. La declaración del estado de excepción no interrumpe el funcionamiento de los órganos del Poder Público."

[12] Ley Orgánica sobre Estados de Excepción (LOEE), publicada en la Gaceta Oficial N° 37.261 de 15 de agosto de 2001.

"Artículo 8. El Presidente de la República, en Consejo de Ministros, en uso de las facultades que le otorgan los artículos 337, 338 y 339 de la Constitución de la República Bolivariana de Venezuela, podrá decretar el estado de alarma, en todo o parte del territorio nacional, cuando se produzcan catástrofes, calamidades públicas u otros acontecimientos similares, que pongan seriamente en peligro la seguridad de la Nación, de sus ciudadanos y ciudadanas o de sus instituciones.

Artículo 9: "El decreto que declare el estado de alarma establecerá el ámbito territorial y su vigencia, la cual no podrá exceder de treinta días, pudiendo ser prorrogado hasta por treinta días más a la fecha de su promulgación."

me adecuada el estado de contención de la enfermedad epidémica COVID-19 o sus posibles cepas, y controlados sus factores de contagio, de conformidad con la disposición final octava del Decreto. El período inicial venció el día 13 de abril de 2020, en virtud de lo cual el 12 de abril de 2020 se dictó Decreto N° 4.186[13], que prorroga por 30 días el estado de alarma declarado y que entró en vigencia el 12 de abril de año 2020, con su publicación en Gaceta Oficial.

Vencida la prórroga dispuesta en el Decreto N° 4.186, el pasado 12 de mayo de 2020 el Ejecutivo Nacional dictó nuevo Decreto N° 4.198[14], mediante el cual se declara el Estado de Alarma para atender la Emergencia Sanitaria del Coronavirus (COVID-19), de conformidad con la disposición final octava el referido Decreto N° 4.198 tendría una vigencia de 30 días, *"prorrogables por igual período, hasta tanto se estime adecuada el estado de contención de la enfermedad epidémica coronavirus (COVID-19) o sus posibles cepas, y controlados sus factores de contagio."*

Con el vencimiento del período dispuesto en el Decreto N° 4.198, el 11 de junio de 2020 fue dictado nuevo Decreto N° 4.230[15] (en adelante "decreto de alarma"), mediante el cual se prorroga por 30 días, el plazo establecido en el referido Decreto N° 4.198.

Así, con ocasión a la declaratoria de estado de alarma en marzo de 2020 como consecuencia de la pandemia COVID-19, las autoridades venezolanas han adoptado medidas sociales, económicas, tributarias, entre otras, las cuales tienen incidencia no sólo en la ciudadanía venezolana, sino también -como es lógico- en el sector empresarial de la nación.

III) MEDIDAS ADOPTADAS POR ADMINISTRACIONES TRIBUTARIAS (NACIONAL, ESTADALES Y MUNICIPALES)

Específicamente en materia tributaria, y como ha sucedido en diversos países del mundo, las autoridades fiscales han adoptado medidas a los fines de mitigar el impacto económico de la pandemia COVID-19 en los contribuyentes[16]. Estas medidas varían en cada jurisdicción y abarcan desde exoneraciones de tributos en materia de importación de insumos y equipos médicos relacionados con el virus, suspensión de procedimientos administrativos, hasta prórrogas para cumplir con las obligaciones tributarias, así como suspensión de imposición de sanciones y liquidación de intereses de mora.

En el caso venezolano, consideramos que las medidas adoptadas por las autoridades tributarias a la fecha, con ocasión al COVID-19 han resultado insuficientes para mitigar el impacto de la pandemia en la esfera jurídica de contri-

---

13 Publicado en Gaceta Oficial Extraordinario N° 6.528 del 12 de abril de 2020.
14 Publicado en Gaceta Oficial Extraordinario N° 6.535 del 12 de mayo de 2020.
15 Publicado en Gaceta Oficial Extraordinario N° 6.542 de fecha 11 de junio de 2020.
16 Países como Alemania, Brasil, Bolivia, Canadá, China, Colombia, España, Estados Unidos, Francia, Italia, Japón, Perú, Portugal, Reino Unido, Nueva Zelanda y Rusia, han adoptado medidas en este sentido.

buyentes y responsables[17]; no obstante, las principales medidas dictadas han sido las que describiremos de seguidas:

> *Tributos Nacionales:*

- Impuesto al Valor Agregado (IVA):

    1. *Decreto Nº 4.166*[18] mediante el cual se exonera -por el plazo de 1 año contado a partir de su publicación en Gaceta Oficial- del pago del IVA, Impuesto de Importación y Tasa por Determinación del Régimen Aduanero, así como cualquier otro impuesto o tasa aplicable de conformidad con el ordenamiento jurídico venezolano vigente, a las importaciones definitivas de mascarillas, tapabocas y otros insumos relacionados, realizadas exclusivamente por los Órganos y Entes de la Administración Pública Nacional.

       También fueron exoneradas del IVA las ventas de los bienes muebles corporales previamente señalados y que se realicen en el territorio nacional.

    2. *Resolución Nº 079*[19] dictada con ocasión a la exoneración otorgada en el Decreto Nº 4.166, por el Ministerio del Poder Popular para la Salud, mediante la cual se exoneró del pago del IVA, Impuesto de Importación y Tasa por Determinación del Régimen Aduanero, así como cualquier otro impuesto o tasa aplicable de conformidad con el ordenamiento jurídico vigente, a las importaciones definitivas de bienes muebles corporales (mascarillas, tapabocas y otros insumos relacionados) realizadas por los Órganos y Entes de la Administración Pública Nacional, destinados a evitar la expansión del Covid-19.

       Esta Resolución establece un listado de bienes exonerados más amplio que el dispuesto en el Decreto Nº 4.166, incluyéndose los medicamentos para uso humano que sean destinados a luchar contra el COVID-19, así como aquéllos necesarios para atender las enfermedades preexistentes y complicaciones que pudieran presentarse.

---

[17] En análogo sentido se pronuncian los autores FRAGA PITTALUGA, Luis y TAGLIAFERRO, Andrés. En su trabajo *"Implicaciones del COVID-19 sobre el cumplimiento de las obligaciones tributarias"*, en el cual indican que: *"Específicamente en materia tributaria la adopción de medidas ha sido prácticamente inexistente, puesto que, dejando a salvo la exoneración del IVA e impuestos aduaneros concedida a las importaciones realizadas por los órganos y entes de la Administración Pública de los bienes muebles vinculados a la prevención del COVID-19 y la exoneración del IVA a las ventas de tales artículos realizadas en el territorio nacional, ni el Decreto 4.160, ni ningún otro de los actos normativos dictados hasta la fecha dentro del marco del estado de excepción, disponen ninguna otra medida vinculada con la determinación y pago de los tributo, o al menos no lo hacen de forma expresa."* Consultado en: http://fragapittaluga.com.ve/fraga/index.php/colaboraciones.

[18] Publicado en la Gaceta Oficial Nº 41.841, de fecha 17 de marzo de 2020.

[19] Publicado en Gaceta Oficial Nº 41.854, de fecha 3 de abril de 2020.

- Impuesto sobre la Renta (ISLR)

3. *Decreto N° 4.171[20]*, mediante el cual se exoneró del pago del ISLR, el enriquecimiento anual de fuente territorial, obtenido por las personas naturales residentes en el país durante el periodo fiscal del año 2019, cuyo salario normal o ingreso proveniente del ejercicio de sus actividades no supere un monto equivalente a tres (3) salarios mínimos. A estos efectos, el salario mínimo a considerar es aquel vigente al 31 de diciembre de 2019.

La exoneración fue otorgada habiéndose vencido el plazo para que los contribuyentes declararan y pagaran el ISLR. En el caso de los contribuyentes con ingresos menores a tres (3) salarios mínimos que hayan declarado y pagado el ISLR previo a la fecha de otorgamiento del beneficio, el monto pagado por concepto de este impuesto les será reconocido como un crédito fiscal imputable en el futuro.

➢ *Tributos Municipales:*

En lo que a tributos pagaderos a entidades municipales respecta, las autoridades tributarias han otorgado a los contribuyentes de su jurisdicción ciertos incentivos fiscales, tales como: prórroga para la declaración y pago de impuestos, rebajas en el pago de impuestos concedidas a aquéllos que cumplan con sus obligaciones dentro del plazo correspondiente, no imposición de sanciones y no exigencia de intereses de mora; lo anterior con el objeto de reducir el impacto económico de la suspensión de actividades producto del COVID-19.

Al mes de mayo de 2020, han sido 15 las municipalidades que han otorgado beneficios a sus contribuyentes, dentro de los cuales podemos mencionar los siguientes:

MUNICIPIO	PERÍODO AÑO 2020	BENEFICIO CONCEDIDO / FUENTE
Girardot del estado Aragua	febrero y marzo	Prórroga hasta el 30 de abril de 2020 para la presentación de la declaración anticipada mensual de ingresos brutos, y el pago del ISAE.
		Gaceta Municipal N° 146 del 18 de marzo de 2020, Resolución N° 0001-STM-2020, dictada por el Sistema de Administración Tributaria Municipal (SATRIM).
Caroní del estado Bolívar	marzo	No se maneja información respecto a cuál impuesto municipal aplica la prórroga concedida hasta el 24 de abril de 2020.
		Publicación efectuada mediante un aviso por parte del Alcalde del Municipio.

---

[20] Publicado en Gaceta Oficial N° 6.523 Extraordinario, de fecha 2 de abril de 2020.

Continuación cuadro...

Guacara del estado Carabobo	febrero	Prórroga hasta el 25 de marzo de 2020, para el pago de la declaración de ISAE. Decreto 034-2020.
Puerto Cabello del estado Carabobo	febrero	No se maneja información respecto a cuál impuesto municipal aplica la prórroga concedida hasta el 31 de marzo de 2020. Decreto 006-2020.
San Diego del estado Carabobo	marzo	No se detalla a cuál impuesto municipal aplica la prórroga concedida hasta el 30 de abril de 2020. Publicado el 16 de marzo de 2020 en la cuenta oficial de Twitter del Alcalde del Municipio, León Jurado (con retweet en la cuenta oficial de Twitter de la Alcaldía). No se menciona el N° del Decreto, ni Gaceta Municipal.
Valencia del estado Carabobo	febrero	Prórroga para declaración y pago concedida hasta el 31 de marzo de 2020. Se exime a los contribuyentes de la imposición de la sanción establecida en el art. 93 de la Reforma Parcial de la Ordenanza del ISAE, publicada en Gaceta Municipal N° 19/7303. Decreto N° DA/0084/2020 de fecha 19 de marzo de 2020, publicado en la Gaceta Municipal N° 20/7568 Extraordinario de fecha 13 de marzo de 2020.
Libertador del Distrito Capital	febrero y abril	• Gaceta Municipal N° 4546 de fecha 30 de marzo de 2020, fue publicado el Decreto **N° 005-2020.** Prórroga para la declaración y pago ISAE hasta el 13 de abril de 2020. Cuando las circunstancias lo ameriten, se podrá prorrogar la vigencia del Decreto. • Gaceta Municipal N° 4566-1, de fecha 29 de mayo de 2020, fue publicado el **Decreto N° 007-2020.** Prórroga del lapso para la declaración y pago del ISAE para el período fiscal comprendido entre 01/04/2020 al 30/04/2020, cuya declaración y pago podrá realizarse hasta el 5 de junio de 2020.
Iribarren del estado Lara	febrero	No se detalla a cuál impuesto municipal aplica la prórroga concedida hasta 31 de marzo de 2020. Publicado en la cuenta Twitter del Instituto de la Vivienda del Municipio. No se menciona el N° del Decreto, ni Gaceta Municipal.

Continuación cuadro...

Chacao del estado Miranda	febrero	Prórroga para la declaración y pago concedida hasta el 15 de abril de 2020 para el ISAE, Impuesto de Inmuebles Urbanos e Impuesto sobre Vehículos. Decreto N° 015-2020, publicado en la Gaceta Municipal del Municipio Chacao N° 1989 Ordinario, de fecha 16 de marzo de 2020. En caso de que las circunstancias lo ameriten, el plazo establecido en el Decreto podrá ser extendido
Zamora del estado Miranda	enero, febrero y marzo	Decreto N° 006/2020 de fecha de marzo de 2020, a través del cual se establecen los siguientes beneficios fiscales, de forma transitoria: • A las personas naturales y jurídicas que hayan declarado sus impuestos correspondientes a los meses de enero, febrero y marzo, o los correspondientes al mes de marzo 2020, y aún no han efectuado el pago de éstos, se les condona las multas generadas por tal omisión, siempre que procedan con el pago antes del 31 de marzo de 2020. • Se reduce la multa por concepto de omisión de declaración y pago de impuestos, en el periodo establecido por las Ordenanzas correspondientes, al 10% del tributo omitido, siempre que presenten la declaración vía internet y procedan al pago antes del 31 de marzo de 2020. • Incentivo adicional de descuento del 20% del impuesto a pagar correspondiente al mes de marzo, a todas las personas naturales y jurídicas, siempre que declaren y paguen los ingresos brutos del mes de marzo pagaderas en el mes de abril, antes del 7 de abril de 2020. El descuento del 20% prevalecerá hasta la declaración y pago de los ingresos brutos correspondientes al mes de abril de 2020, pagaderos en el mes de mayo de 2020, en los lapsos establecidos en las Ordenanzas para tal fin.
Maneiro del estado Nueva Esparta	marzo	Decreto N° 06. No se maneja el N° de Gaceta Municipal, ni la fecha del Decreto. • Los sujetos pasivos que efectúen su declaración de ISAE correspondiente al mes de marzo 2020 dentro del 01/04/2020 y 31/04/2020 pagarán el mínimo tributable por concepto del referido impuesto, adicionalmente no les será aplicada multa o recargo alguno. • Las panaderías, mercados y farmacias, así como los comercios que por la actividad desarrollada deban permanecer abiertos, no disfrutarán del mencionado beneficio.

Continuación cuadro...

Cabimas del estado Zulia	febrero	Desde el inicio de la cuarentena en fecha 16/03/2020 y hasta su finalización, no habrá lugar a la imposición de multas, ni cobro de intereses de mora. Publicación efectuada mediante un aviso por parte la Dirección de Hacienda del Municipio.
San Francisco del estado Zulia	febrero	La municipalidad no impondrá sanciones, ni cobrará intereses de mora. Publicación efectuada a través de un aviso por parte de las autoridades del Municipio.
Lagunillas del estado Zulia	febrero	Resolución N° 2003-202. No se maneja el N° de Gaceta Municipal, ni la fecha del Decreto. No se maneja información respecto a cuál impuesto municipal aplica la prórroga concedida hasta el 31 de marzo de 2020.

IV) POSTURAS DE PARTE DEL FORO TRIBUTARIO VENEZOLANO SOBRE EL CUMPLIMIENTO DE DEBERES TRIBUTARIOS EN VIRTUD DEL COVID-19

Como se ha indicado, el COVID-19 ha generado crisis a nivel mundial, no sólo en el ámbito de la salud, sino en el social, político y económico de los Estados afectados por la enfermedad. La materia tributaria no ha sido la excepción, las medidas de distanciamiento social y la suspensión de actividades laborales -privadas y públicas- ha traído como consecuencia que no pocos contribuyentes hayan estado imposibilitados de cumplir con sus deberes tributarios, todo lo cual se ha convertido en una verdadera polémica, al no existir en Venezuela flexibilización de cumplimiento de obligaciones tributarias, más allá de las indicadas en el epígrafe anterior.

En el caso venezolano, como hemos indicado, se agregan diversos elementos que hacen que la situación mucho más compleja de manejar que en ciertos países del resto del mundo. Entre los cuales encontramos la escasez de la gasolina, problemática que se ha convertido en un hecho público, notorio y comunicacional, limitándose la circulación de la ciudadanía al mínimo; lo anterior ha sido reconocido no sólo por los medios de comunicación -oficialistas y opositores-, sino también por las autoridades nacionales[21], denotándose así la

---

[21] Para diversos reportes sobre la problemática de gasolina en Venezuela, entre otros, vid. "*Venezuela sufre escasez de gasolina en medio de la crisis de covid-19*", consultado en: https://cnnespanol.cnn.com/video/coronavirus-escasez-gasolina-venezuela-osmary-hernandez-pkg/; "*Además del coronavirus, Venezuela enfrenta otra crisis: la escasez de gasolina*" consultado en: https://cnnespanol.cnn.com/video/escasez-de-gasolina-en-venezuela-coronavirus-pkg-perez-valery/; "*Estaciones de servicio en Venezuela, bajo resguardo militar*", consultado en: https://cnnespanol.cnn.com/video/cuarentena-venezuela-coronavirus-gasolina-reservada-maduro-pkg-her-

grave crisis que afecta a la empresa petrolera nacional Petróleos de Venezuela, S.A. (PDVSA), a lo que se han unido las sanciones internacionales impuestas a partir del año 2019 por parte de los Estados Unidos de América. Añadiéndose así a la vida nacional un conflicto más con el que lidiar, en adición al de la pandemia.

Todo lo antes expuesto ha provocado que un sector de la doctrina tributaria venezolana se haya pronunciado respecto al cumplimiento de los deberes tributarios por parte de los contribuyentes y responsables en el tiempo que dure el estado de alarma decretado por el Ejecutivo Nacional; así las cosas, a continuación desarrollaremos las diversas consideraciones que han sido expuestas por parte de los miembros del foro fiscal venezolano, respecto al cumplimiento de este tipo de deberes con ocasión del COVID-19.

A) Suspensión de los procedimientos administrativos mientras dure el Estado de Alarma, de conformidad con la disposición final sexta del decreto de alarma

Parte del foro tributario venezolano han sostenido que, con la publicación del decreto de alarma y con fundamento en lo establecido en su disposición final sexta -respecto a la suspensión o interrupción de los procedimientos administrativos-, como consecuencia de las medidas de suspensión de actividades o las restricciones a la circulación dictadas con ocasión a la pandemia, deben entenderse suspendidos -de pleno derecho y con efectos generales- los plazos relativos a autodeterminación, autoliquidación y pago de tributos, así como los procedimientos de primer y segundo grado -entendiéndose éstos como una especie del género *procedimiento administrativo*-, hasta tanto cese el estado de alarma.

La referida disposición final sexta del decreto de estado de alarma es del tenor literal siguiente:

> *"SEXTA. La suspensión o interrupción de un procedimiento administrativo como consecuencia de las medidas de suspensión de actividades o las restricciones a la circulación que fueren dictadas no podrá ser considerada causa imputable al interesado, pero tampoco podrá ser invocada como mora o retardo en el cumplimiento de las obligaciones de la administración pública. En todo caso, una vez cesada la suspensión o restricción, la administración deberá reanudar inmediatamente el procedimiento"* (destacado y subrayado agregados).

---

nandez/; *"Cuarentena en Venezuela: ¿Confinamiento obligado por escasez de gasolina?"*, consultado en: https://www.elnuevoherald.com/noticias/mundo/america-latina/venezuela-es/article242758041.html; *"¿Cómo se resuelve la escasez de gasolina en Venezuela?"*, consultado en: https://contrapunto.com/economia/petroleo/como-se-resuelve-el-abastecimiento-de-gasolina/; *"¿Qué afecta el suministro de combustible en Venezuela?"*, consultado en: https://www.telesurtv.net/news/venezuela-suministro-combustible-medidas-coercitivas-eeuu-20200522-0046.html

Sobre esta tesis en particular se ha pronunciado el Doctor Humberto Romero-Muci, quien el 22 de marzo de 2020 señaló mediante su cuenta de Twitter[22] que, con fundamento en lo establecido en la referida disposición final sexta del decreto de alarma, se reconoce -en cumplimiento de la garantía al debido proceso cuando nos encontramos ante una situación de Estado de Excepción[23]- la suspensión de actividades y la restricción de circulación como un supuesto de "causa extraña no imputable" al cumplimiento -por parte de los particulares y la administración- de obligaciones en los procedimientos administrativos.

En palabras textuales de Romero-Muci: *"Si la circunstancia de fuerza mayor reconocida erga omnes justifica la demora del cumplimiento de obligaciones, entonces, con mayor razón, de mayor a menor, erga omnes los plazos de cumplimento de esas obligaciones son también inexigibles o lo que es igual, están suspendidos. Tan sencillo como que lo que no se puede, no se debe."*

En análogo orden de ideas, se ha pronunciado el autor Eduardo Meier al señalar que la referida disposición final sexta del de estado de alarma *"suspende o paraliza con efectos inmediatos ope legis y frente a todos (erga omnes) los procedimientos de autodeterminación, autoliquidación y pago de los tributos, así como los procedimientos de primer y segundo grado desde el 13 de marzo de 2020 y hasta que se cumpla la vigencia de 30 días de Decreto de Estado de Alarma o su prórroga, dentro de los cuales incluye, a su consideración, el Impuesto Sobre la Renta (ISR) el IVA y cualquier otro tributo nacional, estadal, municipal o parafiscal"*[24].

En la misma línea, Fraga Pittaluga y Tagliaferro[25] han manifestado su conformidad -parcial- con la posición asumida por los autores Romero-Muci y Meier, respecto a que por ser el procedimiento de determinación de obligación tributaria una especie del género procedimiento administrativo, resulta evidente que, habiéndose declarado la suspensión de actividades, aquéllos estarán suspendidos también.

En donde no concuerdan los autores previamente mencionados es en el tiempo de vigencia y obligatoriedad del decreto de alarma, según exponen, no están *"de acuerdo cuando se afirma que dicha suspensión se produjo 'desde el 13 de marzo de 2020' o, 'desde la fecha de publicación del Decreto 4.160 hasta su terminación'"* y son de la posición que la vigencia y obligatoriedad de las medidas de

---

[22] Tweet publicado el 22 de marzo de 2020, en la cuenta @hromeromuci. Consultado en: https://twitter.com/hromeromuci/status/1241868587071045632

[23] Ley Orgánica de Estados de Excepción, publicada en la Gaceta Oficial N° 37.261 del 15 de agosto de 2001: *"No podrán ser restringidas, de conformidad con lo establecido en los artículos 339 de la Constitución de la República Bolivariana de Venezuela, 4, 2 del Pacto Internacional de Derechos Civiles y Políticos y 27, 2 de la Convención Americana sobre Derechos Humanos, las garantías de los derechos a:// 11. El debido proceso."* // Artículo 339 de la CRBV. Ibid. p. 3.

[24] MEIER GARCÍA, Eduardo. *"Breves notas sobre la situación de los procedimientos tributarios ante la declaratoria de estado de alarma (COVID-19)"*. Consultado en: http://fragapittaluga.com.ve/fraga/index.php/component/k2/item/23-breves-notas-sobre-la-situacion-de-los-procedimientos-tributarios-ante-la-declaratoria-de-estado-de-alarma-covid-19

[25] FRAGA PITTALUGA, Luis y TAGLIAFERRO, Andrés. ob. cit. p. 10.

suspensión de actividades o restricción de circulación se producirán cuando sean decretadas por el Ejecutivo Nacional y publicadas en la Gaceta Oficial, y *"será a partir de ese momento que se entiendan suspendidos los lapsos de los procedimientos administrativos que se encontraren en curso, así como la obligación de determinar y pagar los tributos, dentro del ámbito geográfico y temporal que determine dicho Decreto."*

B) APLICACIÓN DE LO DISPUESTO EN LOS ARTÍCULOS 10 Y 162 DEL CÓDIGO ORGÁNICO TRIBUTARIO[26]

A la par de la tesis anteriormente desarrollada, ésta posición sostenida principalmente por Serviliano Abache Carvajal[27] parte de la premisa de que por mandato expreso del artículo 162 del Código Orgánico Tributario[28], en concordancia con el artículo 10 *eiusdem*, el sujeto pasivo de la relación jurídico-tributaria tiene el derecho de que las actuaciones determinativas de la Administración Tributaria se efectúen exclusivamente en días y horas hábiles, lo mismo ocurre con las actuaciones que los contribuyentes o responsables deban realizar ante la autoridad fiscal. De tal manera que, en estricto apego a lo dispuesto en las referidas normas, mal podría la Administración o el administrado llevar a cabo una actuación en día y hora inhábil.

Así, en su artículo *"COVID-19 y determinación tributaria"* Abache Carvajal ha efectuado un útil y detallado análisis sobre este particular, comenzando por repasar los aspectos teóricos de la *determinación de la obligación tributaria*[29], sus modalidades (autodeterminación o por el sujeto pasivo, mixta o por ambos sujetos, oficiosa o por el sujeto activo y finalmente, judicial o por el órgano jurisdiccional), siguiendo con el estudio del ya referido derecho del contribuyente a que toda actuación determinativa se realice en días y horas hábiles, con especial enfoque en los ya mencionados artículos 10 y 162 del Código Orgánico Tributario, el Decreto de estado de alarma y la Circular N° SIB-DSB-CJ-OD-02315 de la SUDEBAN.

---

[26] Decreto "Constituyente" publicado en la Gaceta Oficial Extraordinario N° 6.507 del 29 de enero de 2020.

[27] ABACHE CARVAJAL, Serviliano. *"COVID-19 y determinación tributaria".* En *Estudios Jurídicos sobre la Pandemia del COVID-19.* Academia de Ciencias Políticas y Sociales. Editorial Jurídica Venezolana. Caracas, 2020.

[28] Artículo 162 del Código Orgánico Tributario: *"**Las actuaciones de la Administración Tributaria y las que se realicen ante ella, deberán practicarse en días y horas hábiles**, sin perjuicio de las habilitaciones que autorice la Administración Tributaria de conformidad con las leyes y reglamentos"* (destacado agregado).

[29] Sobre la definición de determinación tributaria *vid.* VAN DER VELDE HEDDERICH, Ilse, *"In Memoriam Ilse van der Velde Hedderich"* (compilado y adaptado por Alejandro RAMÍREZ VAN DER VELDE), Asociación Venezolana de Derecho Tributario, Caracas, 2001, p. 6., donde afirma que *"debemos aplicar el vocablo determinación para identificar a esa operación mediante la cual se busca precisar la existencia, o inexistencia, de la obligación tributaria, en cada caso en particular, con todos los elementos referidos al sujeto activo, al sujeto pasivo, a la base imponible, al monto de la deuda tributaria o liberación de ésta".*

En este sentido, con ocasión al estado de alarma decretado y como medida adoptada por el estado venezolano ante el COVID-19, el 15 de marzo de 2020 la Superintendencia de las Instituciones del Sector Bancario (SUDEBAN), dictó la Circular N° SIB-DSB-CJ-OD-02415[30] informando a las instituciones bancarias que a partir del 16 de marzo de 2020 quedaban suspendidas todas las actividades que impliquen la atención directa de clientes en agencias, taquillas y oficinas[31].

Como consecuencia de la Circular N° SIB-DSB-CJ-OD-02415 y basándose en el contenido de los artículos 10 y 162 del vigente Código Orgánico Tributario, Abache Carvajal ha considerado que (i) el vencimiento de los plazos y términos -incluyendo los establecidos en días- de los *procedimientos de autodeterminación (declaración y liquidación de impuestos)* están prorrogados de forma automática desde el 15 de marzo de 2020 -fecha en que fue dictada la circular-, hasta que la medida de suspensión excepcional de actividades anunciada por la SUDEBAN pierda su vigencia y aplicabilidad y; (ii) el vencimiento de plazos y términos de los *procedimientos de determinación mixta y de oficio -a saber, fiscalizaciones y verificaciones-, y de determinación recursivos -recurso jerárquico-*, están prorrogados de forma automática hasta el día hábil siguiente, mientras las oficinas administrativas se encuentren sin prestar atención al público.

Por su parte, en su artículo de opinión intitulado *"Algunas reflexiones en torno al cumplimiento de las obligaciones tributarias en el contexto del COVID-19"*, la autora Rosa Caballero Perdomo ha coincidido con el análisis de Abache Carvajal respecto al artículo 10 del Código Orgánico Tributario señalando que *"(...) la Circular N° SIB-DSB-C-J-OD02415, emitida por la Superintendencia de las Instituciones del Sector Bancario (SUDEBAN), de fecha 15 de marzo de 2020, de especial relevancia a nuestros efectos, por cuanto suspende excepcionalmente todas las actividades que impliquen atención directa a los clientes y usuarios a través de la red de agencias, taquillas, oficinas y sedes administrativas en todo el país, lineamiento que, concatenado con el Parágrafo Único del artículo 10 del COT, nos permite*

---

[30] Circular N° SIB-DSB-CJ-OD-02415, denominada «*Continuidad del servicio bancario en línea durante el estado de alarma*», 15 de marzo de 2020, consultada en https://twitter.com/SudebanInforma/status/1239288994061586437?s=20

[31] La Circular N° SIB-DSB-CJ-OD-02415 dispone textualmente lo siguiente "(...) *estarán excepcionalmente suspendidas todas las actividades que impliquen atención directa a los clientes, usuarios y usuarias y el público en general a través de su red de agencias, taquillas, oficinas y sedes administrativas en todo el país.* Asimismo, deberán garantizarse la asistencia del personal mínimo requerido para el funcionamiento y uso óptimo de los cajeros automáticos, **banca por internet, medios de pagos electrónicos, tales como Pago Móvil Interbancario (P2P, P2C, C2P), Transferencias, Puntos de Venta y cualquier otra modalidad de servicios bancarios en línea considerados en los respectivos planes de prestación de servicios para días no laborables,** todo ello, *en atención a la naturaleza de servicio público de las actividades que prestan, bajo la estricta observancia de las medidas preventivas instruidas por el Ejecutivo Nacional y la Organización Mundial de la Salud* (O.M.S). **La presente medida mantendrá su rigor hasta tanto este Ente Rector modifique los términos de la presente Circular"** (destacado agregado).

afirmar que estamos ante días inhábiles a los efectos de la declaración y pago de las obligaciones tributarias"[32] (destacado agregado).

Señala Abache Carvajal que el artículo 162 del Código Orgánico Tributario, primeramente guía la conducta tanto de la Administración Tributaria como del contribuyente -y responsable-, estableciendo la obligación para la primera de realizar sus actuaciones (fiscalizadoras, de comprobación, determinativas, recaudatorias, entre otras) y atender las que efectúen los particulares ante ella, únicamente en días y horas hábiles, haciendo énfasis en que la actividad por excelencia de la Administración Tributaria es la determinativa; y en segundo lugar, la norma establece que los sujetos pasivos (contribuyentes y responsables) tienen el derecho subjetivo a no comparecer o recibir, ni realizar, dichas actuaciones en días y horas inhábiles.

Coincidimos con lo expuesto por Abache Carvajal cuando indica que si el sujeto pasivo tiene el derecho a que la determinación tributaria efectuada por la Administración se haga en días y horas hábiles, el mismo sujeto tiene correlativamente el derecho a realizar sus propias autodeterminaciones en dichos días y horas hábiles, no estando así obligado a realizarlas en días y horas inhábiles.

No obstante lo anterior, y a pesar del mandato de suspensión de actividades por razones de seguridad y salud pública -en agencias, taquillas y oficinas- que impliquen la atención directa de clientes, claramente establecido por la SUDEBAN[33], mediante la cuenta Twitter de la Administración Tributaria se informó a los sujetos pasivos la habilitación de ciertas agencias -no especificadas por ésta- para efectuar el cumplimiento de sus obligaciones tributarias; todo lo cual, consideramos, constituye una clara vulneración de lo dispuesto en la Circular emanada de la SUDEBAN y que puede ser entendida como una vía de hecho por parte de la Administración, siendo una acción material emprendida por la Administración Tributaria para efectuar el cobro de tributos, desconociendo lo ordenado por el ente rector de la actividad bancaria nacional.

La apertura de unas pocas agencias administrativas no sólo vulnera el mandato de la SUDEBAN -la cual no dispone en su texto excepción alguna al cierre de agencias, oficinas y taquillas, por el contrario, comprende la totalidad de éstas- sino que además pone al sujeto pasivo de la relación jurídico-tributaria en una condición de desigualdad, pretendiendo colocar en cabeza de éste el cumplimiento de deberes que son ajenos a la propia obligación tributaria, como lo sería el recorrer, agencia por agencia, con el objeto de verificar aquélla

---

[32] CABALLERO PERDOMO, Rosa. *"Algunas reflexiones en torno al cumplimiento de las obligaciones tributarias en el contexto del COVID-19"*. Publicado en marzo de 2020, en el *Blog Derecho y Sociedad*, consultado en http://www.derysoc.com/especial-nro-3/algunas-reflexiones-en-torno-al-cumplimiento-de-las-obligaciones-tributarias-en-el-contexto-del-covid-19/

[33] Como ente regulador del sector bancario encargada de autorizar, supervisar, inspeccionar, controlar y regular el ejercicio de la actividad que realizan las instituciones que conforman el referido sector.

que se encuentre operativa para la recaudación de fondos públicos, lo anterior aunado a la situación de escasez de la gasolina, a la que nos hemos referido previamente y que se erige -insistimos- como un hecho público, notorio y comunicacional en la actualidad venezolana.

De tal manera que, mal podría la Administración Tributaria pretender que (i) el contribuyente (y responsable) con su actuación ponga en riesgo su *salud* -derecho fundamental, que debe ser garantizado por el Estado venezolano como parte del derecho a la vida, por mandato expreso del artículo 83 de la CRBV- e inclusive su *vida* -derecho inviolable, de conformidad con el artículo 43 de la CRBV- y la de las de los funcionarios y particulares que acudan a las oficinas[34], en franca violación a lo establecido en el artículo 5 del decreto de alarma[35] respecto al obligatorio cumplimiento de las disposiciones del mismo y; (ii) vaya en detrimento del mandato contenido en el artículo 162 del Código Orgánico Tributario y la orden impartida por la SUDEBAN a todas las instituciones bancarias, efectuando la autodeterminación tributaria en días y horas inhábiles, estando obligados a hacerlo -insistimos- sólo en días y horas hábiles.

Por otra parte, contestes con el análisis realizado por Abache Carvajal, se tiene que a la par del artículo 162 encontramos al artículo 10 del Código Orgánico Tributario, disposición que hace referencia a la manera en que deben computarse los plazos y términos legales, sea que se establezcan en años, meses o días hábiles. A nuestros efectos reviste importancia lo dispuesto en el ordinal 3º de la norma en cuestión, la cual expresa que *"en todos los casos los términos y plazos que vencieran en día inhábil para la Administración Tributaria, se entienden prorrogados hasta el primer día hábil siguiente"*, y en su parágrafo único define lo que debe entenderse por días inhábiles, en los términos que citaremos de seguidas[36]:

*"Parágrafo Único. Se consideran **inhábiles** tanto los días declarados feriados conforme a disposiciones legales, como aquellos en los cuales la respectiva oficina administrativa no hubiere estado abierta al público, lo que deberá comprobar el contribuyente o responsable por los medios que determine la ley. **Igualmente se consideran inhábiles, a los solos efectos de la declaración y pago de las obligaciones tributarias, los días en que las instituciones financieras***

---

[34] CABALLERO, Rosa, ob. cit, indicó: *"De manera que, no podemos concebir que dentro de este Estado de Alarma y ante la suspensión general, tanto de los plazos en los procedimientos, como de actividades y restricción a la libre circulación, se pretenda que el contribuyente ordene los medios que sean necesarios para cumplir con sus obligaciones tributarias, tal como lo haría en condiciones normales o que, definitivamente lo haga, pero poniendo en riesgo su vida o su salud, o bien la de sus empleados, en caso de tratarse de una persona jurídica que requiera de la asistencia de su departamento de contabilidad para la elaboración de sus declaraciones y pagos de tributos".*

[35] Artículo 5 del Decreto de Alarma: *"Las personas naturales, así como las personas jurídicas privadas, están en la obligación de cumplir lo dispuesto en este Decreto y serán individualmente responsables cuando su incumplimiento ponga en riesgo la salud de la ciudadanía o la cabal ejecución de las disposiciones de este Decreto. Éstas deberán prestar su concurso cuando, por razones de urgencia, sea requerido por las autoridades competentes"*

[36] *Cf.* ABACHE CARVAJAL, Serviliano. ob cit. p. 489 y s.

autorizadas para actuar como oficinas receptoras de fondos nacionales no estuvieren abiertas al público, conforme lo determine su calendario anual de actividades" (destacado agregado).

Así pues, consideramos que resulta correcto concluir que en tanto la SU-DEBAN ha ordenado la suspensión de la totalidad de la actividad bancaria presencial sin excepciones[37], y que los días transcurridos con la banca cerrada constituyen días no hábiles en los términos dispuestos en el previamente citado artículo 10 del Código Orgánico Tributario, los sujetos pasivos de la relación jurídico tributaria no estarían obligados a efectuar su autodeterminación y pago de tributos, sino hasta el primer día hábil siguiente a que sea levantada la medida tomada por la SUDEBAN.

Conforme lo antes expuesto entonces tendríamos que, desde que fue decretado el estado de alarma y la emisión de la Circular N° SIB-DSB-CJ-OD-02315 de la SUDEBAN, en fecha 15 de marzo de 2020:

(i) El vencimiento de los plazos y términos (incluyendo los establecidos en días) de distintos *procedimientos de determinación (mixta, de oficio, recursivos)* están prorrogados hasta el primer día hábil siguiente a que la oficina administrativa correspondiente reanude la atención al público de forma regular, y;

(ii) El vencimiento de los plazos y términos (incluyendo los establecidos en días) de los *procedimientos de autodeterminación (declaración y liquidación de impuestos)* se encuentran prorrogados desde la fecha en fue dictada la Circular N° SIB-DSB-CJ-OD-02315 (15 de marzo de 2020) hasta el primer día hábil siguiente a que las instituciones financieras presten atención al público por haberse levantado la medida de suspensión excepcional de actividades bancarias ordenada por la SU-DEBAN[38].

Así pues, de conformidad con esta tesis, lo expuesto previamente -respecto a la prórroga de los procedimientos de determinación- trae como consecuencia, igualmente, la no causación de *intereses de mora,* así como la imposibilidad de aplicar *sanciones* a los sujetos pasivos de la relación jurídico-tributaria, al no existir falta o retardo en el cumplimiento de las obligaciones tributarias[39].

---

[37] A nuestros efectos carecen de importancia los *servicios prestados por las instituciones bancarias de forma electrónica,* debido a que, por tratarse de servicios prestados inclusive en días feriados o no laborables, equivaldría a sostener que son prestados en días inhábiles. Coincidimos con Abache Carvajal al considerar que los referidos servicios prestados electrónicamente no pueden ser equiparados a oficinas receptoras de fondos nacionales con atención al público -no hay normativa legal o reglamentaria que así lo establezca-, y en consecuencia pretender sostener lo contrario constituiría un proceder que en forma alguna puede ser vinculante en el proceder del contribuyente en materia determinativa de tributos. Adicionalmente, es relevante indicar que no existe normativa legal que obligue a los contribuyentes a efectuar la liquidación de tributos de forma electrónica y no bajo los medios regulares.

[38] Cf. *Ibidem,* p. 507.

[39] Cf. *Ibidem,* p. 508.

Ahora bien, con ocasión a la alocución del día 30 de mayo de 2020 por parte de los voceros del Ejecutivo Nacional, mediante la cual se anunció la flexibilización de suspensión de actividades de ciertos sectores productivos del país a partir del día 1° de junio de 2020[40] -bajo la modalidad de 5 días laborables por 10 días de cuarentena (5x10)-, dónde se encuentra incluido el sector bancario, la SUDEBAN dictó *Circular N° SIB-DSB-CJ-OD-02793* del 31 de mayo de 2020, que regula la *"continuidad del servicio bancario durante el estado de alarma y flexibilización de la cuarentena"*[41].

Ante esta nueva Circular N° SIB-DSB-CJ-OD-02793 emanada de la SUDEBAN se hace necesario indicar que a efectos prácticos, mientras dure la flexibilización bajo la modalidad de 5x10[42]. todo lo expuesto en el presente capítulo resultará aplicable de la siguiente manera: (i) en el *caso de personas naturales*, al período comprendido entre el 15 de marzo de 2020 y el día en que, según número de cédula y agencia bancaria abierta, puedan acudir a la institución financiera correspondiente[43] y; (ii) en el *caso de personas jurídicas* del 15 de marzo de 2020 al 4 de junio de 2020 (ambos inclusive), y finalmente; (iii) al período de 10 días de cuarentena social obligatoria establecido según el decreto de flexibilización.

No obstante y sin perjuicio de lo antes expuesto, en alocución del 5 de junio de 2020 por parte de los voceros del Ejecutivo Nacional, fue ajustada nuevamente la medida de flexibilización referida previamente, pasando a ser de 5 días laborables y 10 de cuarentena (5x10), a 7 días laborables y 7 días de cua-

---

[40] Para más detalles de las medidas de flexibilización que comenzarán a aplicarse a partir del 1° de junio de 2020, *vid.*, entres otros: *"Conozca cómo se aplicará la flexibilización de la cuarentena a partir del #1Jun"*, consultado en: https://efectococuyo.com/coronavirus/conozca-como-se-aplicara-la-flexibilizacion-de-la-cuarentena-a-partir-del-1jun/; *"Nicolás Maduro presenta el 'Plan de Medidas de Flexibilización de la Cuarentena Nacional'"*, consultado en: https://www.finanzas-digital.com/2020/05/nicolas-maduro-presenta-el-plan-de-medidas-de-flexibilizacion-de-la-cuarentena-nacional/; *"Maduro anuncia que se aplicarán 5 días de flexibilización y 10 de cuarentena a partir del lunes"* consultado en: https://www.elnacional.com/venezuela/maduro-anuncia-que-se-aplicaran-5-dias-de-flexibilizacion-y-10-de-cuarentena-a-partir-del-lunes/

[41] El cual comenzará a operar con un horario de 9:00 a.m. a 1:00 p.m. Señala también la Circular N° SIB-DSB-CJ-OD-02793 del 31 de mayo de 2020 que la atención directa del público en general deberá observar estrictamente las medidas preventivas instruidas por el Ejecutivo Nacional y la Organización Mundial de la Salud (O.M.S), incluyendo el uso obligatorio de tapabocas o mascarillas, tanto para el personal de esa Institución como para el público, el distanciamiento social de al menos un metro (1m) entre usuarios, así como, la toma de temperatura, aplicación de antibacterial previo al ingreso a la Institución y la desinfección periódica de las instalaciones.

[42] Durante los 5 días laborables (del lunes 1/6/2020 al viernes 5/6/2020) y los 10 días de cuarentena (del 6/6/2020 al 14/6/2020).

[43] Debe tomarse en consideración que la Circular N° SIB-DSB-CJ-OD-02793 señala que la asistencia a las agencias bancarias se organizará conforme el terminal del número de cédula para personas naturales; y en lo que respecta a las gestiones de las personas jurídicas, se efectuarán los viernes. Adicionalmente, la red de agencias bancarias laborará conforme a un cronograma de distribución semanal, lo que significa que, según listado dispuesto en la Circular, las agencias de unos bancos están autorizadas para abrir los lunes y miércoles, y las agencias de otros bancos podrán abrir al público los martes y jueves. Los viernes operarán todas las agencias bancarias, para atender exclusivamente a las personas jurídicas.

rentena (7x7), de tal manera que el 7 de junio de 2020 fue dictada nueva *Circular N° SIB-DSB-CJ-OD-02831* por parte de la SUDEBAN, cuyas disposiciones mantienen los mismos términos de la Circular N° SIB-DSB-CJ-OD-02793 del 31 de mayo de 2020, modificando sólo los días laborables y los de cuarentena.

De tal manera que, como corolario de ésta última Circular N° SIB-DSB-CJ-OD-02831 del 7 de junio de 2020, consideramos oportuno señalar que el análisis anterior resultará aplicable a efectos prácticos y mientras dure la flexibilización bajo la modalidad de 7x7 de la siguiente forma: (i) en el caso de *personas naturales*, a los días en los cuales -a pesar de estar abiertas las agencias bancarias de ciertos bancos- de conformidad con lo señalado en la Circular, no les corresponda acudir a la institución financiera de que se trate, según el número de cédula[44] y; (ii) en el caso de *personas jurídicas* el período que va de lunes a jueves de cada semana laborable, según el cronograma de flexibilización; (iii) al período de 7 días de cuarentena social obligatoria establecido según el decreto de flexibilización.

El análisis realizado en los párrafos previos se ha efectuado partiendo de la premisa de que a pesar de estar abiertas las instituciones bancarias con atención a cierto público -conforme las restricciones por número del cédula y tipo de persona, sea jurídica o natural-, aquellos días en los cuales las personas -del tipo de que se trate- no estén autorizados para acudir a las instituciones financieras receptoras de fondos públicos, deben entenderse como días en los cuales -a efecto de dichas personas no autorizadas- las agencias bancarias no están prestando atención al público. Lo anterior como corolario de que, si no están autorizados a acudir a dichas agencias, es como si las mismas estuviesen cerradas para ellos.

Ahora bien, las anteriores posiciones van dirigidas a justificar el retardo en el cumplimiento tempestivo del tributo debido -obligación tributaria principal- a la Administración Tributaria por parte del sujeto pasivo de la relación jurídico-tributaria; no obstante, en materia fiscal, el incumplimiento de deberes formales o materiales acarrea (i) imposición de sanciones por parte del órgano exactor, en tanto y en cuanto nos encontremos en presencia de una acción u omisión, típica, antijurídica y culpable (ATAC)[45]; así como (ii) causación de intereses moratorios, a los fines de resarcir el daño que ha generado el cumplimiento tardío de la obligación.

---

[44] No resultando aplicable -por argumento a contrario- a aquellos días en los cuales conforme al número de cédula les corresponda ser atendidos en las agencias de los bancos que tengan permitido prestar atención al público.

[45] Tal como sucede en el Derecho Penal ordinario, para la procedencia de sanciones el Derecho Penal Tributario exige cumplir con la totalidad de los elementos constitutivos de la infracción tributaria; lo que significa que es preciso encontrarnos ante la fórmula ATAC, es decir (i) una acción -u omisión- desplegada -o no- por el sujeto pasivo de la relación jurídico-tributaria; (ii) típica -principio de legalidad-, (iii) antijurídica; y (iv) culpable.

Ahora bien, en aquellos casos en los cuales se pretenda eximir al contribuyente o responsable de imposición de sanciones, el Código Orgánico Tributario ha previsto una serie supuestos en los cuales se les exime de responsabilidad por ilícitos tributarios, en el siguiente epígrafe nos encargaremos de analizar específicamente la causal de "causa extraña no imputable", reconocida por el legislador tributario en el ordinal 3º del artículo 85 del Código Orgánico Tributario.

c) CAUSA EXTRAÑA NO IMPUTABLE

Sin perjuicio de las posiciones antes desarrolladas, la cuales van dirigidas al cumplimiento de la obligación tributaria principal, ante la problemática del COVID-19 la posición predominante en la doctrina tributaria nacional respecto a la responsabilidad por ilícitos tributarios, es la de considerar que los contribuyentes o responsables se encuentran amparados por una eximente de responsabilidad debido la existencia de una *"causa extraña no imputable"*, figura regulada -como ya indicamos- en el artículo 85 del Código Orgánico Tributario, norma que es del tenor literal siguiente:

"Artículo 85. Son eximentes de la responsabilidad por ilícitos tributarios:

1.- La minoría de edad.

2. La discapacidad intelectual debidamente comprobada.

3. *El caso fortuito y la fuerza mayor.*

4. *El error de hecho y de derecho excusable.*"

De la norma citada se desprende que el legislador tributario ha considerado como eximente de responsabilidad por ilícitos tributarios a dos especies del género "causa extraña no imputable", como lo sería el caso fortuito y la fuerza mayor. Sin embargo, consideramos que a pesar de que el ordinal 3º del artículo 85 del Código Orgánico Tributario sólo menciona a dos tipos de causa extraña no imputable, existen otras que -como veremos más adelante- pueden incluirse dentro de estas eximentes de responsabilidad para los sujetos pasivos de la relación jurídico-tributaria, tales como el hecho del príncipe y el hecho de un tercero[46].

En materia tributaria la causa extraña no imputable tiene un tratamiento especial, no obstante, resultan aplicables normas y consideraciones de derecho común (según el artículo 17 del Código Orgánico Tributario, al que nos referiremos más adelante). De esta forma tenemos que en derecho civil se ha sostenido que nos encontramos ante una causa extraña no imputable cuando el deudor de una obligación -en nuestro caso tributaria- no ha cumplido con

---

[46] Somos de la postura de que los tipos -caso fortuito y fuerza mayor, hecho de un tercero, hecho del acreedor y hecho del príncipe- del género causa extraña no imputable no son contradictorios o excluyentes entre sí, por el contrario, pueden complementarse unos a otros.

su deber por causas o circunstancias que le son ajenas y que no son imputables éste, razón por la cual se le libera de responsabilidad por daños y perjuicios[47].

Esta causa extraña no imputable se caracteriza por encontrarse el deudor ante una imposibilidad absoluta -no imputable, sobrevenida, imprevisible e inevitable- de cumplir su obligación. El artículo 1.271 del Código Civil se refiere de forma genérica a la causa extraña que no es imputable al deudor, incluyendo a sus especies caso fortuito y fuerza mayor[48], a éstos se agrega -aunque no lo indique expresamente la norma- el hecho del príncipe, el hecho del tercero y el hecho del acreedor.

Siendo que la causa extraña no imputable trae consigo una serie de efectos[49], debe cumplir con determinadas condiciones para eximir de responsabilidad al deudor, a saber: (i) debe tratarse de un *hecho independiente o ajeno de la voluntad del deudor*, lo que significa que debe ser una circunstancia ajena a su conducta -dolosa o culposa-; (ii) debemos estar ante un *evento imprevisible e inevitable*, es decir, que no haya podido preverse o de haberse previsto, que no haya podido evitarse dentro de la lógica de un buen padre de familia[50]; (iii) debe producir la *imposibilidad absoluta de cumplir con la obligación*[51], consideramos importante señalar que en materia tributaria este requisito puede relajarse, como veremos de seguidas; (iv) *el deudor no puede haber incurrido en mora de forma culposa*, y; (v) finalmente debe existir *exterioridad*, que el evento sea ajeno al deudor, en caso de serle imputable, su responsabilidad se vería comprometida.

A nuestros efectos reviste importancia indicar que la imposibilidad no significa que el deudor esté en la obligación de vencer todo tipo de obstáculos para cumplir con su obligación, debe tratarse de un hecho que el deudor no pueda enfrentar. La doctrina civilista ha indicado que cuando no existe impo-

---

[47] Artículo 1271 del Código Civil: *"El deudor será condenado al pago de los daños y perjuicios, tanto por inejecución de la obligación como por retardo en la ejecución, si no prueba que la inejecución o el retardo provienen de una **causa extraña que no le sea imputable**, aunque de su parte no haya habido mala fe"* (destacado agregado).

[48] MADURO LUYANDO, Eloy y PITTIER SUCRE, Emilio. *"Curso de Obligaciones, derecho civil III"*. Tomo I. Universidad Católica Andrés Bello. Caracas, 2011. p 221. La doctrina predominante y la jurisprudencia en general, los considera como sinónimos de la causa extraña no imputable.

[49] *Ibidem*, p. 215. Los efectos generales de la causa extraña no imputable son los siguientes: 1° Desvirtúa la presunta culpa del acreedor o agente del daño o el vínculo de causalidad entre la conducta o hecho del agente y el daño sufrido por la víctima. 2° Establece un nuevo vínculo de causalidad entre el hecho constitutivo de la causa extraña no imputable y el daño. 3° Libera al agente de responsabilidad.

[50] DOMINGUEZ GUILLÉN, María Candelaria. *"Curso de derecho civil III – Obligaciones"*. Revista Venezolana de Legislación y Jurisprudencia. Carcas, 2017. p. 174. El artículo 1.270 del Código Civil, la diligencia que ha de considerarse a los efectos del cumplimiento de la obligación es la de un buen padre de familia.

[51] MADURO LUYANDO y PITTIER SUCRE, ob. cit. p. 217. No es suficiente que el cumplimiento o ejecución se haga sólo más difícil o más oneroso, sino que debe hacerse imposible, imposibilidad que no es la imposibilidad teórica sino una imposibilidad tomando en consideración criterios de la realidad, de lo que normalmente sucede.

sibilidad de cumplir con la obligación, sino por ejemplo dificultad excesiva, debe aplicarse la *teoría de la imprevisión*[52].

Sobre la referida teoría de la imprevisión señala Melich Orsini que *"'Dificultad' no es, sin embargo, lo mismo que 'imposibilidad', ni siquiera si tal dificultad por su carácter agudo llega a colocar al deudor en situación de verdadera "importancia", esto es, ante una 'imposibilidad subjetiva' (...). La imposibilidad relevante para los artículos 1271, 1272 y 1344 C.C. es la 'imposibilidad objetiva', aquella de la cual pueda predicarse que un buen padre de familia colocado en las mismas circunstancias externas no habría podido actuar de otro modo que como lo hizo el deudor"*[53].

Consideramos que la referida *teoría de la imprevisión* podría resultar aplicable en materia de obligaciones tributarias de conformidad con lo dispuesto en el artículo 17 del Código Orgánico Tributario[54], al no encontrarse regulada dicha figura en la normativa fiscal vigente.

De tal manera que, de conformidad con la *teoría de la imprevisión* -y sin perjuicio de todo lo expuesto previamente, respecto a que los sujetos pasivos de la relación jurídico-tributaria no se encuentran obligados a efectuar su autodeterminación y pago de tributos en tanto dure el estado de alarma, se encuentren cerradas al público las oficinas administrativas y las instituciones financieras por orden de la SUDEBAN-, *mutatis mutandi*, en el contexto actual con ocasión a la pandemia COVID-19 se tiene que mal podría pretender la Administración imponer sanciones a los contribuyentes y responsables, bajo el razonamiento de que -en el presente caso- no existe "imposibilidad absoluta" en el cumplimiento de la obligación, como consecuencia de que ciertas oficinas administrativas y agencias bancarias se encontraban abiertas al público.

Consideramos que por mandato del propio decreto de estado de alarma en su artículo 5 -y en cumplimiento de normas constitucionales-, así como la Circular emanada de la SUDEBAN, como corolario del COVID-19 los contribuyentes -y responsables- se encuentran ante una *"imposibilidad subjetiva"*, en el sentido de que cualquier padre de la familia -que se encuentre en la misma circunstancia- tendría como razonamiento lógico que la vida y la salud son bienes jurídicamente tutelados, y las acciones que se ejecuten deben tender siempre a su efectiva protección, razón por la cual, no están en la obligación de llevar a cabo actuaciones que puedan colocarlos en riesgo.

De tal manera que, a pesar de existir puntuales agencias de la administración y bancarias operativas -en franco detrimento de la normativa ampliamente referida en los epígrafes previos-, no resulta admisible exigir a los sujetos pasivos la relación jurídico-tributaria el cumplimiento de sus deberes tributarios

---

[52] *Ibidem*, p. 522.
[53] MELICH ORSINI, José. *"Doctrina general del contrato"*. Academia de Ciencias Políticas y Sociales. 5ta edición. Caracas, 2012. p. 437-438.
[54] Artículo 17 del Código Orgánico Tributario: En todo lo no previsto en este Título, la obligación tributaria se regirá por el derecho común, en cuanto sea aplicable.

encontrándose éstos ante una imposibilidad subjetiva, de conformidad con la *teoría de la imprevisión*.

Lo anterior no implica que el contribuyente o responsable se encuentra eximido de forma definitiva o permanente de cumplir con su obligación tributaria principal, sino que debido a (i) la declaratoria de estado de alarma; (ii) cierre de oficinas administrativas; (iii) la suspensión de actividades de las instituciones financieras por mandato de la SUDEBAN y; (iv) por estar bajo una imposibilidad subjetiva de cumplir con sus deberes, el cumplimiento se encuentra -por llamarlo de alguna forma- "suspendido temporalmente", hasta tanto cesen las circunstancias extraordinarias, no imputables, sobrevenidas, imprevisibles e inevitables (como lo sería el COVID-19) que impiden el cumplimiento tempestivo de la obligación tributaria.

En adición a la *teoría de la imprevisión*, coincidimos con Fraga Pittaluga y Tagliaferro cuando señalan que en los casos en los cuales no sea absolutamente imposible para el contribuyente cumplir con sus deberes tributarios, pero que se coloque en riesgo la vida y salud de las personas, o la subsistencia de las empresas, se aplica la *teoría del estado de necesidad*[55], según la cual *"ante la perspectiva de perder la vida, enfermarse gravemente o, en el caso de las personas jurídicas, que la empresa quiebre y deba cerrar, está autorizado para protegerse a sí mismo aunque ello implique postergar el derecho del acreedor, en este caso de la Administración Tributaria, en cualquiera de sus vertientes, al cumplimiento exacto y oportuno de la obligación"*[56].

De conformidad con esta teoría del estado de necesidad, se hace necesario que estén presentes tres elementos, a saber: *"(i) Es necesario que el agente o un tercero se encuentre ante un peligro grave e inminente de sufrir un daño mucho más grave que el causado por el propio agente; (ii) Que el agente no hubiese podido proceder de otro modo sino desarrollando sino desarrollando la conducta que causó el daño y; (iii) Que el agente no haya dado voluntariamente causa a la situación apremiante en la que se encontraba"*[57].

Siendo lo anterior así, consideramos que en el caso que acá nos ocupa -eximente de responsabilidad por ilícitos tributarios-, se encuentran satisfechos los elementos necesarios para considerar que ante la circunstancia de que, por una parte, determinadas *oficinas administrativas*, y por la otra, ciertas *instituciones financieras* estén prestando atención al público -insistimos, al margen de lo dispuesto en los artículos 43 y 83 de la CRBV, artículo 5 del decreto de estado de alarma y la Circular emanada de la SUDEBAN-, y conforme la *teoría de la imprevisión* y de *estado de necesidad* (sin que sea excluyente una u otra, sino com-

---

[55] Regulada en el artículo 188 del Código Civil: "*El que causa un daño para preservarse a sí mismo o para proteger a un tercero de un daño inminente y mucho más grave, no está obligado a reparación sino en la medida en que el juez lo estime equitativo.*"
[56] FRAGA PITTALUGA, Luis y TAGLIAFERRO, Andrés. ob. cit. p. 22.
[57] MADURO LUYANDO, ob. cit., p. 233.

plementarias), los contribuyentes y responsables se encuentran amparados por una causa extraña no imputable, que los eximiría de responsabilidad por incumplimiento de deberes -formales o materiales- tributarios.

Habiendo aclarado la situación respecto al requisito de imposibilidad en cumplimiento de la obligación, consideramos útil a efectos académicos analizar cuál de las diversas especies de causa extraña no imputable pudiese resultar aplicable en los tiempos actuales y, en consecuencia, alegado por los contribuyentes -o responsables- ante eventuales pretensiones de la Administración Tributaria, enfocándonos específicamente en el caso fortuito, la fuerza mayor y el hecho del príncipe -el cual será desarrollado en epígrafe separado-, como eximentes de responsabilidad penal tributaria.

c.1) *CASO FORTUITO Y FUERZA MAYOR*

En el derecho común, parte de la doctrina ha pretendido distinguir entre caso fortuito y fuerza mayor, como especies del género causa extraña no imputable, lo anterior, con base en criterios como el de la "evitabilidad". Así, según este sector, la *fuerza mayor* tendrá lugar cuando estemos ante hechos imprevisibles pero que pudieran haberse evitado y, ante un *caso fortuito* cuando se trata de un hecho, en principio imprevisible, pero que, de haberse previsto, no hubiese podido evitarse.

La profesora María Candelaria Domínguez ha considerado que *"(…) lo más acertado es concluir que caso fortuito y fuerza mayor son expresiones que, heredadas del Derecho romano desempeñan en nuestro sistema jurídico-civil un mismo papel. En consecuencia, pueden considerarse equivalentes y describirse como aquellos hechos o circunstancias que siendo absolutamente extraños a la voluntad del deudor, hacen que éste no pueda llevar a cabo el cumplimiento de su obligación y por tal quede exonerado de la misma"*[58].

En la misma línea se ha pronunciado Maduro Luyando quien señala que *"en Venezuela nuestra legislación sigue la tendencia de la doctrina moderna y de los ordenamientos positivos contemporáneos en el sentido de no establecer diferencias conceptuales ni desde el punto de vista de los efectos entre el caso fortuito y la fuerza mayor"*[59].

Ahora bien, señalado que en Venezuela caso fortuito y fuerza mayor son entendidos como sinónimos[60], en materia fiscal y específicamente en lo que a eximente de responsabilidad por ilícitos tributarios respecta, un importante sector del foro tributario venezolano ha manifestado que ante la declaratoria de estado de emergencia y la no atención al público de oficinas administrati-

---

[58] DOMINGUEZ GUILLÉN, María Candelaria. ob. cit. p. 170.

[59] MADURO LUYANDO, ob. cit., p. 222.

[60] *Ídem*, p. 222. El único caso que en nuestro concepto, el legislador venezolano establece una diferencia entre el caso fortuito y la fuerza mayor es el ordinal d) del artículo 563 de Ley Orgánica del Trabajo.

vas y agencias financieras con ocasión al COVID-19, los sujetos pasivos de la relación jurídico-tributaria se encuentran amparados bajo una causa extraña no imputable del tipo caso fortuito o fuerza mayor. En este sentido se han pronunciado los autores Rosa Caballero[61], Eduardo Meier[62], Luis Fraga Pittaluga y Andrés Tagliaferro[63] y Juan Esteban Korody Tagliaferro[64].

De tal manera que, la existencia de una causa extraña no imputable de la especie caso fortuito o fuerza mayor, se erige como la posición que cuenta con mayor aceptación dentro del ámbito de doctrinarios en materia fiscal en Venezuela, para que el contribuyente o responsable -según sea el caso- resulte eximido de responsabilidad por ilícitos tributarios cometidos durante la coyuntura del COVID-19.

c.2) Nuestra propuesta con relación a la especie del género causa extraña no imputable aplicable con ocasión a la coyuntura del COVID-19. Hecho del Príncipe

A pesar de que el artículo 85 del Código Orgánico Tributario señala como causales eximentes de responsabilidad penal tributaria únicamente al caso for-

---

[61] CABALLERO, Rosa, ob. cit., COVID-19 señaló: *"Por tanto, y como apuntamos anteriormente, entendemos que esa suspensión general de los plazos a que alude la Disposición Transitoria Sexta del Decreto Nº 4160, es extensible y suspende, de pleno Derecho, todos los procedimientos que estuvieren en curso o con actuación pendiente (autoliquidación, determinación y fiscalización), procedimientos sancionatorios y/o cualesquiera otros administrativos, como medidas cautelares y cobro ejecutivo) y constituye, a su vez, un supuesto de fuerza mayor, que impide que el contribuyente pueda cumplir tempestivamente con sus obligaciones tributarias"* (destacado nuestro).

[62] MEIER, Eduardo, ob. cit., indicó:*"Según nuestra interpretación la suspensión de los procedimientos tributarios (incluyendo la autoliquidación del ISLR e IVA) ocurrió ope legis y frente a todos (erga omnes) desde la publicación el Decreto de Estado de Alarma, lo que conlleva como lógica consecuencia el eximente de responsabilidad por ilícitos tributarios, derivada bien del caso fortuito y la fuerza mayor (artículo 85.3 del Código Orgánico Tributario), incluso por error excusable de Derecho (artículo 85.3 del Código Orgánico Tributario), porque la vaguedad es especialmente intensa, hasta el punto de ser prácticamente ineliminable"* (destacado agregado).

[63] FRAGA PITTALUGA, Luis y TAGLIAFERRO, Andrés. ob. cit., p. 12, exponen: *"Partiendo de lo anterior, resulta evidente que la pandemia del COVID-19 sin duda encuadra dentro de los dos supuestos de hecho contemplados por la norma, pues es ambas cosas, es decir: Un caso fortuito o de fuerza mayor y una circunstancia excepcional que afecta la economía del país."* y p. 22 donde señalan que *"Aclarado lo anterior, es necesario señalar que, sin lugar a dudas, la pandemia causada por el COVID-19 es una circunstancia objetiva, sobrevenida, imprevista e insuperable que impide en forma absoluta en muchos casos o, dificulta en forma exagerada en otros, el cumplimiento tanto de los deberes formales como de las obligaciones tributarias"*, para los autores, cuando nos encontramos ante un cumplimiento imposible, estaremos ante una causa extraña no imputable del tipo caso fortuito o fuerza mayor y; en los casos en donde el cumplimiento sea posible, pero más dificultoso, entrará en juego ya antes referida *"teoría del estado de necesidad"*.

[64] KORODY TAGLIAFERRO, Juan Esteban. Tweet publicado en fecha 12 de abril de 2020, en la cuenta @JuanKorody, donde señaló: *"El EN afirmó hoy que "persisten las circunstancias excepcionales, extraordinarias y coyunturales que motivaron la declaratoria del Estado de Excepción de Alarma" ergo continúan las circunstancias de fuerza mayor que impiden el cumplimiento normal de obligaciones tributarias"* (destacado agregado).

tuito y la fuerza mayor, en los términos expuestos previamente, consideramos que el resto de especies de causa extraña no imputable también pueden verse incluidas en dicha categoría, de hecho, en refuerzo de lo anterior, la propia jurisprudencia de la Sala Político-Administrativa -comentada en el apartado inmediatamente siguiente- ha considerado como una causal eximente de responsabilidad por ilícitos tributarios al *hecho de un tercero*, con lo cual, resulta lógico que otra de las especies de causa extraña no imputable, como lo es el *hecho del príncipe*, pueda considerarse incluido en la norma antes referida.

En el mismo orden de ideas, sostenemos que el hecho del príncipe como causa extraña no imputable puede considerarse reconocido por el legislador tributario, cuando el artículo 45 del Código Orgánico Tributario dispone que *"El Ejecutivo Nacional podrá conceder, con carácter general, prórrogas y demás facilidades para el pago de obligaciones no vencidas, así como fraccionamientos y plazos para el pago de deudas atrasadas, **cuando el normal cumplimiento de la obligación tributaria se vea impedido por caso fortuito o fuerza mayor, o en virtud de circunstancias excepcionales que afecten la economía del país.** Las prórrogas, fraccionamientos y plazos concedidos de conformidad con este artículo, no causarán los intereses previstos en el artículo 66 de este Código."* (destacado y subrayado nuestros).

Como puede observarse, la norma citada no exige una imposibilidad absoluta en el cumplimiento de la obligación tributaria, sino que hace referencia a un impedimento en virtud de circunstancias excepcionales que afecten la economía del país -como lo sería el COVID-19 y las medidas de prevención adoptadas-, abriendo campo a la aplicación de la *teoría de la imprevisión*, a la cual nos hemos referido previamente en el presente trabajo, quedando así reforzado nuestro análisis respecto a este punto particular.

Ahora bien, definido lo anterior y sin perjuicio de la posición mayoritaria adoptada por la doctrina venezolana en materia fiscal, consideramos que dentro del repertorio de especies de causa extraña no imputable, existen fundamentos suficientes para sostener que, con ocasión al COVID-19, actualmente nos encontramos también ante un hecho del príncipe, el cual como ha señalado el foro civilista *"comprende todas aquellas disposiciones prohibitivas o imperativas emanadas del Estado por razones e interés público general que necesariamente deben ser acatadas por las partes y causan incumplimiento sobrevenido de la obligación"*[65].

Por su parte, la profesora María Candelaria Domínguez ha señalado respecto a esta causa extraña no imputable que *"constituye un evento o decisión emanada de la autoridad que igualmente imposibilita el cumplimiento de la obligación. Por tal se entienden todas las disposiciones imperativas que tienen origen en el Estado en cualquiera de sus órganos (ley, reglamento, decreto, ordenanza, etc.) que impiden el cumplimiento de la obligación"*[66].

---

[65] MADURO LUYANDO, ob. cit., p. 222-223.
[66] DOMINGUEZ GUILLÉN, María Candelaria. ob. cit. p. 170.

En el mismo orden de ideas Visintini señala que hecho del príncipe *"se lla-ma el obstáculo al cumplimiento de la actividad prometida que proviene de un acto legislativo o de la autoridad administrativa, p ej.: el bloqueo o requisición de la mercan-cía, las prohibiciones o restricciones del comercio, la expropiación por causa de utilidad pública, etc."* [67].

Por tratarse de un incumplimiento involuntario de la obligación, el hecho del príncipe debe reunir los requisitos de la causa extraña no imputable: (i) imposibilidad absoluta de cumplimiento (al tratarse de normas generales o particulares, de obligatorio cumplimiento), si nos encontramos ante un cum-plimiento posible, pero en exceso dificultoso y arriesgado, la problemática puede ser resuelta con la *teoría de la imprevisión* y del *estado de necesidad* y; (ii) irresistible, porque no hay posibilidad de sustraerse a sus efectos.

De esta manera, tenemos que en la coyuntura actual venezolana, la imposi-bilidad en cumplir con los deberes tributarios por parte de los contribuyentes y responsables devienen no solo del riesgo de contagio del COVID-19 -que podría generar eventuales afectaciones de salud, e incluso pérdida de la propia vida-, sino también es una consecuencia directa de las medidas de preven-ción que han sido adoptadas por el estado venezolano en aras de mitigar el contagio y propagación del virus[68], las cuales han coartado la posibilidad de

---

[67] VISINTINI, Giovanna. *"La responsabilíta contracttuale"*, Jovene, Napoli, 1979.

[68] Además de las mencionadas a lo largo del presente trabajo, han sido dictadas las siguientes medidas a nivel nacional: (i) Comunicado S/N dictado por el Instituto Nacional de Aero-náutica Civil (INAC), mediante el cual *"informa al pueblo venezolano que desde este 17 de marzo, se restringen las operaciones aéreas de Aviación General y Comercial, hacia y dentro de la República Bolivariana de Venezuela"*, del 17 de marzo de 2020, consultado en https://www.instagram.com/p/B92ENpAHS2Q/?igshid=xocsw5k62zhg y en https://twitter.com/IAIM_VE/status/1239981846106079233?s=19; (ii) Resolución N° 001-2020 dictada por la Sala Plena del Tribunal Supremo de Justicia (TSJ), mediante la cual se establece que *"Ningún Tribunal despachará desde el lunes 16 de marzo hasta el lunes 13 de abril del 2020, ambas fechas inclusive"*, del 20 de marzo de 2020, consultado en https://www.facebook.com/notes/tribunal-supremo-de-justicia/tsj-garantiza-continuidad-del-servicio-de-administraci%C3%B3n-de-justicia-durante-el-/2849828871791565/; (iii) Decreto N° 4.167, denominado *"Decreto N° 1 en el marco del Estado de Alarma para atender la emergencia sanitaria del coronavirus (COVID-19), por medio del cual se ratifica la inamovilidad laboral de las trabajadoras y trabajadores del sector público y privado"*, publi-cado en Gaceta Oficial N° 6.520 Extraordinario, del 23 de marzo de 2020; (iv) Decreto N° 4.168, denominado *"Decreto N° 02 en el marco del Estado de Alarma para atender la emergencia sanitaria del coronavirus (COVID-19), por medio del cual se dictan las medidas de protección económica que se mencionan"*, publicado en Gaceta Oficial N° 6.521 Extraordinario, del 23 de marzo de 2020; (v) Decreto N° 4.169, denominado *"Decreto N° 03 en el marco del Estado de Alarma para atender la emergencia sanitaria del coronavirus (COVID-19), por medio del cual se suspende el pago de los cáno-nes de arrendamiento de inmuebles de uso comercial y de aquellos utilizados como vivienda principal"*, publicado en Gaceta Oficial N° 6.522 Extraordinario, del 23 de marzo de 2020; (vi) Resolución N° 008.20 dictada por la SUDEBAN, sobre las *"Normas relativas a las condiciones especiales para los créditos otorgados antes de la entrada en vigencia del Decreto N° 4.168 de fecha 23 de marzo de 2020"*, del 23 de marzo de 2020, consultado en https://m.facebook.com/story.php?story_fbid=2491587947731911&id=1747022515521795; (vii) Resolución N° 20-03-01 dictada por el Banco Central de Venezuela (BCV), *"mediante la cual se dictan las Normas que Regirán la Constitución del Encaje"*, del 30 de marzo de 2020, publicada en Gaceta Oficial N° 41.850, del 30 de marzo de 2020; (viii) Resolución N° 023 dictada por el Ministerio del Poder Popular para Hábitat y Vivienda, *"me-diante la cual se suspende de manera especial y excepcional el pago de los cánones de arrendamientos de*

los particulares no sólo de desarrollar sus actividades con normalidad, sino de desplazarse con libertad por el territorio nacional, como consecuencia del estado de alarma decretado.

Siendo así, en materia de eximente de responsabilidad penal tributaria coincidimos con la doctrina patria respecto a la existencia una causa extraña no imputable, del tipo caso fortuito o fuerza mayor, pero adicionalmente, consideramos que por **no** ser las especies de causa extraña no imputable excluyentes o contradictorias -sino complementarias entre sí-, nos encontramos también ante un claro y evidente hecho del príncipe, como consecuencia de que las medidas adoptadas por el propio Estado han impedido a los sujetos pasivos de la relación jurídico-tributaria el tempestivo cumplimiento de sus deberes fiscales, en adición al riesgo de contagio del COVID-19 y afectación de la salud y la vida.

Como corolario de lo previamente expuesto, resulta lógico afirmar, que desde el decreto de estado de alarma y la emisión de la Circular N° SIB-DSB-CJ-OD-02315 en fecha 15 de marzo de 2020 y hasta el levantamiento de dicha medida, los contribuyentes y responsables se encuentran eximidos de responsabilidad por ilícitos tributarios, al mediar una causa extraña no imputable del tipo caso fortuito, fuerza mayor y hecho del príncipe, con lo cual mal podría la Administración Tributaria pretender imponer sanciones por ilícitos fiscales -cometidos durante el estado de alarma-, así como tampoco procedería computar intereses moratorios, como accesorios de la obligación tributaria principal, cuyo cumplimiento -como ya lo analizamos- se encuentra "suspendido temporalmente" hasta tanto se produzca la apertura de las instituciones financieras, por orden de la SUDEBAN, por no mediar falta o retraso en el cumplimiento de las obligaciones tributarias.

---

inmuebles utilizados para vivienda principal hasta el 1° de septiembre de 2020", del 1 de abril de 2020, publicada en Gaceta Oficial N° 41.852, del 1° de abril de 2020; (ix) Comunicado S/N dictado por el INAC, mediante el cual "informa al pueblo venezolano la extensión de la restricción de operaciones aéreas en todo el territorio nacional por 30 días, a partir del 12 de abril", del 12 de abril de 2020, consultado en https://twitter.com/INAC_Venezuela/status/1249425115386908674?s=19; (x) Resolución N° 002-2020 dictada por la Sala Plena del TSJ, mediante la cual «Se prorroga por treinta (30) días, el plazo establecido en la Resolución número 001-2020, dictada por la Sala Plena del Tribunal Supremo de Justicia el 13 (sic) de marzo de 2020», del 13 de abril de 2020, consultado en https://www.facebook.com/notes/tribunal-supremo-de-justicia/tsj-prorroga-por-30-d%C3%ADas-sistema-de-guardias-para-garantizar-el-servicio-de-admi/2904426979665087/; (xi) Comunicado S/N dictado por el INAC, mediante el cual "informa la extensión de la restricción de operaciones aéreas en el territorio nacional por 30 días, a partir del 12 de mayo hasta el próximo 12 de junio", del 12 de mayo de 2020, consultado en https://www.instagram.com/p/CAGX LVQHx6b/?igshid=mtibeitkvivl; y (xii) Resolución N° 003-2020 dictada por la Sala Plena del TSJ, mediante la cual "Se prorroga por treinta (30) días, el plazo establecido en la Resolución número 002-2020, dictada por la Sala Plena del Tribunal Supremo de Justicia el 13 de abril de 2020", del 12 de mayo de 2020, consultado en https://m.facebook.com/notes/maikel-moreno-tsj/tsj-prorroga-por-30-d%C3%ADas-sistema-de-guardias-para-garantizar-servicio-de-admi-nis/1312207969113077/;

C.3) JURISPRUDENCIA DEL TRIBUNAL SUPREMO DE JUSTICIA EN SALA POLÍTICO-ADMINISTRATIVA EN MATERIA DE CAUSA EXTRAÑA NO IMPUTABLE

No pocas veces se ha pronunciado la Sala Político-Administrativa del Tribunal Supremo de Justicia respecto de la causa extraña no imputable como circunstancias que exime al sujeto pasivo de la relación jurídico-tributaria de responsabilidad por ilícitos tributarios. En este sentido, la máxima alzada de la jurisdicción contencioso-tributaria ha sostenido que para que proceda una "causa extraña no imputable" es necesario exigir la comprobación de haber intervenido una fuerza externa desvinculada de la voluntad del obligado que fuera imprevisible e irresistible[69].

Asimismo, la jurisprudencia emanada de la Sala Político-Administrativa ha sido enfática en sostener que no basta con alegar la causa extraña no imputable, sino que el sujeto pasivo de la relación jurídico-tributaria tiene la carga de probar que, en efecto, el incumplimiento de la obligación tributaria se debió a una circunstancia ajena de su voluntad, que fuese imprevisible e irresistible.

Siendo lo anterior así, conforme ha señalado la doctrina judicial venezolana, el contribuyente deberá valerse de los distintos mecanismos probatorios que la legislación nacional prevé para probar las afirmaciones efectuadas en un procedimiento o proceso -administrativo o judicial-, a los efectos de nuestro análisis resulta importante hacer referencia al Principio de Libertad Probatoria, el cual ha sido consagrado de forma expresa por los artículos 49 -ordinal 1°- de la CRBV[70], 395 del Código de Procedimiento Civil[71] y 166 y 296 del Código Orgánico Tributario[72].

---

[69] *Vid.*, entre otras, sentencias dictadas por la Sala Político-Administrativa del Tribunal Supremo de Justicia N° 00302, 00089, 00689, 00902, de fechas 15 de febrero de 2006, 5 de febrero de 2013, 13 de junio de 2018, 2 de agosto de 2018, casos: Polyplas, C.A.; Servicios Previsivos Rofenirca, C.A.; Hapag-Lloyd Venezuela, C.A.; Industrias Cagua, C.A., respectivamente.

[70] Artículo 49 de la CRBV: *"El debido proceso se aplicará a todas las actuaciones judiciales y administrativas; en consecuencia: 1. La defensa y la asistencia jurídica son derechos inviolables en todo estado y grado de la investigación y del proceso. Toda persona tiene derecho a ser notificada de los cargos por los cuales se le investiga, de acceder a las pruebas y de disponer del tiempo y de los medios adecuados para ejercer su defensa. Serán nulas las pruebas obtenidas mediante violación del debido proceso. Toda persona declarada culpable tiene derecho a recurrir del fallo, con las excepciones establecidas en esta Constitución y en la ley."*

[71] Artículo 395 del Código de Procedimiento Civil: *"Son medios de prueba admisibles en juicio aquellos que determina el Código Civil, el presente Código y otras leyes de la República. // Pueden también las partes valerse de cualquier otro medio de prueba no prohibido expresamente por la ley, y que consideren conducente a la demostración de sus pretensiones. Estos medios se promoverán y evacuarán aplicando por analogía las disposiciones relativas a los medios de pruebas semejantes contemplados en el Código Civil, y en su defecto, en la forma que señale el Juez."*

[72] Artículo 166 del Código Orgánico Tributario: *"Podrán invocarse todos los medios de prueba admitidos en derecho, con excepción del juramento y de la confesión de empleados públicos, cuando ella implique prueba confesional de la Administración. // Salvo prueba en contrario, se presumen ciertos los hechos u omisiones conocidos por las autoridades fiscales extranjeras."* // Artículo 296 del Código Orgánico Tributario: *"Dentro de los primeros diez (10) días de despacho siguientes de la apertura del lapso proba-*

El mencionado Principio de Libertad Probatoria es reconocido por el ordenamiento jurídico venezolano como un *"régimen de numerus opertus que permite a las partes producir cualquier medio de prueba a los fines de aportar a la controversia los hechos que estimen pertinentes, siempre que los mismos no sean ilegales, impertinentes o inconducentes. Esta garantía permite a las partes, no solo promover cualquier medio de prueba válido (legal o libre), sino todos cuantos sean necesarios para sustentar sus alegatos"*[73].

Por su parte, Echandía sostiene que *"para que la prueba cumpla su fin de lograr la convicción del juez sobre la existencia o inexistencia de los hechos que interesan al proceso, en forma que se ajuste a la realidad, es indispensable otorgar libertad para que las partes y el juez puedan obtener todas las que sean pertinentes, con la única limitación de aquellas que por razones de moralidad versen sobre hechos que la ley no permita investigar, o que resulten inútiles por existir presunción legal que las hace innecesarias o sean claramente impertinentes o inidóneas"*[74].

En este sentido, y subsumiendo lo previamente expuesto al supuesto acá analizado, tenemos que en el caso de la pandemia COVID-19, no hay duda que se trata de (i) un impedimento que no pudo ser controlado por el contribuyente o responsable, siendo ajeno a su voluntad y; (ii) fue imprevisible, el sujeto pasivo de la relación jurídico-tributaria no podía preverlo ni prepararse para su ocurrencia las dos primeras han ocurrido; lo anterior no es objeto de prueba por tratarse de hechos notorios. Lo que será entonces objeto de prueba es que la afectación patrimonial que las medidas tomadas con ocasión al virus han generado en la esfera económica del contribuyente o responsable, efectos que no pudieron ser evitados y que, ocurridos, no pudieron ser superados.

Contestes con lo señalado por Fraga Pittaluga, dar una regla probatoria general no es viable, siendo que las circunstancias varían en cada caso de un sujeto a otro[75]. Así, correspondería al contribuyente o responsable probar cómo se ha visto afectado su patrimonio producto del COVID-19, así como la proyección a futuro de su economía, tarea que corresponderá efectuar de manera estimatoria o aproximada a los contadores y economistas. En este orden de ideas, considera Fraga Pittaluga que las pruebas pertinentes y conducentes serían:

---

torio las partes podrán promover las pruebas de que quieran valerse. // A tal efecto serán admisibles todos los medios de prueba, con excepción del juramento y de la confesión de funcionarios públicos cuando ella implique la prueba confesional de la Administración. En todo caso, las pruebas promovidas no podrán admitirse cuando sean manifiestamente ilegales o impertinentes. // Parágrafo Único. La Administración Tributaria y el contribuyente deberán señalar, sin acompañar, la información proporcionada por terceros independientes que afecte o pudiera afectar su posición competitiva, salvo que les sea solicitada por el juez."

[73] DÍAZ IBARRA, Valmy. *"La Prueba de Experticia Contable en el Derecho Tributario"*. Torres, Plaz & Araujo. Caracas, 2018, p. 12.

[74] DEVIS ECHANDÍA, Hernando. *"Teoría general de la prueba judicial"*. Tomo II. Medellín. Biblioteca Jurídica Dike, 1993, p. 131.

[75] FRAGA PITTALUGA, Luis. *"COVID-19. Efectos en el cumplimiento de obligaciones tributarias. La prueba del daño. Parte II."* Vídeo publicado en la aplicación YouTube el 22 de abril de 2020, consultado en: https://www.youtube.com/watch?v=YRF16o5h2ys

1. *Documentos con relevancia tributaria:* siendo que del análisis del conteni-do de éstos puede constatarse la situación económica del sujeto pasivo de la relación jurídico-tributaria, así como los efectos que la pandemia produjo en su esfera económica. Entre estos documentos destacan: los libros contables y sus comprobantes, los estados financieros -auditados y proyectados-, así como dictámenes con fines de auditoría.

2. *Prueba de experticia contable*[76]: considerada la prueba reina en materia tributaria, la cual permite traducir la información financiera del sujeto pasivo para su mejor evaluación por la administración o el juez.

3. *Testimonio pericial:* este medio probatorio puede ser de utilidad, ya que a través de éste un experto calificado evaluaría la situación económi-ca -actual y proyectada- del contribuyente o responsable y se lograría demostrar el efecto confiscatorio que -con ocasión a la pandemia y la suspensión de actividades- va a tener el pago de ciertos tributos, igual-mente quedaría demostrado que el pago de ciertas obligaciones pueda generar una afectación tal que ponga fin a la actividad económica del sujeto.

4. *Prueba de informe:* regulada en el artículo 433 del Código de Procedi-miento Civil[77], esta prueba permite requerir información a oficinas pú-blicas, bancos, asociaciones gremiales, sociedades civiles o mercantiles, e instituciones similares, sobre hechos que consten en documentos, li-bros, archivos, etc., y que puedan demostrar la situación económica del contribuyente o responsable y demostrar así la afectación que ha produ-cido la pandemia en su esfera.

5. *Prueba de indicios:* a pesar de que este medio probatorio no constituye plena prueba, reviste importancia al existir estudios especializados en los cuales se analiza la magnitud de afectación en la economía mundial y sectorial con ocasión del COVID-19.

De esta manera, como de conformidad con la doctrina jurisprudencial de la Sala Político-Administrativa del Tribunal Supremo de Justicia, alegar la causa extraña no imputable no resulta suficiente para gozar de la eximente de res-

---

[76] La experticia en sentido *lato* constituye un medio de prueba a través del cual se coadyuva con el órgano al que corresponde decidir una controversia -administrativa o judicial- para estudiar hechos relevantes al fondo del asunto controvertido, cuando su naturaleza requiera de conoci-mientos especiales que van más allá del intelecto del órgano decisor o juez.

[77] Artículo 433 del Código de Procedimiento Civil: *"Cuando se trate de hechos que consten en docu-mentos, libros, archivos u otros papeles que se hallen en oficinas públicas, Bancos, Asociaciones gremia-les, Sociedades civiles o mercantiles, e instituciones similares, aunque éstas no sean parte en el juicio, el Tribunal, a solicitud de parte, requerirá de ellas informes sobre los hechos litigiosos que aparezcan de dichos instrumentos, o copia de los mismos.// Las entidades mencionadas no podrán rehusar los informes o copias requeridas invocando causa de reserva, pero podrán exigir una indemnización, cuyo monto será determinado por el Juez en caso de inconformidad de la parte, tomando en cuenta el trabajo efectuado, la cual será sufragada por la parte solicitante."*

229

ponsabilidad penal tributaria -y conforme el principio de libertad probatoria- el contribuyente o responsable podrá valerse de cuantos medios probatorios considere pertinentes para crear en el órgano decisor de una controversia -sea este administrativo o judicial- la convicción del daño económico que ha sufrido con ocasión al COVID-19 y las medidas de prevención tomadas por el estado con el objeto de mitigar el contagio y propagación del virus.

D) BREVES COMENTARIOS RESPECTO A LA (IM)PROCEDENCIA DE INTERESES MORATORIOS EN LA SITUACIÓN ACTUAL DEL COVID-19

Específicamente en materia de intereses moratorios y sin perjuicio de lo expuesto a lo largo del presente trabajo, consideramos oportuno indicar que de llegarse a considerar nacida la obligación tributaria en la coyuntura actual del COVID-19 (mediante alguno de los tipos de determinación), vale la pena recordar lo expuesto en años anteriores por un sector de la doctrina respecto a la naturaleza indemnizatoria y necesidad de existencia del elemento "culpa" para la procedencia de éstos. En este sentido, sobre el carácter indemnizatorio de los intereses de mora se ha pronunciado Romero-Muci, quien en el año 2004 señaló que éstos tienen una *"función resarcitoria del daño causado al Fisco por el retraso cualificado en el cumplimiento tempestivo de la obligación tributaria"*[78].

Por su parte, Valmy Díaz Ibarra en su trabajo *"Propuestas de reforma a ciertas normas del COT reñidas con la Constitución. El caso de los intereses moratorios y las sanciones actualizadas"*[79], conteste con la opinión de Romero-Muci sobre el carácter resarcitorio de los intereses de mora, ha señalado que éstos buscan indemnizar al acreedor de la obligación tributaria, por el incumplimiento del deudor; siendo así, "con ellos *no se debe castigar el retraso en el pago, ni aleccionar o disuadir a los deudores de obligaciones tributarias para procurar el pago o cumplimiento tempestivo de éstas"*[80].

Continúa Díaz Ibarra señalando que para que proceda la obligación de indemnizar al acreedor con intereses moratorios, debemos encontrarnos ante un retraso o demora culpable en el cumplimiento de la obligación tributaria. De tal manera que, únicamente los retrasos culposos, dolosos y negligentes aparejan la obligación de resarcir al sujeto activo de la relación jurídico-tributaria por el daño que le ha producido en su esfera jurídico-económica la demora de parte del deudor.[81]

---

[78] ROMERO-MUCI, Humberto, *"Lo Racional y lo Irracional de los Intereses Moratorios en el Código Orgánico Tributario"*. Asociación Venezolana de Derecho Tributario, Caracas, 2004, p. 59.

[79] DÍAZ IBARRA, Valmy Jesús, *"Propuestas de reforma a ciertas normas del COT reñidas con la Constitución. El caso de los intereses moratorios y las sanciones actualizadas"*. X Jornadas de Derecho Tributario de 2011. Propuestas para una reforma tributaria en Venezuela. Asociación Venezolana de Derecho Tributario (AVDT). Caracas, 2011.

[80] *Ibídem*, p. 189-190.

[81] *Ibídem*, p. 191-192.

Coincidimos con lo desarrollado por Díaz Ibarra en que no todo retraso en el cumplimiento oportuno de la obligación tributaria acarrea el deber de pago de intereses moratorios, dicho incumplimiento debe necesariamente ser imputable al deudor, por culpa, dolo o negligencia. *"De esta manera, si el deudor de una obligación tributaria falla en la extinción tempestiva de esa deuda, por una razón inexcusable que le sea imputable, o por una conducta inequívoca cuya finalidad ex profeso es sustraerse al cumplimiento de su obligación, o por un descuido en la atención de sus negocios medido conforme a cánones razonables; entonces estará en la obligación de indemnizar a su acreedor por el perjuicio que causado como consecuencia de su conducta u omisión culpable, dolosa o negligente."*[82] (destacado nuestro).

De esta forma, si aplicamos lo expuesto por la doctrina en materia de intereses de mora a la coyuntura actual con ocasión al COVID-19, tendríamos que aunque se llegara a considerar que se ha producido el nacimiento de la obligación tributaria -muy a pesar de todas las posiciones desarrolladas a lo largo del presente estudio- mal podría la Administración Tributaria computar intereses moratorios, siendo que el retardo temporal en el cumplimiento de la obligación por parte del contribuyente o responsable no se debe a una circunstancia inexcusable que le pueda ser imputable, descuido o negligencia, sino por causas que -como indicamos en los epígrafes previos- no le son imputables y escapan de su esfera de control. En efecto -y como bien indica Díaz Ibarra-, al no existir el elemento de culpabilidad, no puede considerarse que ha existido mora tributaria ni intereses moratorios.

V) CONCLUSIONES

Como corolario de lo expuesto a lo largo del presente trabajo, consideramos importante destacar las conclusiones a las cuales arribamos luego del análisis efectuado, que sintetizaremos a continuación:

- El COVID-19 excede una crisis de salud a nivel mundial, sus efectos se percibirán en cada país que se haya visto obligado a declarar estado de emergencia a lo largo de su territorio, generando en dichos países crisis sociales, económicas y políticas, las cuales tomará tiempo superar.

- En Venezuela, sumado a las dificultades derivadas de la pandemia, se agrega la crisis de salud, económica y política que aqueja al país desde hace años, lo que hace más arduo el manejo de la coyuntura actual como consecuencia del COVID-19, la crisis humanitaria y la subsistencia de las empresas que integran el sector privado de país; la crisis también afectará al sector público, siendo el Estado venezolano el mayor empleador a nivel nacional.

---

[82] *Ibidem,* p. 192.

- Con la publicación del decreto de alarma y con fundamento en lo establecido en su disposición final sexta -respecto a la suspensión o interrupción de los procedimientos administrativos-, como consecuencia de las medidas de suspensión de actividades o las restricciones a la circulación dictadas con ocasión a la pandemia, deben entenderse suspendidos -de pleno derecho y con efectos generales- los plazos relativos a autodeterminación, autoliquidación y pago de tributos, así como los procedimientos de primer y segundo grado, hasta tanto cese el estado de alarma.

- Debido a la suspensión de los procedimientos administrativos, la sustanciación de procedimientos de fiscalización a espaldas del contribuyente -o responsable- iría contra el debido proceso, vulnerando así el derecho a la defensa.

- De conformidad con los artículos 10 y 162 del Código Orgánico Tributario, siguiendo la doctrina referida, el sujeto pasivo de la relación jurídico-tributaria tiene el derecho a que la determinación tributaria efectuada por (y para) la Administración se haga en días y horas hábiles, y correlativamente, el mismo sujeto tiene correlativamente el derecho a realizar sus propias autodeterminaciones en dichos días y horas hábiles, no estando así obligado a realizarlas en días y horas inhábiles.

- Desde el que fue decretado el estado de alarma y con la emisión de la Circular N° SIB-DSB-CJ-OD-02315 de la SUDEBAN, el 15 de marzo de 2020:

  (i) El vencimiento de los plazos y términos (incluyendo los establecidos en días) de distintos *procedimientos de determinación (mixta, de oficio, recursivos)* están prorrogados hasta el primer día hábil siguiente a que la oficina administrativa correspondiente reanude la atención al público de forma regular, y;

  (ii) El vencimiento de los plazos y términos (incluyendo los establecidos en días) de los *procedimientos de autodeterminación (declaración y liquidación de impuestos)* se encuentran prorrogados desde la fecha en fue dictada la Circular N° SIB-DSB-CJ-OD-02315 (15 de marzo de 2020) hasta el primer día hábil siguiente a que las instituciones financieras presten atención al público por haberse levantado la medida de suspensión excepcional de actividades bancarias ordenada por la SUDEBAN.

- Lo expuesto a lo largo del presente trabajo no pierde aplicabilidad por las medidas de flexibilización adoptadas por el Ejecutivo Nacional -en tanto el estado de alarma continúa vigente a la presente fecha-. El desarrollo efectuado resultará aplicable a efectos prácticos aún en los períodos de flexibilización 5x10 y 7x7 en los términos expuestos en el epígrafe correspondiente.

- Debe tenerse claro que el análisis académico efectuado podría resultar dificultoso de aplicar en la práctica, todo lo cual dependerá de la postura que asuma la Administración Tributaria ante el COVID-19 y sus efectos colaterales.

- En materia de eximente de responsabilidad penal tributaria, tenemos que a pesar de que el ordinal 3° del artículo 85 del Código Orgánico Tributario sólo menciona a dos tipos de causa extraña no imputable, existen otras que pueden incluirse dentro de estas eximentes de responsabilidad para los sujetos pasivos de la relación jurídico-tributaria, tales como el hecho del príncipe y el hecho de un tercero.

- En el contexto actual venezolano, creemos se encuentran satisfechos los elementos necesarios para considerar que ante la circunstancia de que determinadas oficinas administrativas e instituciones financieras estén prestando atención al público -insistimos, al margen de lo dispuesto en los artículos 43 y 83 de la CRBV, artículo 5 del decreto de estado de alarma y la Circular emanada de la SUDEBAN-, y conforme la teoría de la imprevisión y de estado de necesidad, **los contribuyentes y responsables se encuentran amparados por una causa extraña no imputable, que los eximiría de responsabilidad por incumplimiento de deberes -formales o materiales- tributarios.**

- El hecho del príncipe como causa extraña no imputable puede considerarse reconocido por el legislador tributario en el artículo 45 del Código Orgánico Tributario.

- En la coyuntura actual nos encontramos ante una causa extraña no imputable del tipo caso fortuito o fuerza mayor, pero adicionalmente, consideramos que por no ser las especies de causa extraña no imputable excluyentes o contradictorias -sino complementarias entre sí-, estamos en presencia de un hecho del príncipe, como consecuencia de que las medidas adoptadas de prevención que han sido tomadas por el Estado venezolano -en aras de mitigar el contagio y propagación del virus- han impedido a los sujetos pasivos de la relación jurídico-tributaria el tempestivo cumplimiento de sus deberes fiscales, en adición al riesgo de contagio del COVID-19 y afectación de la salud y la vida.

- Si nos encontramos ante un cumplimiento posible, pero en exceso dificultoso y arriesgado, la problemática puede ser resuelta con la *teoría de la imprevisión* y del *estado de necesidad*.

Aunque la doctrina sostiene diversas justificaciones teóricas en lo que a cumplimiento de deberes tributarios respecta, se debe destacar que **todos coinciden por una parte en que, existen causas suficientes que justifican el no cumplimiento deberes tributarios y, por la otra, en que los contribuyentes y responsables se encuentran amparados por una causa extraña no imputable, que los exime de responsabilidad penal**

tributaria, así como del cómputo de intereses moratorios, por ser accesorios a la obligación tributaria.

- La Sala Político-Administrativa del Tribunal Supremo de Justicia ha sostenido que:

  (i) para que proceda una causa extraña no imputable es necesario exigir la comprobación de haber intervenido una fuerza externa desvinculada de la voluntad del obligado que fuera imprevisible e irresistible y;

  (ii) no basta con alegar la causa extraña no imputable, el sujeto pasivo de la relación jurídico-tributaria tiene la carga de probar que, en efecto, el incumplimiento de la obligación tributaria se debió a una circunstancia ajena de su voluntad, que fuese imprevisible e irresistible.

- Conforme con el principio de libertad probatoria, el contribuyente o responsable podrá valerse de cuanto medio probatorio considere pertinente para crear en el órgano decisor de una controversia -sea este administrativo o judicial- la convicción del daño económico que ha sufrido con ocasión al COVID-19 y las medidas de prevención tomadas por el estado con el objeto de mitigar el contagio y propagación del virus.

- Aunque no pueda considerarse que existe una fórmula probatoria única y aplicable a todos los casos, a rasgos generales puede señalarse que pruebas pertinentes y conducentes serían: documentos con relevancia tributaria (los libros contables y sus comprobantes, los estados financieros -auditados y proyectados-, así como dictámenes con fines de auditoría); experticia contable; testimonio pericial; prueba de informes y finalmente, la prueba de indicios.

- Mal podría la Administración Tributaria imponer sanciones por ilícitos fiscales -cometidos durante el estado de alarma-, así como tampoco procedería computar intereses moratorios, al no existir falta o retardo en el cumplimiento de las obligaciones tributarias.

- Aun cuando se considere que la obligación tributaria ha nacido, a pesar de lo expuesto a lo largo del presente análisis, no resultarán procedentes intereses de mora que resarzan al acreedor tributarios por la falta de pago de parte del deudor, siento que no existe el elemento de culpabilidad necesario, al encontrarnos ante un supuesto en el cual el incumplimiento -temporal- producido por circunstancias que en forma alguna pueden ser imputables al contribuyente o responsable, en los términos indicados en este trabajo.

Caracas, 14 de junio de 2020

BIBLIOGRAFÍA

ABACHE CARVAJAL, Serviliano. *"COVID-19 y determinación tributaria"*. En la obra *Estudios Jurídicos sobre la Pandemia del COVID-19*. Academia de Ciencias Políticas y Sociales. Editorial Jurídica Venezolana. 2020.

BREWER-CARÍAS, Allan R. *"El decreto del estado de alarma en Venezuela con ocasión de la pandemia del coronavirus: inconstitucional, mal concebido, mal redactado, fraudulento y bien inefectivo"*, consultado en https://allanbrewercarias. com/wp-content/uploads/2020/04/Brewer.-El-estado-de-alarma-con-ocasi%C3%B3n-de-la-pandemia-del-Coronavirus.-14-4-2020-1.pdf

CABALLERO, Rosa. *"Algunas reflexiones en torno al cumplimiento de las obligaciones tributarias en el contexto del COVID-19"*, consultado en http://www. derysoc.com/especial-nro-3/algunas-reflexiones-en-torno-al-cumplimiento-de-las-obligaciones-tributarias-en-el-contexto-del-covid-19/

DEVIS ECHANDÍA, Hernando. *"Teoría general de la prueba judicial"*. Tomo II. Medellín. Biblioteca Jurídica Dike, 1993.

DOMINGUEZ GUILLÉN, María Candelaria. *"Curso de derecho civil III – Obligaciones"*. Revista Venezolana de Legislación y Jurisprudencia. Carcas, 2017.

DÍAZ IBARRA, Valmy José. *"Propuestas de reforma a ciertas normas del COT reñidas con la Constitución. El caso de los intereses moratorios y las sanciones actualizadas"*. X Jornadas de Derecho Tributario de 2011. Propuestas para una reforma tributaria en Venezuela. Asociación Venezolana de Derecho Tributario (AVDT). Caracas, 2011.

_____, *"La Prueba de Experticia Contable en el Derecho Tributario"*. Torres, Plaz & Araujo. Caracas, 2018.

FRAGA PITTALUGA, Luis. *"COVID-19. Efectos en el cumplimiento de obligaciones tributarias. La prueba del daño. Parte II."* Vídeo publicado en la aplicación YouTube el 22 de abril de 2020, consultado en: https://www. youtube.com/watch?v=YRF16o5h2ys

_____ y TAGLIAFERRO, Andrés. *"Implicaciones del COVID-19 sobre el cumplimiento de las obligaciones tributarias"*. Consultado en: http://fragapittaluga.com.ve/fraga/index.php/colaboraciones

MADURO LUYANDO, Eloy y PITTIER SUCRE, Emilio. *"Curso de Obligaciones, derecho civil III"*. Tomo I. Universidad Católica Andrés Bello. Caracas, 2011.

MEIER GARCÍA, Eduardo. *"Breves notas sobre la situación de los procedimientos tributarios ante la declaratoria de estado de alarma (COVID-19)"*. Consultado en: http://fragapittaluga.com.ve/fraga/index.php/component/ k2/item/23-breves-notas-sobre-la-situacion-de-los-procedimientos-tributarios-ante-la-declaratoria-de-estado-de-alarma-covid-19

MELICH ORSINI, José. *"Doctrina general del contrato"*. Academia de Ciencias Políticas y Sociales. 5ta edición. Caracas, 2012.

ROMERO-MUCI, Humberto. *"Lo Racional y lo Irracional de los Intereses Moratorios en el Código Orgánico Tributario"*. Asociación Venezolana de Derecho Tributario, Caracas, 2004, p. 59.

VAN DER VELDE HEDDERICH, Ilse, *"In Memoriam Ilse van der Velde Hedderich"* (compilado y adaptado por Alejandro RAMÍREZ VAN DER VELDE), Asociación Venezolana de Derecho Tributario, Caracas, 2001.

VISINTINI, Giovanna. *"La responsabilíta contracttuale"*, Jovene, Napoli, 1979.

COVID 19 Y ESTADO DE ALARMA. SUSPENSIÓN DE PROCESOS JUDICIALES Y PROCEDIMIENTOS ADMINISTRATIVOS TRIBUTARIOS

ELVIRA DUPOUY MENDOZA[*]

SUMARIO

I. INTRODUCCIÓN

El COVID 19 y la declaratoria de pandemia mundial han generado consecuencias de todo tipo, de las que no escapa el ámbito jurídico. En el marco de la tributación, en Venezuela también se presentaron diversas situaciones y dentro de ellas, nos referiremos particularmente a la suspensión de los procesos judiciales y procedimientos administrativos de naturaleza tributaria en curso, como garantía del debido proceso y la seguridad jurídica de los interesados, fundamentales aun en estados de excepción.

II. EL DECRETO DE ESTADO DE ALARMA Y EL RECONOCIMIENTO DE LA GRAVEDAD DE LOS HECHOS GENERADOS POR LA PANDEMIA

Con motivo de la pandemia y ante el reconocimiento de la gravedad de los hechos en el país, el Ejecutivo Nacional declaró el Estado de Alarma mediante Decreto N° 4.160 publicado en Gaceta Oficial N° 6.519 Extraordinario de fecha 13 de marzo de 2020, una de las modalidades de los estados de excepción establecidos en el artículo 338 de la Constitución Nacional, de acuerdo con el cual

---

[*] Abogado, egresada de la Universidad Católica Andrés Bello (UCAB), Miembro del Colegio de Abogados del Distrito Federal (hoy Capital), con Especialización en Derecho Tributario de la Facultad de Ciencias Jurídicas y Políticas de la Universidad Central de Venezuela (UCV) y Diplomado en Derecho Tributario Internacional de la UCAB. Profesora de Pregrado en la Facultad de Derecho de la UCAB y de la Especialización en Derecho Tributario de la Facultad de Ciencias Jurídicas y Políticas de la UCV. Ex Presidente y Miembro Honorario de la Asociación Venezolana de Derecho Tributario (AVDT). Ex Miembro del Directorio del Instituto Latinoamericano de Derecho Tributario (ILADT). Socia de la firma de abogados Rodríguez & Mendoza fundada en 1910.

"podrá decretarse el estado de alarma cuando se produzcan catástrofes, calamidades públicas u otros acontecimientos similares que pongan seriamente en peligro la seguridad de la Nación o de sus ciudadanos y ciudadanas," pudiendo decretarse dicho tipo de estado de excepción hasta por treinta (30) días, prorrogables por treinta (30) días más.

La gravedad de los acontecimientos como problema de salud pública y la afectación de todas las áreas del quehacer nacional y personal de los ciudadanos, quedaron evidenciadas de los considerandos del Decreto de Estado de Alarma y de sus disposiciones. En efecto, en los considerandos se destaca que existían *"circunstancias excepcionales, extraordinarias y coyunturales...habida cuenta de la calamidad pública que implica la epidemia mundial de la enfermedad epidémica coronavirus que causa la COVID-19"*, lo que requirió la adopción de medidas urgentes para proteger y garantizar los derechos a la vida, la salud, la alimentación y la seguridad de los ciudadanos, entre otros.

El artículo 1° del señalado decreto, establece que *"Se decreta el Estado de Alarma en todo el Territorio Nacional, dadas las circunstancias de orden social que ponen gravemente en riesgo la salud pública y la seguridad de los ciudadanos y ciudadanas ... a fin de que el Ejecutivo Nacional adopte las medidas urgentes, efectivas y necesarias, de protección y preservación de la salud de la población venezolana, a fin de mitigar y erradicar los riesgos de epidemia relacionados con el coronavirus (COVID-19) y sus posibles cepas..."*. Como consecuencia de ello, el artículo 2 ordenó a todas las autoridades del poder público en el ámbito nacional, estadal y municipal, su cumplimiento urgente y priorizado, manteniendo informado al Ejecutivo Nacional, por órgano de la Vicepresidencia

de la República. En el mismo orden de ideas, el artículo 3 establecía que las medidas ordenadas en este Decreto debían ser tomadas *"de manera urgente, sin dilaciones, por la autoridad indicada en el dispositivo del mismo, o la autoridad a la cual correspondiere en orden de su competencia material"*, siendo la Vicepresidencia Ejecutiva de la República y los Ministerios respectivos, quienes debían desarrollar mediante resoluciones, las medidas establecidas en este Decreto que resultaran necesarias *"para asegurar su eficaz implementación y la garantía de protección de la vida, la salud y la seguridad de los ciudadanos..."* tal y como lo establece el artículo 4. En virtud de ello, fueron dictados diversos decretos en desarrollo de los lineamientos del Decreto de Estado de Alarma N° 4.160, primero en haber sido dictado[1].

Decretado el Estado de Alarma, el artículo 8 estableció la facultad del Presidente de la República para ordenar la suspensión de actividades en determi-

---

[1] En efecto, han sido dictados diversos decretos en el marco del Estado de Alarma para atender la emergencia sanitaria del coronavirus (COVID-19), como por ejemplo el Decreto N° 01 por el que se ratifica la inamovilidad laboral en el sector público y privado; el Decreto N° 02 por medio del cual se dictan medidas de protección económica; y el Decreto N° 03 por el que se suspende el pago de los cánones de arrendamiento de inmuebles de uso comercial y de aquellos utilizados como vivienda principal, éste último decreto recientemente no prorrogado por el Ejecutivo Nacional.

nadas zonas geográficas, con expresa suspensión de las actividades laborales cuyo desempeño no fuera posible bajo alguna modalidad a distancia, que permitiera al trabajador desempeñar su labor en el lugar de habitación, dejando a salvo el artículo 9 determinadas actividades esenciales que no fueron objeto de suspensión, tales como alimentos, medicinas, servicio de salud, servicio eléctrico, telefonía, telecomunicaciones, manejo y disposición de desechos, transporte, sistema portuario nacional, expendio de combustibles y lubricantes, entre otros.

Desde el punto de vista de los particulares, el artículo 5 estableció la obligación para las personas tanto naturales como jurídicas, de cumplir las disposiciones del Decreto de Estado de Alarma, siendo individualmente responsables, cuando su incumplimiento pusiera en riesgo la salud de la ciudadanía o la ejecución del decreto, para lo cual debían actuar en concurso con las autoridades competentes. Así mismo, en concordancia con las disposiciones del Decreto de Estado de Alarma, los Gobernadores y Alcaldes de los Estados y Municipios dictaron en el ámbito de sus competencias, regulaciones específicas aplicables en sus respectivas jurisdicciones, con la finalidad de evitar aglomeraciones de personas[2].

Por otra parte, y en desarrollo del artículo 9 del mismo Decreto de Estado de Alarma, que insta a la Superintendencia de la Actividad Bancaria (SUDEBAN) a divulgar sin dilaciones, *"por todos los medios disponibles las condiciones de prestación de los servicios de banca pública y privada, así como el régimen de suspensión de servicios, incluidos los conexos, y el de actividades laborales de sus trabajadores"*, dicho organismo dictó Circular SIB-DSB-CJ-OD-02415 de fecha 15 de marzo de 2020, de acuerdo con la cual, a partir del 16 de marzo de 2020 se suspendían las actividades de todas las agencias y sedes administrativas de los bancos e instituciones financieras que implicaran atención directa a clientes y usuarios. Esto tiene relevancia en el cumplimiento de las obligaciones tributarias de pago, como veremos más adelante al referirnos a los días hábiles bancarios. En todo caso, se debían mantener los servicios de la banca electrónica como ocurre en los días no laborales bancarios, de conformidad con las normativas dictadas por la SUDEBAN y particularmente, los servicios de: cajeros automáticos, banca por internet, medios de pago electrónico, pago móvil bancario, transferencias, puntos de venta y cualquier otra modalidad de servicios bancarios en línea[3].

Es importante destacar, que de conformidad con lo establecido en el artículo 24 del Decreto de Estado de Alarma, se establecía quienes estaban sujetos a cuarentena y aislamiento, medida que fue posteriormente ampliada por el

---

[2] En este sentido ver por ejemplo Decreto N° 2020-055 publicado en Gaceta Oficial del Estado Miranda N° 0397 de fecha 14 de marzo de 2020, dictado por el Gobernador del Estado Miranda.

[3] Además de la antedicha Circular, fueron dictadas otras para regular supuestos específicos relacionados con los días hábiles bancarios, horarios y modalidades de atención al público en las agencias y sedes administrativas de los bancos, según el desarrollo del estado de alarma.

Presidente de la República a varios estados del país, según el desarrollo de la pandemia. Esto implicó restricciones al tránsito entre estados e inclusive entre municipios, pudiendo circular libremente solo quienes tuviesen un salvoconducto otorgado por las autoridades competentes. Así mismo, esta cuarentena, de acuerdo con el artículo 25 fue de carácter obligatorio, estableciéndose en el artículo 26 los mecanismos en caso de negativa al cumplimiento voluntario de la misma, todo lo cual nos lleva a la conclusión de que durante la duración del Decreto de Estado de Alarma N° 4.160, prorrogado mediante Decreto N° 4.186 de fecha 12 de abril de 2020 publicado en Gaceta Oficial N° 6.528 Extraordinario. de la misma fecha y los subsiguientes decretos y prórrogas, se produjeron limitaciones a la libre circulación y tránsito de los ciudadanos, que incidieron en el cumplimiento de las obligaciones tributarias en general[4].

Sin perjuicio de lo anterior, los mismos Decretos de Estado de Alarma, en reconocimiento de la gravedad de una pandemia, dejan claro en sus disposiciones que se trata de un asunto que es responsabilidad de todos, del Estado, así como de las personas naturales y jurídicas que hacen vida y operan en el país. Esto es complementado con las Disposiciones Finales, particularmente, en la Disposición Final Segunda, en la que se establece la obligatoriedad del Decreto de Estado de Alarma y del apoyo de la Administración Pública nacional, estadal y municipal, para la adopción de medidas e implementación de planes y protocolos para prevenir y controlar este problema sanitario, bajo la coordinación del Ejecutivo Nacional y por otra parte, la Disposición Final Séptima, que insta a los ciudadanos a implementar acciones orientadas a la autoprotección contra el virus, tales como son las conocidas "medidas de bioseguridad".

---

[4] Posteriormente fueron dictados nuevos Decretos de Estado de Alarma y prórrogas de estos en los mismos términos: Decreto de Estado de Alarma N° 4.198 de fecha 12 de mayo de 2020, publicado en Gaceta Oficial N° 6.535 Ext. de la misma fecha; Decreto N° 4.230 (prórroga) de fecha 11 de junio de 2020 publicado en Gaceta Oficial N° 6.542 Ext. de la misma fecha; Decreto de Estado de Alarma N° 4.247 de fecha 10 de julio de 2020, publicado en Gaceta Oficial Ext. N° 6.554 de la misma fecha; Decreto N° 4.260 (prórroga) de fecha 08 de agosto de 2020 publicado en Gaceta Oficial Ext. N° 6.560 de la misma fecha; Decreto de Estado de Alarma N° 4.286 de fecha 06 de septiembre de 2020, publicado en Gaceta Oficial Ext. N° 6.570 de la misma fecha; Decreto N° 4.337 (prórroga) de fecha 05 de octubre de 2020 publicado en Gaceta Oficial Ext. N° 6.579 de la misma fecha; Decreto de Estado de Alarma N° 4.361 de fecha 03 de noviembre de 2020, publicado en Gaceta Oficial Ext. N° 6.590 de la misma fecha; Decreto N° 4.382 (prórroga) de fecha 02 de diciembre de 2020 publicado en Gaceta Oficial Ext. N° 6.602 de la misma fecha; Decreto de Estado de Alarma N° 4.413 de fecha 31 de diciembre de 2020, publicado en Gaceta Oficial Ext. N° 6.610 de la misma fecha; Decreto N° 4.428 (prórroga) de fecha 30 de enero de 2021 publicado en Gaceta Oficial Ext. N° 6.614 de la misma fecha; cuya constitucionalidad fue declarada por sentencia de la Sala Constitucional del Tribunal Supremo de Justicia, en sentencia N° 0006 de fecha 11 de febrero de 2021 y Decreto de Estado de Alarma N° 4.448 de fecha 28 de febrero de 2021, publicado en Gaceta Oficial Ext. de la misma fecha, cuya constitucionalidad fue declarada por sentencia de la misma Sala, en sentencia N° 0034 de fecha 17 de marzo de 2021 (esta última decisión no se encuentra al momento de la elaboración de este trabajo disponible en la página web del Tribunal Supremo de Justicia, aunque aparece en el resumen de decisiones allí publicado).

De todas las disposiciones anteriores del Decreto de Estado de Alarma, que se reiteran en los diversos decretos y prórrogas dictados, lo que queremos resaltar es el hecho público cierto, que además constituía un hecho notorio, que la prioridad era el derecho a la vida y a la salud, consagrados en los artículos 43 y 83 de la Constitución, considerando que el derecho a la salud es un derecho social fundamental y que el Estado está obligado a garantizar como parte del derecho a la vida, todo ello incluso de acuerdo con Tratados Internacionales suscritos por Venezuela, conforme a los cuales se garantizan dichos derechos a la vida y a la salud como bien público y la prevención y tratamiento de enfermedades endémicas y epidémicas[5].

En efecto, el artículo 22 de la Constitución Nacional, establece la protección de los derechos y garantías en ella contenidos, así como de aquellos no expresamente enunciados -*numerus apertus*- que sean inherentes a la persona, así como la jerarquía constitucional y prevalencia en el orden interno de los tratados, pactos y convenciones relativos a derechos humanos suscritos y ratificados por Venezuela, consagrada en el artículo 23 del mismo texto constitucional[6]. Esto es aplicable también a los contribuyentes, tal y como en la doctrina nacional se destaca, en el sentido de que los derechos y garantías de los contribuyentes no quedarían limitados a los previstos expresamente por la Constitución, sino también a todos aquellos inherentes a la persona humana. Sobre este tema, Blanco-Uribe, partiendo de que el sistema jurídico venezolano se adscribe a las modernas tendencias del derecho constitucional, partiendo de que la Constitución es una verdadera norma jurídica, directamente aplicable

---

[5] El artículo 43 de la Constitución establece que: *"El derecho a la vida es inviolable..."*. En cuanto al derecho a la salud, también importante frente al problema de salud pública que constituye el COVID-19, el artículo 83 de mismo texto constitucional lo consagra en los siguientes términos: *"La salud es un derecho social fundamental, obligación del Estado, que lo garantizará como parte del derecho a la vida. El Estado promoverá y desarrollará políticas orientadas a elevar la calidad de vida, el bienestar colectivo y el acceso a los servicios. Todas las personas tienen derecho a la protección de la salud, así como el deber de participar activamente en su promoción y defensa, y el de cumplir con las medidas sanitarias y de saneamiento que establezca la ley, de conformidad con los tratados y convenios internacionales suscritos y ratificados por la República"*. En este sentido, Venezuela ha suscrito diversos Tratados Internacionales a este respecto, tales como el Pacto Internacional de Derechos Económicos, Sociales y Culturales, el Pacto Internacional de Derechos Civiles y Políticos, la Declaración Americana de Derechos y Deberes del Hombre y la Convención Americana sobre Derechos Humanos (Pacto de San José de Costa Rica), que contienen disposiciones relativas al derecho a la vida y a la salud a las que Venezuela debe dar cumplimiento.

[6] En efecto el artículo 22 de la Constitución establece que: *"La enunciación de los derechos y garantías contenidos en esta Constitución y en los instrumentos internacionales sobre derechos humanos no debe entenderse como negación de otros que, siendo inherentes a la persona, no figuren expresamente en ellos. La falta de ley reglamentaria de estos derechos no menoscaba el ejercicio de los mismos"*. Por su parte el artículo 23 reconoce jerarquía constitucional a los tratados sobre derechos humanos en los siguientes términos: *"Los tratados, pactos y convenciones relativos a derechos humanos, suscritos y ratificados por Venezuela, tienen jerarquía constitucional y prevalecen en el orden interno, en la medida en que contengan normas sobre su goce y ejercicio mas favorables a las establecidas en esta Constitución y la ley de la República, y son de aplicación inmediata y directa por los tribunales y demás órganos del Poder Público"*.

a los sujetos de derecho con carácter preferente, afirma que *"No toda persona humana es contribuyente, pero todo contribuyente es, directa o indirectamente, una persona humana. Así, si todo contribuyente es una persona humana y toda persona humana es titular de derechos humanos fundamentales e irrenunciables, es evidente que todo contribuyente goza y debe poder ejercer tales derechos (omissis) tratándose de los derechos del contribuyente, es imperioso concentrarse en el ámbito procesal o adjetivo, luego de haber pasado revista de los derechos sustantivos fundamentales que se le reconocen a la persona humana en general y en su condición particular de contribuyente, para que el principio de supremacía de la Constitución se haga realidad en la concreción del principio de seguridad jurídica previsto en el artículo 299..."*[7].

En el mismo sentido Arvelo, quien al referirse al "Estatuto del Contribuyente", expresa que esta amplia concepción de que los derechos y garantías comprenden también cualquier otro inherente a la persona humana, obedece a la doctrina que precedió al vigente texto constitucional, conforme a la cual *"una de las tendencias del constitucionalismo latinoamericano de la tercera y cuarta etapa, a propósito de esa visión de ampliación y fortalecimiento de los derechos humanos (tutela jurídica reforzada), es el no hacer enunciaciones exhaustivas sobre el elenco de los derechos consagrados en los instrumentos internacionales"*, pues aun no enunciados expresamente, se entenderán protegidos[8].

III. LA SUSPENSIÓN DE LOS PROCESOS JUDICIALES TRIBUTARIOS

El señalado Decreto de Estado de Alarma N° 4.160 de fecha 13 de marzo de 2020, en su Disposición Final Quinta estableció lo siguiente:

> *"Se exhorta al Tribunal Supremo de Justicia a tomar las previsiones normativas pertinentes que permitan regular las distintas situaciones resultantes de la aplicación de las medidas de restricción de tránsito o suspensión de actividades y sus efectos sobre los procesos llevados a cabo por el Poder Judicial o sobre el funcionamiento de los órganos que lo integran".*

Ahora bien, con relación a las previsiones normativas solicitadas al Tribunal Supremo de Justicia, lo primero que debemos señalar es que de acuerdo con el artículo 337 de la Constitución Nacional, el derecho al debido proceso es una de las garantías que, aún en el caso de los estados de excepción debe mantenerse. En efecto, en el marco de los estados de excepción, dicha norma establece que en tal caso podrán ser restringidas temporalmente las garantías constitucionales, salvo las relativas al derecho a la vida, la prohibición de incomunicación y tortura, el derecho al debido proceso, el derecho a la información

---

[7]   BLANCO-URIBE QUINTERO, Alberto, *Estudios sobre Derecho Procesal Tributario Vivo*, Colección Estudios Jurídicos N° 115, Editorial Jurídica Venezolana, Caracas, 2017, p. 17.

[8]   ARVELO, Roquefélix, *El Estatuto del Contribuyente en la Constitución de la República Bolivariana de Venezuela de 1999*, Paredes Editores, Caracas, 2000, p.71.

y los demás derechos humanos intangibles, en los términos previstos en el mencionado artículo 22 del mismo texto constitucional[9].

En desarrollo del señalado artículo 337 de la Constitución, el artículo 7 de la Ley Orgánica de Estados de Excepción, establece también expresamente cuáles garantías no pueden ser restringidas en estos casos, siendo una de ellas, como hemos indicado, el derecho al debido proceso[10]. Además de ello, el debido proceso también es una de las garantías que es reconocida en Tratados Internacionales suscritos por la República, tales como la Declaración Universal de los Derechos Humanos, el Pacto Internacional de Derechos Civiles y Políticos[11] y la Convención Americana sobre Derechos Humanos (Pacto de San José de Costa Rica)[12].

---

[9] El artículo 337 de la Constitución establece que: *"El Presidente o Presidenta de la República, en Consejo de Ministros podrá decretar los estados de excepción. Se califican expresamente como tales las circunstancias de orden social, económico, político, natural o ecológico, que afecten gravemente la seguridad de la Nación, de las instituciones y de los ciudadanos y ciudadanas, a cuyo respecto resultan insuficientes las facultades de las cuales se disponen para hacer frente a tales hechos. En tal caso, podrán ser restringidas temporalmente las garantías consagradas en esta Constitución, salvo las referidas a los derechos a la vida, prohibición de incomunicación y tortura, el derecho al debido proceso, el derecho a la información y los demás derechos humanos intangibles"*.

[10] El artículo 7 de la Ley Orgánica sobre los Estados de Excepción, establece que: *"No podrán ser restringidas, de conformidad con lo establecido en los artículos 339 de la Constitución de la República Bolivariana de Venezuela, 4, 2 del Pacto Internacional de Derechos Civiles y Políticos y 27, 2 de la Convención Americana sobre Derechos Humanos, las garantías de los derechos: (...) 11. El debido proceso"*.

[11] El artículo 10 de la Declaración Universal de los Derechos Humanos, entre muchos otros derechos y garantías, establece que: *"Toda persona tiene derecho, en condiciones de plena igualdad, a ser oída públicamente y con justicia por un tribunal independiente e imparcial, para la determinación de sus derechos y obligaciones o para el examen de cualquier acusación contra ella en materia penal"*. También el Pacto Internacional sobre Derechos Civiles y Políticos, establece que en situaciones excepcionales que pongan en peligro la vida de la nación, los Estados podrán adoptar disposiciones limitadas a las exigencias de la situación y que suspendan las obligaciones contraídas conforme al pacto, de acuerdo con el artículo 4.1: *"siempre que tales disposiciones no sean incompatibles con las demás obligaciones que les impone el derecho internacional…"*, agregando el artículo 4.2 que: *"La disposición precedente no autoriza suspensión alguna de los Artículos 6, 7 y 8 (párrafos 1 y 2), 11, 15, 16 y 18"*.

[12] El Pacto de San José de Costa Rica en su artículo 8 establece también el debido proceso en los siguientes términos: *"1. Toda persona tiene derecho a ser oída, con las debidas garantías y dentro de un plazo razonable, por un juez o tribunal competente, independiente e imparcial establecido con anterioridad por la ley, en la sustanciación de cualquier acusación penal formulada contra ella, o para la determinación de sus derechos y obligaciones de orden civil, laboral, fiscal o de cualquier otro carácter. 2. Toda persona inculpada de delito tiene derecho a que se presuma su inocencia mientras no se establezca legalmente su culpabilidad. Durante el proceso tiene derecho, en plena igualdad, a las siguientes garantías mínimas…"*, estas garantías son el derecho a ser asistido gratuitamente por un traductor o intérprete, comunicación previa y detallada de la acusación, concesión del tiempo y los medios adecuados para la defensa, el derecho a defenderse por sí mismo o asistido por un defensor de su elección, el derecho a no declarar contra sí mismo, el derecho a recurrir del fallo, entre otros. En materia de estados de excepción, la convención también establece la posibilidad, bajo determinadas circunstancias de suspensión de garantías, en la medida y tiempo limitados a las exigencias de la situación. En este sentido el artículo 27.2 establece cuales derechos no pueden ser objeto de suspensión, agregando que tampoco podrán ser objeto de suspensión las *"garantías judiciales indispensables para la protección de tales derechos"*.

Por otra parte, y partiendo de la primacía constitucional establecida en el artículo 7, la misma Constitución consagra en el artículo 49 que *"El debido proceso se aplicará a todas las actuaciones judiciales y administrativas"*, sin limitarlo al ámbito judicial, ampliando el espectro de aplicación a las actuaciones administrativas como un freno al poder del Estado, obligando con ello a sus funcionarios, a seguir el procedimiento legalmente establecido. Este derecho al debido proceso comprendería el derecho a la defensa (con la posibilidad de hacer alegaciones y presentar pruebas), la presunción de inocencia, el derecho a ser oído, el derecho al juez natural, el derecho a no confesar contra sí mismo, el principio de legalidad en materia penal, el principio del *non bis in idem* y la responsabilidad del Estado por errores judiciales[13].

Ahora bien, antes de referirnos a las previsiones y medidas adoptadas sobre la suspensión de los procesos judiciales conforme al Decreto de Estado de Alarma, como punto previo es importante tomar en cuenta algunas normas del Código de Procedimiento Civil que son relevantes. Tal es el caso del artículo 191, de acuerdo con el cual:

> *"Los jueces no podrán despachar los asuntos de su competencia, sino en el lugar destinado para sede del Tribunal, a no ser para los actos respecto de los cuales acuerdan previamente otra cosa conforme a la ley, de oficio o a petición de parte".*

En el mismo orden de ideas, el artículo 194 del mismo Código establece que:

---

[13] El artículo 7 de la Carta Magna establece el principio de supremacía constitucional, en los siguientes términos: *"La Constitución es la norma suprema y el fundamento del ordenamiento jurídico. Todas las personas y los órganos que ejercen el Poder Público están sujetos a esta Constitución"*. Así mismo, establece los aspectos que comprende el debido proceso y que detalla el artículo 49 en sus numerales: 1° *"La defensa y la asistencia jurídica son derechos inviolables en todo estado y grado de la investigación y del proceso. Toda persona tiene derecho a ser notificada de los cargos por los cuales se le investiga, de acceder a las pruebas y de disponer del tiempo y de los medios adecuados para ejercer su defensa. Serán nulas las pruebas obtenidas mediante violación del debido proceso. Toda persona declarada culpable tiene derecho a recurrir del fallo, con las excepciones establecidas en esta Constitución y la ley"*; 2° *"Toda persona se presume inocente mientras no se pruebe lo contrario"*; 3° *"Toda persona tiene derecho a ser oída en cualquier clase de proceso, con las debidas garantías y dentro del plazo razonable determinado legalmente, por un tribunal competente, independiente e imparcial. Quien no hable castellano o no pueda comunicarse de manera verbal, tiene derecho a un intérprete"*; 4° *Toda persona tiene derecho a ser juzgada por sus jueces naturales en las jurisdicciones ordinarias, o especiales, con las garantías establecidas en esta Constitución y en la ley. Ninguna persona podrá ser sometida a juicio sin conocer la identidad de quien la juzga, ni podrá ser procesada por tribunales de excepción o por comisiones creadas para tal efecto"*; 5° *Ninguna persona puede ser obligada a confesarse culpable o declarar contra sí misma, su cónyuge, concubino o concubina, o pariente dentro del cuarto grado de consanguinidad y segundo de afinidad. La confesión solamente será válida si fuere hecha sin coacción de ninguna naturaleza"*; 6° *"Ninguna persona podrá ser sancionada por actos u omisiones que no fueren previstos como delitos, faltas o infracciones en leyes preexistentes"*; 7° *"Ninguna persona podrá ser sometida a juicio por los mismos hechos en virtud de los cuales hubiese sido juzgada anteriormente"* y 8° *"Toda persona podrá solicitar del Estado el restablecimiento o reparación de la situación jurídica lesionada por error judicial, retardo u omisión injustificados. Queda a salvo el derecho del o de la particular de exigir la responsabilidad personal del magistrado o magistrada, juez o jueza y del Estado, y de actuar contra éstos o éstas".*

"Las diligencias, solicitudes, escritos y documentos a que se refieren los artículos 106 y 107 de este Código deberán ser presentados por las partes dentro de las horas del día fijadas por el Tribunal para despachar.

Los días en los cuales el Tribunal disponga no despachar, el Secretario no podrá suscribir ni recibir diligencias, solicitudes, escritos y documentos de las partes"[14].

Como complemento de ello, de acuerdo con el artículo 195 los Tribunales harán saber al público a primera hora, *"por medio de una tablilla o aviso"* el día que dispongan por causa justificada no despachar, para conocimiento de los usuarios del sistema de justicia, de lo cual debe dejar constancia, el Secretario del Tribunal en el Libro Diario.

Estas disposiciones del Código de Procedimiento Civil son aplicables bajo situaciones de normalidad, sin embargo van a tener especial relevancia en el marco del Estado de Alarma, en virtud de lo dispuesto por la Disposición Final Quinta, de acuerdo con la cual se exhorta al Tribunal Supremo de Justicia a tomar las previsiones normativas pertinentes, que permitan regular las distintas situaciones resultantes de las medidas de restricción del tránsito o suspensión de actividades y sus efectos sobre los procesos judiciales. Resulta lógico suponer que ante las limitaciones al tránsito de los ciudadanos y la suspensión de actividades que afectaron no solo a las partes de un proceso, sino también a los funcionarios del poder judicial, era necesaria la adopción de medidas de carácter general, no dejando la decisión de despachar o no a los Jueces en forma individual.

En cumplimiento de la señalada Disposición Final Quinta y lo preceptuado en el artículo 26 de la Constitución Nacional que establece el derecho a la tutela judicial efectiva[15], el Tribunal Supremo de Justicia en Sala Plena, dictó la Resolución N° 001-2020 de fecha 20 de marzo de 2020 posteriormente prorrogada[16], conforme a la cual se dispuso, entre otros puntos, lo siguiente:

---

[14] Estas diligencias, solicitudes y escritos deben ser consignadas, obviamente en los expedientes que se encuentran en la sede del Tribunal. Conforme al artículo 106 del Código de Procedimiento Civil, las diligencias que formulen las partes en el expediente, deben ser suscritas también por el secretario del Tribunal y de ellas debe darse cuenta inmediata al Juez. Por su parte el artículo 107 *eiusdem*, se refiere a los escritos y documentos que presenten las partes, los cuales recibirá el secretario y deben agregarse al expediente, estampando la fecha de su presentación y hora, de lo que deberá igualmente darse cuenta al Juez.

[15] De acuerdo con el artículo 26 de la Constitución: *"Toda persona tiene derecho de acceso a los órganos de administración de justicia para hacer valer sus derechos e intereses, incluso los colectivos o difusos, a la tutela efectiva de los mismos y a obtener con prontitud la decisión correspondiente..."*

[16] La Resolución N° 001-2020 de fecha 20 de marzo de 2020 de la Sala Plena del Tribunal Supremo de Justicia, adoptó diversos resueltos, de los cuales destacamos el Primero: *"Ningún Tribunal despachará desde el lunes 16 de marzo hasta el lunes 13 de abril de 2020, ambas fechas inclusive. Durante este período permanecerán en suspenso las causas y no correrán los lapsos procesales. Ello no impide que se practiquen las actuaciones urgentes para el aseguramiento de los derechos de alguna de las partes, de conformidad con la ley. Los órganos jurisdiccionales tomarán las debidas previsiones para que no sea suspendido el servicio público de administración de justicia. Al efecto se acordará su habilitación para*

a) Que ningún Tribunal despacharía desde el 16 de marzo de 2020 hasta el 13 de abril de 2020, ambos inclusive, lapso que podría ser ampliado, como en efecto ocurrió, si se prorrogaba el Estado de Alarma.

b) Mantener las causas en suspenso, dejando constancia expresa de que no correrían los lapsos procesales.

c) Dejar a salvo las actuaciones vigentes para las cuales hubiese habilitación y los casos de Amparo Constitucional en los cuales se consideran habilitados todos los días, debiendo ser tramitados y sentenciados.

Para parte de la doctrina, estas previsiones atentaban contra el derecho de acceso a la justicia, limitado a la tramitación de los casos penales y los amparos constitucionales. En efecto, para Duque se han podido crear Salas Virtuales, a los fines de la celebración de procesos telemáticos a través de plataformas en línea para la presentación de demandas y escritos, incorporándolos a un expediente judicial electrónico.[17] Esto se llevó a cabo parcialmente en la jurisdicción civil, aun cuando tenemos dudas sobre su confiabilidad, con las garantías propias del derecho al debido proceso y la defensa de los litigantes, en un proceso judicial parcialmente "digitalizado". En el ámbito judicial y específicamente

---

que se proceda al despacho de los asuntos urgentes". Segundo: "En materia de amparo constitucional se considerarán habilitados todos los días del período antes mencionado. Los jueces, incluso los temporales, están en la obligación de tramitar y sentenciar los procesos respectivos. Las Salas Constitucional y Electoral del Tribunal Supremo de Justicia permanecerán de guardia durante el estado de contingencia... ". Mediante Resolución N° 002-2020 de fecha 30 de abril de 2020, por cuanto persistían las circunstancias de orden social que ponían en riesgo la salud pública y la seguridad de los ciudadanos, se prorrogó la antedicha Resolución en los siguientes términos: "Se prorroga por treinta (30) días, el plazo establecido en la Resolución número 001-2020, dictada por la Sala Plena del Tribunal Supremo de Justicia el 13 de marzo de 2020, ambas fechas inclusive. En consecuencia, ningún Tribunal despachará desde el lunes 13 de abril hasta el miércoles 13 de mayo de 2020, ambas fechas inclusive". Así mismo, mediante Resolución N° 003-2020 de fecha 13 de mayo de 2020, en los mismos términos se prorrogó este lapso desde el miércoles 13 de mayo hasta el viernes 12 de junio de 2020; mediante Resolución N° 004-2020 de fecha 12 de junio de 2020, en los mismos términos se prorrogó este lapso desde el día 12 de junio hasta el 12 de julio de 2020; mediante Resolución N° 005-2020 de fecha 12 de julio de 2020, en los mismos términos se prorrogó este lapso desde el día 12 de julio hasta el 12 de agosto de 2020; mediante Resolución N° 006-2020 de fecha 12 de agosto de 2020, en los mismos términos se prorrogó este lapso desde el día 12 de agosto hasta el 12 de septiembre de 2020; mediante Resolución N° 007-2020 de fecha 1° de octubre de 2020, en los mismos términos se prorrogó este lapso desde el día 13 de septiembre hasta el 30 de septiembre de 2020; .y finalmente, Resolución N° 008-2020 de fecha 1° de octubre de 2020, que modificó el régimen, por el establecido de la semana de flexibilización y semana de restricción decretadas por el Ejecutivo Nacional, atendiendo a las recomendaciones de la Comisión Presidencial para la Prevención, Atención y Control del COVID-19. Durante la semana de restricción decretada se dispuso lo siguiente: "permanecerán en suspenso las causas y no correrán los lapsos; salvo para aquellas que puedan decidirse a través de medios telemáticos, informáticos y de comunicación (TIC) disponibles...". Las resoluciones antes identificadas están disponibles en la página web del Tribunal Supremo de Justicia.

17 DUQUE CORREDOR, Román J. Breves notas sobre las garantías judiciales en el caso del estado de excepción de alarma por la pandemia del Covid-19 y el Tribunal Supremo de Justicia, en "Estudios Jurídicos sobre la pandemia del Covi-19, Academia de Ciencias Políticas y Sociales, Coordinadores Allan R. Brewer-Carías y Humberto Romero-Muci, Serie Estudios N° 123, Editorial Jurídica Venezolana Internacional, Caracas, 2020, p. 226.

en la jurisdicción contencioso tributaria, la situación en términos generales ha sido relativamente clara, la pauta la dio la referida Resolución N° 001-2020 de fecha 20 de marzo de 2020 de la Sala Plena del Tribunal Supremo de Justicia y por tanto, salvo las excepciones previstas aplicables, como sería el caso de los Amparos Constitucionales en materia tributaria, los procesos se mantuvieron en suspenso (no paralizados), dejando constancia con ello de que no correrían los lapsos procesales en garantía del derecho a la defensa y al debido proceso, así como la seguridad jurídica de las partes[18].

En este sentido es importante destacar el significado de la suspensión de los procesos y la declaratoria que hace la Sala Plena de que no corrían los lapsos procesales, pues ello es determinante a los fines de la caducidad del lapso para la interposición del Recurso Contencioso Tributario, la perención de la instancia y la pérdida del interés procesal. En lo que se refiere a la interposición del Recurso Contencioso Tributario, establece el artículo 288 del Código Orgánico Tributario, que el lapso para la interposición del mismo es de veinticinco (25) días hábiles, los cuales, tratándose de un lapso procesal y tal como lo ha declarado la reiterada y pacífica jurisprudencia del Tribunal Supremo de Justicia en Sala Político Administrativa, deben computarse por días hábiles de despacho del Tribunal. Ello implica que el lapso para la interposición del recurso no corre durante los días sábados, domingos, vacaciones judiciales, feriados nacionales, días indicados en el calendario del año judicial y aquellos otros días en los cuales no haya actividad o despacho, según el caso, en la Unidad de Recepción y Distribución de Documentos (URDD) para los Tribunales Superiores de lo Contencioso Tributario de la Circunscripción Judicial del Área Metropolitana de Caracas o del Tribunal competente por el territorio, para los Tribunales Superiores de lo Contencioso Tributario Regionales, en el ámbito de sus respectivas jurisdicciones.

Así lo ha reiterado pacíficamente la jurisprudencia de la Sala Político Administrativa del Tribunal Supremo de Justicia, como por ejemplo en sentencia N° 1362 de fecha 20 de octubre de 2011, *caso Corporación Star White C.A.*[19] Siendo ello así, en lo que respecta al lapso para la interposición del recurso judicial,

---

18 Una vez reiniciadas las actividades de los Tribunales en el mes de octubre de 2020, lo que podría haber complicado la sustanciación de los procesos y causar retardo judicial fue la adopción del sistema del 7X7, en suspenso hasta nueva decisión del Ejecutivo Nacional, para el momento de la elaboración del presente trabajo.

19 Como hemos indicado, los Tribunales competentes y particularmente, la Sala Político Administrativa del Tribunal Supremo de Justicia, ha reiterado este criterio en diversas decisiones, considerándose este un criterio pacíficamente aceptado. Así lo ha declarado, entre otras, la señalada sentencia al declarar que: *"En cuanto a la forma de computar el lapso para ejercer el recurso contencioso tributario, en aplicación del Código Orgánico Tributario de 2001, esta Máxima Instancia reitera en el presente caso el criterio jurisprudencial sostenido en diferentes decisiones, entre otras, la sentencia Nro. 01145 de fecha 31 de agosto de 2004, caso: McGraw Hill Interamericana de Venezuela, S.A., ratificada en el fallo Nro. 00886 del 29 de julio de 2008, caso: Instituto Venezolano de los Seguros Sociales (IVSS), y más recientemente en la decisión Nro. 00206 del 16 de febrero de 2011, caso: KEOPS GRANITOS Y MÁRMOLES, C.A., en el cual se estableció lo siguiente:"(…) la jurisprudencia tanto*

siendo éste un lapso procesal y por tanto, no corriendo los lapsos procesales, tampoco podía correr el lapso de caducidad a los fines de interposición del señalado Recurso Contencioso Tributario.

En cuanto a la <u>perención de la instancia</u>, según Henríquez La Roche, ésta *"constituye un expediente práctico sancionatorio de la conducta omisiva de las partes que propende a garantizar el desenvolvimiento del proceso hasta su meta natural que es la sentencia, entendida como el acto procesal que dirime el conflicto de intereses (uti singulis) y cumple adicionalmente la función pública de asegurar la necesaria continuidad del derecho objetivo (uti civis), declarando su contenido y haciéndolo cumplir"* siendo el interés procesal, el estímulo a la continuidad del proceso hasta sentencia definitiva[20]. El Código Orgánico Tributario contiene una norma específica en materia de perención de los procesos judiciales, que es la contenida en el artículo 292, de acuerdo con el cual: *"La instancia se extinguirá por el transcurso de un (1) año sin haberse efectuado ningún acto de procedimiento. La inactividad del juez después de la vista de la causa, no producirá la perención."*

El Código de Procedimiento Civil venezolano, adopta la tesis del carácter objetivo de la perención, motivo por el cual, en principio, el lapso corre indefectiblemente si no se realizan las actuaciones procesales idóneas para impedir que esta ocurra[21]. La doctrina procesal considera que no existen causales de

---

de instancia como de esta alzada, ha sido pacífica y reiterada al sostener el criterio conforme al cual dicho lapso es concebido como de índole procesal, en atención a que el mismo transcurre ante el órgano que conocerá del asunto en vía jurisdiccional, debiéndose en consecuencia, computar según los días hábiles transcurridos frente a dicho Tribunal. De lo anterior, resulta que en materia procesal-tributaria el mencionado lapso habrá de computarse conforme a los días hábiles verificados ante el Tribunal Superior Distribuidor de lo Contencioso Tributario (en el caso de autos, el Superior Primero); entendiéndose por días hábiles, aquellos en los cuales dicho Tribunal Distribuidor haya decidido dar despacho, motivo por el que suelen indicarse tales días como 'de despacho' (omissis) Así, de los mencionados fallos se ha venido perfilando una doctrina judicial bastante uniforme respecto del señalado particular, la cual puede sintetizarse en los siguientes puntos: (…) De lo antes señalado, queda claro que el criterio pacífico y reiterado de esta Sala Político-Administrativa, concibe el plazo para interponer el recurso contencioso tributario como de índole procesal, en atención a que el mismo transcurre ante el órgano que conocerá del asunto en vía jurisdiccional, por lo que éste debe computarse según los días hábiles transcurridos, para casos como el que nos ocupa, actualmente, en la Unidad de Recepción y Distribución de Documentos (U.R.D.D.) de los Tribunales Superiores de lo Contencioso Tributario de la Circunscripción Judicial del Área Metropolitana de Caracas, que funja como Distribuidor, o ante los Tribunales Superiores Regionales respectivos, para las acciones ejercidas en los distintos Estados del Territorio Nacional." Sentencia consultada en: http://historico.tsj.gob.ve/decisiones/spa/octubre/01362-201011-2011-2011-0640.HTML

[20] HENRIQUEZ LA ROCHE, Ricardo, *Código de Procedimiento Civil, Tomo II,* 3ra. Edición actualizada, Ediciones Liber, Caracas, 2006, p. 324.

[21] Tanto la doctrina como la jurisprudencia destacan que no toda actuación es susceptible de interrumpir la perención, debe tratarse de actos procesales que impliquen la intención de mantener viva la instancia. Como ha señalado la jurisprudencia: *"Los actos procesales requeridos para que no opere la perención, son aquellos que tengan como consecuencia inmediata la constitución, conservación, desenvolvimiento, modificación o definición de una relación procesal".* Sobre este tema ver sentencia del Tribunal Superior Tercero de lo Contencioso Tributario de fecha 24 de abril de 2002, en el caso *Licorería Flor de la Matica SRL,* consultada en ROMERO-MUCI, Humberto, *Jurisprudencia Tributaria Municipal y Estadal y la Descentralización Fiscal,* Colección Jurisprudencia (1997-2004), Tomo VI. Editorial Jurídica Venezolana, Caracas, 2005, p.3353.

suspensión de la perención, salvo la excepción prevista en el artículo 167 del Código de Procedimiento Civil (también establecida en el señalado artículo 292 del Código Orgánico Tributario), relativa a que la perención no corre por la inactividad del juez llegada la causa a estado de sentencia. El lapso de la perención corre desde la paralización del proceso, a partir del último acto procesal de las partes.

Atendiendo evidentemente a la naturaleza de los procesos civiles signados por el principio dispositivo de las partes, se ha señalado que ni las vacaciones judiciales ni los días feriados suspenden la perención. Para Henríquez La Roche, si bien no corren los lapsos procesales, en estos casos sí corre la perención por cuanto este *"no es procesalmente hablando un lapso procesal"*, argumentando que *"la suspensión general de los lapsos a la que se refiere el artículo 201 del Código de Procedimiento Civil no significa suspensión de la inactividad"*. En el mismo sentido, Rengel Romberg invoca la aplicación en estos casos de los artículos 12 del Código Civil y 199 del Código de Procedimiento Civil, sobre el cómputo de los términos o lapsos que se computan por años o meses. Siendo el de la perención un lapso que corre fatalmente contra todos y que no se suspende en ningún caso, según la doctrina mayoritaria lo único que cuenta es el hecho objetivo de la inactividad procesal de las partes, por lo que según Zambrano es *"De allí que el lapso de perención comprenda los días feriados y los de vacaciones judiciales, en el entendido de que si el lapso vence precisamente durante las vacaciones o en un día feriado o en uno que el tribunal no de despacho, ello no impide que, de conformidad con el artículo 201 del CPC, se practiquen las actuaciones que sean necesarias para asegurar los derechos de alguna parte"*[22].

Sobre la perención, la jurisprudencia de la Sala Político Administrativa del Tribunal Supremo de Justicia, ha declarado que deben darse dos requisitos para que esta opere: i) la paralización de la causa por más de un (1) año desde el último acto de procedimiento y ii) la falta de realización de actos de procedimiento por las partes, siempre que ya se hubiese producido la admisión del recurso por una parte y no se hubiese dicho vistos para sentencia por la otra. La jurisprudencia ha reiterado el carácter objetivo de la perención que le atribuye la doctrina y que fue adoptado por el Código de Procedimiento Civil de 1987, operando de pleno derecho[23]. Cabe comentar que la perención de la

---

[22] El artículo 12 del Código Civil establece que: *"Los lapsos de años o meses se contarán desde el día siguiente al de la fecha del acto que da lugar al lapso, y concluirán el día de fecha igual a la del acto, del año o mes que corresponda para completar el número del lapso. El lapso que, según la regla anterior, debiera cumplirse en un día que carezca de mes, se entenderá vencido el último día de ese mes..."*; el artículo 199 del Código de Procedimiento Civil por su parte establece que: *"Los términos o lapsos de años o meses se computarán desde el día siguiente al de la fecha del acto que da lugar al lapso, y concluirán el día de fecha igual a la del acto, del año o mes que corresponda para completar el número del lapso. El lapso que, según la regla anterior, deba cumplirse en un día de que carezca el mes, se entenderá vencido el último de ese mes"*.

[23] En este sentido ver sentencia de la Sala Político Administrativa del Tribunal Supremo de Justicia N° 00316 de fecha 16 de marzo de 2016, *caso Compañía Brahma de Venezuela, C.A*, sentencia consultada en: http://historico.tsj.gob.ve/decisiones/spa/marzo/186305-00316-16316-2016 -2013-0459.HTML

instancia no implica la extinción de la acción, pero ello ocurre en los procesos judiciales distintos del contencioso tributario, por cuanto en estos casos, expresamente establecen los artículos 270 y 271 del Código de Procedimiento Civil que se podrá intentar nuevamente la demanda, siempre que no sea antes de que transcurran noventa (90) días continuos después de verificada la perención[24], lo cual en principio no ocurre en el proceso contencioso tributario pues, declarada la perención de la instancia, por no haberse realizado las actuaciones conducentes para que el proceso fuese debidamente sustanciado, ya habrá transcurrido el lapso de caducidad para intentar el Recurso Contencioso Tributario, por lo que el daño causado a la parte afectada es considerablemente mayor, ante la imposibilidad de volver a interponer el recurso, con la consiguiente firmeza del acto administrativo impugnado como efecto.

La perención en principio lo que extingue es el proceso y no la acción. Sin embargo, en el caso del proceso contencioso tributario que se encuentra en primera instancia, por efecto de la caducidad del lapso para la interposición del recurso también se habrá extinguido la acción. No obstante, y como una reflexión sobre este punto, no podemos dejar de señalar que, si el acto administrativo "firme", por efecto de la perención de la instancia adolece de vicios de nulidad absoluta, el mismo no podría adquirir firmeza. En estos supuestos, siendo el acto administrativo nulo de pleno derecho y al no poder adquirir firmeza, existe la posibilidad de reapertura de la vía recursiva, basada en la previa solicitud de la nulidad absoluta del acto, con fundamento en el artículo 269 de Código Orgánico Tributario.[25] En efecto, de acuerdo con dicha norma, la Administración Tributaria *"podrá en cualquier momento, de oficio o a solicitud de los interesados reconocer la nulidad absoluta de los actos dictados por ella"*, en los mismos términos que lo establece el artículo 83 de la Ley Orgánica de Procedimientos Administrativos. Esta declaratoria de nulidad absoluta tendría que ser por las causales establecidas en el artículo 270 del mismo código y que son las siguientes:

---

[24] Establece el artículo 270 del Código de Procedimiento Civil que: *"La perención no impide que se vuelva a proponer la demanda, ni extingue los efectos de las decisiones dictadas, ni las pruebas que resulten de los autos; solamente extingue el proceso. Cuando el juicio en que se verifique la perención se halle en apelación, la sentencia apelada quedará con fuerza de cosa juzgada, salvo que se trate de sentencias sujetas a consulta legal, en los cuales no habrá lugar a perención"*. Como complemento de ello, el artículo 271 del mismo código establece que: *"En ningún caso el demandante podrá volver a proponer la demanda, antes de que transcurran noventa días continuos después de verificada la perención"*.

[25] En el supuesto planteado, la existencia de vicios de nulidad absoluta en el acto impugnado, podría recibir el mismo tratamiento aceptado por la doctrina para aquellos casos en que hubiese vencido el lapso de caducidad, sin que el recurso correspondiente haya sido interpuesto dentro del lapso legalmente establecido. Cabe comentar que, incluso la vieja doctrina de la Sala Político Administrativa del Tribunal Supremo de Justicia sobre el artículo 87 de la derogada Ley Orgánica de la Corte Suprema de Justicia y los efectos de la perención de la instancia, negaba firmeza a la sentencia o al acto administrativo recurrido, cuando se violentaran normas de orden público o cuando por disposición de la ley, correspondiera a la Sala el control de la legalidad de la decisión o del acto impugnado, todo ello antes de que se hiciera la interpretación constitucional de esta institución procesal.

"Los actos de la Administración Tributaria serán absolutamente nulos en los siguientes casos:

1. Cuando así esté expresamente determinado por una norma constitucional o sean violatorios de una disposición constitucional.

2. Cuando resuelvan un caso precedentemente decidido con carácter definitivo y que haya creado derechos subjetivos, salvo autorización expresa de la ley.

3. Cuando su contenido sea de imposible o ilegal ejecución.

4. Cuando hubieran sido dictados por autoridades manifiestamente incompetentes o con prescindencia total y absoluta del procedimiento legalmente establecido".

En virtud de la naturaleza de la obligación tributaria, regida por el Principio de Legalidad, creemos que un acto administrativo que adolezca de tales vicios de nulidad absoluta, por un efecto de naturaleza estrictamente procesal, no podría adquirir firmeza en estos específicos supuestos. La mejor doctrina administrativa reconoce que un acto afectado de nulidad absoluta no puede ser convalidado y tampoco puede adquirir validez por el consentimiento del afectado. Por ello es que, en estos casos, la falta de impugnación del acto administrativo por haber transcurrido el lapso de caducidad no lo puede hacer firme, de allí la previsión del artículo 269 del Código Orgánico Tributario antes citado, que permite a la Administración Tributaria el reconocimiento en cualquier momento, de la nulidad absoluta de sus propios actos. Refiriéndose a la norma española, García de Enterría y Fernández, expresan que *"El precepto en cuestión consagra, en efecto, el carácter imprescriptible de la acción de nulidad, que el interesado puede ejercitar en cualquier momento, con posterioridad, por tanto, a la terminación de los plazos normales del recurso"*[26]. En los mismos términos González Pérez, para quien la nulidad de pleno derecho o absoluta, constituye el grado máximo de invalidez de un acto administrativo, siendo sus consecuencias la imprescriptibilidad de la acción e improcedencia de la subsanación[27].

Ahora bien, observamos que de acuerdo con la necesaria adopción de medidas a la que se exhortaba al Tribunal Supremo de Justicia, conforme a la Disposición Final Quinta antes citada del Decreto de Estado de Alarma, la señalada Resolución N° 001-2020 de fecha 20 de marzo de 2020 de la Sala Plena y sus diversas prórrogas, en su Resuelto Primero expresamente estableció que durante el período al que se contraían, las causas permanecerían en suspenso y no correrían los lapsos procesales. En virtud de ello, los procesos judiciales se encontraban suspendidos por disposición legal, con fundamento en el Decreto de Estado de Alarma que a su vez constituía un estado de excepción, durante el cual, como hemos señalado anteriormente, debía en todo caso ser garantizado el derecho al debido proceso, por lo que procesalmente no estaríamos frente

[26] GARCÍA DE ENTERRÍA, Eduardo y FERNÁNDEZ, Tomás Ramón, *Curso de Derecho Administrativo I*, Editorial Civitas, Madrid, 1986, p.569.
[27] GONZÁLEZ PÉREZ, Jesús, *Manual de Procedimiento Administrativo*, Editorial Civitas, Madrid, 2000. p.243.

a una paralización de los procesos judiciales tributarios y, en consecuencia, mal podría producirse la perención de la instancia.

Sin perjuicio de los motivos procesales por los cuales no podría haber perención, con respecto a esta institución debemos tomar en consideración que el Código de Procedimiento Civil vigente es del año 1987, anterior a la Constitución de 1999, que se caracteriza por el reconocimiento expreso de derechos y garantías que no pueden ser obviados en la aplicación de las normas jurídicas y mucho menos en las circunstancias especiales y extraordinarias, absolutamente anómalas en el funcionamiento del poder judicial y en general de la vida ordinaria y actividad de personas naturales y jurídicas en general. Ello nos llevaría a la aplicación de las normas en materia de perención también bajo una interpretación constitucional, que garantice el derecho a la tutela judicial efectiva consagrado en el artículo 26 de la Constitución, así como el debido proceso reconocido en el artículo 49 y el cual, como hemos señalado anteriormente, debe ser garantizado aún bajo las circunstancias de un estado de excepción, conforme al artículo 337 constitucional y la ley que lo desarrolla[28].

Constituye un hecho notorio que el sistema de administración de justicia no estaba funcionando con normalidad, como se evidencia de las mismas resoluciones dictadas por la Sala Plena durante la pandemia, teniendo en cuenta también las limitaciones y restricciones derivadas del Decreto de Estado de Alarma. En el marco de las circunstancias de orden social que ponían gravemente en riesgo la salud pública y la seguridad de los ciudadanos de la República, debido a la pandemia consecuencia del Covid-19, se expresa en los considerandos de la referida Resolución N° 001-2020 de fecha 20 de marzo de 2020 de la Sala Plena del Tribunal Supremo de Justicia que las resoluciones dictadas lo han sido *"cónsono con las políticas adoptadas por el Ejecutivo Nacional tendientes a la implementación de medidas urgentes, efectivas y necesarias, de protec-*

---

[28] Como hemos visto el Código Orgánico Tributario en el artículo 292 anteriormente citado establece la perención anual en primera instancia, con la expresa mención de que ésta no se consuma por la inactividad del juez una vez la causa se encuentre en estado de sentencia. Así mismo, en lo que respecta a la segunda instancia, el artículo 41 de la Ley Orgánica de la Jurisdicción Contencioso Administrativa, establece que toda instancia se extingue por el transcurso de un año sin haberse ejecutado ningún acto de procedimiento por las partes *"salvo que el acto procesal siguiente le corresponda al juez o jueza, tal como la admisión de la demanda, la fijación de la audiencia y la admisión de pruebas..."*. En todo caso también es aplicable supletoriamente el artículo 167 del Código de Procedimiento Civil. Adicionalmente, esta prevalencia del Código de Procedimiento Civil, había sido el criterio pacíficamente aceptado por la Sala de Casación Civil del Tribunal Supremo de Justicia, por lo que existía también la expectativa legítima de que en una causa en estado de sentencia no podía producirse la perención. En este sentido, ver sentencia de la Sala Constitucional del Tribunal Supremo de Justicia N° 2673 de fecha 14 de diciembre de 2001, *caso DHL Fletes Aéreos y otros*, en la cual se declara que atendiendo a una interpretación armónica de los artículos 86 y 96 de la Ley Orgánica de la Corte Suprema de Justicia, aplicable *ratione temporis*, en concordancia con el artículo 267 del Código de Procedimiento Civil, cuya aplicación supletoria reconoce y siendo la perención de la instancia un castigo ante la falta de actividad de las partes, se concluye que en estado de sentencia no hay actos de las partes, por lo que estas no pueden verse perjudicadas por la inactividad del juez. Sentencia consultada en: http://historico.tsj.gob.ve/decisiones/scon/diciembre/2673-141201-01-2782.HTM

ción y preservación de la salud de la población venezolana; sin que pueda de manera organizada y en planificación por parte del personal del Poder Judicial, coadyuvar de manera eficiente a la concreción de la tutela judicial efectiva y demás garantías de acceso a la justicia, procurando en todo momento la existencia de personal de guardia en las jurisdicciones que lo requieran, para atender asuntos urgentes y fundamentales según la ley". Como hemos señalado, lo que se produjo fue la suspensión de los procesos y no su paralización, siendo ésta fundamental, aunada a la inactividad de las partes, para que pueda hablarse de perención. Por otra parte, las especiales circunstancias derivadas de la pandemia, deben llevarnos a una ponderación entre el derecho a la tutela judicial efectiva y el gravamen irreparable que en este contexto representaría la perención de la instancia, atentando contra derechos y garantías constitucionales fundamentales, que en esta situación de anormalidad en el funcionamiento del poder judicial, debían prevalecer sobre las normas contenidas en el Código Orgánico Tributario y el Código de Procedimiento Civil. Ello también fue expresamente reconocido en las sentencias de la Sala Constitucional del Tribunal Supremo de Justicia que declararon la constitucionalidad del Decreto de Estado de Alarma.

En este sentido, la Sala Constitucional del Tribunal Supremo de Justicia, con relación al Decreto N° 4.448 de fecha 28 de febrero de 2021, en sentencia N° 0034, de fecha 17 de marzo de 2021, con carácter vinculante y efectos *erga omnes,* inclusive para todos los órganos del Poder Público Nacional, declaró la constitucionalidad de dicho decreto: *"mediante el cual se declara el Estado de Excepción de Alarma en todo el Territorio Nacional, dadas las circunstancias de orden social que ponen gravemente en riesgo la salud pública y la seguridad de los ciudadanos y las ciudadanas habitantes de la República Bolivariana, a fin de que el Ejecutivo Nacional adopte las medidas urgentes, efectivas y necesarias, de protección y preservación de la salud de la población venezolana, a fin de mitigar y erradicar los riesgos de epidemia relacionados con el coronavirus (COVID-19) y sus posibles cepas, garantizando la atención oportuna, eficaz y eficiente de los casos que se originen, conforme lo prevé el artículo 339 de la Constitución de la República Bolivariana de Venezuela, el cual fue dictado en cumplimiento de todos los parámetros que prevé el Texto Constitucional, la Ley Orgánica sobre Estados de Excepción y demás instrumentos jurídicos aplicables, preservando los Derechos Humanos y en protección del Texto Fundamental, el Estado, sus Instituciones y el Pueblo, razón por la que se declara que el mismo entró en vigencia desde que fue dictado y que su legitimidad, validez, vigencia y eficacia jurídico-constitucional se mantiene irrevocablemente incólume, conforme a lo previsto en la Constitución de la República Bolivariana de Venezuela. Se REITERA que las sentencias de la Sala Constitucional tienen carácter vinculante y efectos erga omnes, inclusive para todos los órganos del Poder Público Nacional. Se ORDENA la PUBLICACIÓN de la presente decisión en la Gaceta Oficial de la República Bolivariana de Venezuela, en la Gaceta Judicial y en la página web de este Tribunal Supremo de Justicia..."* [29].

---

[29] Sentencia de la Sala Constitucional del Tribunal Supremo de Justicia, consultada en: http://historico.tsj.gob.ve/decisiones/scon/febrero/311299-0006-11221-2021-21-0003.HTML

Ahora bien, en cuanto a la figura de la <u>pérdida del interés procesal,</u> creación jurisprudencial de la que han hecho uso también los tribunales de la jurisdicción contencioso tributaria, inicialmente en virtud de la imposibilidad de ser declarada la perención de la instancia por la inactividad del juez después de la vista de la causa, conforme al citado artículo 292 del Código Orgánico Tributario, a diferencia de ésta, la pérdida del interés, conforme al desarrollo jurisprudencial del Tribunal Supremo de Justicia en diversas decisiones, implica el abandono de una causa antes de que haya sido admitido el recurso por el tribunal competente o cuando ya en estado de sentencia, las partes no hubiesen manifestado en el expediente su interés en impulsar el proceso, bien para la admisión o para que se dicte sentencia, según corresponda. En este último caso no podemos dejar de señalar que, abstracción hecha de su finalidad práctica, el impulso del proceso es para que el mismo sea sustanciado en todas sus etapas para llevarlo a estado de sentencia. La responsabilidad de dictar sentencia es exclusiva del juez, por lo que se trataría de una carga para las partes que procesalmente no les corresponde, contraria al derecho a la defensa y a la tutela judicial efectiva.

El interés procesal, como ha señalado la Sala Constitucional del Tribunal Supremo de Justicia, es la necesidad que tienen las personas naturales o jurídicas, conforme a la situación jurídica en la que se encuentren, de acudir a los órganos jurisdiccionales, previo cumplimiento de los requisitos exigidos por la Ley, con el objeto de que el Estado, a través de los órganos encargados de administrar justicia, les reconozca un derecho y así evitar un daño injusto, personal o colectivo, interés que debe manifestarse so pena del decaimiento y extinción de la acción. Este interés, en el caso del proceso contencioso tributario contra actos administrativos de efectos particulares debe ser un interés legítimo, personal y directo, y se concreta en el derecho a la tutela judicial efectiva consagrado en el artículo 26 de la Constitución.

Sobre la pérdida del interés procesal, inicialmente aplicada como una suerte de perención anual en estado de sentencia, la jurisprudencia ha venido perfilando sus presupuestos en diversas decisiones, de las que destacamos la sentencia de la Sala Constitucional del Tribunal Supremo de Justicia N° 956, de fecha 1° de junio de 2001, *caso Fran Valero González y Milena Portillo Manosalva de Valero*, a la que también hace referencia la sentencia N° 2673, de fecha 14 de diciembre de 2001 *caso DHL Fletes Aéreos C.A y otros*, donde si bien la Sala Constitucional declaró que es posible declarar la extinción de la acción por pérdida del interés, debía verificarse el término de prescripción del derecho controvertido, lo cual fue obviado por el fallo objeto de revisión constitucional que dio lugar al primer fallo.

En efecto, en el precedente judicial referido se permitió la posibilidad de declarar la extinción de la acción por pérdida del interés a solicitud de parte o de oficio y una vez que en el recurso, (en ese caso se trataba de un recurso contencioso administrativo de nulidad), se verificara el término de prescripción del derecho controvertido (según se tratase de una acción real o una acción personal), puesto que de acuerdo con el criterio jurisprudencial en cuestión, no hay razón para poner en movimiento a la jurisdicción si la acción ha devenido inexistente, por dejar de haberla instado durante un largo tiempo; agregando la necesidad de la previa notificación del actor, de acuerdo a las formas previstas en el artículo 233 del Código de Procedimiento Civil, si ello fuere posible, y de no serlo, por desconocer el tribunal dónde realizar la notificación o no poder publicar el cartel, con la fijación de un cartel en las puertas del tribunal[30].

La misma Sala Constitucional del Tribunal Supremo de Justicia en sentencia más reciente, N° 213 de fecha 12 de julio de 2019, *caso María Dolores López Rodríguez en Recurso de Revisión* de la sentencia N° 2014-1.202 dictada por la Corte Primera de lo Contencioso Administrativo, ha reiterado su criterio sobre la pérdida del interés procesal y destaca la importancia de que para declarar extinguida la acción por pérdida del interés, hay que dejar transcurrir el lapso de prescripción del derecho controvertido, que en el caso concreto de este fallo era de diez (10) años, al tratarse de una acción personal, por lo que se declaró con lugar la revisión solicitada, ordenando dictar nueva sentencia al Tribunal de la primera instancia.

Esta sentencia ratifica el precedente judicial vinculante establecido en las sentencias antes señaladas de los casos *Fran Valero González y Milena Portillo Manosalva de Valero y DHL Fletes Aéreos C.A*, en circunstancias de normalidad en el servicio de administración de justicia. Ahora bien, en el marco de la pandemia, deben hacerse consideraciones especiales como en el supuesto de la perención de la instancia. No estando paralizado el proceso sino suspendido, tampoco podría producirse la falta del interés procesal por la inactividad de las partes. En este orden de ideas, cabe citar sentencia de la Sala Constitucional del

---

[30] En la señalada sentencia de fecha 1° de junio de 2001, *"(...)la Sala determinó que a partir de ese momento, como interpretación del artículo 26 de la Constitución, en cuanto a lo que debe entenderse por justicia oportuna, que si la causa paralizada rebasaba el término de la prescripción del derecho controvertido, a partir de la última actuación de los sujetos procesales, el juez que la conociere podía de oficio o a instancia de parte, declarar extinguida la acción, previa notificación del actor, en cualquiera de las formas previstas en el artículo 233 del Código de Procedimiento Civil, si ello fuere posible, y de no serlo, por no conocer el tribunal dónde realizar la notificación, o no poder publicar el cartel, con la fijación de un cartel en las puertas del tribunal. Se dispuso, igualmente, que la falta de comparecencia de los notificados en el término que se fijara, o las explicaciones poco convincentes que expresare el actor que compareciere, sobre los motivos de su inactividad y los efectos hacia terceros que ella haya producido, serían ponderados por el juez para declarar extinguida la acción (Resaltado de esta Sala)"*, sentencia consultada en: http://historico.tsj.gob.ve/decisiones/spa/junio/178955-00741-30615-2015-2014-0134.HTML. Reiterando el criterio del *caso DHL Fletes Aéreos C.A*, previamente mencionado, sentencia de la Sala Constitucional del Tribunal Supremo de Justicia, N° 617 de fecha 11 de noviembre de 2021, *caso Asociación Civil Espacio Público*, sentencia consultada en: http://historico.tsj.gob.ve/decisiones/scon/noviembre/314373-0617-111121-2021-12-0383.HTML. Estas decisiones han destacado que en los supuestos de pérdida del interés procesal, debe notificarse al actor para que manifieste su voluntad de continuar el trámite, en atención a lo dispuesto en el artículo 26 de la Constitución, tal y como por en sentencia también de la Sala Constitucional N° 1.960 de fecha 15 de diciembre de 2011, *caso Judith Negrón Portillo*, sentencia consultada en: http://historico.tsj.gob.ve/decisiones/scon/diciembre/2673-141201-01-2782.HTM

Tribunal Supremo N° 0091 de fecha 12 de agosto de 2020 *caso Luis Ferdinando Rodríguez Pereira*, que, con respecto al abandono de trámite con motivo de un Amparo Constitucional, tiene la particularidad de que se refiere a esta situación especial con motivo del Estado de Alarma, declarando dicha Sala que no se podía considerar la existencia de un abandono del trámite, en virtud de las circunstancias extraordinarias consecuencia de la pandemia, en los siguientes términos:

> *"Como punto previo, se observa de la revisión de las actas del expediente, que la última actuación de la parte accionante con miras a dar impulso al proceso fue consignada el 7 de febrero de 2020, oportunidad ésta en la que diligenció para solicitar pronunciamiento sobre la acción de amparo interpuesta, sin que hasta la presente fecha haya realizado alguna otra actuación que ponga de manifiesto su interés en obtener la tutela constitucional demandada, habiendo transcurrido, desde ese entonces, un período superior a seis (6) meses; por tanto en condiciones normales, se configuraría el abandono del trámite en la presente causa. No obstante, no puede pasar por alto esta Sala que actualmente en el país se encuentra vigente el Decreto N° 4.247, por el Presidente de la República Bolivariana de Venezuela, mediante el cual se declara el estado de alarma en todo el territorio nacional, a fin de mitigar y erradicar los riesgos de epidemia relacionados con el coronavirus (COVID-19), publicado en la Gaceta Oficial de la República Bolivariana de Venezuela N° 6.554 Extraordinario del 10 de julio de 2020, cuya constitucionalidad fue declarada por esta Sala mediante decisión N° 0081 del 22 de julio de 2020.*
>
> *Igualmente, es de hacer notar que por resolución N° 2020-005 del 14 de julio de 2020, dictada por la Sala Plena de este Alto Tribunal se prorrogó por 30 días el plazo establecido en la Resolución número 004-2020, dictada por la Sala Plena del Tribunal Supremo de Justicia el 12 de junio de 2020, en razón de que persisten las circunstancias de orden social que ponen gravemente en riesgo la salud pública y la seguridad de los ciudadanos y las ciudadanas habitantes de la República Bolivariana de Venezuela debido a la pandemia COVID-19.*
>
> *Por lo que esta Sala atendiendo a las circunstancias extraordinarias anteriormente descritas, resuelve desestimar el abandono de trámite y pasar a dilucidar lo planteado. Así se decide"*[31].

En el mismo sentido, en aras del derecho al debido proceso y a la tutela judicial efectiva, este criterio jurisprudencial, cuyo mérito es reconocer el carácter extraordinario de las circunstancias de orden social que ponían en riesgo la salud pública y la seguridad de los ciudadanos debido a la pandemia y con base en una interpretación constitucional, *mutatis mutandi* podría este criterio ser aplicable en los supuestos de perención de la instancia y de falta de interés procesal, todo ello sin perjuicio de las razones de índole procesal antes expuestas.

---

[31] Sentencia parcialmente transcrita consultada en: http://historico.tsj.gob.ve/decisiones/scon/agosto/310022-0091-12820-2020-19-0741.HTML

IV. LA SUSPENSIÓN DE LOS PROCEDIMIENTOS ADMINISTRATIVOS TRIBUTARIOS

IV.1

Los problemas más importantes que se han generado con motivo del Decreto de Estado de Alarma, han sido en el ámbito de los procedimientos administrativos tributarios, por la interpretación que han hecho algunas Administraciones Tributarias y particularmente la nacional, de las disposiciones dictadas en virtud de la pandemia o de las normas aplicables vigentes en un contexto de total anormalidad, con la consiguiente afectación del derecho a la defensa y al debido proceso de los interesados, por lo que debemos reiterar lo antes señalado, en el sentido de que aun en el marco de los estados de excepción, el debido proceso debe ser garantizado, tal y como lo disponen los artículos 49 y 337 de la Constitución.

Ahora bien, en lo que respecta a los procedimientos administrativos, en primer término, debemos señalar que la Disposición Final Sexta del Decreto de Estado de Alarma establece que la suspensión o interrupción de los procedimientos, como consecuencia de las medidas que sean adoptadas, no podrán considerarse imputables al interesado y por otra parte, la mora o retardo en el cumplimiento de las obligaciones de la Administración, tampoco serán imputables al funcionario correspondiente. Para ser más precisos, a continuación, transcribimos dicha Disposición Final Sexta:

> *"La suspensión o interrupción de un procedimiento administrativo como consecuencia de las medidas de suspensión de actividades o las restricciones a la circulación que fueren dictadas no podrá ser considerada causa imputable al interesado, pero tampoco podrá ser invocada como mora o retardo en el cumplimiento de las obligaciones de la administración pública. En todo caso, una vez cesada la suspensión o restricción, la administración deberá reanudar inmediatamente el procedimiento".*

La redacción de la disposición transcrita en nuestro criterio no es clara, afectando con ello la garantía del debido proceso y la seguridad jurídica de los interesados en los procedimientos administrativos que se encontraban en curso. En efecto, tal y como está redactada la Disposición Final Sexta, ésta no parece haber suspendido de pleno derecho los procedimientos administrativos, por cuanto dicha disposición se refiere a la suspensión o interrupción del procedimiento administrativo *"como consecuencia de las medidas de suspensión de actividades o las restricciones a la circulación que fueren dictadas"*, es decir, que esta suspensión o interrupción de los procedimientos, sería dependiente de las medidas que fueron adoptadas en desarrollo de las disposiciones de Decreto de Estado de Alarma, por las autoridades competentes en cada caso. Afirma Brewer-Carías, con referencia al decreto, que en general *"solo se anuncia la adopción de algunas medidas futuras e imprecisas, y en particular se establecen restricciones a garantías constitucionales sin habérselas restringido formalmente ni regulado su ejercicio,"* agregando que como lo advirtió la Academia de Ciencias

Políticas y Sociales, las medidas a ser adoptadas por los Estados, con motivo de la declaratoria de estado de excepción, siempre *"deben ser objeto de actos jurídicos formales, debidamente motivados, publicados y oficialmente divulgados adecuadamente..."*, lo cual demuestran los hechos que no ocurrió en el caso concreto[32].

Contrariamente a ello, también ha sido sostenido que con el Decreto de Estado de Alarma y concretamente con la Disposición Final Sexta, se produjo de pleno derecho la suspensión de los procedimientos administrativos, lo que da cuenta de la denunciada falta de claridad de la misma que da pie a diversas interpretaciones. Así lo expresa Meier, para quien el Decreto N° 4.160 suspendió las actividades dando lugar a la paralización *ope legis* y *erga omnes* de tales procedimientos, sin necesidad de declaratoria administrativa[33]. En el mismo sentido Fraga-Pittaluga, Tagliaferro y Romero-Muci, para quienes también los procedimientos se encontraban suspendidos[34]. y Miralles, al señalar que estando suspendidas las actividades de la Administración Pública, se suspendían en consecuencia los procedimientos administrativos por mandato expreso de la ley[35].

Sin duda merece una crítica esta Disposición Final Sexta por su falta de claridad y ausencia de previsiones más específicas, en aras de la seguridad jurídica de los administrados. No obstante, de su infeliz redacción, lo que sí queda claro son las consecuencias de esta suspensión o interrupción de los procedimientos, las cuales no serían imputables al interesado ni tampoco al funcionario actuante, por no haber dado cumplimiento a los plazos legales establecidos, para la adopción de las providencias o decisiones correspondientes.

Con respecto a esta Disposición Final Sexta merece especial atención el "PRONUNCIAMIENTO DE LA ACADEMIA DE CIENCIAS POLÍTICAS Y SOCIALES SOBRE EL ESTADO DE ALARMA DECRETADO ANTE LA PAN-

---

[32] BREWER-CARÍAS, Allan R. *El Decreto de Estado de Alarma en Venezuela con ocasión de la pandemia del coronavirus: inconstitucional, mal concebido, mal redactado, fraudulento y bien inefectivo*, en "Estudios Jurídicos sobre la pandemia del COVID-19, Academia de Ciencias Políticas y Sociales, Coordinadores Allan R. Brewer-Carías y Humberto Romero-Muci, Serie Estudios N° 123, Editorial Jurídica Venezolana Internacional, Caracas, 2020, p. 90.

[33] MEIER, Eduardo, *Breves notas sobre la situación de los procedimientos tributarios ante la declaratoria de Estado de Alarma (COVID-19)*, Caracas, 2020, consultado en: http://fragapittaluga.com.ve/fraga/index.php/ component/k2/item/23-breves-notas-sobre-la-situacion-de-los-procedimientos-tributarios-ante-la-declaratoria-de-estado-de-alarma-covid-19, p. 6

[34] FRAGA PITTALUGA, Luis y TAGLIAFERRO, Andrés, *Implicaciones del COVID-19 en el cumplimiento de las obligaciones tributarias*, Caracas, 2020, consultado en: http://fragapittaluga.com. ve/ fraga/index.php/component/k2/item/24-implicaciones-del-covid-19-sobre-el-cumplimiento-de-las-obligaciones-tributarias, p.10.

[35] MIRALLES QUINTERO, Juan Andrés, *Breves comentarios sobre los Procedimientos Administrativos durante la vigencia del Estado de Alarma*, en "Estudios Jurídicos sobre la pandemia del COVID-19, Academia de Ciencias Políticas y Sociales, Coordinadores Allan R. Brewer-Carías y Humberto Romero-Muci, Serie Estudios N° 123, Editorial Jurídica Venezolana Internacional, Caracas, 2020, p.368.

DEMIA DEL CORONAVIRUS (COVID-19)" de fecha 18 de marzo de 2020, en el cual la Academia, acertadamente, señaló que: *"esta disposición debería ser objeto de mayor precisión, para determinar cuales procedimientos administrativos y cuales plazos de prescripción y caducidad quedan suspendidos o interrumpidos; y cuales no pueden serlo, por ejemplo, por razones de urgencia en interés de los derechos de los administrados"*[36].

A diferencia del caso venezolano, en otros países hemos visto ejemplos de disposiciones claras y precisas sobre los procedimientos suspendidos, con indicaciones expresas de las oficinas que estarían cerradas para la atención presencial del público y en qué casos se suspendían trámites y procedimientos tales como por ejemplo: el vencimiento de plazos y fraccionamientos, de acuerdos de aplazamiento y fraccionamientos concedidos, subastas y adjudicaciones de bienes, requerimientos, formulación de alegaciones en procedimientos de aplicación de tributos, sancionadores, devoluciones de ingresos indebidos y lapsos para recurrir, entre otros, dejando a salvo la materia tributaria sujeta a normativas especiales y particularmente las relativas a las declaraciones y autoliquidaciones por su naturaleza, pero debemos destacar que estaríamos en el contexto de Administraciones Tributarias con un funcionamiento totalmente digitalizado para el cumplimiento de las obligaciones tributarias[37].

Una regulación más precisa y completo en el propio Decreto de Estado de Alarma, con carácter general sin duda hubiera sido lo ideal, tomando en cuenta que de acuerdo con el artículo 339 de la Constitución, la declaratoria

---

[36] Ver pronunciamiento en acienpol.org.ve/pronunciamientos/pronunciamiento-de-la-academia-de-ciencias-políticas-y-sociales-sobre-el-estado-de-alarma-decretado-ante-la-pandemia-del-coronavirus-covid-19/

[37] Ejemplo de lo señalado tenemos en España con el *Real Decreto 463/2020, de 14 de marzo, por el que se declara el estado de alarma para la gestión de la situación de crisis sanitaria ocasionada por el COVID-19*, en el cual, además de las generales, se prevén disposiciones específicas sobre la suspensión de los plazos procesales y administrativos. En la Disposición Adicional Tercera, sobre la "Suspensión de Plazos Administrativos", en el apartado 1 se deja claro que se suspenden los términos y se interrumpen los plazos para la tramitación de los procedimientos de las entidades del sector público, señalando que se reanudarían en el momento en que perdiera vigencia el decreto de estado de alarma o sus prórrogas. Llama la atención el apartado 3, conforme al cual, en resguardo de la seguridad jurídica, se establece que no obstante la suspensión: *"el órgano competente podrá acordar, mediante resolución motivada, las medidas de ordenación e instrucción estrictamente necesarias para evitar perjuicios graves en los derechos e intereses del interesado en el procedimiento y siempre que éste manifieste su conformidad en que no se suspenda el plazo"*, lo que pone de manifestó que existe un respeto por el administrado y que se concreta el principio de acuerdo con el cual la Administración Pública está al servicio del ciudadano. En el apartado 5 se excluyen expresamente los procedimientos administrativos en el ámbito de la afiliación, liquidación y cotización de la Seguridad Social y en el apartado 6, se establece que esta suspensión e interrupción de los plazos, no aplicada a los plazos tributarios sujetos a normativa especial, ni afectaban los plazos para la presentación de declaraciones y autoliquidaciones tributarias. Lo que se complementó con la información desplegada en la página web de la Agencia Tributaria en la Sección de Preguntas Generales. Adicionalmente, conforme a la Disposición Adicional Cuarta, también se suspendieron en términos generales los plazos de prescripción y de caducidad de cualesquiera acciones y derechos durante la vigencia del estado de alarma. Consultado en: https://www.boe.es/buscar/act.php?id=BOE-A-2020-3692#:~:text=Ayuda,Real%20Decreto%20463%2F2020%20%2C%20de%20el%20%2014%20de%20marzo%2C%20por,de%2014%2F03%2F2020.

del estado de excepción (siendo uno de éstos el Estado de Alarma), no puede interrumpir el funcionamiento de los órganos del Poder Público, lo cual reitera el artículo 3 de la Ley Orgánica de Estados de Excepción.[38] Estas normas podrían constituir el fundamento para que las Administraciones Tributarias del país -como las de otros países- se mantuvieran activas, a los fines del cumplimiento de las obligaciones tributarias, especialmente por la importancia de la recaudación para el bien común, especialmente en tiempos de pandemia. No obstante, es importante considerar que el cumplimiento de las obligaciones tributarias, también estaba sujeto a la posibilidad real para los sujetos pasivos (contribuyentes o responsables), en este marco de suspensiones y restricciones, de efectivamente poder cumplirlas, permitiendo un sano equilibrio entre la continuidad administrativa y las actividades permitidas a los particulares con motivo del Estado de Alarma.

A falta de disposiciones expresas y concretas sobre las suspensiones e interrupciones de los procedimientos administrativos, al menos las Administraciones Tributarias han debido dictar actos administrativos de carácter general, que orientaran en forma clara, precisa y expedita a todos los interesados, acerca de las condiciones de funcionamiento de las oficinas respectivas para la atención al público.[39] Este es un derecho que tienen los sujetos pasivos tributarios, dentro de lo que debe ser el "Estatuto del Contribuyente", el derecho a ser debidamente informado, evitando con ello incertidumbre y diversidad de interpretaciones que, en un contexto como el generado por la actividad administrativa en tiempos de pandemia, exigían mayor certeza y seguridad jurídica para los sujetos pasivos tributarios. Nos preguntamos en este caso dónde quedó la figura del Defensor del Contribuyente creada por el Servicio Nacional Integrado de Administración Aduanera y Tributaria (SENIAT) y su función de divulgar y proteger los derechos y garantías del contribuyente frente a la Administración Tributaria[40].

---

[38] El artículo 339 de la Constitución establece que: *"El Decreto que declare el estado de excepción, en el cual se regulará el ejercicio del derecho cuya garantía se restringe, será presentado, dentro de los ocho días siguientes de haberse dictado, a la Asamblea Nacional, o a la Comisión Delegada, para su consideración y aprobación, y a la Sala Constitucional del Tribunal Supremo de Justicia, para que se pronuncie sobre su inconstitucionalidad, El Decreto cumplirá con las exigencias, principios y garantías establecidos en el Pacto Internacional de Derechos Civiles y Políticos y en la Convención Americana sobre Derechos Humanos. El Presidente o Presidenta de la República podrá solicitar su prórroga por un plazo igual, y será revocado por el Ejecutivo Nacional o por la Asamblea Nacional o por su Comisión Delegada, antes del término señalado, al cesar las causas que lo motivaron"*. Por su parte el señalado artículo 3 de la Ley Orgánica de Estados de Excepción establece que: *"El Decreto que declare los estados de excepción no interrumpe el funcionamiento de los Poderes Públicos, los cuales deberán además cooperar con el Ejecutivo Nacional a los fines de la realización de las medidas contenidas en dicho decreto"*.

[39] En este sentido, ver página web de la Agencia Tributaria española, en cuya sección de "Preguntas Generales" se indicaban detalladamente los aspectos relacionados con el funcionamiento de sus oficinas, en concordancia con las disposiciones del estado de alarma. Consultada en: https://www.agenciatributaria.es/ static_files/AEAT/Contenidos_Comunes/La_Agencia_Tributaria/Le_Interesa/2020/FaqRefundidas.pdf

[40] Estos derechos de los sujetos pasivos están compilados en la publicación denominada *Estatuto del Contribuyente y Usuario del Comercio Internacional*, coedición entre la Asamblea Nacional y

Mas aun, además de ser un derecho de los sujetos pasivos (contribuyentes o responsables), el Código Orgánico Tributario, en el artículo 147, establece que es un deber de la Administración Tributaria proporcionar asistencia a los contribuyentes o responsables y para ello procurará: *"(...) 2. Mantener oficinas en diversos lugares del territorio nacional que se ocuparán de orientar y auxiliar a los contribuyentes o responsables en el cumplimiento de sus obligaciones, (...) 7. Difundir periódicamente los actos dictados por la Administración Tributaria que establezcan normas de carácter general, así como la doctrina que hubieren emitido sus órganos consultivos, agrupándolas de manera de facilitar su conocimiento"*. En la situación consecuencia del COVID-19, esta orientación era fundamental en medio de la pandemia y ante un Decreto de Estado de Alarma que establecía limitaciones y restricciones al desarrollo de las actividades económicas, que sin duda incidían tanto en el desenvolvimiento de la actividad administrativa, así como en el cumplimiento de las obligaciones tributarias por los sujetos. Ello tiene que ser destacado en el caso venezolano, donde no tenemos Administraciones Tributarias que estén totalmente digitalizadas y con las debidas garantías para la integridad, certificación y confidencialidad de la información de los sujetos pasivos, entre otros elementos de naturaleza tecnológica, aun cuando exista base legal para ello en las mismas disposiciones del Código Orgánico Tributario y en la Ley de Infogobierno.

Por otra parte, es muy importante tomar en cuenta que de conformidad con el artículo 5 de la Ley Orgánica de la Administración Pública, ella está al servicio de las personas y de que se asegure la efectividad de sus derechos, entre ellos, el debido proceso y la seguridad jurídica. Precisamente, como parte de este deber de la Administración, el artículo 167 de dicha ley, dispone que la Administración Pública debe establecer los días y horas de atención al público en los siguientes términos: *"Cada órgano o ente de la Administración Pública establecerá los días y el horario en que deban permanecer abiertas sus oficinas, garantizando el derecho de las personas a la presentación de documentos previstos en esta Ley. La Administración Pública deberá hacer pública y mantener actualizada una relación de sus oficinas, sus sistemas de acceso y comunicación, así como los horarios de funcionamiento"*. Por otra parte, el numeral 8 del artículo 7 de la

el Servicio Nacional Integrado de Administración Aduanera y Tributaria (SENIAT), Caracas, 2005, p. 136-137. En esta obra se destacan las diversas normas constitucionales y legales que conformarían este "estatuto", además de ser reconocidos los derechos y garantías de orden constitucional, tales como la preeminencia de los derechos humanos, la legalidad, no confiscatoriedad, igualdad, capacidad contributiva, eficiencia, no retroactividad y seguridad jurídica, entre otros, se reconoce el derecho a la información señalando que: *"De este derecho se derivan tres supuestos: (1) el derecho a ser informado oportuna y verazmente sobre las actuaciones administrativas y a conocer las resoluciones definitivas, el derecho a ser notificado de los actos administrativos y a ser informado de los trámites del procedimiento administrativo, lo que a nuestro modo de ver tiene fundamento en el derecho a la defensa y al debido proceso. (2) el derecho a acceder a los archivos y registros administrativos fundamentado en los derechos primigenios. (3) el principio de la prohibición de censura alguna a los funcionarios públicos en relación con las informaciones que puedan dar sobre asuntos bajo su responsabilidad. Es así como, el artículo 137 numeral 5 del Código Orgánico Tributario, establece el derecho de los contribuyentes a que la Administración Tributaria difunda los recursos y medios de defensa, que puedan hacerse valer contra los actos dictados por ella"*.

misma ley, establece que los administrados tienen derecho a *"Ser tratados con respeto y deferencia por las autoridades, funcionarios y funcionarias, los cuales están obligados a facilitar a los particulares el ejercicio de sus derechos y el cumplimiento de sus obligaciones"*.

La incertidumbre generada por la Disposición Final Sexta de los Decretos de Estado de Alarma y sus prórrogas, sobre la suspensión o interrupción de los procedimientos administrativos en curso se hubiese evitado, como hemos señalado anteriormente, con disposiciones expresas o al menos más claras en dichos decretos o en su defecto, con la emisión por parte de las Administraciones Tributarias respectivas, de actos administrativos de carácter general con regulaciones específicas, que hubiesen podido cumplir este cometido de informar a los interesados sobre el estatus de los procedimientos en el marco del Estado de Alarma. En este contexto de anormalidad administrativa y a falta de regulaciones expresas de las autoridades competentes, finalmente lo que se produjeron, fueron anuncios realizados en cadena nacional por el Ejecutivo Nacional, en la página web o en las redes sociales de las mismas autoridades nacionales o de las Administraciones Tributarias nacionales, estadales o municipales[41], por lo que debemos aplicar las disposiciones que la propia legislación establece y que estaban vigentes durante la pandemia.

Algunas disposiciones de la Ley Orgánica de Procedimientos Administrativos, de aplicación supletoria en los procedimientos tributarios, regulan cómo debe ser el cómputo de los términos o plazos. Tal es el caso del artículo 41 de dicha ley, el cual establece que: *"Los términos o plazos establecidos por ésta y en otras leyes relativas a la materia objeto de la presente, obligan por igual, y sin necesidad de apremio, tanto a las autoridades y funcionarios competentes para el despacho de los asuntos, como a los particulares interesados en los mismos"*, de allí el sentido de la consecuencia prevista en dicha Disposición Final Sexta, frente a la suspensión o interrupción de los procedimientos administrativos. Agrega el artículo 42 de la misma ley, la forma de computar los plazos, señalando que *"Los términos o plazos se contarán siempre a partir del día siguiente de aquel en que tenga lugar la notificación o publicación. En los términos o plazos que vengan establecidos por días, se computarán exclusivamente los días hábiles, salvo disposición en contrario"*[42].

---

41 Los últimos tiempos se han caracterizado por el derecho de taquilla y de portales web, a lo que podemos sumar las redes sociales de los entes del Estado en general. No podemos desconocer en el mundo de hoy, la importancia de estos medios para la difusión de información a los administrados, en un todo con las disposiciones de la Ley de Infogobierno, sin embargo, en materia tributaria y para determinadas situaciones, como aquellas vinculadas con la determinación de la obligación tributaria y sus elementos integradores, el establecimiento de disposiciones por estos medios, ajenas a la ley, contraviene flagrantemente el Principio de Legalidad Tributaria. Abstracción hecha de los supuestos de estricta reserva legal y a falta de normas expresas sobre las suspensiones de los procedimientos administrativos, el contenido de estas plataformas y herramientas tecnológicas, tales como los anuncios efectuados en cadena nacional, portales web y redes sociales, podrían oponerse como prueba frente a dichas Administraciones Tributarias.

42 Las notificaciones deben ser efectuadas conforme a lo dispuesto en el Título IV, Capítulo III, Sección Tercera, artículos 171 al 178 del Código Orgánico Tributario. En todo caso, las

En cuanto al cómputo de los plazos, debemos considerar lo previsto en el artículo 10 del Código Orgánico Tributario, de acuerdo con el cual:

"Los plazos legales y reglamentarios se contarán de la siguiente manera:

1. Los plazos por años o meses serán continuos y terminarán el día equivalente del año o mes respectivo. El lapso que se cumpla en un día que carezca de mes, se entenderá vencido el último día de ese mes.

2. Los plazos establecidos por días se contarán por días hábiles, salvo que la ley disponga que sean continuos.

3. En todos los casos los términos y plazos que vencieran en día inhábil para la Administración Tributaria, se entienden prorrogados hasta el primer día hábil siguiente

4. En todos los casos los plazos establecidos en días hábiles se entenderán como días hábiles de la Administración Tributaria.

Parágrafo Único. Se consideran inhábiles tanto los días declarados feriados conforme a disposiciones legales, como aquellos en los cuales la respectiva oficina administrativa no hubiera estado abierta al público, lo que deberá comprobar el contribuyente o responsable por los medios que determine la ley. Igualmente se consideran inhábiles, a los solos efectos de la declaración y pago de las obligaciones tributarias, los días en que las instituciones financieras autorizadas para actuar como oficinas receptoras de fondos nacionales no estuvieren abiertas al público, conforme lo determine el calendario anual de actividades."

Como complemento de ello, el artículo 162 del mismo código, establece que:

"Las actuaciones de la Administración Tributaria y las que se realicen ante ella, deberán practicarse en días y horas hábiles, sin perjuicio de las habilitaciones que autorice la Administración Tributaria de conformidad con las leyes y reglamentos".

Estas disposiciones tienen importancia no solo en el caso de las obligaciones de declaración y pago, sino también a los fines del cómputo de los lapsos para la interposición de los recursos administrativos previstos en el Código Orgánico Tributario y la sustanciación de los mismos. Como se desprende de dicho artículo 10, el sujeto pasivo (contribuyente o responsable) tiene la carga de la prueba de que la oficina de la Administración Tributaria no estaba abierta al público. En el marco de los procedimientos administrativos, ante la ausencia de actos normativos expresos que lo regulen y la anormalidad de la actividad pública y privada durante la pandemia, la prueba de que la oficina administrativa no hubiese estado abierta al público corresponde al interesado, quien podrá hacer valer todos los medios de prueba, tal como lo dispone el parágrafo único del artículo 10 antes citado, en concordancia con la libertad probatoria que reconoce el artículo 166 del mismo código, al establecer que *"Pueden invo-*

---

notificaciones deberán cumplir además con los requisitos establecidos en el artículo 73 de la Ley Orgánica de Procedimientos Administrativos. No podemos dejar de mencionar, la ilegalidad de las notificaciones hechas mediante direcciones de correo electrónico no institucionales y sin cumplimiento de las disposiciones establecidas en el Código Orgánico Tributario para la validez de las mismas.

carse todos los medios de prueba admitidos en derecho, con excepción del juramento y la confesión de empleados públicos, cuando ella implique prueba confesional de la Administración...".

Sin perjuicio de las dificultades probatorias para los interesados que podrían presentarse, tales como las restricciones al libre tránsito que existieron, cierre de notarías públicas y bancos, entre otras, en principio, teniendo la carga de la prueba, el interesado podrá hacer valer todos los medios de prueba a su alcance, la escasa normativa dictada, incluyendo los señalados anuncios y publicaciones en páginas web y redes sociales de los entes públicos, particularmente de las Administraciones Tributarias nacionales, estadales y municipales, promovidos como prueba libre, así como los anuncios oficiales en cadena nacional, que constituirían un hecho notorio comunicacional. Mención especial merecen las declaraciones oficiales en cadena nacional del Presidente y la Vicepresidente de la República, donde se hicieron anuncios sobre las limitaciones y restricciones de actividades y al tránsito, ejemplo de ello tenemos con el sistema del 7x7 sobre semana restringida y semana con actividades, dependiendo de los anuncios efectuados cada fin de fin de semana por el Ejecutivo Nacional, dejando a salvo las actividades esenciales que, en ningún momento fueron suspendidas, conforme a los Decretos de Estado de Alarma y sus prórrogas.

Contrariamente a ello y como hicimos referencia anteriormente, parte de la doctrina nacional considera que con la Disposición Final Sexta se produjo una suspensión *ope legis* o de pleno derecho de los procedimientos administrativos. En este sentido coincidente con ello, Abache agrega que el cierre de la oficina pública constituiría un hecho negativo absoluto, por lo que en este caso y por aplicación del principio de facilidad de la prueba, la carga de la prueba debería corresponder en justicia a la Administración Tributaria. En este orden de ideas, Ruan acota que no se trataría solo de la demostración de que las oficinas administrativas estaban abiertas al público, sino también de la disponibilidad de personal adecuado para la atención de los contribuyentes, entre otros aspectos[43].

Ahora bien, en virtud de la Disposición Final Sexta, en concordancia con las normas anteriormente analizadas, podemos señalar que fueron afectados y por tanto debían entenderse suspendidos, con la salvedad de la carga de la

---

[43] Durante la pandemia hubo restricciones al libre tránsito, salvo para aquellos que realizaran las actividades económicas expresamente excluidas por el Decreto de Estado de Alarma, quienes tampoco podían transitar libremente, pues requerían del correspondiente salvoconducto de la autoridad competente. Para profundizar sobre este tema ver ABACHE, Serviliano, *"COVID-19 y determinación tributaria"*, consultado en *"Estudios Jurídicos sobre la pandemia del Covid-19"*, Academia de Ciencias Políticas y Sociales, Coordinadores Allan R. BREWER-CARIAS y Humberto ROMERO-MUCI, Serie Estudios N° 123, Editorial Jurídica Venezolana Internacional, Caracas, 2020, p. 499 y RUAN, Gabriel, *"Reflexión sobre los efectos de la pandemia en las obligaciones tributarias"*, en Boletín de la Academia de Ciencias Políticas y Sociales, Caracas, N° 160 (2020) p. 669.

prueba por el interesado en cada caso concreto, tanto los procedimientos constitutivos o de primer grado, como los de segundo grado que especificamos a continuación, previstos en los Títulos IV y V del Código Orgánico Tributario: i) Las solicitudes en el marco de los procedimientos en general, a los que se refiere el artículo 163 del referido código[44]; ii) Recaudación en caso de omisión de declaraciones[45]; iii) Verificación[46]; iv) Fiscalización y determinación[47]; v) Repetición de pago[48]; vi) Recuperación de tributos[49]; vii) Declaratoria de incobrabilidad[50]; viii) Intimación[51]; ix) Cobro ejecutivo[52]; x) Medidas cautelares[53]; xi) Acuerdos Anticipados sobre Precios de Transferencia[54]; xii) Evacuación de Consultas[55]; xiii) Revisión de Oficio[56]; xiv) Recurso Jerárquico[57]; y xv) Recurso de Revisión[58].

No incluimos el Tratamiento de las Mercancías objeto de Comiso, por constituir un procedimiento relacionado con las actividades vinculadas al Sistema Portuario Nacional, las cuales, de acuerdo con el numeral 8 del artículo 9 del Decreto de Estado de Alarma N° 4.160 y subsiguientes, estaban entre las actividades que debían mantener su continuidad, por lo que asumimos que este procedimiento no podía considerarse suspendido cuando procediera el comiso, de conformidad con las normas aplicables[59].

Estos serían los procedimientos regidos por el Código Orgánico Tributario. En todo caso, habrá que ver las disposiciones aplicables en cada caso concreto, según se trate de la Administración Tributaria nacional, estadal, municipal o parafiscal, algunas de las cuales pueden aplicar normas de procedimientos administrativos tributarios propios, tal y como puede ocurrir por ejemplo en el

---

[44] Sobre las Disposiciones Generales, ver: COT, Título IV, Capítulo III, Sección Primera.
[45] Sobre el Procedimiento de Recaudación en caso de Omisión de Declaraciones, ver COT, Título IV, Capítulo III, Sección Cuarta.
[46] Sobre el Procedimiento de Verificación, ver COT, Título IV, Capítulo III, Sección Quinta.
[47] Sobre el Procedimiento de Fiscalización y Determinación, ver COT, Título IV, Capítulo III, Sección Sexta.
[48] Sobre el Procedimiento de Repetición, ver COT, Título IV, Capítulo III, Sección Séptima.
[49] Sobre el Procedimiento de Recuperación de Tributos, ver COT, Título IV, Capítulo III, Sección Octava.
[50] Sobre el Procedimiento de Declaratoria de Incobrabilidad, ver COT, Título IV, Capítulo III, Sección Novena.
[51] Sobre el Procedimiento de Intimación, ver COT, Título IV, Capítulo III, Sección Décima.
[52] Sobre el Procedimiento de Cobro Ejecutivo, ver COT, Título IV, Capítulo III, Sección Décima Primera.
[53] Sobre el Procedimiento de las Medidas Cautelares, ver COT, Título IV, Capítulo III, Sección Décima Segunda.
[54] Sobre el Procedimiento para los Acuerdos Anticipados sobre Precios de Transferencia, ver COT, Título IV, Capítulo III, Sección Décima Cuarta.
[55] Sobre las Consultas, ver COT, Título IV, Capítulo IV.
[56] Sobre la Revisión de Oficio, ver COT, Título V, Capítulo I.
[57] Sobre el Recurso Jerárquico, ver COT, Título V, Capítulo II.
[58] Sobre el Recurso de Revisión, ver COT, Título V, Capítulo III.
[59] Sobre el Tratamiento de las Mercancías Objeto de Comiso, ver COT, Título IV, Capítulo III, Sección Décima Tercera.

caso de Ordenanzas de Procedimientos Tributarios dictadas por algunos Municipios, a los cuales se aplica el código supletoriamente[60].

En cuanto a la <u>perención</u> en el ámbito administrativo, se establece en los procedimientos iniciados a instancia del interesado. En efecto, el Código Orgánico Tributario establece en el artículo 165 que:

"Si el procedimiento iniciado a instancia de un particular se paraliza por el lapso de treinta (30) días continuos por causa imputable al interesado, la Administración Tributaria ordenará inmediatamente el archivo del expediente, mediante auto motivado firmado por el funcionario encargado de la tramitación del asunto".

Ordenado el archivo del expediente, el interesado podrá comenzar de nuevo la tramitación del asunto conforme a las normas establecidas en este Capítulo".

Como se evidencia de la norma contenida en el código, se reconoce la perención del procedimiento iniciado a instancia de parte, como lo establecen los artículos 64 y 65 de la Ley Orgánica de Procedimientos Administrativos[61]. Por otra parte, no estableciendo la norma citada del código los efectos de la perención, en virtud de lo dispuesto por el señalado artículo 65, la declaratoria de perención no extingue los derechos y acciones del interesado y tampoco interrumpe el término de la prescripción de aquellos.

De las normas anteriores podemos observar que las mismas se refieren solo a la perención de los procedimientos iniciados a instancia de parte. Adicionalmente y sin perjuicio de las disposiciones específicas sobre perención administrativa y judicial a las que nos hemos referido, en lo que respecta a las peticiones y a los procedimientos incoados como consecuencia de actuaciones de la Administración Tributaria, contra las cuales se hubiesen interpuesto recursos administrativos y/o judiciales, debemos también tomar en consideración lo dispuesto en el artículo 65 del Código Orgánico Tributario respecto de la suspensión de la prescripción, la cual quedaría suspendida por la interposición de

---

[60] En primer término, tenemos los procedimientos que establece el Código Orgánico Tributario, en principio aplicables a todas las Administraciones Tributarias Nacionales, Estadales y Municipales en los términos del artículo 1°, lo que representó un esfuerzo codificador importante que se inició con la vigencia del primer Código Orgánico Tributario a partir del año 1983. Sin embargo, también existen procedimientos administrativos previstos en otros textos normativos aplicables en el ámbito tributario, tal y como ocurre por ejemplo en el caso de las Ordenanzas de Procedimientos Tributarios dictadas por algunas Municipalidades, en virtud de la aplicación supletoria del Código en materia municipal.

[61] El artículo 64 de la Ley Orgánica de Procedimientos Administrativos establece la perención en los siguientes términos: *"Si el procedimiento iniciado a instancia de un particular se paraliza durante dos (2) meses por causa imputable al interesado, se operará la perención de dicho procedimiento. El término comenzará a partir de la fecha en que la autoridad administrativa notifique al interesado. Vencido el plazo sin que el interesado hubiere reactivado el procedimiento, el funcionario procederá a declarar la perención".* Como complemento de la norma anterior, el artículo 65 de la misma ley establece los efectos de la perención, señalando que: *"La declaratoria de perención de un procedimiento no extingue los derechos y acciones del interesado y tampoco interrumpe el término de la prescripción de aquellos".*

peticiones, recursos administrativos o recursos judiciales en los términos allí previstos[62].

En todo caso, en lo que se refiere a los procedimientos administrativos y ante la variedad de situaciones que pudieron haberse presentado, como consecuencia de las circunstancias extraordinarias y excepcionales derivadas de la pandemia, la situación particular deberá ser analizada en cada caso concreto, debiendo las Administraciones Tributarias actuar en cumplimiento del debido proceso que, como hemos indicado debe ser acatado aun en los estados de excepción y ponderando los intereses en juego, bajo criterios de razonabilidad y equidad.

IV.2

Por último, en lo que se refiere a la determinación tributaria debemos hacer una acotación especial, a fin de diferenciar el procedimiento de determinación seguido por la Administración Tributaria, de la autodeterminación por el sujeto pasivo. En efecto, siendo un tema discutido, para parte de la doctrina, la autodeterminación no constituye un procedimiento administrativo propiamente dicho, en los términos de su concepción en el Derecho Administrativo. En este sentido, afirma Valdés Costa que, *"En cuanto al concepto de acto de determinación existen respetables discrepancias en lo que respecta a si es un acto privativo de la administración o puede ser realizado por el contribuyente (autodeterminación); si es de naturaleza administrativa o jurisdiccional y si es revocable o no....entendemos, en primer término, que la determinación por la administración es jurídicamente diferente a la realizada por el contribuyente y que, por lo tanto, no corresponde asimilarlas...",* agregando el autor que es un acto administrativo con los efectos propios de estos, entre ellos principalmente su obligatoriedad, aunque sujeta a los resultados de posibles impugnaciones, pero señalando que esto lo diferencia "indiscutiblemente" de las liquidaciones o pagos hechos por el contribuyente sin intervención de la Administración[63].

En la doctrina nacional se evidencia también esta diferenciación, señalando Fraga-Pittaluga que en estos casos *"La autodeterminación no es actividad administrativa según el significado que tiene este término en el Derecho Administrativo; pero*

---

[62] En este trabajo no analizamos la prescripción, sin embargo, consideramos importante hacer referencia a la suspensión de la prescripción de los procedimientos, a la que se refiere el artículo 65 del Código Orgánico Tributario, al establecer que: *"El cómputo del término de la prescripción se suspende por la interposición de peticiones o recursos administrativos o judiciales, hasta sesenta (60) días después de que se adopte decisión definitiva, en forma expresa, sobre los mismos. En el caso de interposición de peticiones o recursos administrativos, la resolución definitiva puede ser tácita o expresa. En el caso de la interposición de recursos judiciales, la paralización del procedimiento en los casos previstos en los artículos 66, 69, 71 y 144 del Código de Procedimiento Civil hará cesar la suspensión, en cuyo caso continuará el curso de la prescripción. Si el proceso se reanuda antes de cumplirse la prescripción, ésta se suspende de nuevo, al igual que si cualquiera de las partes pide la continuación de la causa, lo cual es aplicable a las siguientes paralizaciones del proceso que puedan ocurrir...".*

[63] VALDES COSTA, Ramón, *Curso de Derecho Tributario,* Segunda Edición, De Palma, Temis, Marcial-Pons, Buenos Aires, Santa Fe de Bogotá, Madrid, 1996, p.357

sí es una suerte de administración por colaboración, porque el sujeto pasivo asume una tarea que, en principio, corresponde sólo al ente exactor del tributo y que además concierne a la procura de ingresos públicos, lo que desde luego se relaciona con el interés general"[64] y Sánchez, al afirmar que aun cuando la Administración Tributaria tiene amplias facultades para compeler al cumplimiento de las cargas tributarias, *"debe encausar su actividad a través de una serie de trámites procedimentales, de los cuales no puede exceptuarse, ni siquiera cuando tenga la certeza de la renuencia del sujeto pasivo a cumplir con sus obligaciones tributarias"*[65]; esto es, en los casos en los cuales éste no hubiese hecho la autodeterminación conforme a las previsiones legales.

En los sistemas tributarios modernos, corresponde en primer término al contribuyente el cumplimiento voluntario de la obligación tributaria una vez ocurrido el hecho generador, debiendo la Administración Tributaria verificar y/o fiscalizar su actuación, dentro de los lapsos legalmente establecidos. Como asienta Arroyo, *"un ordenamiento tributario basado en el cumplimiento libre y voluntario de los contribuyentes requiere, como correlato necesario, dotar a la Administración tributaria de las potestades jurídicas adecuadas para corroborar la exactitud de las declaraciones juradas como para reaccionar en aquellos supuestos en que las mismas no hayan sido presentadas, o bien hayan sido erróneas o falsas"*[66]. Este es el sistema establecido en el Código Orgánico Tributario, que pone en cabeza de los contribuyentes la obligación de cumplir por sí mismos la obligación tributaria, dejando a salvo la facultad de la Administración Tributaria de proceder a la determinación de oficio sobre base cierta o sobre base presunta, según corresponda, de acuerdo con el artículo 140 de dicho código[67].

La diferenciación entre la autodeterminación y el procedimiento de determinación por la Administración Tributaria es importante, ya que las condicio-

---

[64] FRAGA PITTALUGA; Luis, *"La defensa del contribuyente"* Serie Estudios Jurídicos N° 130, Academia de Ciencias Políticas y Sociales, Asociación Venezolana de Derecho Tributario y Editorial Jurídica Venezolana, Caracas, 2021, p.134.

[65] SÁNCHEZ GONZÁLEZ, Salvador, *El Procedimiento de Fiscalización y Determinación de la Obligación Tributaria*, en Manual de Derecho Tributario Venezolano, Asociación Venezolana de Derecho Tributario, Coordinadores, Jesús Sol, Leonardo Palacios, Elvira Dupouy y Juan Carlos Fermín, Tomo I, Caracas, 2013, p. 563

[66] ARROYO, Eduardo, *La Determinación de Oficio*, en "El Procedimiento Tributario", Alejandro Altamirano, Coordinador, Varios Autores, Editorial Ábaco, de Rodolfo De Palma, Buenos Aires, 1998, p.228.

[67] El artículo 140 del Código Orgánico Tributario establece que: *"Los contribuyentes o responsables, ocurridos los hechos previstos en la Ley cuya realización origina el nacimiento de una obligación tributaria, deberán determinar y cumplir por sí mismos dicha obligación o proporcionar la información necesaria para que la determinación sea efectuada por la Administración Tributaria, según lo dispuesto en las leyes y demás normas de carácter tributario. No obstante, la Administración Tributaria podrá proceder a la determinación de oficio, sobre base cierta o sobre base presuntiva, así como adoptar las medidas cautelares conforme a las disposiciones de este Código, en cualquiera de las siguientes situaciones: ..."* Cabe acotar que la autodeterminación va a depender de la naturaleza de cada tributo, considerando que también existen, la determinación tributaria hecha solo por la Administración Tributaria o la determinación mixta, según el caso.

nes fácticas generadas por la pandemia, especialmente durante el año 2020, implicaron en muchos casos la imposibilidad del oportuno cumplimiento de las obligaciones tributarias de autodeterminación y pago. Cabe aquí la aplicación de lo dispuesto en el parágrafo único del artículo 10 del Código Orgánico Tributario anteriormente citado, en el sentido de que se consideran inhábiles a los solos efectos de la declaración y pago de las obligaciones tributarias, los días en que las instituciones financieras autorizadas como Oficinas Receptoras de Fondos Nacionales no estuvieran abiertas al público, conforme al calendario anual de actividades. A esto debemos agregar las restricciones en cuanto a las oficinas bancarias que se encontraban efectivamente abiertas al público y en qué horarios, pues no todas las agencias estuvieron en funcionamiento y los horarios de atención al público fueron limitados, conforme a las regulaciones dictadas por la SUDEBAN en el marco de la pandemia.

Adicionalmente, y contrariamente a como se ha querido imponer por algunas Administraciones Tributarias, ni el Código Orgánico Tributario ni las normativas de la Administración Tributaria nacional, prevén los pagos electrónicos en forma obligatoria. En efecto, la Providencia Administrativa N° SNAT/2013/0034 de fecha 11 de junio de 2013 "Providencia Administrativa que establece el deber de presentación electrónica de las declaraciones de Impuesto sobre la Renta" para las personas naturales, las personas jurídicas y entidades sin personalidad jurídica, así como la Providencia Administrativa N° SNAT/2009/0104 de fecha 30 de octubre de 2009, "Providencia Administrativa que establece el deber de presentación electrónica de las declaraciones de Impuesto al Valor Agregado" para las personas naturales, las personas jurídicas y entidades sin personalidad jurídica, dictadas por el Servicio Nacional Integrado de Administración Aduanera y Tributaria (SENIAT), establecen solo la obligatoriedad de presentar electrónicamente las declaraciones del Impuesto sobre la Renta y del Impuesto al Valor Agregado, pero en cuanto a la forma de hacer el pago, ambas Providencias, en los mismos términos, en su artículo 3 establecen que *"el contribuyente podrá optar entre efectuarlo electrónicamente o imprimir la planilla generada por el sistema, la cual será utilizada a los efectos del pago de las cantidades autodeterminadas, en las Oficinas Receptoras de Fondos Nacionales..."*, de lo que se evidencia que, a diferencia de lo que ocurre con las declaraciones que sí deben realizarse electrónicamente, el pago electrónico se establece como una opción a voluntad del contribuyente, como una facilidad de pago para el cumplimiento de sus obligaciones tributarias, pero en modo alguno con carácter obligatorio[68].

---

[68] Ver Providencia Administrativa N° SNAT/2013/0034 de fecha 11 de junio de 2013 publicada en Gaceta Oficial N° 40.190 de fecha 17 de junio de 2013 (ésta derogó la Providencia Administrativa N° SNAT/2009/0104 de fecha 30 de octubre de 2009 que no aplicaba a las personas naturales, publicada en la misma Gaceta Oficial que se indica a continuación) y Providencia Administrativa N° SNAT/2009/0104 de fecha 30 de octubre de 2009, publicada en Gaceta Oficial N° 39.296 de fecha 30 de octubre de 2009.

Sin dejar de reconocer la importancia de la recaudación en tiempos de pandemia, hemos visto en la práctica como en general la declaración y pago de los tributos no fue suspendida, salvo las medidas, tales como prórrogas y diferimientos, que fueron adoptadas por algunas Administraciones Tributarias locales del país[69]. Ello generó situaciones muy diversas, dependiendo de las circunstancias particulares de los sujetos pasivos tributarios. La Administración Tributaria nacional, en lo que respecta a la declaración y pago de las obligaciones tributarias no estableció medidas de alivio, obviando que pudo haberlas adoptado, conforme a las previsiones del artículo 45 del Código Orgánico Tributario, que faculta al Ejecutivo Nacional para el otorgamiento con carácter general de prórrogas y facilidades de pago, medida sobre la cual incluso existían precedentes en el pasado reciente, lo que dejó en evidencia un divorcio de la realidad de los sujetos pasivos (contribuyentes o responsables), ante las especiales circunstancias derivadas de la pandemia que, como hemos indicado, constituyeron un hecho público notorio y que además estaba expresamente reconocido en los diversos Decretos de Estado de Alarma y sus prórrogas.

Sobre la potestad discrecional de aplicación de dicho artículo 45 del Código Orgánico Tributario se pronunció Ruan, señalando que esta potestad se encuentra sometida en su ejercicio a los principios establecidos en el artículo 12 de la Ley Orgánica de Procedimientos Administrativos y va más allá, al expresar que *"el Ejecutivo no es libre de actuar o no actuar ante la gravedad de la situación, sino que está obligado a actuar oportunamente, con los contenidos y formas que más se ajusten a los hechos y recursos disponibles"*[70]. En el mismo sentido, el "PRONUNCIAMIENTO DE LA ACADEMIA DE CIENCIAS POLÍTICAS Y SOCIALES ACERCA DEL CUMPLIMIENTO DE OBLIGACIONES TRIBUTARIAS Y LA DECLARACIÓN DE IMPUESTO SIBRE LA RENTA, EN TIEMPOS DE PANDEMIA DEL COVID-19" de fecha 1° de abril de 2021, en el cual la Academia señaló que *"Esta omisión ha puesto gravemente en riesgo la salud pública y la seguridad de los empleados, funcionarios y ciudadanos, contribuyentes o no, y no coincide con las medidas urgentes, efectivas y necesarias que debe adoptar el*

---

[69] A diferencia de otros países donde desde un primer momento se adoptaron medidas de alivio, tales como prórrogas o diferimientos, en Venezuela el Servicio Nacional de Administración Aduanera y Tributaria (SENIAT), no adoptó medidas relevantes en este sentido en favor de los contribuyentes, salvo aquellas de interés para el Estado en virtud de la pandemia. De las pocas medidas adoptadas, destacamos la exoneración del Impuesto sobre la Renta otorgada por Decreto N° 4.171 publicado en Gaceta Oficial N° 6.523 Ext. de fecha 02 de abril de 2020, para las personas naturales que hubiesen percibido hasta tres (3) salarios mínimos en el ejercicio fiscal 2019, sin efectos económicos importantes en la imposición a la renta de estos contribuyentes. Sin embargo, las Administraciones Tributarias de algunos Municipios, establecieron prórrogas para la declaración y pago de los tributos bajo su competencia. Lamentablemente otro tipo de medidas necesarias, tales como suspensión de retenciones y anticipos de Impuesto sobre la Renta e Impuesto al Valor Agregado, para aquel momento sujetas al régimen de declaración y pago semanal, no fueron tomadas; tampoco para la presentación de las Declaraciones Definitivas de tales impuestos y de otros, en un contexto económico hiperinflacionario y afectado por la pandemia.

[70] RUAN SANTOS, Gabriel, ob. cit. p. 672.

Ejecutivo Nacional, con el propósito de proteger la salud de la población venezolana ante los devastadores efectos del coronavirus (COVID-19) y sus posibles cepas, privilegiando injustificadamente la recaudación tributaria sin medidas atenuantes y con un carácter preferente del que no goza constitucional ni legalmente, frente a la tutela de los derechos humanos básicos de mayor importancia...", agregando lo que resulta obvio para todos, que el Ejecutivo conocía las circunstancias notorias de riesgo sanitario, con la consiguiente exposición de personal bancario, funcionarios del SENIAT, así como los contribuyentes y sus representantes (abogados, contadores y demás profesionales)[71].

Como hemos señalado y más aún existiendo precedentes, el Ejecutivo Nacional pudo haber hecho uso del artículo 45 del Código Orgánico Tributario, de acuerdo con el cual:

"El Ejecutivo Nacional podrá conceder, con carácter general, prórrogas y demás facilidades para el pago de obligaciones no vencidas, así como fraccionamientos y plazos para el pago de deudas atrasadas, cuando el normal cumplimiento de la obligación tributaria se vea impedido por caso fortuito o fuerza mayor, o en virtud de circunstancias excepcionales que afecten la economía del país...".

Sin perjuicio de la concesión con carácter general de prórrogas y facilidades de pago, que hubiera sido sin duda el medio adecuado a las circunstancias propias de la pandemia, también establece el Código Orgánico Tributario en su artículo 46, la posibilidad de solicitar estas prórrogas o facilidades de pago en casos particulares. En efecto, también pudieron hacer uso de esta norma, los contribuyentes afectados por la imposibilidad de dar cumplimiento dentro de los lapsos legales establecidos a sus obligaciones tributarias, solicitando las prórrogas y facilidades allí previstas en los siguientes términos:

"Las prórrogas y demás facilidades para el pago de obligaciones no vencidas, podrán ser acordadas con carácter excepcional en casos particulares. A tal fin, los interesados deberán presentar la solicitud al menos quince (15) días hábiles antes del vencimiento del plazo para el pago y solo podrán ser concedidas cuando a juicio de la Administración Tributaria se justifiquen las causas que impiden el cumplimiento normal de la obligación...".

No obstante, debemos señalar que, como toda facultad discrecional, la invocación de esta norma, aún en tiempos de normalidad, en la práctica no garantiza la obtención de oportuna respuesta por parte de la Administración Tributaria, lo cual tendría especial relevancia en tiempos de pandemia que también afectaron la actividad administrativa. En el caso de la pandemia, existían circunstancias de fuerza mayor que, además, dada la paralización de actividades y las urgentes medidas que debieron ser tomadas para evitar una caída de la economía mundial, sin duda también constituyó una circunstancia

---

[71] Sobre este tema ver pronunciamiento completo en acienpol.org.ve/pronunciamientos/pronunciamiento-acerca-del-cumplimiento-de-obligaciones-tributarias-y-la-declaración-del-impuesto-sobre-la-renta-en-iempos-de-la-pandemia-del-covid-19/

excepcional que afectaba a la economía nacional, justificativa de las medidas de alivio tributario que fueron reiteradamente solicitadas y no atendidas por la mayoría de las Administraciones Tributarias. Aun en condiciones de normalidad, constituye un deber de la Administración Tributaria colaborar y asistir a los contribuyentes, como bien lo expresa Casás, "*en un estado de derecho la Administración tiene deberes de colaboración y está obligada a informar y asistir a los contribuyentes facilitando el mejor cumplimiento de las obligaciones materiales y formales que el ordenamiento jurídico ha establecido a su cargo*" para afianzar la seguridad jurídica, lo que hemos venido señalando es particularmente importante en el contexto de la pandemia y su afectación al desarrollo de las actividades económicas en general[72].

Por otra parte, la declaración y el pago de los tributos, es la fase final de un proceso complejo, que en muchos casos se vio afectado como consecuencia de la pandemia por muy diversas razones, como por ejemplo las restricciones al tránsito y la circulación de personas, lo que pudo incidir en el traslado del personal de los contribuyentes para hacer la determinación, considerando que no todos los contribuyentes tienen sus sistemas administrativos y contables automatizados y aun existiendo éstos, con la posibilidad de acceso a dichos sistemas mediante trabajo a distancia, por razones de índole tecnológica o de seguridad para los sistemas de las empresas. Esto sin la menor duda implica desconocer la naturaleza jurídica de la determinación tributaria, tan es así, que ella se define como el acto o conjunto de actos necesarios para el establecimiento de la existencia y la cuantía de la obligación tributaria.

La determinación y específicamente la hecha por el contribuyente, de acuerdo con el señalado artículo 140 del Código Orgánico Tributario, lo cual es predicable también respecto de las normas sobre determinación establecidas en otros textos normativos, comprende una serie de operaciones que implican acceder a la totalidad de la información contable y sus soportes, a los fines de poder establecer la base imponible del tributo, más allá del hecho mismo de la declaración y posterior pago del tributo determinado. Este razonamiento también podría ser aplicable para el cumplimiento de las obligaciones tributarias de los sujetos pasivos responsables, a los fines de poder dar cumplimiento a las obligaciones como agentes de retención o percepción, considerando que para el momento del inicio de la pandemia, las obligaciones de anticipar el Impuesto sobre la Renta y el Impuesto al Valor Agregada, aún estaban establecidas en forma semanal, todo ello sin mencionar otros casos de anticipos o retenciones aplicables para otros tributos.

Dejando a salvo el caso de los sujetos pasivos cuyas actividades no fueron suspendidas, las diferentes circunstancias particulares de cada contribuyente o responsable, darán lugar a odiosas discriminaciones entre ellos, por ejemplo: i) entre quienes tenían acceso a la información contable y sus soportes a distancia

---

[72] CASÁS, José Osvaldo, *Carta de Derechos del Contribuyente Latinoamericano. Para el Instituto Latinoamericano de Derecho Tributario,* Editorial Ad-Hoc, Buenos Aires, 2014, p. 90.

y los que necesariamente tenían que trasladarse a las oficinas para sus labores en forma presencial; ii) entre los contribuyentes calificados como sujetos pasivos especiales, según tuvieran o no cuentas para el pago en línea en bancos del Estado, a través de la banca electrónica; iii) entre los contribuyentes en general, con cuentas o sin cuentas afiliadas, para el pago en línea al Tesoro Nacional a través de la banca electrónica; siendo el caso que muchos contribuyentes (sujetos pasivos especiales o no), solo podían pagar sus obligaciones tributarias mediante la emisión de cheques de gerencia a nombre del Tesoro Nacional para su depósito en Oficinas Receptoras de Fondos Nacionales o de los diversos entes recaudadores de tributos a nivel nacional, estadal y/o municipal, sujetos a las limitaciones en la apertura y atención al público para gestiones en forma presencial de las agencias bancarias, por las disposiciones de la SUDEBAN con motivo del Estado de Alarma, sobre las que se dieron diversidad de circulares dictadas por este organismo[73].

Situaciones como las antes señaladas, son solo algunos ejemplos de las que se pudieron presentar y determinaron en definitiva un odioso trato discriminatorio entre los sujetos pasivos de obligaciones tributarias, dependiendo de sus circunstancias particulares, en un contexto carente de certeza y de seguridad jurídica, sobre los plazos y condiciones para el cumplimiento de las obligaciones tributarias. La seguridad jurídica, como asienta Sosa Gómez, *"se erige como una garantía para los ciudadanos y, por otro lado, un mandato para el Estado (para legitimar su intervención). Los ciudadanos solo se podrán ver afectados por el ejercicio de las potestades estatales, en la medida que dichas atribuciones se encuentren reguladas y sean conocidas o susceptibles de conocer por los primeros, el Estado tendrá la obligación de ejercer aquellas potestades que se encuentren establecidas previamente y conocidas por los ciudadanos,* garantía de seguridad jurídica ausente durante la pandemia por todas las razones anteriormente señaladas[74]".

Además de ello, se plantea un dilema que no debe pasar desapercibido y que es el relativo a si ¿debían un contribuyente o sus empleados exponer su salud y su vida en medio de una pandemia para pagar los impuestos? Por otra parte, ¿podían los patronos exigir a sus trabajadores que expusieran su salud y su vida para atender al cumplimiento de las obligaciones tributarias? incluyendo a los funcionarios de la Administración Pública. Estos son planteamientos que deben ser analizados en el campo de los derechos humanos y la tributación, la obligación de contribuir frente al derecho a la vida y a la salud, al menos en países como el nuestro, donde no existe una total automatización

---

[73] Sobre este tema ver la mencionada Circular SIB-DSB-CJ-OD-02415 de fecha 15 de marzo de 2020 de la SUDEBAN, de acuerdo con la cual, a partir del 16 de marzo de 2020 se suspendían las actividades de todas las agencias y sedes administrativas de los bancos e instituciones financieras que implicaran atención directa a clientes y usuarios, dejando a salvo los servicios de la banca electrónica, tales como los antes mencionados servicios de banca por internet, transferencias, pago móvil y puntos de venta entre otros. En todo caso, posteriormente fueron dictadas nuevas circulares, atendiendo a las circunstancias en el desarrollo de la pandemia.

[74] SOSA GÓMEZ, Cecilia, *Fundamentos de la Seguridad Jurídica,* en "Libro Homenaje al Doctor Luis Cova Arria", Tomo III, Academia de Ciencias Políticas y Sociales, Caracas, 2020, p. 1976 y 1977.

o digitalización de los procesos administrativos, contables y tributarios de los contribuyentes. A diferencia de otros países, en Venezuela la presencialidad es un elemento que aún no puede ser descartado.

Constituye un reduccionismo pretender, como han parecido entender algunas Administraciones Tributarias y particularmente la nacional, que la autodeterminación o determinación tributaria hecha por el propio contribuyente, es una simple operación electrónica de declaración en el portal de la Administración Tributaria y posterior transferencia bancaria en línea al Tesoro Nacional, la cual, como hemos visto, tampoco era y aún hoy día es posible en todos los casos. La autodeterminación es un acto complejo, basado en la contabilidad y sus soportes, de cuya veracidad es que merecen fe sus asientos y registros[75]. Ello implica la evaluación de todos y cada uno de los elementos necesarios para el establecimiento de la base imponible del tributo, por lo que, si un contribuyente no tenía acceso a sus oficinas para acceder a la información contable, es razonable concluir que existieron motivos justificados que le impedían el cumplimiento oportuno de sus obligaciones tributarias. Son tantas las variables que se han podido presentar en esta experiencia en pandemia que se inició en el mes de marzo de 2020, que habrá de analizarse cada caso concreto con sus particularidades, frente a una Administración Tributaria que estará amparada por una malinterpretada presunción de legalidad y legitimidad de sus actos y un poder sancionador exacerbado en el Código Orgánico Tributario vigente, por lo que, en primer lugar, deberán ser las Administraciones Tributarias las que actúen con criterios de razonabilidad y buena administración y finalmente serán los jueces, quienes ponderen las circunstancias en cada caso, para decidir conforme a la ley pero también con justicia, como corresponde en el Estado Social de Derecho y de Justicia, considerando las circunstancias de orden social que ponían gravemente en riesgo la salud pública y la seguridad de los habitantes de la República, como expresamente se reconoce en los Decretos de Estado de Alarma y sus prórrogas.

En todo caso, existía en los casos indicados una causa extraña no imputable, como causal de incumplimiento involuntario de la obligación tributaria dentro de los lapsos legales, circunstancia que en todo caso deberá ser analizada en cada caso concreto. No siendo culpable el incumplimiento, podrían ser invocadas las eximentes de responsabilidad penal tributaria establecidas en el

---

[75] El artículo 88 del Decreto con Rango, Valor y Fuerza de Ley de Impuesto sobre la Renta de 2015, publicado en la Gaceta Oficial N°6.210 de fecha 30 de diciembre de 2015, establece que: *"Los contribuyentes están obligados a llevar en forma ordenada y ajustados a principios de contabilidad generalmente aceptados en la República Bolivariana de Venezuela, los libros y registros que este Decreto con Rango Valor y Fuerza de Ley, su Reglamento y las demás Leyes especiales determinen, de manera que constituyan medios integrados de control y comprobación de todos sus bienes activos y pasivos, muebles e inmuebles, corporales e incorporales, relacionados o no con el enriquecimiento que se declara, a exhibirlos a los funcionarios fiscales competentes y a adoptar normas expresas de contabilidad que con este fin se establezcan. Las anotaciones o asientos que se hagan en dichos libros y registros deberán estar apoyados en los comprobantes correspondientes y solo de la fe que estos merezcan surgirá el valor probatorio de aquellos."*

artículo 85 del Código Orgánico Tributario en el numeral 3° consistente en *"El caso fortuito y la fuerza mayor"* y, en virtud de la denunciada falta de claridad sobre la interpretación de la Disposición Final Sexta del Decreto de Estado de Alarma, la del numeral 4° relativa al *"Error de hecho o de derecho excusable".* En su defecto, las atenuantes que procedan en cada caso, de conformidad con lo establecido en el artículo 95 del mismo código, eximentes y circunstancias atenuantes, que podrían ser aplicadas por la Administración Tributaria, para no hacer más gravosa la afectación del patrimonio de los afectados por la pandemia, que en todo caso estarían obligados al cumplimiento de las obligaciones tributarias, aún en forma tardía. Tampoco sería procedente la imposición de intereses moratorios, con fundamento en el artículo 66 del Código Orgánico Tributario, en virtud de la falta de pago de la obligación tributaria dentro del plazo legalmente establecido y sin que se hubiese obtenido prórroga, en virtud de no ser la mora consecuencia de una conducta culposa por parte del obligado, sino de las mismas circunstancias de fuerza mayor, extraordinarias y excepcionales derivadas de la pandemia causada por el coronavirus Covid-19, que aún mantiene en alerta a las autoridades sanitarias, no solo en Venezuela sino en el mundo entero.

De allí que ante la falta de certeza y seguridad jurídica de los sujetos pasivos tributarios sobre la suspensión e interrupción de los procedimientos administrativos, es necesario que ante los eventuales procedimientos de verificación, fiscalización y sancionatorios, si los hubiere, como consecuencia de la falta de cumplimiento de las obligaciones tributarias dentro de los lapsos legales establecidos, los funcionarios de las diversas Administraciones Tributarias hagan una interpretación integral las normas dictadas en el marco del Decreto de Estado de Alarma, junto con las normas tributarias vigentes y aplicables durante el estado de excepción, con respecto al debido proceso, criterios de razonabilidad y justicia, en atención a las circunstancias generadas por la pandemia y partiendo, como hemos señalado, de que la Administración Pública está al servicio de los ciudadanos y que tal como lo dispone la Ley Orgánica de Administración Pública, ésta debe garantizar a todas las personas, conforme al principio de progresividad y sin discriminación alguna, el goce y ejercicio irrenunciable, indivisible e interdependiente de los derechos humanos.

Caracas, marzo de 2022.

VI. BIBLIOGRAFÍA

ABACHE CARVAJAL, Serviliano, *Covid-19 y Determinación Tributaria,* en "Estudios sobre la Pandemia del Covid-19" Academia de Ciencias Políticas y Sociales, Coordinadores Allan R. Brewer-Carías y Humberto Romero-Muci, Serie Estudios N° 123, Editorial Jurídica Venezolana Internacional, Caracas, 2020.

ARROYO, Eduardo, *La Determinación de Oficio*, en "El Procedimiento Tributario", Alejandro Altamirano Coordinador, Varios Autores, Editorial Ábaco de Rodolfo De Palma, Buenos Aires, 1998.

ARVELO, Roquefélix, *El Estatuto del Contribuyente en la Constitución de la República Bolivariana de Venezuela de Venezuela de 1999*, Paredes Editores, Caracas, 2000.

BLANCO-URIBE QUINTERO, Alberto, *Estudios sobre Derecho Procesal Tributario Vivo*, Colección Estudios Jurídicos Nº 115, Editorial Jurídica Venezolana, Caracas, 2017.

BREWER-CARÍAS, Allan R. y CHAVERO, Rafael, *Ley Orgánica de Administración Pública*, Colección Textos Legislativos Nº 24, 1ra. Edición, Editorial Jurídica Venezolana, Caracas, 2002.

BREWER-CARÍAS, Allan R. *El Decreto de Estado de Alarma en Venezuela con ocasión de la pandemia del coronavirus: inconstitucional, mal concebido, mal redactado, fraudulento y bien inefectivo*, en "Estudios sobre la Pandemia del COVID-19" Academia de Ciencias Políticas y Sociales, Coordinadores Allan R. Brewer-Carías y Humberto Romero-Muci, Serie Estudios Nº 123, Editorial Jurídica Venezolana Internacional, Caracas, 2020.

CABALLERO PERDOMO, Rosa, *Del Cumplimiento de las Obligaciones Tributarias en el marco del Covid-19*, en "Estudios sobre la Pandemia del COVID-19" Academia de Ciencias Políticas y Sociales, Coordinadores Allan R. Brewer-Carías y Humberto Romero-Muci, Serie Estudios Nº 123, Editorial Jurídica Venezolana Internacional, Caracas, 2020.

CASAS, José Oswaldo, *Carta de Derechos del Contribuyente Latinoamericano, Para el Instituto Latinoamericano de Derecho Tributario*. Editorial Ad-Hoc SRL, Buenos Aires, 2014.

DUQUE CORREDOR, Román J. *Breves Notas sobre las Garantías Judiciales en el caso del Estado de Excepción de Alarma por la Pandemia del Covid-19 y el Tribunal Supremo de Justicia*, en "Estudios sobre la Pandemia del Covid-19" Academia de Ciencias Políticas y Sociales, Coordinadores Allan R. Brewer-Carías y Humberto Romero-Muci, Serie Estudios Nº 123, Editorial Jurídica Venezolana Internacional, Caracas, 2020.

FRAGA PITTALUGA, Luis, *La defensa del contribuyente*, Serie Estudios 130, Asociación Venezolana de Derecho Tributario, Editorial Jurídica Venezolana, Academia de Ciencias Políticas y Sociales, Caracas, Venezuela, 2021.

_____ y Andrés Tagliaferro, *Implicaciones del Covid-19 en el cumplimiento de las obligaciones tributarias*, Caracas, Venezuela, 2020, versión electrónica en: http://fragapittaluga.com.ve/fraga/index.php/component/k2/item/24-implicaciones-del-covid-19-sobre-el-cumplimiento-de-las-obligaciones-tributarias.

GARCÍA DE ENTERRÍA, Eduardo y FERNÁNDEZ, Tomás Ramón, *Curso de Derecho Administrativo Tomo I*, Editorial Civitas S.A, Madrid, 1986.

GARCÍA NOVOA, César, *Seguridad jurídica y tributación*, Vergara & Asociados/Plural Editores, La Paz, Bolivia, 2013.

GONZÁLEZ PÉREZ, Jesús, *Manual de Procedimiento Administrativo*, Editorial Civitas, Madrid, 2005.

HENRÍQUEZ LA ROCHE, Ricardo, *Código de Procedimiento Civil Tomo II*, 3ra. Edición, Ediciones Liber, Caracas, 2006.

MEIER, Eduardo, *Breves notas sobre la situación de los procedimientos tributarios ante la declaratoria de Estado de Alarma (Covid-19)*, versión electrónica, Caracas, 2020, en: http://fragapittaluga.com.ve/fraga/index.php/component/k2/item/23-breves-notas-sobre-la-situacion-de-los-procedimientos-tributarios-ante-la-declaratoria-de-estado-de-alarma-covid-19

MIRALLES QUINTERO, Juan Andrés, *Breves Comentarios sobre los Procedimientos Administrativos durante la urgencia del Estado de Alarma*, en "Estudios sobre la Pandemia del Covid-19" Academia de Ciencias Políticas y Sociales, Coordinadores Allan R. Brewer-Carías y Humberto Romero-Muci, Serie Estudios N° 123, Editorial Jurídica Venezolana Internacional, Caracas, 2020.

NIKKEN, Pedro, *Código de Derechos Humanos*, Colección Textos Legislativos N° 12, 2da. Edición, Editorial Jurídica Venezolana, Consejo de Desarrollo Científico y Humanístico UCV, Caracas, 2006.

RENGEL ROMBERG, Arístides, *Manual de Derecho Procesal Civil Venezzolano*, Universidad Católica Andrés Bello, Manuales de Derecho, Caracas, 1978.

ROMERO-MUCI, Humberto, *Jurisprudencia Tributaria Municipal y Estadal y la Descentralización Fiscal*, Colección Jurisprudencia (1997-2004), Tomo VI. Editorial Jurídica Venezolana, Caracas, 2005.

RUAN SANTOS, Gabriel, *Reflexión sobre los efectos de la pandemia en las obligaciones tributarias*, Boletín Academia de Ciencias Políticas y Sociales, N° 160 (2020), Caracas.

SÁNCHEZ GONZÁLEZ, Salvador, *El Procedimiento de Fiscalización y Determinación de la Obligación Tributaria*, en Manual de Derecho Tributario Venezolano, Asociación Venezolana de Derecho Tributario, Coordinadores, Jesús Sol, Leonardo Palacios, Elvira Dupouy y Juan Carlos Fermín, Tomo I, Caracas, 2013.

SOSA GÓMEZ, Cecilia, *Fundamentos de la Seguridad Jurídica*, en "Libro Homenaje al Doctor Luis Cova Arria", Tomo III, Academia de Ciencias Políticas y Sociales, Caracas, 2020.

VALDÉS COSTA, Ramón, *Curso de Derecho Tributario*, Segunda Edición, Segunda Edición, Editorial De Palma, Temis, Marcial-Pons, Buenos Aires, Sanata Fé de Bogotá, Madrid, 1996.

ZAMBRANO, Freddy, *La Perención*, Editorial Atenea, Caracas, 2005.

DOCUMENTOS ELECTRÓNICOS:

Pronunciamiento de la Academia de Ciencias Políticas y Sociales (ACIENPOL) de fecha 18 de marzo de 2020, en: acienpol.org.ve/pronunciamientos/pronunciamiento-de-la-academia-de-ciencias-políticas-y-sociales-sobre-el-estado-de-alarma-decretado-ante-la-pandemia-del-coronavirus-covid-19/

Pronunciamiento de la Academia de Ciencias Políticas y Sociales (ACIENPOL) de fecha 1° de abril de 2021, en: acienpol.org.ve/pronunciamientos/pronunciamiento-acerca-del-cumplimiento-de-obligaciones-tributarias-y-la-declaración-del-impuesto-sobre-la-renta-en-iempos-de-la-pandemia-del-covid-19/

Circular SIB-DSB-CJ-OD-02415 de fecha 15 de marzo de 2020, de la Superintendencia de la Actividad Bancaria (SUDEBAN) en: grantthornton.com.ve/globalasset/1.-member-firms/Venezuela/PDF/circulares-sudeban-def.PDF

Sentencia del Tribunal Supremo de Justicia/SPA de fecha 20 de octubre de 2011, consultada en: http://historico.tsj.gob.ve/decisiones/spa/octubre/01362-201011-2011-2011-0640.HTML

Sentencia del Tribunal Supremo de Justicia/SPA de fecha 16 de marzo de 2016, consultada en:http://historico.tsj.gob.ve/decisiones/spa/marzo/186305-00316-16316-2016-2013-0459.HTML

Sentencia del Tribunal Supremo de Justicia/SC de fecha 14 de diciembre de 2001, consultada en: http://historico.tsj.gob.ve/decisiones/scon/diciembre/2673-141201-01-2782.HTM

Sentencia del Tribunal Supremo de Justicia/SC de fecha 21 de febrero de 2021, consultada en: http://historico.tsj.gob.ve/decisiones/scon/febrero/311299-0006-11221-2021-21-0003.HTML

Sentencia del Tribunal Supremo de Justicia/SC de fecha 1° de junio de 2001, consultada en: http://historico.tsj.gob.ve/decisiones/spa/junio/178955-00741-30615-2015-2014-0134.HTML

Sentencia del Tribunal Supremo de Justicia/SC de fecha 11 de noviembre de 2021, consultada en: http://historico.tsj.gob.ve/decisiones/scon/noviembre/314373-0617-111121-2021-12-0383.HTML

Sentencia del Tribunal Supremo de Justicia/SC de fecha 12 de agosto de 2020, consultada en: http://historico.tsj.gob.ve/decisiones/scon/agosto/310022-0091-12820-2020-19-0741.HTML

LEGISLACIÓN:

Venezuela, "Constitución de la República Bolivariana de Venezuela", (enmendada), publicada en Gaceta Oficial N° 5.908 Extraordinario, del 19 de febrero de 2000.

Venezuela, Ley Aprobatoria de la Convención Americana sobre Derechos Humanos "Pacto de San José de Costa Rica", publicada en Gaceta Oficial N° 31.256, del 19 de mayo de 1977.

Venezuela, "Decreto Constituyente de Código Orgánico Tributario", publicado en Gaceta Oficial N° 6.507 Extraordinario, del 29 de enero de 2020.

Venezuela, "Código de Procedimiento Civil de Venezuela", publicado en Gaceta Oficial N° 4.209 Extraordinario, del 18 de septiembre de 1990.

Venezuela, "Decreto con Rango, Valor y Fuerza de Ley de Impuesto sobre la Renta, publicado en Gaceta Oficial N° 6.210 Extraordinario, del 30 de diciembre de 2015.

Venezuela, "Decreto con Rango, Valor y Fuerza de Ley Orgánica de Administración Pública, publicado en Gaceta Oficial N° 6.147 Extraordinario, del 17 de noviembre de 2014.

Venezuela, "Decreto con Rango, Valor y Fuerza de Ley Orgánica de Estados de Excepción, publicado en Gaceta Oficial N° 37.261, del 15 de agosto de 2001.

Venezuela, "Ley Orgánica de la Jurisdicción Contencioso Administrativa", publicado en Gaceta Oficial N° 39.447 de fecha 16 de junio de 2010.

Venezuela, "Decreto de Estado de Alarma" N° 4.160, publicado en Gaceta Oficial N° 6.519 Extraordinario, del 13 de marzo de 2020.

Venezuela, "Decreto de Prórroga de Estado de Alarma" N° 4.186, publicado en Gaceta Oficial N° 6.528 Extraordinario, del 12 de abril de 2020.

Venezuela, "Decreto de Estado de Alarma" N° 4.198, publicado en Gaceta Oficial N° 6.535 Extraordinario, del 12 de mayo de 2020.

Venezuela, "Decreto de Prórroga de Estado de Alarma" N° 4.230, publicado en Gaceta Oficial N° 6.542 Extraordinario, del 11 de junio de 2020.

Venezuela, "Decreto de Estado de Alarma" N° 4.247, publicado en Gaceta Oficial N° 6.554 Extraordinario, del 10 de julio de 2020.

Venezuela, "Decreto de Prórroga de Estado de Alarma" N° 4.260, publicado en Gaceta Oficial N° 6.560 Extraordinario, del 08 de agosto de 2020.

Venezuela, "Decreto de Estado de Alarma" N° 4.286, publicado en Gaceta Oficial N° 6.570 Extraordinario, del 06 de septiembre de 2020.

Venezuela, "Decreto de Prórroga de Estado de Alarma" N° 4.337, publicado en Gaceta Oficial N° 6.579 Extraordinario, del 05 de octubre de 2020.

Venezuela, "Decreto de Estado de Alarma" N° 4.361, publicado en Gaceta Oficial N° 6.590 Extraordinario, del 03 de noviembre de 2020.

Venezuela, "Decreto de Prórroga de Estado de Alarma" N° 4.382, publicado en Gaceta Oficial N° 6.602 Extraordinario, del 02 de diciembre de 2020.

COVID 19 Y EL IMPUESTO SOBRE SUCESIONES: LA REDUCCIÓN DEL IMPUESTO POR DOBLE TRANSMSION EN LÍNEA RECTA

JUAN CARLOS COLMENARES ZULETA[*]

SUMARIO

1. La apertura de la sucesión y el impuesto a las sucesiones. 2. El beneficio de reducción de impuesto por doble transmisión en línea recta. 3. El Covid 19 y la recurrencia del beneficio fiscal de la reducción de impuesto por doble transmisión en línea recta. 4. El beneficio de reducción de impuesto por doble transmisión en línea recta y la declaración electrónica de impuesto de sucesiones. 5. Conclusiones.

1. LA APERTURA DE LA SUCESIÓN Y EL IMPUESTO A LAS SUCESIONES

En materia de derecho de sucesiones, la apertura de la sucesión del difunto es el momento fundamental mediante el cual opera la transmisión de los bienes, derechos, acciones, acreencias y deudas patrimoniales de la persona de difunto a la persona de los herederos: en este sentido, el Código Civil Venezolano es claro cuando señala que la sucesión se abre en el momento de la muerte y en el lugar del último domicilio del de cujus[1] (la persona del fallecido). En materia de impuesto sobre sucesiones, la Ley de Impuesto sobre Sucesiones, Donaciones y demás Ramos Conexos, el impuesto se causa donde estén situados los bienes gravados y en el momento de la apertura de la sucesión[2]. En relación a la muerte, la apertura y la transmisión (adquisición)

---

[*] Abogado egresado de la Universidad Católica Andrés Bello 1981. Especialista en Derecho Tributario egresado de la Universidad Central de Venezuela 1994. Master Internacional menciones: Derechos Humanos y Bioderecho y Derecho Internacional, Justicia Penal Internacional y Derecho Internacional Humanitario en el Instituto de Estudios Globales para el Desarrollo Humano Madrid. UNESCO 2019 / 2021 bajo modalidad de estudios online. Profesor Jubilado de la Facultad de Ciencias Jurídicas y Políticas de la Universidad Central de Venezuela (1991-2018). Profesor de la Escuela Nacional de Administración y Hacienda Pública ENAHP IUT y de la Universidad Católica del Táchira, Instructor del Instituto de Desarrollo Profesional de los Colegios de Contadores Públicos del Distrito Capital y Estado Miranda IDEPROCOP. Miembro de Número de la Asociación Venezolana de Derecho Tributario AVDT (1989) Abogado en ejercicio y Consultor de Diagnóstico y Procesos fiscales en la organización pública y privada.
[1] Código Civil Venezolano publicado en la Gaceta Oficial No 2990 de fecha 26 de Julio de 1982, p. 18.
[2] Ley de Impuesto sobre Sucesiones, Donaciones y demás Ramos Conexos publicada en la Gaceta Oficial No 5391 de fecha 22 de Octubre de1999 Artículo 5.

de la herencia se causan en el mismo instante y no hay entre ellas el menor intervalo de tiempo pues son indivisibles[3] El profesor Arturo Luis Torres Rivero señala que legalmente, la apertura de la sucesión opera automáticamente, de pleno derecho, en el momento de la muerte y en el lugar del último domicilio del causante[4] y este autor igualmente afirma que el momento de la muerte es determinante a los fines de la conmoriencia, morir al mismo tiempo, de la premoriencia, morir antes, y de la correlativa posmoriencia, morir después[5].

2. EL BENEFICIO DE REDUCCIÓN DE IMPUESTO POR DOBLE TRANSMISION EN LÍNEA RECTA

En cuanto al procedimiento de determinación del impuesto de sucesiones (que debe calcularse sobre la parte líquida que corresponda a cada heredero o legatario según la tarifa progresiva)[6], la Ley de Impuesto sobre Sucesiones señala que al impuesto determinado por los herederos, legatarios o beneficiarios en la respectiva declaración de impuesto podrán imputar, entre otros incentivos tributarios y reducciones, la reducción de impuesto contemplada en el Artículo 14 de la misma, en este sentido, tal dispositivo normativo señala: "Si dentro de un período de cinco(5) años ocurriere una nueva transmisión en línea recta por causa de muerte, de bienes que ya hubieren sido gravados en virtud de esta ley, se disminuirán los nuevos impuestos con relación a esos mismos bienes, en un diez por ciento (10%) de su monto por cada uno de los años completos que falten para cumplir los cinco(5) años. Esta norma contiene dos presupuestos necesarios y concurrentes para que proceda dicho incentivo o beneficio tributario: 1. Debe tratarse de una transmisión hereditaria en línea recta; 2. Las transmisiones deben sucederse en un período máximo de cinco (5) años, lo que se traduce en la doble transmisión en línea recta y 3. Los bienes sobre los que aplica la reducción, deberán haber experimentado esa doble transmisión por sucesión, es decir, el nuevo impuesto determinado se vería afectado o disminuido por la nueva transmisión de uno o más bienes del acervo hereditario de que se trate[7]. Respecto del primer condicionado, la línea recta refiere al parentesco por consanguinidad, que resulta de los vínculos de la sangre que realmente existen entre las personas a las cuales se refiere[8]; asimismo, la proximidad entre grados y parientes se determinará por el número

3   Zannoni, Eduardo. *Manual de Derecho de las Sucesiones*. Editorial Astrea, Buenos Aires, 2 Ed, 1989.
4   Torres Rivero, Arturo Luis. *Teoría General del Derecho Sucesoral*. Universidad Central de Venezuela. Tomo I Caracas, 1981, p 121-122.
5   Torres Rivero, Arturo Luis, Tomo I, ob. Cit., p. 122.
6   Ley de Impuesto sobre Sucesiones, Donaciones y demás Ramos Conexos publicada en la Gaceta Oficial No 5391 de fecha 22 de Octubre de1999 Artículo 7.
7   Colmenares Zuleta, Juan Carlos. *Temas de Impuesto sobre Sucesiones, Donaciones y demás Ramos Conexos*. Lizcalibros, 2ª Reimpresión, Caracas, 2011, p. 206.
8   López Herrera Francisco. *Derecho de Familia*. Tomo I Banco Exterior, Universidad Católica Andrés Bello. Caracas, 2006, p. 56. Código Civil Venezolano 1982 Artículo 37.

de generaciones, siendo que cada generación formará un grado de parentesco[9]. La línea recta está constituida por la serie de grados existentes entre personas que descienden una de otra, sea inmediata o mediatamente y se representa por una línea recta vertical, en cuyo extremo superior se encuentra el ascendiente y en el inferior el descendiente, entre quienes de trata de determinar o medir el parentesco[10]; por contraposición, la línea colateral está constituida por la serie de grados que existe entre personas que sin descender una de otra, tienen un autor común, representadas por un ángulo en cuyo vértice se encuentra el autor común y cuyos lados están constituidos por las líneas que forman las sucesivas generaciones que separan de dicho autor común, a las personas entre las cuales existe el parentesco[11]; de manera que, tal beneficio de reducción no procede sobre transmisiones sucesorias deferidas entre cónyuges[12], aun habida cuenta de la natural vocación hereditaria que expresamente el Código Civil indica, tanto para la sucesión ab intestato(sin testamento), así como de las sucesiones testamentarias, y con las limitaciones señaladas en ese cuerpo legal en materia de determinación de cálculo de la legítima hereditaria[13]; el estado conyugal o de las uniones estables de hecho solo representan un vínculo o acto de naturaleza civil, el cual se contrae o declara en función de las limitaciones y prohibiciones en cuanto los impedimentos y oposiciones que el tanto el Código Civil y la Ley Orgánica de Registro Civil señalan[14], de manera que serían excluidas de tal beneficio de reducción las transmisiones de patrimonio por sucesión entre parientes colaterales: hermanos entre sí, parientes colaterales en el mismo grado de los hermanos, los sobrinos tanto por derecho propio como por representación y parientes colaterales de tercer , cuarto y hasta sexto grado conforme a las disposiciones del Código Civil.

Con respecto del segundo condicionado, debe tratarse efectivamente de una doble transmisión en línea recta en un período de cinco(5) años, es decir, entre una primera apertura y una segunda apertura de sucesión deben haber solo transcurrido un máximo de cinco(5) años, de manera que si concurren más de dos(s) aperturas de sucesión el beneficio no resultaría aplicable por expresa exclusión de la norma; esta transmisión pudiere ocurrir entre ascendiente y descendiente o bien entre descendiente y ascendiente pero dentro del espectro de tiempo señalado; en caso que haya ocurrido efectivamente la doble transmisión respecto de la primera, será procedente imputar al nuevo impuesto de sucesiones determinado sobre cada cuota hereditaria o legado testamentario

---

[9]   Código Civil Venezolano 1982 Artículo 37.
[10] López Herrera, Francisco, Derecho de Familia ob. Cit., p. 60.
[11] López Herrera, Francisco, Derecho de Familia, ob. Cit., p. 62.
[12] Colmenares Zuleta, Juan Carlos. *El Beneficio de disminución del nuevo gravamen contemplado en el Artículo 14 de la Ley de Impuesto sobre Sucesiones, Donaciones y demás Ramos Conexos: opinión en torno a una consulta.* Revista de Control Fiscal, No 117, Ediciones de la Contraloría General de la República. Caracas, 1985, p. 79.
[13] Código Civil Venezolano 1982 Artículos 823, 824 y 883.
[14] Ley Orgánica de Registro Civil publicada en la Gaceta Oficial No 39.264 de fecha 15 Septiembre 2009.

una reducción o rebaja de impuesto de un diez por ciento (10%) del monto por cada año completo que faltare para que se cumpla de manera exacta los cinco (5) años y, conforme a lo dispuesto en el Código Orgánico Tributario en su Artículo 10, los plazos por año o meses serán continuos y terminarán el día equivalente del año respectivo[15].

Finalmente, respecto del tercer condicionado, la norma citada del Artículo 14 de la ley de la materia, se condiciona el beneficio de reducción del nuevo impuesto en función de los bienes, derechos, acciones y demás componentes del patrimonio sucesorio que se transmita nuevamente en una segunda apertura de sucesión respecto de la primera sucesión abierta, de manera que en la nueva determinación tributaria, a los efectos de aplicar esta reducción, sean excluidas aquellas partidas de activo que no fueron sucesivas en la segunda transmisión sucesoria y asimismo, no deberán formar parte aquellas partidas de pasivos y acreencias contra el causante que ni hubieren sido objeto de esa segunda transmisión.

3. EL COVID 19 Y LA RECURRENCIA DEL BENEFICIO FISCAL DE LA REDUCCIÓN DE IMPUESTO POR DOBLE TRANSMISIÓN EN LÍNEA RECTA

Como es de toda la humanidad hartamente conocido, sufrido y experimentado, la actual pandemia del Coronavirus, en sus sucesivas variantes de aparición sanitaria, enfermedad infecto contagiosa que ha asolado al mundo desde finales del año 2019, extendiéndose en forma de olas de dispersión pese a las medidas de bioseguridad adoptadas, cuarentenas, confinamientos y el alejamiento del contacto social esencial en el desarrollo de las relaciones humanas, los índices de vacunación presentes en el entorno mundial, los consecuentes ensayo y error en el diseño de las mismas y la fuerte reticencia, rechazo y agitaciones sociales y políticas que se han generado; estos devenires no han dejado, sin embargo de generar, para conmoción de los seres humanos, las sucesivas muertes de miembros enteros de familias en un mismo evento infectivo, es decir, se han venido sucediendo aperturas de sucesión incluso de forma simultánea bajo la conmoriencia (caso en el cual el representado muere simultáneamente, coetáneamente con el causante al mismo tiempo) o bien bajo la premoriencia según la cual acaezca la muerte de uno en forma de prelación sobre otro, es decir, el causante ha de premorir al representante, que éste ha de sobrevivir a aquél[16]; dentro del sistema de derecho civil venezolano, se admite la presunción de la conmoriencia, según la cual, si hubiere dudas sobre cuál de dos o más individuos llamados recíprocamente a sucederse, haya muerto

15 Código Orgánico Tributario publicado en la Gaceta Oficial No 6507 de fecha 29 de Enero de 2020. Artículo 10.
16 Torres Rivero, Arturo Luis. *Teoría General del Derecho Sucesoral* Universidad Central de Venezuela, Tomo II, 1ª Edición, Caracas, 1986, p. 65.

primero que el otro, el que sostenga la anterioridad de la muerte del uno o del otro deberá probarla y a falta de pruebas se presumen todos muertos al mismo tiempo y no hay transmisión de derechos de uno a otro[17]. Si ocurriere por ejemplo una apertura de sucesión de un padre o ascendiente por razón de la pandemia de COVID19 y de manera sucesiva entre los fallecidos del núcleo familiar hubieren hijos o viceversa, se tratare de apertura de sucesión de hijos que, conforme al orden de suceder legal correspondiere suceder a sus ascendientes, o bien a sus ascendientes y cónyuge (éste último o última excluido del beneficio), operaría en este caso la reducción de impuesto por doble transmisión cumplidos los supuestos de procedencia del mismo; en caso que entre tales muertes o fallecimientos hubiere al menos transcurrido un año, en la segunda declaración de impuesto de sucesiones, los beneficiarios podrían imputar un 10% de cada año completo, es decir, bien podrían imputar hasta un cuarenta por ciento (40%) de reducción según sea el caso, que deben computarse hasta completar los cinco años del acaecimiento de la primera apertura de sucesión.

4. EL BENEFICIO DE REDUCCIÓN DE IMPUESTO POR DOBLE TRANSMISIÓN EN LÍNEA RECTA Y LA DECLARACIÓN ELECTRÓNICA DE IMPUESTO DE SUCESIONES

A los efectos del cumplimiento de los deberes formales relacionados con la declaración de impuesto de sucesiones, el Código Orgánico Tributario señala la obligación para contribuyentes y responsables el pago de los tributos y el cumplimiento de los deberes formales impuestos en ese cuerpo legal[18]; por su parte, la Ley de Impuesto sobre Sucesiones, Donaciones y demás Ramos Conexos vigente señala para los herederos, legatarios o uno cualquiera de ellos, el deber de presentar una declaración jurada de patrimonio gravado conforme a la ley de la materia[19] En el año 2013 el Servicio Nacional Integrado de Administración Aduanera y Tributaria SENIAT dictó la Providencia

Administrativa No SNAT/2013-0050 de fecha 29 de Julio[20]; mediante la cual se ordenó la presentación de las declaraciones de impuesto de sucesiones bajo el formato electrónico contenido en el portal fiscal www.seniat.gob.ve , con las especificaciones técnicas contenidas en el referido sitio web de internet y en particular, siguiendo las mismas contenidas a su vez en el Instructivo

---

[17] Código Civil Venezolano 1982 Artículo 994.
[18] Código Orgánico Tributario publicado en la Gaceta Oficial No 6507 de fecha 29 de Enero de 2020 Artículo 23.
[19] Ley de Impuesto sobre Sucesiones, Donaciones y demás Ramos Conexos publicada en la Gaceta Oficial No 5391 de fecha 22 de Octubre de 1999 Artículo 27.
[20] Providencia Administrativa No SNAT/2013/0050 de fecha 29 de Julio de 2013 publicada en la Gaceta Oficial No 40.216 de fecha 29 de Julio de 2013.

del Sistema de Declaración de Sucesiones REDESU[21] para la elaboración de la declaración de impuesto de sucesiones, con exclusión de la declaración de impuesto a las donaciones que, según la citada Providencia Administrativa continuarían presentándose ante la Administración Tributaria bajo la modalidad de los formularios y sus anexos para la declaración de impuesto de sucesiones y donaciones vigente en Venezuela desde el año 1983, surgidos con ocasión de la Ley de Impuesto sobre Sucesiones, Donaciones y demás Ramos Conexos del año 1982. Es importante destacar que, según las especificaciones aludidas en la Providencia Administrativa No 0050/2013 que remite a la modalidad electrónica contenida en la versión del portal fiscal del SENIAT no se señala la forma en que el contribuyente heredero, legitimario, legatario o beneficiario pueda acceder a imputar contra el impuesto determinado la referida reducción de impuesto del Artículo 14 de la Ley, habida cuenta que, de la lectura de lo señalado en la página No 19 del ya referido Instructivo REDESU2013 solo se limita a expresar que"...*indique el mondo de Reducción si aplica...*" (cursivas nuestras) , sin distinguir que, según la Ley de la materia se prevén las reducciones de impuesto previstas en el Artículo 11 y 14 respectivamente y aunado al hecho significativo que para que se pueda imputar la reducción de impuesto por doble transmisión en línea recta, deberá necesariamente sustanciarse al expediente sucesorio la declaración sucesoria del primer causante que encabeza la primera transmisión hereditaria para la comprobación del cumplimiento de los requisitos exigidos en el citado Artículo 14 ejusdem. De una revisión en la práctica, al acceder al sistema de declaración de sucesiones en línea en el portal fiscal SENIAT no se evidencia que el mismo tome efectivamente la reducción del nuevo impuesto de sucesiones a cargo de la segunda transmisión de idénticos activos y pasivos hereditarios de su causante predecesor. Es oportuno igualmente advertir que, según lo dispuesto en la Ley Orgánica de la Administración Pública[22], los órganos y entes de la Administración Pública deberán establecer y mantener una página de internet que contendrá entre otras, la información que se considere relevante, los datos correspondientes a su misión, organización, procedimiento, normativa que lo regula, servicios que presta y documentos de interés para las personas y que, asimismo, son principios reguladores de la actividad de la Administración Pública, entre otros relacionados, la objetividad, imparcialidad, oportunidad, accesibilidad y transparencia. En la medida que la declaración de impuesto de sucesiones electrónica actual no ofrezca tales condicionamientos no responde al pleno ejercicio de los derechos del contribuyente de imputar los incentivos y beneficios tributarios que conceden las leyes tributarias venezolanas.

---

[21] Instructivo Sistema de Declaración de Sucesiones REDESU elaborado por la Gerencia General de Tecnología de Información y Comunicaciones SENIAT 2013, tomado de su página web www.seniat.gob.veNOTA: a la fecha de elaboración de este artículo, dicho archivo no aparece encriptado en el portal fiscal.

[22] Ley Orgánica de la Administración Pública publicada en la Gaceta Oficial No 6147 de fecha 17 de Noviembre de 2014. Artículos 10 y 11.

5. CONCLUSIONES

1. La aparición de la pandemia del COVID19 ha generado, entre otros efectos , las sucesivas muertes y aperturas de sucesión entre parientes que a su vez están dando lugar a sucesivas transmisiones de los mismos activos y pasivos hereditarios sobre los cuales, debe determinarse el impuesto de sucesiones sobre un porcentaje de un 25% a partir de bases imponibles o cuotas hereditarias mayores a 4000 Unidades Tributarias (parientes sucesores en línea recta) , con lo cual, los herederos, legitimarios y legatarios pueden obtener un menor impacto en su cálculo, pudiendo reducir el monto del impuesto de sucesiones de forma significativa.

2. El actual Sistema de Declaración en Línea del Impuesto de Sucesiones no permite al contribuyente imputar al impuesto determinado, la reducción de impuesto en aplicación del Artículo 14 de la Ley de la materia, sobre doble transmisión en línea recta, siendo obligación de la Administración Tributaria aplicar correctamente las tecnologías de información y comunicación para que dicho sistema refleje la modalidad respectiva a fin que el contribuyente pueda acceder a dicho beneficio tributario.

REFERENCIAS BIBLIOGRÁFICAS

Textos legales y reglamentarios

1. Código Civil Venezolano publicado en la Gaceta Oficial No 2990 de fecha 26 de Julio de 1982

2. Código Orgánico Tributario publicado en la Gaceta Oficial No 5607 de fecha 29 de Enero de 2020.

3. Ley de Impuesto sobre Sucesiones, Donaciones y demás Ramos Conexos publicada en la Gaceta Oficial No 5391 de fecha 22 de Octubre de 1999.

4. Ley Orgánica de la Administración Pública publicada en la Gaceta Oficial No 6147 de fecha 17 de Noviembre de 2014.

5. Providencia Administrativa No SNAT/2013/0050 de fecha 29 de Julio de 2013 publicada en la Gaceta Oficial No 40.216 de fecha 29 de Julio de 2013.

6. Instructivo Sistema de Declaración de Sucesiones REDESU elaborado por la Gerencia General de Tecnología de Información y Comunicaciones SENIAT 2013

7. Ley Orgánica de Registro Civil publicada en la Gaceta Oficial No 39.264 de fecha 15 Septiembre 2009.

Obras de los autores

1. Colmenares Zuleta, Juan Carlos. *El Beneficio de disminución del nuevo grava-men contemplado en el Artículo 14 de la Ley de Impuesto sobre Sucesiones, Donaciones y demás Ramos Conexos: opinión en torno a una consulta. Revista de Control Fiscal* No 117. Ediciones de la Contraloría General de la República. Caracas, 1985.

2. Colmenares Zuleta. Juan Carlos. *Temas de Impuesto sobre Sucesiones, Donaciones y demás Ramos Conexos* Ediciones Lizcalibros. Tercera Edición 2003. 2ª Reimpresión 2011.

3. López Herrera, Francisco. *Derecho de Familia.* Tomo I Ediciones Banco Exterior, Universidad Católica Andrés Bello. Segunda Edición Caracas, 2006.

4. Torres Rivero, Arturo Luis. *Teoría General del Derecho Sucesoral.* Tomos I y II Ediciones Universidad Central de Venezuela. Primeras Ediciones. Caracas 1981 y 1986.

5. Zannoni, Eduardo. *Manual de Derecho de las Sucesiones.* Editorial Astrea Buenos Aires, Segunda Edición Buenos Aires, 1989.

LEY DE REMISIÓN TRIBUTARIA EN EL MARCO DE LA PANDEMIA CAUSADA POR EL COVID-19

THOMY J. CÉFALO Y.[*]

SUMARIO

1. INTRODUCCIÓN

La situación de la pandemia originada por el Covid-19 es algo excepcional que ha originado innumerables problemas de todo orden. Los contribuyentes están confrontando muchos problemas para mantenerse con sus operaciones.

Ya muchos países han emitido leyes para intentar ayudar a las empresas, se han emitido leyes que estimulan el emprendimiento y que fomentan la sostenibilidad, o bien, leyes fiscales que difieren pagos de tributos, leyes que conceden rebajas de impuestos o que otorgan algún tipo de exención tributaria, en fin, que otorgan algún tipo de beneficio fiscal.

En este sentido, es hora de que el gobierno nacional, de igual modo, vea el asunto con una óptica de excepcionalidad y ayude a los contribuyentes del país, con medidas más directas y concretas.

Tiene que brindársele a los contribuyentes un marco legal que le permita mantener sus actividades generadoras de riqueza para que puedan continuar

---

[*] Contador Público egresado de la U.S.M. Abogado egresado de la U.C.V. Especialista en derecho tributario con práctica profesional de más de 30 años. Socio internacional de Mazars, firma de auditoría, impuestos y consultoría. Líder de la práctica de impuestos y precios de transferencia de Mazars Venezuela. C.P.C. del Estado Miranda. Abogado del Distrito Federal. Miembro de la Asociación Venezolana de Derecho Tributario (AVDT). Miembro del Comité de Impuestos de Venamcham. Miembro del Comité Permanente de Asuntos Tributarios de la Federación de Colegios de Contadores Públicos de Venezuela.

con su deber de contribuir a la sociedad, mediante el pago de los tributos. Tal como lo establece la Constitución Nacional.

2. PLANTEAMIENTO

Por ello, tenemos la idea de si ¿No será el momento para pensar en una ley de remisión tributaria o una amnistía o condonación fiscales?

La remisión tributaria es una decisión legislativa mediante la cual se crea una ley que exime del pago de multas y recargos que se hayan generado por las obligaciones tributarias pendientes de pago por parte de los contribuyentes.

Muy seguramente los contribuyentes no habrán escapado a alguna situación, causada en las vicisitudes de la pandemia y cuarentena, que los haya afectado de tal manera que hubieren incurrido en algún incumplimiento en el pago de sus deberes tributarios, por retraso, o error, etc., pero no con dolo (aunque esto sea difícil de demostrar).

Como es sabido en derecho, debe partirse de que, en principio, la buena fe se presume, y demostrarse la mala. Apuntamos esto último porque en el pasado cuando fueron emitidas leyes de remisión tributaria existió una fuerte corriente en contra argumentándose que se beneficiaba a infractores que intencionalmente habían perjudicado al fisco nacional y que se perjudicaba a aquellos que sí habían cumplido con sus deberes tributarios.

Pero la verdad es que el momento actual de pandemia es otro y deben considerarse otras cosas más importantes.

Con este tipo de instrumento legal se busca disminuir la morosidad en el pago de los tributos por parte de los contribuyentes, incentivarlos a que se pongan al día con su situación tributaria, y por parte del Estado, elevar la recaudación en determinado período y captar y poder contar con ingresos extraordinarios, como también, según lo argumenta la doctrina, dejar de incurrir en altos costos por para resolver los innumerables casos pendiente en los procedimientos administrativos o judiciales.

Este último, no sería el caso en el país por cuanto entendemos no están entrando muchas causas en los tribunales fiscales competentes, y a nivel administrativo, el contribuyente está prefiriendo pagar los reparos de la administración tributaria y acabar con ese tema.

En fin, pareciera que se justificaría una medida como la que comentamos por el lado de la emergencia y estado del país, ante la pandemia del Covid-19.

3. GENERALIDADES SOBRE LA REMISIÓN

Según lo expresa el abogado tributarista venezolano Carlos E. Weffe H., en su trabajo denominado: "Breves consideraciones respecto de la Ley sobre el Régimen de Remisión y Facilidades para el Pago de Obligaciones Tributarias

Nacionales", quien cita a su vez al maestro Maduro Luyando tenemos que "la remisión-o condonación de la deuda- es el acto por el cual el acreedor renuncia gratuitamente al derecho de crédito que tiene contra el deudor. Dicho de otro modo, el acreedor resigna su derecho a exigir del deudor el cumplimiento de la obligación contraída, extinguiéndola.

Apunta el Dr. Weffe que "respecto de la naturaleza de este medio extintivo de las obligaciones, se ha sostenido que éste es un acto esencialmente gratuito y de liberalidad, toda vez que el acreedor se empobrece al efectuarla. En efecto, si bien antes de la remisión el acreedor tiene posesión de un derecho de crédito en contra del deudor por una cantidad de dinero o por una prestación dada, una vez que opera la condonación el derecho al que se hace referencia queda, por ello, extinguido. No hay un derecho afín o equivalente en valor que ingrese al patrimonio del acreedor en contraprestación por la remisión dada, lo que trae como consecuencia, como se ha mencionado, el empobrecimiento del acreedor y el enriquecimiento para el deudor"[1].

De acuerdo con los comentarios del especialista tributario , abogado Ramón Burgos Irazábal en su trabajo Extinción de la Obligación Tributaria, incluido en el Manual Venezolano de Derecho Tributario publicado por la Asociación Venezolano de Derecho Tributario, Tomo I: "El fundamento de la remisión en material civil no es la misma que en el derecho tributario, la primera encuentra su justificación en el principio de la autonomía de la voluntad de las partes y como tal resulta en una liberalidad apoyada en el *animus donandi*, mientras que en la segunda encuentra su justificación en razones de política económica o fiscal que responden a razones de justicia, catástrofe o propenden a la obtención de liquidez de modo inmediato por parte del Fisco".

Como podrá observarse, en el caso de la pandemia del Covid-19 que estamos analizando la remisión tributaria encuentra su justificación perfectamente en razonea de catástrofea sufridas por la sociedad.

4. ANTECEDENTES LEGALES DE LA REMISIÓN TRIBUTARIA

La última Ley de Remisión Tributaria emitida por el gobierno fue la del año 2001, o sea, hace ya 21 años. En aquella ocasión las razones para pensar y concretar una ley de remisión fiscal fueron distintas a las actuales, como, por ejemplo, aumentar la recaudación, sacar a la luz a esos deudores tributarios que permanecían en la sombra y que se incorporarían formalmente a la senda impositiva, etc. Y antes de esa ley, fue la ley de remisión fiscal del año 1996, es decir, hace 26 años.

---

[1] Trabajo del Dr. Carlos Weffe, denominado Breves consideraciones respecto de la Ley sobre el Régimen de Remisión y Facilidades para el Pago de Obligaciones Tributarias Nacionales. Consultado en la Revista de Derecho Tributario N° 94.

Previamente a la vigencia del primer Código Orgánico Tributario (COT) tenemos que la remisión se trataba en la Ley Orgánica de Hacienda Pública Nacional, que en el artículo 49 establecía lo siguiente:

"Pueden sacarse a remate público o contratarse con particulares, a juicio del Ejecutivo Nacional, las deudas atrasadas provenientes de cualquier renta que hayan pasado a figurar como saldos de años anteriores. En estos casos el rematador o cesionario gozará, para el cobro, de los mismos privilegios que la Ley acuerda al Fisco Nacional, al cual quedará subrogado.

Respecto a dichas deudas, podrá también el Ejecutivo Nacional celebrar arreglos o transacciones con los deudores, así como conceder remisión, rebaja o bonificación de las mismas o de sus intereses, o plazos para su pago, cuando a su juicio fueren conducentes tales concesiones.

No podrán llevarse a efecto cesiones, remisiones, rebajas o transacciones de cualquier género en lo concerniente a este artículo, sino cuando después de consultados el Contralor de la Nación y el Procurador de la Nación, éstos funcionarios hayan informado por escrito, indicando la circunstancia de lo que se pretende".

Nótese que estaba a cargo del poder ejecutivo nacional y no del poder legislativo, como lo es con el COT en la actualidad, es decir, que, en el vigente COT, le remisión es de reserva legal.

5. REVISIÓN DE LA DOCTRINA Y JURISPRUDENCIA SOBRE LA REMISIÓN TRIBUTARIA

A continuación, se transcriben algunos interesantes dictámenes del Ministerio de Hacienda sobre la época en que la remisión era concedida por el ejecutivo nacional[2]:

1) "Examinados tales recaudos, este Despacho observa lo siguiente: La solicitud del señor G. Ch., se fundamenta como se desprende del análisis de su escrito, en razones de contenido esencialmente jurídico, es decir, que son motivos legales los que el contribuyente invoca para justificar su solicitud. Al respecto, esta Procuraduría ha venido sosteniendo que las solicitudes de concesión de los beneficios contemplados en el artículo 49 de la Ley Orgánica de la Hacienda Nacional, deben fundamentarse en consideraciones de hecho relativas a la situación personal del peticionario que justifiquen el otorgamiento de estas gracias, como medidas de equidad capaces de constituir un remedio excepcional a la situación extraordinaria en que pueda encontrarse el solicitante". "De ninguna manera puede acordarse la remisión de una deuda cuando las razones invocadas por el solicitante constituyen razones legales, a través de las cuales se ponga en duda la legitimidad del derecho del Fisco, y a que co-

---

2   Tomado del libro LA REMISION DE LAS OBLIGACIONES FISCALES EN LA DOCTRINA ADMINISTRATIVA, realizada por el Profesor Alfredo Arismendi, adjunto al Instituto de Derecho Público de la Universidad Central de Venezuela.

rresponde a los funcionarios competentes para conocer de los recursos legales que las leyes especiales acuerdan en cada caso, la apreciación de los argumentos jurídicos que el contribuyente considere procedentes". (Dictamen contenido en Of. N9 2.428 de 16-7-1960, para el ciudadano ministro de Hacienda). (En: Informe al Congreso Nacional 1960. Venezuela. Fiscalía General de la República, p. 376-377).

2) "En el caso de autos, el contribuyente no sólo no ha producido esa prueba (de hechos extraordinarios reveladores de la ausencia o disminución de la capacidad de pago), sino que, incluso, ni siquiera ha invocado hecho extraordinario alguno, a cuyas concurrencia y demostración está sujeta la concesión de la gracia; al contrario, se ha limitado a invocar argumentos de derecho, como son su inconformidad con las resultas de la investigación fiscal, que se le practicara, y la consumación de la prescripción liberatoria; argumentos éstos que, por elementales principios de doctrina administrativa, son inadmisible e improcedentes, por sí solos, en la deducción de cualquier recurso de gracia; ellos son esgrimibles en la secuela del recurso contencioso, o en la del recurso de gracia, pero para ser adminiculados a la convicción que produzcan las circunstancias de hecho extraordinarias que se aleguen y se prueben". (Dictamen contenido en Oficios Nos. 739 de fecha 14-5-1956 y 1.002 de fecha 27-6-1956, para el ciudadano ministro de Hacienda). (E n: Informe al Congreso Nacional 1957. Venezuela. Procuraduría de la Nación, p. 140).

3) "Si el contribuyente es considerado en estado de atraso, para cuya declaración judicial se tomó en cuenta el voto unánime de sus acreedores, no existe razón alguna para que el Fisco Nacional, acreedor privilegiado, conceda la remisión de sus créditos fiscales". (Dictamen contenido en Of. N9 1.932 de fecha 5-11-1957, p ara el ciudadano ministro de Hacienda). (En: Informe al Congreso Nacional 1957-1958. Venezuela. Procuraduría de la Nación, p. 527-528).

4) "La exonerabilidad del impuesto no es circunstancia invocable en favor de una remisión de deuda fiscal. La exoneración de los impuestos sólo obra para el futuro y en ningún caso envuélve exoneración alguna de los impuestos causados, debidos y exigidos con anterioridad, por la cual resulta improcedente la solicitud de remisión". (Dictamen contenido en Oí. N9 1.235, de fecha 4-8-1956, p ara el ciudadano ministro de Hacienda). (En: Informe al Congreso Nacional 1957. Venezuela. Procuraduría de la Nación, p. 153-154).

5) "La remisión de deuda no es nunca un correctivo del error de hecho en que pueda haber incurrido la Administración al considerar los supuestos económicos que configuran la Renta o el contribuyente en su declaración. Es de observar que, si la Administración tomó para practicar a la contribuyente la estimación de oficio de sus rentas, elementos de

juicio que luego resultaron inexactos o errados, ha debido la contribuyente interponer contra tales actos, los recursos que acuerdan las leyes". (Dictamen contenido en Oí. n9 1.737 y 1.796, de fechas II y 15 de octubre de 1957, para el ciudadano ministro de Hacienda). (E n: Informe al Congreso Nacional 1957-1958-Venezuela. Procuraduría de la Nación, p. 541-542).

Vemos de los dictámenes del antiguo Ministerio de Hacienda, que el asunto de la remisión era estudiado en cada caso en particular y solo se concedía el perdón fiscal en determinados supuestos y con el criterio administrativo que entre sus funcionarios manejaba la autoridad tributaria.

Y podemos citar también, pero ya en el marco de la ley de remisión del año 1996, una consulta formulada por un contribuyente y la respuesta emitida por el Seniat, en los términos siguientes:

1) "Me dirijo a usted en la oportunidad de contestar sus oficios recibidos en los cuales se solicita de esta Gerencia Jurídica Tributaria opinión en relación con la posibilidad de aplicar los beneficios de la Ley de Remisión Tributaria a un Grupo de Contribuyentes de su región que fueron estafados por el contador de la empresa mediante el forjamiento de la planilla de liquidación, hecho comprobado a través de una investigación realizada por la Oficina de Auditoría del SENIAT.

Al respecto debo significarle lo siguiente: ... El artículo 1 de la Ley de Remisión Tributaria, al no excluir las deudas tributarias por concepto del Impuesto sobre la Renta, obviamente se encuentran incluidas, independientemente de las causas que originaron su no enteramiento o pago.

La sola existencia de la deuda tributaria faculta al contribuyente a solicitar su remisión, siempre y cuando no se trate de deudas causadas en aplicación del Impuesto al Valor Agregado, Impuesto al Consumo Suntuario y a las Ventas al Mayor, Impuesto sobre los Débitos a Cuentas Mantenidas en Instituciones Financieras, así como lo relativo a retenciones y percepciones efectuadas más no enteradas al Fisco Nacional"[3].

6. DIRECTRICES DEL MODELO DE CÓDIGO TRIBUTARIO PARA AMÉRICA LATINA SOBRE LA REMISIÓN TRIBUTARIA

Para la época del primer COT venezolano se tuvieron en cuenta las directrices del Modelo de Código Tributario para América Latina que podemos citar en los siguientes términos:

---

3   SENIAT. Doctrina Tributaria 3.

"Sección 5. Condonación o remisión.

Art. 41 La obligación de pago de los tributos sólo puede ser condonada o remitida por ley dictada con alcance general. Las demás obligaciones, en concepto de multas y recargos, sólo pueden ser condonadas mediante resolución de la Administración tributaria dictada en la forma y condiciones que se establecen en este Código.

COMENTARIO: El instituto de la condonación o remisión, como forma de extinción de la obligación tributaria se reserva exclusivamente para los casos en que una ley, en sentido formal, lo establezca. Autorizándose a la Administración tributaria, a condonar multas y recargos, en la forma y condiciones establecidas en las disposiciones atinentes a las facultades de esa Administración".

Ciertamente, el COT de 1983 acogió este principio rector y la norma legal referida a la remisión tributaria ha permanecido invariable en su fondo hasta el COT vigente.

En el caso venezolano no ha sido frecuente la emisión por parte del Estado de una medida extraordinaria como es el "perdón fiscal" en comentarios.

Para cada caso, estaban dadas unas condiciones especiales que ameritaban darle al contribuyente la oportunidad de ponerse al día, de hacer "borrón y cuenta nueva".

No puede tomar la autoridad la posición, como lo piensan algunos, que al concederse una ley de perdón tributario está reconociéndose la incapacidad de gestión en la fiscalización y recaudación de los impuestos, ni que se va a incentivar la evasión fiscal.

7. LA DISPENSA FISCAL EN LA PANDEMIA DEL COVID-19

En nuestra opinión, haciendo la comparación con la situación actual del país y la problemática que ocasiona la pandemia, tenemos igualmente una situación especial y excepcional, incluso de efectos más profundos y de mayor alcance, que debería tomar en cuenta el gobierno nacional para ayudar a las empresas, y así aportar el Estado su cuota de colaboración mediante acciones concretas; una vía, podría ser una Ley de Remisión Tributaria.

Existen legislaciones y autores especialistas fiscales que no están de acuerdo con la figura del perdón tributario, y solo lo justifican en el caso de hechos catastróficos, como, por ejemplo, terremotos, inundaciones, incendios, u otros que afecten seriamente la situación económica del país o de los contribuyentes.

Aquí surge la pregunta inmediata ¿No es la pandemia actual un hecho catastrófico?

Por lo que investigamos, se admite la remisión fiscal en casos de eventos naturales que han sobrepasado a la sociedad dejando al colectivo y a un sector en especial con alta afectación.

La pandemia es una calamidad de esta índole, solo que prolongada en el tiempo y no obedece a un acto único natural que trae y deja consecuencias nefastas, sino que los efectos se van sucediendo progresivamente en la población. Pero a nuestro entender, en la situación corriente cabe perfectamente la propuesta de una condonación tributaria.

Cuando el Estado concede la remisión tributaria le da la oportunidad al contribuyente con algún impuesto insoluto, que se ponga a derecho.

En nuestra experiencia, hemos visto que el contribuyente revisa toda su situación fiscal para determinar si tiene algún incumplimiento y enterar el tributo correspondiente, ya que no le será aplicada alguna sanción, ni le será cobrado algún recargo.

8. MEDIDAS TRIBUTARIAS DEL GOBIERNO NACIONAL EN LA PANDEMIA

En la realidad actual, la verdad es que no ha habido mucha ayuda por parte del Estado hacia los contribuyentes que los coadyuve a transitar el Covid-19, salvo algunas exoneraciones a insumos médicos al inicio de la pandemia pero que solo beneficiaron al sector salud y no a la totalidad de los actores económicos.

Más bien, lo que se ha visto es operativos de fiscalizaciones y la aplicación de multas sin considerar las situaciones no imputables al contribuyente que lo llevaron a algún posible incumplimiento.

Se produjo en el año 2020 una reforma del Código Orgánico Tributario que lo hace más sancionador y severo y se introdujo la posibilidad de reformar normas tributarias para ejercer mayor presión fiscal en situaciones que no estaban contempladas anteriormente como, por ejemplo, en el caso del IVA, materia en la cual a las operaciones que se realicen con bienes inmuebles cuyo pago se efectúe en divisas se les aplicaría una tasa especial, o la reforma realizada en el impuesto a las grandes transacciones financieras (IGTF), aplicándose el tributo a ciertas transacciones en divisas.

En efecto, lo que hemos recogido como opinión de las empresas en nuestro trabajo de asesores tributarios, es que la autoridad tributaria no ha flexibilizado sus criterios de control, verificación y fiscalización. No ha entendido que, sin relájar el principio de legalidad que rige la actividad administrativa, se han producido situaciones particulares de causa extraña no imputable al contribuyente y cosas sobrevenidas (como las fallas de energía eléctrica, fallas de conexión bancaria, fallas en los portales fiscales de la autoridad tributaria, fallas del transporte público, etc.) que no han podido ser superadas en determinado momento, que no le han permitido al contribuyente cumplir sus obligaciones fiscales dentro del plazo legal (caso fortuito, fuerza mayor), o bien, que dada la situación confusa de la normativa de la cuarentena, se ha incurrido en un error de hecho o un error de derecho excusable.

La autoridad fiscal no ha tenido la comprensión del caso, o aplicación de la sana lógica, guiándose por la normativa legal existente que hacen inimputable al contribuyente por la omisión de pago a tiempo de los impuestos y en las condiciones exigidas en la ley, máxime, cuando se han aportado una serie de elementos de prueba que demuestran la buena fe del contribuyente de pagar el tributo a su cargo.

En nuestra experiencia, en esta pandemia, lo que más hemos visto es <u>el retraso en el pago de los tributos, no la omisión de pago</u> y en ocasiones por fallas en el propio portal del ente recaudador.

9. EJEMPLOS DE OTROS PAÍSES DE AYUDA A LOS CONTRIBUYENTES EN LA SITUACIÓN DE PANDEMIA

Un buen ejemplo de una política de Estado dentro de la pandemia es lo realizado por Ecuador que en el mes de diciembre de 2021 se acordó la emisión de:

"NORMAS PARA LA APLICACIÓN DE LA REMISIÓN DE INTERESES, MULTAS Y RECARGOS DE OBLIGACIONES CON EL SRI, RESPECTO DE LOS CONTRIBUYENTES INSCRITOS EN EL REGISTRO NACIONAL DE TURISMO"

El Servicio de Rentas Internas (SRI) mediante Resolución No. NAC-DGER-CGC21-00000045, estableció las normas para la aplicación de la remisión de intereses, multas y recargos de obligaciones tributarias, contenida en la Disposición Transitoria Sexta de la Ley Orgánica para el Desarrollo Económico y Sostenibilidad Fiscal tras la Pandemia COVID-19, la cual establece que los contribuyentes que se encuentren inscritos en el Registro Nacional de Turismo y cuenten con la Licencia Única Anual de Funcionamiento al día y que no hayan podido cumplir con sus obligaciones tributarias con el SRI durante los ejercicios 2020 y 2021 podrán acceder a facilidades de pago para el cumplimiento de dichas obligaciones hasta por un máximo de 48 meses. Un resumen a continuación:

Beneficiarios*: quienes, a la fecha de publicación de la mencionada Ley, (i) se encuentren inscritos en el Registro Nacional de Turismo; y, (ii) cuenten con la Licencia Única Anual de Funcionamiento al día. Esta información será remitida al SRI por parte del Ministerio de Turismo, con corte al 29 de noviembre de 2021.*

Obligaciones objeto de la remisión*: tributos administrados por el SRI, con vencimiento entre el 01 de enero de 2020 y el 29 de noviembre de 2021.*

En el caso de falta de declaración de las obligaciones tributarias y que se quiera acceder a la remisión, estas deberán ser declaradas previa la presentación de la solicitud de facilidades de pago.

Facilidades de pago*: hasta por un plazo de 48 cuotas mensuales y cumplir con el pago del total del saldo del capital dentro de dicho plazo.*

Obligaciones tributarias en procesos pendientes en sede administrativa,

judicial, constitucional o arbitral: deberán previamente desistir de las acciones planteadas para acogerse a la facilidad de pago y a la remisión.

Obligaciones en procedimientos de ejecución coactiva: quedarán suspendidas, salvo que el contribuyente solicite el embargo de valores para el pago de cada dividendo de las facilidades de pago"[4].

Ya existe acuerdo en que no debe ser objeto de amnistía la cantidad retenida y no pagada por el agente retenedor o agente de retención por cuanto la misma no le corresponde.

Se trata de una cantidad que le pertenece al deudor de la renta quien efectúa un pago anticipado o pago a cuenta de su impuesto definitivo, realizándolo a través del agente retenedor quien detrae dicha cantidad y la entera al fisco por obligación y según los términos señalados en la ley y sus disposiciones reglamentarias.

Pero en otros casos en que el contribuyente se ha visto inmerso, por diversas razones, no relacionadas con lo antes expresado de impuestos ajenos, sino en la omisión de pago de tributos propios que le impone el ordenamiento jurídico, o el pago de los impuestos fuera de los plazos legales establecidos, la condonación fiscal sí es posible.

Una ley de remisión tributaria tiene perfecta cabida en la situación corriente. Como es sabido, desde el punto de vista legal está contemplada como uno de los medios de extinción de la obligación tributaria, ex artículo 39.4 del Código Orgánico Tributario de 2020 y 53, señalando este último que:

"La obligación de pago de los tributos sólo puede ser condonada o remitida por ley especial. Las demás obligaciones, así como los intereses y las multas, sólo pueden ser condonados por dicha ley o por resolución administrativa en la forma y condiciones que esa ley establezca".

10. DISTINCIÓN ENTRE REMISIÓN, AMNISTÍA Y CONDONACIÓN FISCAL

Aquí es conveniente mencionar que la remisión y la amnistía tributaria (siendo este otro término igualmente usado) tiene el mismo objetivo (beneficiar al contribuyente no cobrándole una multa y/o recargo por algún tributo adeudado).

En la amnistía tributaria se extingue la acción por ilícitos tributarios (por acción u omisión), y en la remisión tributaria se condona la obligación de pago del tributo, y puede contemplar la multa e intereses.

---

[4] Fuente: Resolución No. NAC-DGERCGC21-00000045 emitida por el Servicio de Rentas Internas el 01 de diciembre de 2021.

Se distingue la remisión, de la amnistía, básicamente, en que la amnistía busca más apoyo en razones de política económica, o fiscal, o bien, justificada en catástrofes, desastres o emergencias que afectan al país, mientras que la remisión se apoya más en razones de justicia social, equidad.

También hemos observado que en la jerga común se alude a la "condonación de una deuda tributaria", al existir de hecho y de derecho una deuda, la cual no ha sido satisfecha por parte del contribuyente (sujeto pasivo), que bajo ciertos parámetros es condonada o perdonada por el acreedor (sujeto activo).

Por ejemplo, en el ámbito fiscal español, se dice en la ley general tributaria, artículo 75, que:

> *"las deudas tributarias sólo podrán condonarse en virtud de ley, en la cuantía y con los requisitos que en la misma se determinen"*[5].

Pero en todo esto se parte de que a la obligación tributaria le es aplicable el principio tributario de indisponibilidad, o sea, que los integrantes de la relación jurídico-tributaria, sujeto activo (administración tributaria) y sujeto pasivo (contribuyente), tienen prohibido modificar los elementos esenciales de la obligación tributaria, esto es el nacimiento, modificación o extinción de la obligación tributaria solo se puede hacer mediante la ley. Y para esto último, debe seguirse el proceso de formación de la ley por el Poder Legislativo.

En definitiva, lo que estamos propugnando es que se tome una medida, la que más sea conveniente, y se ayude a los contribuyentes con alguna acción concreta.

Si algún interesado se conecta a la website de la Asamblea Nacional de Venezuela no ve nada parecido sobre este respecto.

De acuerdo con la remisión fiscal, el contribuyente actúa voluntariamente para sanear alguna situación de deuda de tributos que tiene, pero la remisión no puede ser aplicada en general a todo tipo de situaciones.

En las previas leyes de remisión tributaria se estableció que no aplica para el caso de deudas de tributos municipales, sino más bien a los tributos que administra el Seniat, o sea, los de carácter nacional.

La remisión fiscal puede aplicar para tributos directos, (ISLR, IGP,) e impuestos indirectos (IVA). Pero no abarca los casos de retenciones de impuestos en la fuente, vale decir, las cantidades que ya hubiere retenido el agente retenedor o de retención (sean de ISLR o IVA), y que no hubiere pagado al Erario. De igual modo, los contribuyentes que estén en estado de quiebra no pueden beneficiarse de una ley de remisión tributaria.

---

5   Ley 58/2003, de 17 de diciembre, General Tributaria.

Una vez que ha sido emitida una ley de remisión tributaria por parte del Estado, de la revisión que hicimos de las dos últimas leyes de remisión fiscal, se observa que incorpora todo un procedimiento de aplicación o instrumentación, que va desde la manifestación de interés por parte del contribuyente, deudores o responsables de tributos, pasando por los impuestos que comprende, condiciones, el monto que se puede remitir, plazos, montos a pagar, fraccionamiento de deuda, revisión de la información y respuesta formal por parte de la autoridad competente, etc.

Sobre el respecto de que una ley de remisión tributaria no es aplicable al ámbito municipal, tenemos que para el momento en que finalizamos estas líneas, fue emitida el día 14 de marzo de 2022, por parte de Municipio Libertador una medida en el sentido de lo que estamos proponiendo y solicitando, o sea, una ley de remisión de impuestos municipales.

En efecto, mediante la gaceta municipal N°4.790 del 14-03-22, se emitió la "Ordenanza de Remisión o Condonación de Deudas Tributarias de Impuestos sobre Actividades Económicas de Industria, Comercio, Servicios o de Índole Similar; Inmuebles Urbanos; Propaganda y Publicidad Comercial; y Vehículos, así como de las Tasas Administrativas por la Prestación del Servicio de Aseo Urbano y Domiciliario".

Esta remisión tributaria municipal tiene una duración de 60 días, contados a partir del vencimiento del lapso previsto en otra ordenanza, la publicada en la G.M.O.N°01 de fecha 12-03-22, en la cual se fijó un plazo para registrarse en el denominado RUT-CARACAS (Registro Único Tributario de Contribuyentes del Municipio Bolivariano Libertador del Distrito Capital), y abarca los impuestos y sus accesorios causados y no pagados por los contribuyentes o responsables de la obligación tributaria comprendidas entre el 01 de enero de 2015 y el 31 de diciembre de 2021 por concepto de los impuestos y tasas antes señaladas, salvo los casos de defraudación comprobada o juicio ejecutivo en curso.

11. CONCLUSIONES

11.1. En nuestra opinión, es el momento perfecto para emitir una Ley de Remisión y Facilidades de Pago de Obligaciones Tributarias Nacionales. Sin entrar en el tema del órgano y sus competencias y facultades del cual dimane la ley, ciertamente importante, pero que escapa a la finalidad de estos comentarios. La promulgación de una ley de esta naturaleza no contravendría lo establecido en el artículo 317 de la Constitución Nacional sobre la legalidad tributaria y de la reserva legal al ser el resultado de la actividad legislativa de la asamblea nacional, y a nivel del COT lo señalado en el artículo 4 sobre que en materia de beneficios fiscales (y una ley de remisión fiscal entra en esta categoría) la ley determinará los requisitos y condiciones para su procedencia.

11.2. La emisión de una ley de remisión tributaria en los actuales momentos coyunturales de la pandemia puede beneficiar a muchos contribuyentes, quienes, unos sabiéndolo, y otros sin tener conocimiento de que tienen una deuda pendiente, pueden hacer una revisión contable-fiscal y aprovechar el pago del principal (el tributo), eliminando las multas e intereses que vienen con los reparos del Seniat, máxime con la constante espada que pende sobre ellos por la forma de cálculo actual de las sanciones establecidas en el COT. Esto es un temor que a cada rato nos expresan los interesados en las asesorías que impartimos.

11.3. De hecho, esta manera de indexación disfrazada de las deudas fiscales establecida en el COT, al anclar los cálculos a la moneda de mayor valor publicada por el BCV, pensamos, tiene a muchos deudores fiscales escondidos, temerosos de manifestarse, porque sencillamente no tienen como enfrentar las importantes cantidades de dinero que tendrían que desviar de las operaciones de sus negocios. Casi todos quieren ponerse al día, sanear su situación fiscal, y dedicarse a la sostenibilidad de su empresa dentro del curso de la pandemia.

11.4. Si fuere el caso de acogerse esta idea de crear una ley de remisión tributaria, debe repasarse por parte del Estado la experiencia generada en las dos leyes precedentes, la ley de 1996 y la ley del año 2001, y crear una nueva ley que corrija las cosas contraproducentes incurridas, así como repasar la jurisprudencia y doctrina surgida en los casos de esas dos leyes de remisión fiscal, con la finalidad de corregir aquellas situaciones que no quedaron comprendidas anteriormente, todo en beneficio de motorizar la mayor cantidad de interesados en acogerse a este beneficio.

11.5. Finalmente, no viene al tema analizar toda la parte técnica que abarca una ley de remisión tributaria, vale decir: Sujetos que pueden acceder al beneficio, requisitos, régimen de facilidades de pago, sanciones y accesorios remitidas, fraccionamientos de pago de la deuda fiscal, presentación de declaraciones (omitidas y/o rectificadas), decaimiento del procedimiento, pérdida del beneficio, etc., esto será objeto de estudio dado el caso de ser emitida la ley. Lo importante realmente es que se estudie o no, por parte del Estado la conveniencia de promulgar en este momento una ley de remisión tributaria.

11.6. Nosotros pensamos que sí, que debe ayudarse al contribuyente ya que lo recogemos como comentarios de la situación traída por la pandemia y cuarentena. La situación para algunas empresas es verdaderamente preocupante, y el país no está en la mejor situación como para que se estén produciendo más cierres empresariales porque los sujetos afectados no pudieron mantenerse en sus actividades. Es la hora de no pensar mezquinamente en que no debe emitirse una ley de remisión fiscal porque sería algo injusto y trato desigual para quienes sí cumplieron con sus deberes tributarios.

12. BIBLIOGRAFÍA

Código Orgánico Tributario 1982. G.O.E.N° 2.992 de fecha 03-08-1982.

Código Orgánico Tributario 2020. G.O. E. N°.6.507 de fecha 29-01-2020.

Decreto Constituyente de Reforma Parcial del Decreto con Rango, Valor y Fuerza de Ley que establece el Impuesto al Valor Agregado. G.O.E. N°.6.507 de fecha 29-01-2020.

Dictámenes tomados del libro LA REMISION DE LAS OBLIGACIONES FISCALES EN LA DOCTRINA ADMINISTRATIVA, realizada por el Profesor Alfredo Arismendi, adjunto al Instituto de Derecho Público de la Universidad Central de Venezuela.

Ley 58/2003, de 17 de diciembre, General Tributaria. Gobierno de España.

Ley Orgánica de Hacienda Pública Nacional. G.O. N°1.660 Extraordinario de fecha 21-06-74.

Ley de Remisión Tributaria. G.O. N°35.945 de fecha 24-04-96.

Ley sobre el Régimen de Remisión y Facilidades para el Pago de Obligaciones Tributarias Nacionales. G.O. N°37.296 del 03-10-2001.

Ley de Reforma Parcial del Decreto con Rango, Valor y Fuerza de Ley de Impuesto a las Grandes Transacciones Financieras. G.O.E. N°.6.687 de fecha 25-02-2022.

Manual Venezolano de Derecho Tributario. AVDT.

Modelo de Código Orgánico Tributario para América Latina. CIAT.

Normas para la aplicación de la remisión de intereses, multas y recargos de obligaciones con el sri, respecto de los contribuyentes inscritos en el registro nacional de turismo. Resolución No. NAC-DGERCGC21-00000045 emitida por el Servicio de Rentas Internas el 01 de diciembre de 2021.

Ordenanza de Remisión o Condonación de Deudas Tributarias de Impuestos sobre Actividades Económicas de Industria, Comercio, Servicios o de Índole Similar; Inmuebles Urbanos; Propaganda y Publicidad Comercial; y Vehículos, así como de las Tasas Administrativas por la Prestación del Servicio de Aseo Urbano y Domiciliario. Gaceta Municipal N°4.790 del 14-03-22.

Revista de Derecho Tributario. Legis. N°94.

SENIAT. Doctrina Tributaria 3.

Ensayo sobre la crisis económica y la Pandemia del COVID-19: la protección del derecho de propiedad y de libertad económica como fuente generadora de riqueza frente al cumplimiento de las obligaciones tributarias

Juan Esteban Korody Tagliaferro[*]

> "¡Buena lección para los codiciosos!
> En estos tiempos, ¡a cuántos hemos visto que, por querer hacerse ricos, de la noche a la mañana, han quedado sin blanca!"
>
> Jean de la Fontain: "La gallina de los huevos de oro".

Sumario

I. La crisis económica como elemento condicionante en el cumplimiento de obligaciones tributarias. Especial referencia al caso venezolano antes y después de la pandemia. 1. La crisis económica. 2. La crisis económica, la pandemia y el cumplimiento formal de obligaciones tributarias en Venezuela. II. El derecho de propiedad y de libertad económica, derechos fundamentales que conforman la esfera jurídico-subjetiva de "fuente generadora de riqueza" y la renta como causa económica de la tributación. 1. La libertad y la propiedad como derechos humanos inalienables: límites dogmáticos de la tributación. 2. Límites pragmáticos: la propiedad y la libertad como átomos que configuran a la fuente generadora de riqueza y la renta como producto que emana de ella. III. El dilema de cumplir obligaciones tributarias aún en circunstancias de mutilación de la "fuente generadora de riqueza" ¿una situación de estado de necesidad?

[*] Abogado egresado de la Universidad Católica Andrés Bello (UCAB), con estudios de postgrado en Derecho Administrativo en la Universidad Central de Venezuela y de Derecho Financiero en la Universidad Católica Andrés Bello. Profesor de la cátedra de Análisis Económico del Derecho de la Universidad Monteávila (UMA). Miembro de número y vicepresidente de la Asociación Venezolana de Derecho Tributario (AVDT). Socio del Escritorio Palacios, Torres & Korody (Ptck).

I. LA CRISIS ECONÓMICA COMO ELEMENTO CONDICIONANTE EN EL CUMPLIMIENTO DE OBLIGACIONES TRIBUTARIAS. ESPECIAL REFERENCIA AL CASO VENEZOLANO ANTES Y DESPUÉS DE LA PANDEMIA

1. LA CRISIS ECONÓMICA

El derecho tributario nace y se desarrolla en virtud de la necesidad de cubrir los gastos públicos reconociendo y respetando los derechos de los que son llamados a contribuir con dichas cargas; pero se causa y justifica, desde incluso antes de la concepción del estado moderno, en otro hecho económico: la renta.

A pesar que pareciera paradójico, por alguna razón, sigue siendo novedoso afirmar que como el derecho tributario se causa y justifica en la renta y siendo la renta un concepto económico -*no un concepto contable*- cuando el ecosistema donde se genera la renta se encuentra distorsionado existe una altísima probabilidad de que esa manifestación de renta, se encuentre igualmente distorsionada.

La distorsión, como se ha afirmado en otras oportunidades, genera una falsa percepción de los hechos y de la realidad, en este caso la distorsión que genera la crisis económica afecta directamente la actividad económica generadora de renta, distorsionándose ésta.

Esa distorsión comienza desde los índices macroeconómicos, los cuales sencillamente recogen los agregados económicos generales de un determinado territorio o sector. Así la inflación y la devaluación de la moneda son efectos colaterales de las políticas monetarias[1] de un determinado país que al generar desconfianza en los agentes económicos en que la moneda de curso legal no preservará valor y riqueza, en consecuencia los precios de los bienes y servicios comenzarán su rally a la alza para tratar de perseguir -*infructuosamente*- el punto de equilibrio que permita al agente económico del lado de la oferta de bienes y servicios asegurar la continuidad de su actividad, generándose un efecto de espiral infinita perniciosa respecto a la alza de los precios.

De igual forma, al perder la confianza en la moneda de curso legal como medio para preservar la riqueza, los agentes económicos se refugian en divisas y otros bienes que tengan propiedad de conservación del valor económico de intercambio, lo que hace que las divisas y esos bienes tengan una mayor demanda y su precio, recogido en la tasa de cambio en el caso de las divisas, aumente proporcionalmente a la demanda y a la expectativa de demanda.

---

[1] ROMERO-MUCI, Humberto: *"La disfunción del bolívar y la dolarización de facto de la economía <aspectos legales y fiscales>"* en el libro homenaje al profesor Luis Cova Arria auspiciado por la Academia de Ciencias Políticas y Sociales. Versión electrónica compartida por el autor, ACIEN-POL, Caracas, 2020.

Esa distorsión genera que los operadores jurídicos se vean en el dilema de aplicar o no esos hechos distorsionados en normas jurídicas, en plena fe que son las correctas o que, aplicando las que corresponden, se generen consecuencias igual de distorsionadas y sin embargo pretendamos darle virtualidad jurídica a pesar de su irracionalidad.

La situación descrita la ha padecido nuestro país en los últimos años ha generado. Desde el punto de vista fiscal hay un fenómeno que se manifiesta desencadenando conductas de los agentes económicos respecto al signo monetario.

Con respecto a las monedas de curso legal, como dijimos producto de la inflación, la devaluación y la desinversión en el país, se vuelve inútil, pierden su funcionalidad: no son medios de pagos eficientes (se necesita mucho numerario para pagar valores reales modestos), su unidad de valor no representa su valor real, (un millón de bolívares es una cifra grande pero el valor que representa no lo es) y los agentes económicos se rehúsan a acumular la moneda;

Como consecuencia los agentes económicos migran a monedas de mayor funcionalidad, con lo cual se impone el uso de divisas o monedas fuertes. Al no ser la moneda devaluada una reserva real de valor, los agentes migran a otros reservorios de valor (oro, inmuebles, divisas, valores bursátiles de comprobada solidez) y esto se ve en la planificación de estructura de costos, en el establecimiento de precios de los bienes y servicios que tienen como referencia otro valor distinto a la moneda de curso legal (unidades de cuenta fiscales, divisas, valores referenciados en materias primas, entre otros);

Se distorsionan los parámetros de medición de riqueza o capacidad contributiva. Este es quizás uno de los efectos más importantes en la economía. Un contribuyente que recibe, por ejemplo, millones de millones de bolívares en ventas, no significa que posee una importante capacidad económica; incluso un contribuyente que ha aumentado sus ventas en masa monetaria de un ejercicio fiscal con respecto a otro no significa que ha aumentado su patrimonio, pues como consecuencia de la pérdida de la funcionalidad de la moneda, millones de millones de una moneda devaluada no es una información eficiente; y

Hay una reducción real de las capacidades económicas en los contribuyentes. En efecto, si una economía, como la venezolana que de acuerdo con las cifras presentadas por algunos expertos[2] ha caído en más de un ochenta por ciento (80%) en los últimos siete (7) años en función del producto interno bruto (PIB), eso quiere decir que, en promedio, cada uno de los contribuyentes ha disminuido su capacidad económica en ese mismo porcentaje. El índice macroeconómico tiene que servir de parámetro para evidenciar la realidad.

---

[2] www.econometrica.com.ve.

Sin necesidad de mayor explicación y remitiéndonos simplemente a la mejor documentada denuncia que conocemos al respecto, recogida por la AVDT en sus jornadas, encontramos.

- Se crean nuevos tributos.
- Se bajan los umbrales de contribución.
- Se aumentas las retenciones.
- Se establecen percepciones anticipadas de tributos.
- Se establecen pagos de anticipos.

Pero adicionalmente la crisis económica en Venezuela ha generado a su vez, un ambiente fiscalmente hostil, a saber:

- Como vimos hay Híper y *multi inflación*, mega devaluación y múltiples tipos e índices.
- Alta presión tributaria: Múltiples deberes formales, percepciones, retenciones, anticipos (y un largo etcétera).
- Legislación cambiante, intempestiva, abrasiva y distorsiva. Múltiples fiscalizaciones. Inseguridad jurídica. Dos asambleas nacionales
- Externalidades que afectan el cumplimiento: Crisis de servicios públicos, inseguridad, inestabilidad.

Todo lo anterior genera una tensión que verdaderamente expolia los patrimonios más allá de los límites económicos y jurídicos de la capacidad económica, con lo cual no dudamos en reiterar que el Estado es responsable por los daños que se ocasionan por no solo la ausencia de políticas de reactivación económica o combativas de la crisis, sino por el fomento de legislaciones fiscales que en su mayoría han sido dictadas sin fórmula legislativa, sin estudios de impacto económico y en franca violación de las dogmáticas constitucionales del derecho fiscal.

Esta responsabilidad subyace más allá del derecho interno (140 de la Constitución), sino que se pudiera derivar de la red de tratados de protección y promoción de inversiones y también en algunos casos, de la responsabilidad que emana del derecho internacional de los derechos humanos y de los tratados internacionales para la promoción y protección de inversiones.

En ese sentido, entre tanto se siguen generando expoliaciones y degradaciones inaceptables de los patrimonios de los agentes económicos en Venezuela, las cuales como dijimos genera responsabilidad de reparación efectiva y suficiente; no nos queda la menor duda que la crisis, todas estas otras externalidades y la aplicación de las normas tributarias en Venezuela, sin atención al principio de capacidad económica.

En consecuencia, en términos generales la crisis económica genera una especial situación de hecho en el cual los agentes económicos no se presentan con la misma aptitud para contribuir a las cargas públicas que cuando no existe esa crisis.

2. LA CRISIS ECONÓMICA, LA PANDEMIA Y EL CUMPLIMIENTO FORMAL DE OBLIGACIONES TRIBUTARIAS EN VENEZUELA

En el país ya vivíamos una crisis económica importantes antes de la pandemia y un clima fiscalmente hostil esta agudizó con ella.

Es un hecho más que notorio la existencia actual de una enfermedad epidémica denominada "Coronavirus COVID-19", la cual ha conmocionado la salud y la economía mundial; a tal punto que la Organización mundial de la salud (OMS) en fecha 11 de marzo de 2020, decretó que la misma se trata de una pandemia. La declaratoria de pandemia, en palabras del Director General de la OMS, se concreta en el «*llamado a los países para que adopten medidas urgentes y agresivas*»[3] para la contención de la enfermedad.

Lo anterior trajo como consecuencia que los gobiernos del mundo acogieran medidas sanitarias, económicas y fiscales para contener y tratar de erradicar el virus, pero también para garantizar una sustentabilidad financiera de los países y los contribuyentes frente a un escenario de evidente recesión económica.

En ese sentido, en Venezuela en fecha 13 de marzo de 2020, fue dictado el Decreto Presidencial No. 4.160 "*mediante el cual se declara el estado de alarma para atender la emergencia sanitaria del coronavirus (covid-19)*"[4], en adelante el "**Decreto**", publicado en la Gaceta Oficial Extraordinaria N° 6.519 de misma fecha.

Este Decreto se dicta en el marco de la competencia constitucional que regula los llamados "Estados de Excepción" (artículos 337 al 339) y desarrollado en la correspondiente Ley Orgánica de los Estados de Excepción (LOEE).

El "Estado de Alarma", de conformidad con lo dispuesto en el artículo 338 de la Constitución, es una medida aplicable "*cuando se produzcan catástrofes, calamidades públicas u otros acontecimientos similares que pongan seriamente en peligro la seguridad de la Nación o de sus ciudadanos*".

---

[3] Organización Mundial de la Salud. Alocución de apertura del Director General de la OMS en la rueda de prensa sobre la COVID-19 efectuada el 11 de marzo de 2020. Disponible en: https://www.who.int/es/dg/speeches/detail/who-director-general-s-opening-remarks-at-the-media-briefing-on-covid-19---11-march-2020.

[4] Decreto presidencial mediante el cual se decreta el Estado de Alarma en todo el Territorio Nacional, dadas las circunstancias de orden social que ponen gravemente en riesgo la salud pública y la seguridad de los ciudadanos y las ciudadanas habitantes de la República Bolivariana de Venezuela, a fin de que el Ejecutivo Nacional adopte las medidas urgentes, efectivas y necesarias, de protección y preservación de la salud de la población venezolana, a fin de mitigar y erradicar los riesgos de epidemia relacionados con el coronavirus (COVID-19) y sus posibles cepas, garantizando la atención oportuna, eficaz y eficiente de los casos que se originen".

El Decreto se fundamenta en la mencionada declaratoria de Pandemia por parte de la OMS y en dos circunstancias de hecho que consideramos relevantes, a saber: (i) *"Que existen circunstancias excepcionales, extraordinarias y coyunturales que motivan la declaratoria de Estado de Excepción y de Alarma, habida cuenta la calamidad pública que implica la epidemia mundial de la enfermedad epidémica coronavirus que causa la COVID-19, por lo que se requiere adoptar medidas con la finalidad de proteger y garantizar los derechos a la vida, la salud, la alimentación, la seguridad y todos aquellos derechos reivindicados a las venezolanas y los venezolanos por la Revolución Bolivariana"* y (ii) en el perentorio resguardo y protección del derecho fundamental y humano a la salud el cual *"es un derecho subsidiario al derecho a la vida consagrado en la Constitución de la República Bolivariana de Venezuela, cuya protección y garantía corresponde al Estado venezolano materializarla mediante políticas, planes y estrategias orientadas a mantenerla en función de presentar la vida y el bienestar colectivo"*.

De acuerdo a lo anterior, desde la publicación en Gaceta Oficial del Decreto (13 de marzo de 2020) existe un reconocimiento inobjetable por parte del Ejecutivo Nacional, de que para todos los efectos legales en Venezuela existe una situación de hecho excepcional, lo suficientemente grave como para dictar una medida de Estado de Excepción y que además esta circunstancia de hecho afecta o puede afectar inminente y fatalmente el derecho a la vida y a la salud de los ciudadanos que habitan en el país. De hecho, textualmente el artículo 1 del Decreto indica que el mismo se dicta *"**dadas las circunstancias de orden social que ponen gravemente en riesgo la salud pública y la seguridad de los ciudadanos y las ciudadanas habitantes de la República Bolivariana**"*.

El Decreto, como ocurre en los casos de Estados de Excepción constitucional, pone en perspectiva algunos derechos y obligaciones, al punto que en sus artículos 2, 3, 4 y 5, se ordena a todas las autoridades del Poder Público nacional, estadal y municipal, a las personas naturales y jurídicas de carácter privado al *"cumplimiento urgente y priorizado"* del Decreto, a *"prestar su concurso cuando, por razones de urgencia, sea requerido"* e incluso indica que *"serán individualmente responsables cuando su incumplimiento ponga en riesgo la salud de la ciudadanía o la cabal ejecución de las disposiciones de este Decreto"*.

En desarrollo de la Disposición Final Primera del Decreto, el Presidente de la República, en su alocución del 22 de marzo de 2020, anunció que adoptó una serie de medidas de carácter económico y financiero, tales como la suspensión por el lapso de seis (6) meses del pago de alquileres, capital e intereses de préstamos y la asunción de los sueldos y salarios de pequeñas y medianas empresas. Lo cual, es un acto de reconocimiento adicional de la grave situación de hecho en que nos encontramos, no solo en Venezuela, sino en el mundo.

En conclusión, es un hecho notorio, relevado de toda prueba, la existencia de una enfermedad epidémica, muy contagiosa y letal para la salud de los ciudadanos que representa un riesgo de seguridad tal que justificó la emisión del

Decreto y de medidas complementarias para priorizar el derecho a la salud, a la vida y para contener los previsibles efectos económicos catastróficos.

Como consecuencia de lo anterior, la Sala Plena del Tribunal Supremo de Justicia decretó una cesación y paralización de las actividades en todos los tribunales y juzgados del país desde el 13 de marzo hasta el 13 de abril de 2020. Asimismo, una serie de Estados y Municipios han venido dictando medidas de ejecución del Decreto y en tal sentido han restringido la prestación de ciertos servicios de atención al público e incluso han otorgado moratorias para el cumplimiento de obligaciones tributarias (Ver el caso del Estado Mirada, del Municipio Chacao del Estado Miranda, Girardot del Estado Aragua, entre otros).

Un acto que es de relevancia para verificar el cumplimiento de las obligaciones tributarias, es el contenido en la Circular SIB-DSB-CJ-OD No 02415 del 15 de marzo de 2020 dictada por la Superintendencia de las Instituciones del sector bancario (SUDEBAN), en cumplimiento del artículo 9 del Decreto, según la cual se le instruye a todas las instituciones del sector bancario *"que a partir del lunes del 16 de marzo de 2020, estarán excepcionalmente suspendidas todas las actividades que impliquen la atención directa a los clientes"*, dejando a salvo el personal mínimo necesario para *"la prestación de servicios para días no laborales"*; instrucción ésta que se mantendrá en vigor, como la propia circular indica *"hasta tanto el Ente Rector modifique los términos de la presente Circular"*.

Haciendo un breve inciso en este particular, decimos que este acto es de suprema importancia porque el parágrafo primero del artículo 10 del Código Orgánico Tributario (COT), al referirse a los días hábiles e inhábiles expresamente indica lo siguiente: *"Igualmente se consideran inhábiles, a los solos efectos de la declaración y pago de las obligaciones tributarias, los días en que las instituciones financieras autorizadas para actuar como oficinas de fondos nacionales no estuvieran abiertas al público, conforme lo determine su calendario anual de actividades"*.

Tomando en cuenta que la SUDEBAN ha considerado que a partir del lunes 16 de marzo de 2020 y hasta que el "Ente Rector" indique lo contrario (en referencia a la *"Comisión Presidencial para la Prevención y Control del Coronavirus -COVID-19-"*), las oficinas de los bancos nacionales no prestarán *"actividades que impliquen la atención directa a los clientes"*, circunscribiéndose únicamente a *"la prestación de servicios para días no laborales"*, se entiende que los bancos NO estarán abiertos al público y en consecuencia, de conformidad con lo dispuesto en el comentado artículo 10 del COT, se deben considerar *"inhábiles, a los solos efectos de la declaración y pago de las obligaciones tributarias"* desde el lunes 16 de marzo de 2020 hasta el día en que el "Ente Rector" indique lo contrario.

Si el día no es hábil, de conformidad con lo que expresamente indica el COT, no es exigible el cumplimiento de obligación tributaria.

Al respecto vale preguntarse: ¿si está habilitada la banca en línea, se puede considerar como día hábil para el cumplimiento de las obligaciones tributarias? Siendo que las Instituciones del sector bancario tienen órdenes expresas de no estar abiertas al público, conforme al referido artículo 10 del COT, esos días deben considerarse como no hábiles y por lo tanto no podrá existir o generarse mora o incumplimiento en la declaración y pago de las obligaciones tributarias.

Adicionalmente, debe tomarse en cuenta que, para los efectos del cumplimiento de las obligaciones tributarias nacionales por parte de los contribuyentes especiales, el enteramiento de retenciones, percepciones y el pago de anticipos e impuestos, se realiza a través de la emisión de cheques de gerencia o con cargo a la cuenta, operaciones que no pueden realizarse o completarse utilizando solo la banca en línea. Por otro lado, en los días bancarios no laborables (inhábiles para el cumplimiento de las obligaciones tributarias) tales como feriados, sábados y domingos, existen igualmente los servicios de "banca en línea", pero tal circunstancia no revierte o implica un cambio en la categorización del día como inhábil con las consecuencias e implicaciones que ello conlleva.

En conclusión, en tanto y en cuanto se mantenga la orden de mantener cerradas al público las instituciones del sector bancario, de conformidad con el parágrafo primero del artículo 10, el día debe considerarse inhábil para el cumplimiento de las obligaciones tributarias y, por lo tanto, no podrá configurarse mora o incumplimiento de estas.

Ahora bien, además de la aplicación práctica de una norma contenida el COT para garantizar la seguridad jurídica en el cumplimiento de las obligaciones tributarias formales, debemos indicar que la paralización de un importante sector de la economía significó no solo para el país sino para el mundo, una grave crisis económica.

En efecto, para el Banco Mundial ha reconocido en un informe preparado en diciembre de 2020[5], se afirmó que producto de la recesión económica generada por la pandemia, más de ochenta y ocho millones de personas en el mundo pasaron a la categoría de "pobreza extrema", es decir que viven con menos de un dólar con noventa céntimos diarios (US$ 1,90) y que la recesión económica mundial ha alcanzado cifras récord, incluso mayores que las sufridas durante la segunda guerra mundial.

Siguiendo con ello, en un comunicado de prensa[6] de la Comisión Económica para América Latina y el Caribe (CEPAL), Organismo adscrito a la Organización de las Naciones Unidas (ONU), comentando los resultados reportados en el informe denominado "Situación y las perspectivas de la economía mun-

---

5 BLAKE, Paul y WADHWA, Divyanshi: "Resumen anual 2020: El impacto de la COVID-19 (coronavirus) en 12 gráficos. Ver en: https://blogs.worldbank.org/es/voices/resumen-anual-2020-el-impacto-de-la-covid-19-coronavirus-en-12-graficos.

6 https://www.cepal.org/es/comunicados/america-latina-caribe-nuevo-informe-la-onu-advierte-recuperacion-economica-fragil.

dial en 2021" se afirma que la caída total de la economía mundial para el 2020 "*se hundió un 4,3 %, cerca de 2,5 veces más que durante la crisis económica mundial de 2009*".

En efecto, de acuerdo con las estimaciones de la CEPAL en su informe de fecha 21 de abril de 2021, titulado: "*Dimensionar los efectos del COVID-19 para pensar en la reactivación*"[7] y que recomendamos su lectura para evaluar con cifras la catástrofe económica de la región, "*La crisis que sufre la región este año 2020, con una caída del PIB de -5,3%, será la peor en toda su historia. Para encontrar una contracción de magnitud comparable hace falta retroceder hasta la Gran Depresión de 1930 (-5%) o más aún hasta 1914 (-4,9%)*".

Como vemos no existe precedente a nivel mundial de la crisis que ha generado la pandemia, la cual Venezuela recibió, lamentablemente, con su peor situación macroeconómica en su historia.

Insistimos, la caída del producto interno bruto (PIB) en Venezuela del 2013 al 2019, conservadoramente asciende a un setenta por ciento (70%) tal como afirman Abuelafia y Saboin[8], pero más impresionante es la afirmación de los investigadores del Banco Interamericano de Desarrollo cuando indican al inicio de su informe que "[d]*esde su pico en diciembre de 2013 y hasta el tercer trimestre de 2020, el tamaño de la economía se ha reducido un 88 % (...). Se trata de la mayor crisis registrada en la región latinoamericana (...) y una de las mayores del mundo en países fuera de zonas de conflicto armado (Saboin, 2020) . Esta caída se debe tanto a un desplome de la producción petrolera como a una profundización del deterioro de la actividad no petrolera en el país. El producto interno bruto (PIB) no petrolero se encuentra ya un 17% por debajo de sus niveles de 1998 y el PIB petrolero, un 53 % por debajo de lo observado 20 años atrás*" (Destacado nuestro).

La catastrófica situación económica que vive el país nos invita a reflexionar nuevamente sobre la interpretación y la aplicación de las normas de contenido económico.

En ese sentido, somos de la opinión que una situación de crisis económica tan grave como la descrita, en un ambiente, como hemos denominado "fiscalmente hostil", condiciona la interpretación y la aplicación de las normas que generan obligaciones de toda índole sobre todo aquellas de contenido tributario por la especial situación de hecho y de derecho en la que se encuentran las obligaciones tributarias frente a la esfera jurídica subjetiva de los agentes económicos.

Ese condicionamiento ¿puede llegar al punto de hacer nacer el legítimo derecho de protección que se equipara al del "Estado de necesidad" a los fines de proteger legítimamente sus derechos?

---

[7] https://repositorio.cepal.org/bitstream/handle/11362/45445/4/S2000286_es.pdf

[8] ABUELAFIA, Emmanuel y SABOIN, José Luis: "Los desafíos para la recuperación de Venezuela y el impacto del COVID-19", Banco Interamericano de Desarrollo (BID), Diciembre 2020.

En el conflicto de derecho se hace necesario imponer con racionalidad los valores superiores sobre aquellos de menor jerarquía. No se trata en este caso del conflicto de las fuentes del derecho y cuya tradición kelseniana ius positivista se ha consagrado una regla de jerarquización piramidal muy difundida y positivizada de diversas maneras.

II. EL DERECHO DE PROPIEDAD Y DE LIBERTAD ECONÓMICA, DERECHOS FUNDAMENTALES QUE CONFORMAN LA ESFERA JURÍDICO-SUBJETIVA DE "FUENTE GENERADORA DE RIQUEZA" Y LA RENTA COMO CAUSA ECONÓMICA DE LA TRIBUTACIÓN

La libertad es el presupuesto esencial del Derecho, del Estado y del Estado de Derecho. El hombre nació libre y bajo esa premisa construyó el concepto de Estado y de Estado de Derecho para proteger su libertad.

La libertad de los individuos no es absoluta; la libertad es lo contrario al libertinaje, es por ello por lo que encuentra algunos de sus límites racionales principalmente en evitar entorpecer o generar daños a la libertad de los otros individuos; pero la libertad aún con sus límites racionales no puede estar supeditada a las instrumentalidades que se han creado para protegerla.

En efecto, el principio de libertad está consagrado no solo constitucionalmente en Venezuela, sino que se encuentra debidamente positivizado a en los instrumentos que consagran los derechos fundamentales del hombre de los cuales orbita incluso una justicia universal y que por su entidad es de imposible derogatoria por constituyente o poder alguno.

La importancia del principio de libertad llega a nuestra Estado de Derecho, incluso, como una regla ineludible de hermenéutica: el principio *favor libertatis*.

Así el principio *favor libertatis*, tal como lo ha descrito el maestro Eduardo Garcia de Enterría a lo largo de su trascendental obra[9], es el que debe marcar la actuación de los jueces. En caso de duda, cualquier actuación debe procurar el mejor resguardo de los derechos de los particulares. Así también lo ha expresado claramente el Tribunal Supremo de Justicia en su Sala Constitucional: *"… la interpretación que ofrezca mayores garantías a los ciudadanos…"*[10].

---

[9] GARCÍA ENTERRÍA, Eduardo: "Democracia, jueces y control de la Administración", Cívitas, Madrid, 1995.
[10] Sala Constitucional del Tribunal Supremo de Justicia en el fallo No. 229 del 14 de febrero de 2007.

1. LA LIBERTAD Y LA PROPIEDAD COMO DERECHOS HUMANOS INALIENABLES: LÍMITES DOGMÁTICOS DE LA TRIBUTACIÓN

Entendemos perfectamente que la aproximación tradicional que se le ha dado al tema de la vinculación entre el derecho de propiedad y la tributación está relacionado con la prohibición constitucional de no confiscación. En ese sentido encontramos los trabajos del maestro Gabriel Ruan Santos, Pedro Baute[11] y Gilberto Atencio Valladares[12], entre muchos otros, incorporando y dejando por fuera el análisis a la libertad, que como vimos es el presupuesto fundamental no solo del Estado, sino de la existencia misma del hombre y de sus creaciones.

A pesar que compartimos esa aproximación, la cual es válida y certera en la mayoría de los casos, sin embargo queremos partir por el presupuesto antes presentado que la libertad y la propiedad (que no es lo mismo que el derecho de propiedad), es un derecho fundamental que la humanidad ha consagrado en sus instrumentos más trascendentales como de máxima importancia y jerarquía y es por ello, que es imposible considerarla de otra manera.

Por otro lado, para el profesor Allan Brewer-Carías en su trabajo "Las protecciones constitucionales y legales contra las tributaciones confiscatoria"[13], apoyándose en una interesante compilación de tratadistas y casos del derecho comparado, analiza el tema desde la perspectiva de cinco garantías (quizás es mejor afirmar que seis, porque la última, relacionada con la garantía jurisdiccional y los sistemas de protección de la constitucionalidad judicial, quizás condicione a las demás); estas son, a saber: (i) legalidad del impuesto, (ii) propiedad privada, (iii) de la igualdad, (iv) de la libertad económica y (ii) de la libertad individuales.

En cada una de estas garantías, el respetado Dr. Brewer-Carías nos demostró casos donde el ejercicio de la potestad tributaria se solapaba con el ejercicio de derechos fundamentales encontrando su punto de equilibrio, quizás en la conocida teoría del núcleo fundamental, según la cual la ablación intolerable del derecho fundamental orbitaba cercano su núcleo.

En todo caso, lo importante de lo expuesto esta acá, es por un lado la incompatibilidad del ejercicio del poder de imposición -con vocación de "destrucción",

---

[11] BAUTE CARABALLO, Pedro: "Acerca de la prohibición constitucional de no confiscariedad y el derecho de propiedad", Revista de Derecho Tributario / Asociación Venezolana de Derecho Tributario. Caracas : Legislec Editores, 107 (julio-agosto-septiembre), 2005.

[12] ATENCIO VALLADARES, Gilberto: "El principio de no confiscación en materia tributaria", Instituto Colombiano de Derecho Tributario, Bogotá, 2016.

[13] BREWER-CARÍAS, Allan: "Las protecciones constitucionales y legales contra las tributaciones confiscatoria", Revista de Derecho Público Nos. 57 y 58, Editorial Jurídica Venezolana, Caracas, 1994.

evocando al memorable Juez John Marshal[14]- hasta agotar los derechos y garantías constitucionales y, en segundo lugar, que jerárquicamente los derechos fundamentales tienen una calificación valorativa de más alto rango frente a los poderes otorgados al Estado.

Gaspar Ariño Ortiz[15] ha afirmado que la propiedad es un presupuesto necesario de la libertad económica y, por ende, de la libertad política. En este sentido, éstas son garantías que van de la mano en cualquier Estado Constitucional de Derecho y de Justicia como el venezolano.

Tan es así, que ambos derechos se encuentran desarrollados en nuestro Texto Fundamental dentro del capítulo VII relativo a los *"Derechos Económicos"*, por tratarse de presupuestos que coetáneamente exaltan el derecho que tienen los ciudadanos a desarrollar el espectro económico de sus vidas; primero *poseyendo* y luego ejerciendo su *actividad económica preferida*.

En efecto, el Constituyente de 1999 previó en los artículos 112 y 115 de nuestra Carta Magna el reconocimiento por parte del Estado del derecho a la libertad económica y a la propiedad por parte de las personas jurídicas y naturales que hacen vida en él. La jurisprudencia de la Sala Constitucional del Tribunal Supremo de Justicia[16] ha expresado en torno a este derecho constitucional.

---

14 *"The power to tax is the power to destroy."*. Corte Suprema de Justicia de los Estados Unidos, en el caso "McCulloch v. Maryland", 1819.

15 ARIÑO ORTIZ, Gaspar: "Principios de Derecho Público Económico. Modelo de Estado, Gestión Pública, Regulación Económica" Universidad Externado de Colombia. Fundación de Estudios de Regulación (Madrid). Colombia 2003.

16 Sala Constitucional del Tribunal Supremo de Justicia Sentencia N° 462 del 06 de abril de 2001: ""...tal derecho tiene como contenido esencial, no la dedicación por los particulares a una actividad cualquiera y en las condiciones más favorables a sus personales intereses; por el contrario, el fin del derecho a la libertad de empresa constituye **una garantía institucional frente a la cual los poderes constituidos deben abstenerse de dictar normas que priven de todo sentido a la posibilidad de iniciar y mantener una actividad económica** sujeta al cumplimiento de determinados requisitos. Así, pues, su mínimo constitucional viene referido al ejercicio de aquella actividad de su preferencia en las condiciones o bajo las exigencias que el propio ordenamiento jurídico tenga establecidas. No significa, por tanto, que toda infracción a las normas que regulan el ejercicio de una determinada actividad económica, entrañe una violación al orden constitucional o amerite la tutela reforzada prodigada por el amparo constitucional." (Sala Constitucional del Tribunal Supremo de Justicia.
Siguiendo esta misma línea, la propia Sala en otro fallo estimó: *"De este modo –estima la Sala– se confirma una vez más, como la ha venido sosteniendo en otras oportunidades, que la libertad económica, al igual que sucede con otros derechos constitucionales, no es un concepto absoluto e irrestricto, ya que, además de los límites definidos directamente en la propia Constitución, pueden fijarse limitaciones expresas, mediante ley, fuera de las cuales, quedan facultados los ciudadanos para actuar libremente, es decir, para ejercitar abiertamente los espacios de libertad no sometidos a alguna restricción. Con ello se afianza y se comprueba el único sentido lógico que puede darse al esquema constitucional, consistente en la existencia de un espectro básico y fundamental constitutivo de la libertad, postulado como principio, frente al cual pueden aparecer restricciones o limitaciones que operan como excepciones expresas a la regla general, y que sólo pueden ser establecidas mediante ley, es decir, excluyendo en forma absoluta la posibilidad de formular tales limitaciones por medio de actos concretos o disposiciones sublegales"* (Sala Constitucional del Tribunal Supremo de Justicia, Sentencia N° 1798 del 19/07/2005).

De lo anterior se desprende que, si bien el derecho de propiedad y el derecho de libertad económica (dentro de la cual encontramos íntimamente vinculada a la libertad de contratación) no son derechos absolutos, cualquier afectación que se haga a estos derechos ha de estar plenamente justificada por la aplicación de una norma legal, en función a un título de intervención estatal válido, y debe estar revestida de criterios racionales.

El profesor uruguayo Carlos E. Delpiazzo[17], nos recuerda con tino lo que de seguidas transcribimos:

> "No se respeta la libertad económica ni se está ante una sociedad libre, en la que primen las personas, cuando se afectan los derechos al margen de la Constitución y de la reserva de Ley, **imponiendo prohibiciones, restricciones, limitaciones, obligaciones, sanciones y requisitos de actuación que hacen desaparecer en la práctica las libertades y derechos que la Constitución reconoce y garantiza"**.

En consecuencia, toda regulación a la libertad económica, debe ser producto de un acuerdo de los ciudadanos, materializado a través de su órgano legislativo competente, evitando a toda costa el menoscabo de la libertad económica, lo cual implica no sólo la mera protección del derecho constitucional subjetivo, sino el deber del Estado de promover, como expresa con meridiana claridad la norma constitucional (112) *"la iniciativa privada, garantizando la creación y justa distribución de la riqueza, así como la producción de bienes y servicios que satisfagan las necesidades de la población, la libertad de trabajo, empresa, comercio, industria, sin perjuicio de su facultad para dictar medidas para planificar, racionalizar y regular la economía e impulsar el desarrollo integral del país"*.

Tal y como afirma Gaspar Ariño Ortiz, *"el presupuesto necesario de la libertad económica y, por ende, política, es la propiedad."* Como escribió Frank Knight[18], *"el contenido real de la libertad de contrato (y de la libertad económica de cada uno, añadimos) depende de lo que uno posea"*, pues es evidente que sólo en esa medida podrá ejercer el *"poder o capacidad de ordenar la propia vida, acorde con los propios deseos e ideales"*, que es en lo que la libertad consiste desde el punto de vista social y político; la propiedad –esto es, el derecho de apropiación sobre las cosas con las características que conlleva- resulta conditio sine qua non de la libertad económica y, por tanto, de la libertad total (de las demás libertades de la persona)".

Con respecto al derecho a la propiedad, la Constitución venezolana de 1999, impregnada en los avances y corolarios propios del Estado Social de Derecho consagrado en la Constitución de 1978, "reconoce el derecho a la propiedad

---

17 DELPIAZZO, Carlos E: "Los Derechos Fundamentales y la Libertad Económica", presentado en Caracas, en el marco de las VII Jornadas Internacionales de Derecho Administrativo del año 2004.
18 ARIÑO ORTIZ, Gaspar: "Principios de Derecho Público Económico. Modelo de Estado, Gestión Pública, Regulación Económica" Universidad Externado de Colombia. Fundación de Estudios de Regulación (Madrid). Colombia 2003. KNIGHT, F. "Riesgos, incertidumbre y beneficio" Madrid, Aguilar, 1947.

privada que configura y protege, ciertamente como un haz de facultades individuales sobre las cosas, pero también y al mismo tiempo, como un conjunto de deberes y obligaciones establecidas, de *acuerdo con la leyes, en atención a valores e intereses de la colectividad"*. [Sentencia STC 37/1987 del Tribunal Constitucional español]. (Resaltado nuestro).

La Sala Constitucional del Tribunal Supremo de Justicia[19], en el fallo recaído en el caso "Biotech Laboratorios, C.A. y otros", de fecha 9 de agosto de 2000, nos ilustró sobre el alcance de este derecho y reitera el criterio sostenido por la antigua Corte Suprema de Justicia, en Pleno (caso "Eliseo Sarmiento", de fecha 13 de abril de 1999) y ha sido ratificado por la Sala Constitucional del Tribunal Supremo de Justicia, manifestando en reciente decisión que: *"las limitaciones al referido derecho, sólo pueden ser realizadas por disposición expresa de la ley y, no por actuaciones arbitrarias de la Administración realizadas sin fundamento legal o por los órganos jurisdiccionales, mediante la emisión de decisiones judiciales que desnaturalicen la esencia o el núcleo medular de dicho derecho"*.

Si bien las sentencias en referencia dejan claro que el derecho de propiedad no tiene carácter absoluto y que puede sufrir restricciones que obedezcan a fines de utilidad público o social, también reconoce que tales restricciones no pueden ser ilimitadas y que existe un núcleo central del derecho que no puede ser afectado por la intervención del Estado.

El alcance y contenido de estos derechos fundamentales, reconocido no sólo en las normas constitucionales antes citadas, en las interpretaciones de la Sala Constitucional, sino también en instrumentos internacionales de rango superlativo, se presenta con elocuencia en la norma. En su primera parte, la propiedad y la libertad económica, pasa por reconocer el poder y la facultad que tiene todo hombre al uso, goce, disfrute y disposición de sus bienes y de dedicarse a la actividad lucrativa de su preferencia y, en ese sentido, bajo su

---

[19] *"Con fundamento en lo expuesto, se aprecia ciertamente que el derecho de propiedad no es un derecho absoluto carente de limitación, ya que puede el Estado bajo ciertas circunstancias imponer cargas o gravámenes sobre el mismo (vgr. impuestos, servidumbres), los cuales pueden ser soportables o no en cuyo caso, nacen para el particular el ejercicio de determinadas acciones judiciales para solicitar su resarcimiento./ Conforme a lo establecido en el artículo 115 de la Constitución de la República Bolivariana de Venezuela, se aprecia que las limitaciones al referido derecho, sólo pueden ser realizadas por disposición expresa de la ley y, no por actuaciones arbitrarias de la Administración realizadas sin fundamento legal o por los órganos jurisdiccionales, mediante la emisión de decisiones judiciales que desnaturalicen la esencia o el núcleo medular de dicho derecho. Al efecto, cabe citar sentencia de esta Sala N° 1851/2003, en la cual se expuso:/ (...omisas...) /En este punto, advierte la Sala que la determinación del contenido esencial de cualquier tipo de derecho subjetivo viene dado en cada caso por el elenco de facultades o posibilidades de actuación necesarias para que el derecho sea reconocible como perteneciente al tipo descrito y sin las cuales deja de pertenecer a esa clase y tiene que quedar comprendido en otro, desnaturalizándose así de alguna manera. De este modo, se rebasa o se desconoce el contenido esencial cuando el derecho queda sometido a limitaciones que lo hacen impracticable, lo dificultan más allá de lo razonable o lo despojan de la necesaria protección (Vid. Sentencia de la Sala N° 403/2006). Tribunal Supremo de Justicia, Sala Constitucional, Sentencia N° 1390 de fecha 14 de agosto de 2008.*

voluntad de iniciar, desarrollar e incluso hasta el derecho a concluir una actividad económica privada.

En consecuencia, si bien existen diversas garantías que limitan el ejercicio del poder de imposición, el reconocimiento de estas como derechos humanos, califica aún más el límite al poder de imperio respecto a la determinación del deber de contribución a las cargas públicas.

Así lo han advertido, entre algunos otros, de una forma magistral Palacios Márquez[20], Romero-Muci[21] y Serviliano Abache[22], en tres ineludibles trabajos cuando se requiere visitar el tema de los derechos humanos y la tributación.

La protección de los derechos humanos tendría dos vertientes, desde nuestro punto de vista: uno dogmático muy relacionado con la libertad y la razón detrás de la existencia del estado de derecho, esto es: si trastoca o menoscaba mis derechos de más alta jerarquización (DDHH) es intolerable la aplicación o si quiera la alegación del gravamen, pierde de inmediato su causa y su justificación existencial; pero advertimos una segunda visión con igual rango, una visión práctica.

Desde el punto de vista dogmático se hace necesario recordar el contenido del artículo 23 de la vigente Constitución, según la cual "[l]os *tratados, pactos y convenciones relativos a derechos humanos, suscritos y ratificados por Venezuela, tienen jerarquía constitucional y prevalecen en el orden interno, en la medida en que contengan normas sobre su goce y ejercicio más favorables a las establecidas por esta Constitución y en las leyes de la República, y son de aplicación inmediata y directa por los tribunales y demás órganos del Poder Público"*.

Así en el artículo 17 de la Declaración Universal de los Derechos Humanos[23] y 21 de la Convención Americana de Derechos Humanos[24] contempla el reconocimiento y la protección de la propiedad como un derecho humano fundamental.

En tanto la libertad individual como aquella que se concretiza en la libertad económica aparece reconocida también en ambos instrumentos. Así el artículo 22 de la Declaración Universal de los Derechos Humanos, como en los artículos 16 y 26 de la Convención Americana.

---

[20] PALACIOS MÁRQUEZ, Leonardo, "Derechos Humanos y Tributación", Anais Das XX Jornadas Do Iladt. Ano 2000 – Salvador – Bahía, tema 1, Derechos Humanos y Tributación, ABDF, Salvador-Bahía, 2000

[21] ROMERO-MUCI, Humberto: "Los Derechos Humanos como condición de validez de los tributos", Revista de Derecho Tributario No. 163, Asociación Venezolana de Derecho Tributario, Caracas, 2019.

[22] ABACHE CARVAJAL, Serviliano: "Derechos Humanos y determinación tributario", Boletín de la Academia de Ciencias Políticas y Sociales, No. 156, Enero-Diciembre 2017.

[23] Declaración Universal de los Derechos Humanos, aprobado en Asamblea General de las Naciones Unidas en París, el 10 de diciembre de 1948.

[24] Convencion Americana Sobre Derechos Humanos (Pacto de San José) de fecha 22 de novimebre de 1967.

Pareciera claro entonces, que cuando se presentase un potencial conflicto, en el cual esté involucrado la afirmación y protección del núcleo duro de los derechos a la propiedad y a la libertad, parecería que la preservación de estos últimos privaría sobre cualquier medida ablatoria con o sin título de intervención estatal formal.

2. Límites pragmáticos: la propiedad y la libertad como átomos que configuran a la fuente generadora de riqueza y la renta como producto que emana de ella

En efecto, uno de los límites, sí relacionados con los derechos humanos, es que a toda costa la tributación o mejor dicho, el derecho tributario tiene que preservar la fuente generadora de riqueza, por qué por algo que es más evidente que el respeto de los derechos humanos, insistimos limite dogmático indiscutible, que es que la libertad económica y la propiedad, son la fuente generadora de riqueza, riqueza que es capaz de generar renta, renta que es la causa económica de la tributación.

La consulta a la capacidad económica, siguiendo a Palacios[25], no solamente se estructura mediante la imposición de tipos progresivos o de depuración de la base imponible sobre la cual recae el tributo (caso del impuesto sobre renta), el tener presente los efectos de las exenciones, exoneraciones y demás incentivos y su incidencia negativa o distorsiva en el patrimonio de los sujetos pasivos (caso de la imposición al valor agregado) sino también en la forma de adopción de las magnitudes que sirven para configurar la base de imposición de los impuestos.

En este último caso, resulta necesario que la deliberada escogencia por parte del legislador de una magnitud económica sobre la cual se determina la cuota impositiva lo sea sobre parámetros que estén estrechamente vinculados con la actividad económica, acto o negocio jurídico que sirve de molde para las hipótesis de incidencia, que conforman los hechos imponibles, que una vez realizados o verificados, lo concretan y la dan existencia para dar paso al nacimiento de la obligación del pago del impuesto y que denoten la capacidad económica de quienes están indicados por la ley como sujetos pasivos por realizar o ante quien se verifican esa hipótesis de incidencia, que activan la concreción del mandato general y abstracto en que el hecho imponible consiste.

La forma más precisa de lograrlo es tener presente que en "última instancia la renta es la magnitud de todos los tributos y atiende los tres momentos o etapas del ingreso: su realización, su gasto o capitalización"[26].

---

[25] Ídem.

[26] PLAZA VEGAS, Mauricio: "Derecho de la Hacienda Pública y Derecho Tributario: Las ideas políticas de la hacienda pública". Temis, Bogotá, 2000, p. 777.

En consecuencia, no puede haber interpretación alguna de normas tributarias o de los hechos que deben subsumirse en ellas, que no tenga en cuenta: por un lado, la renta como manifestación de capacidad económica para contribuir a las cargas públicas y por otro, la idea que la tributación no puede ser un obstáculo que impida el goce y plena existencia y validez de los derechos constitucionales de libertad económica, propiedad y libre contratación, ni tampoco de las manifestaciones concretas de los mismos, como son los actos y negocios jurídicos (contratos).

Si trastocamos la fuente generadora de riqueza, entonces estamos menoscabando la capacidad presente y futura de que esa libertad y esa propiedad puedan seguir generando la necesaria riqueza que en su justa medida será la fuente de la necesaria recaudación para cubrir las necesidades públicas.

Es bien sabido derecho tributario tiene su fundamento en el deber de colaborar con las cargas públicas, nadie que quiera vivir en sociedad y bajo la organización del Estado puede eludir esta responsabilidad, siguiendo para ello la poderosa tesis del "*costo de los derechos*"[27], según la cual para el ejercicio pleno de los derechos económicos o no, el ciudadano necesita la coercibilidad de los órganos de administración de justicia y de los órganos.

La poderosa frase de Holmes y Sunstein "*liberty depends on taxes*"[28] nos otorga la visión de la necesidad del estado de tener la independencia económica para, precisamente, cumplir sus fines: tutelar y proteger la libertad y los derechos de sus habitantes, pero esa independencia económica no puede ser precisamente el óbice que le impida cumplir con sus fines, ni tampoco puede ser considerado un fin en sí mismo causando graves perjuicios, como hemos visto a la estructura dogmática de derechos fundamentales y como veremos de seguidas, una decisión desacertada desde el punto de vista de hacienda pública.

Este enfoque no se aparte de la dogmática, ni tampoco de los indeseables efectos confiscatorios, simplemente trata de evidenciar que si por cualquier causa el cumplimiento voluntario o forzoso de una obligación causa un deterioro de la fuente generadora de riqueza, ese tributo desde el punto de vista dogmático es intolerable, puede significar la prohibida constitucionalmente confiscación de la propiedad, pero también atenta contra la existencia del Estado (o sus instrumentalidades) como acreedor, porque trastoca la fuente de la cual emanan y emanarán los recursos necesarios para cumplir con sus fines. Es un presupuesto razonable de un principio de sana administración no "matar la gallina de los huevos de oro".

Otro elemento de política fiscal que tendría que tomarse en cuenta, como medio de protección de la fuente generadora de riqueza y que sirve de

---

[27] HOLMES, Stephen & SUNSTEIN, Cass. The Cost of Rights. Cambridge: Harvard University Press, 1999 y en una aproximación más actualizada y ampliada ver el trabajo de Adrian Vermeule, A New Deal for Civil Liberties: An Essay in Honor of Cass R. Sunstein, 43 Tulsa L. Rev. 921 (2007).

[28] Idem en HOLMES, Stephen & SUNSTEIN, Cass. (...).

parámetro hacendístico, es la conocida conjetura económica denominada "la curva de Laffer"[29].

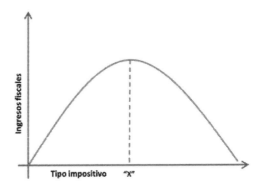

Se dice que Arthur Laffer, muy vinculado al partido republicano, presentó esta contraintuitiva conjetura durante un almuerzo en 1974 en la cual se encontraba junto a Donald Rumsfeld, jefe de gabinete del presidente republicano Gerald Ford y Dick Cheney, subjefe de gabinete; en ese almuerzo, Laffer basado en los trabajos de algunos otros economistas como Keynes, dibujó en una servilleta lo que hoy se conoce como la "Curva de Laffer", según la cual en la medida que el tipo impositivo sea más alto la recaudación efectiva tenderá a ser menor.

Así pues, existiría un punto óptimo ("x" en la gráfica) en el cual se maximizan la recaudación y la productividad, esto ocurriría cuando se alcanza la mayor recaudación posible sin necesidad de introducir un tipo más alto.

En consecuencia, siguiendo a Laffer algunos autores han sostenido que:

> "...un crecimiento de los impuestos llevaría a una disminución en las recaudaciones, es decir, existe una relación decreciente entre las variables. La idea básica es que la relación entre los ingresos públicos y los cambios en las tasas de impuestos produce dos efectos: i) Efecto aritmético: muestra que si las tasas de impuesto disminuyen, los ingresos disminuyen en el mismo porcentaje que la reducción de aquéllas, y esto sucede inversamente cuando se da un aumento de las tasas impositivas. ii) Efecto económico: examina que una disminución de las tasas impositivas ocasiona un impacto favorable en los niveles de producción y empleo; el caso contrario se produce si se incrementan las tasas impositivas, lo que se reflejaría en una desaceleración en las variables macroeconómicas"[30].

---

[29] Arthur Betz Laffer, es un economista norteamericano, graduado de la Universidad de Stanford autor de algunas obras, entre las que encontramos: *"The End of Prosperity: How Higher Taxes Will Doom the Economy – If We Let It Happen"* (del año 2008, en coautoría con el profesor Peter J. Tanous) y *"Return to Prosperity: How America Can Regain Its Economic Superpower Status"* (2010).

[30] ALIAGA LORDEMANN, Javier y OROPEZA FARRELL, Ana: "Análisis experimental de la Curva de Laffer y la evasión fiscal en Bolivia": http://www.scielo.org.bo/pdf/rlde/n24/n24_a06.pdf.

En consecuencia, pareciera que no es sensato desde el punto de vista económico, el aumento de tipos impositivos porque la tasa de recaudación efectiva se prevé que tienda a disminuir, ergo, la exigencia de tributos que deterioran los patrimonios que son capaces de generar renta aseguran la disminución progresiva de renta y por lo tanto de la recaudación.

La tributación que genera un verdadero crecimiento económico es aquella que puede asegurar la mayor recaudación posible con el tipo más bajo y con la máxima protección de la fuente generadora de riqueza.

En consecuencia, se presenta como un límite pragmático para el Estado, la puesta en marcha cualquier cambio de política fiscal que signifique un aumento en las tasas impositivas, porque ello genera una caída segura de la recaudación.

El límite pragmático que aquí estamos presentamos, insistimos, la prohibición de imponer medidas recaudatorias que inhiban el crecimiento efectivo de la recaudación se adapta perfectamente a los principios contenidos en nuestra Constitución.

En efecto, en la norma contenida en el artículo 141 encontramos el deber que tiene la Administración Pública de actuar sólo al servicio del ciudadano bajo los principios de *"honestidad, participación, celeridad, eficacia, eficiencia, transparencia, rendición de cuentas y responsabilidad en el ejercicio de la función pública, con sometimiento pleno a la ley y al derecho"*. Sólo se puede estar al servicio del ciudadano si se protege su libertad y su propiedad y no parece eficiente dilapidar la fuente que genera los recursos necesarios para el sostenimiento del Estado.

En cuanto a la función del Estado en la Economía, nuestra Carta Magna con meridiana claridad se establece que los principios que fundamentan el régimen socioeconómico en nuestro país son los de *"justicia social, democracia, **eficiencia, libre competencia,** protección del ambiente, **productividad** y **solidaridad,** a los fines de asegurar el desarrollo humano integral y una existencia digna y provechosa para la colectividad"*. No pareciera tampoco solidario, productivo, eficiente o coherente con los principios de libre competencia la ejecución de políticas fiscales y recaudatorias que no preserven eficientemente la fuente generadora de riqueza.

Pero además, continúa el mencionado artículo 299, indicando con especial apego a las ideas que hemos venido formulan, que el *"Estado conjuntamente con la iniciativa privada promoverá el **desarrollo armónico de la economía nacional** con el fin de generar fuentes de trabajo, alto valor agregado nacional, elevar el nivel de vida de la población y fortalecer la soberanía económica del país, garantizando la seguridad jurídica, solidez, dinamismo, sustentabilidad, permanencia y equidad **del crecimiento de la economía,** para lograr una justa distribución de la riqueza mediante una planificación estratégica democrática participativa y de consulta abierta"*.

Finalmente, lo ya dicho tantas veces, entre otros por el profesor Leonardo Palacios y el profesor Juan Cristóbal Carmona[31], que no se cumpliría tampoco con los postulados del constituyente en el artículo 316 cuando se toman políticas que no sean armónicas con la protección de la economía nacional ni con la elevación del nivel de vida de la población, ni mucho menos, como hemos visto que se comparezcan con un sistema de recaudación eficiente.

III. El dilema de cumplir obligaciones tributarias aún en circunstancias de mutilación de la "fuente generadora de riqueza" ¿una situación de estado de necesidad?

Evidenciado como ha sido que en virtud que la tributación está vinculada existencialmente con hechos económicos y que por lo tanto la crisis económica condiciona la interpretación y la aplicación de normas y leyes tributarias.

Además, visto que la terrible crisis económica en Venezuela ha distorsionado los índices de capacidad económica y ha reducido la aptitud de los agentes económicos para contribuir a las cargas públicas exponenciado esto con la crisis económica propia que trajo la paralización de actividades por la pandemia del COVID-19, una pandemia, insistimos no solo sanitaria sino económica y ambas en un ambiente fiscalmente hostil; consideramos que el pretender aplicar las normas de derecho tributario de la misma forma en que se aplicarían en condiciones de normalidad económica[32], lejos de ser razonable con notable elocuencia violentarían los limites dogmáticos de la tributación, generarían efectos confiscatorios y además atentaría contra el principio de preservación de la fuente generadora de riqueza.

Ahora bien, aunque en nuestra opinión la Administración tributaria debería estar consciente de esta situación, no solo porque es su deber constitucional de respeto dogmático a los derechos humanos de los agentes económicos, sino porque como evidenciamos es un principio de sana administración; lo cierto es que en la práctica la Administración tributaria amparándose falsamente en el principio de legalidad indica que debe recaudar y asegurar las obligaciones tributarias que se encuentran positivizados en "normas legales" que no han sido declaradas nulas, procede frecuentemente a fiscalizar, determinar, imponer multas y exigir coactivamente todas esas obligaciones tributarias que en situaciones como las descritas, que es la que estamos viviendo.

---

[31] X Jornadas Venezolanas de Derecho Tributario. Recomendaciones Tema I Propuestas para una Reforma Tributaria en Venezuela. Relator: Leonardo Palacios Márquez. Recomendaciones Tema II: Armonización Tributaria en Venezuela. Relator: Juan Cristóbal Carmona Borjas, llevadas a cabo en Caracas en 2011.

[32] KORODY TAGLIAFERRO, Juan Esteban: "La interpretación y aplicación de las normas tributarias en el contexto de crisis económica: la paradoja de perseguir rentas fantasmas", Libro homenaje a los 50 años de la Asociación Venezolana de Derecho Tributario", AVDT -EJV, Caracas, 2020.

En esos casos, creemos que el agente económico se haya en un estado de necesidad en el cual por fuerza de la razón y de la preponderancia de valores superiores, se le impone la obligación de proteger su libertad y su propiedad por encima del cumplimiento de obligaciones tributarias que por razones jurídicas y económicas, ya indicadas, han perdido su causa para su existencia y exigibilidad, en tanto y en cuanto se verifique esa situación.

Es por ello por lo que creemos que es necesario revisar la doctrina del estado de necesidad de una forma diferente a la que creemos se ha venido abordando.

En efecto, en el supuesto negado que un contribuyente, producto de las distorsiones económicas antes descritas tanto por el deterioro de la economía antes y durante de la pandemia (admitiendo incluso algunos casos luego de la pandemia), se encuentre en una situación donde paralizada como ha estado el mercado de bienes y servicios tenga que tomar la decisión entre cumplir con obligaciones que se han vuelto de imposible ejecución, pues de lo contrario su patrimonio sufriría una exacción tal que implicaría una ablación de la fuente generadora de riqueza, consideramos que en esos casos nace para estos contribuyentes el legítimo derecho de preservar su patrimonio.

El numeral 4 del artículo 65 del Código Penal venezolano, establece un supuesto de según el cual, no es punible: "*El que obra constreñido por la necesidad de salvar su persona, o la de otro, de un peligro grave e inminente, al cual no haya dado voluntariamente causa, y que no pueda evitar de otro modo*".

En el derecho común se ha admitido al Estado de necesidad como una potencial atenuante de responsabilidad, dejando al Juez su juicio de forma equitativa, tal como lo expresa la última parte de la norma contenida en el artículo 1.188[33].

En ese sentido coincidimos con la posición del profesor Juan Domingo Alfonso, según el cual "*si el pago de obligaciones tributarias o la presentación de declaraciones impositivas pone en riesgo la vida o la salud de los contribuyentes o viabilidad de las empresas y activa la aplicación de la teoría del estado de necesidad, donde el deudor, ante la perspectiva de perder la vida, enfermarse gravemente o, en el caso de las personas jurídicas, que la empresa quiebre y deba cerrar, está autorizado para protegerse a sí mismo aunque ello implique postergar el derecho del acreedor, en este caso de la Administración Tributaria, en cualquiera de sus vertientes, al cumplimiento exacto y oportuno de la obligación*".

En ese sentido, no se trata del estado de necesidad que se encuentra un contribuyente que en medio de la pandemia se le exige presentarse en una oficina pública para presentar sus declaraciones o para asistir a un recinto privado

---

[33] Artículo 1.188: "*El que causa un daño a otro para preservarse a sí mismo o para proteger a un tercero de un daño inminente y mucho más grave, no está obligado a reparación sino en la medida en que el Juez lo estime equitativo*".

para cumplir lo propio exponiendo su salud, la de su familia y la del resto de personas con las que interactuará; tampoco nos estamos refiriendo a la causa extraña no imputable que nace como eximente de la responsabilidad tributaria por retraso en las declaraciones y pagos de obligaciones tributarias.

En este caso nos estamos refiriendo a situaciones económicas en las cuales el agente económico, habiéndose comportado como un buen padre de familia en ejercicio de una sana administración se encuentra en una situación adversa en la que coyunturalmente debe usar sus recursos para atender la preservación de la fuente generadora de riqueza y que al mismo tiempo las obligaciones que se pretenden exigir han perdido su causa jurídica y económica.

En ese momento el agente económico ante el -falso- dilema de tener que endeudarse o fracturar su propiedad para cumplir una obligación irracional/inconstitucional, el agente económico tiene una actuación de preservación que lejos de ser reprochable es la que se le debería exigir a un buen padre de familia o a un administrador con criterio universalmente razonable.

Entonces decimos que el dilema es falso, porque realmente el agente económico no tendría aptitud económica para contribuir a las cargas públicas y por lo tanto no estaría ocasionando daño alguno y en el supuesto que se piense que se causa un daño contra el acreedor tributario ese daño estaría librado de culpa, porque no se le podría exigir otra conducta.

BIBLIOGRAFÍA

ABACHE CARVAJAL, Serviliano: "Derechos Humanos y determinación tributario", Boletín de la Academia de Ciencias Políticas y Sociales, No. 156, Enero-Diciembre 2017.

ABUELAFIA, Emmanuel y SABOIN, José Luis: "Los desafíos para la recuperación de Venezuela y el impacto del COVID-19", Banco Interamericano de Desarrollo (BID), Diciembre 2020.

ALIAGA LORDEMANN, Javier y OROPEZA FARRELL, Ana: "Análisis experimental de la Curva de Laffer y la evasión fiscal en Bolivia": http://www.scielo.org.bo/pdf/rlde/n24/n24_a06.pdf

ARIÑO ORTIZ, Gaspar: "Principios de Derecho Público Económico. Modelo de Estado, Gestión Pública, Regulación Económica" Universidad Externado de Colombia. Fundación de Estudios de Regulación (Madrid). Colombia 2003.

ATENCIO VALLADARES, Gilberto: "El principio de no confiscación en materia tributaria", Instituto Colombiano de Derecho Tributario, Bogotá, 2016.

BLAKE, Paul y WADHWA, Divyanshi: "Resumen anual 2020: El impacto de la COVID-19 (coronavirus) en 12 gráficos.

BREWER-CARÍAS, Allan: "Las protecciones constitucionales y legales contra las tributaciones confiscatoria", Revista de Derecho Público Nos. 57 y 58, Editorial Jurídica Venezolana, Caracas, 1994.

CARMONA BORJAS, Juan Cristóbal: "Armonización Tributaria en Venezuela". Relator: Tema II de las X Jornadas de Derecho Tributario de la AVDT, Caracas, 2011.

DELPIAZZO, Carlos E: "Los Derechos Fundamentales y la Libertad Económica", presentado en Caracas, en el marco de las VII Jornadas Internacionales de Derecho Administrativo del año 2004.

GARCÍA ENTERRÍA, Eduardo: "Democracia, jueces y control de la Administración", Cívitas, Madrid, 1995.

HOLMES, Stephen & SUNSTEIN, Cass. "The Cost of Rights". Cambridge: Harvard University Press, 1999.

KORODY TAGLIAFERRO, Juan Esteban: "La interpretación y aplicación de las normas tributarias en el contexto de crisis económica: la paradoja de perseguir rentas fantasmas", Libro homenaje a los 50 años de la Asociación Venezolana de Derecho Tributario", AVDT -EJV, Caracas, 2020.

PALACIOS MÁRQUEZ, Leonardo: "Derechos Humanos y Tributación", Anais Das XX Jornadas Do Iladt. Ano 2000 – Salvador – Bahía, tema 1, Derechos Humanos y Tributación, ABDF, Salvador-Bahía, 2000.

_____: "Propuestas para una Reforma Tributaria en Venezuela". Relator: Tema I de las X Jornadas de Derecho Tributario de la AVDT, Caracas, 2011.

PLAZA VEGAS, MAURICIO: "Derecho de la Hacienda Pública y Derecho Tributario: Las ideas políticas de la hacienda pública". Temis, Bogotá, 2000,

ROMERO-MUCI, Humberto: "Los Derechos Humanos como condición de validez de los tributos", Revista de Derecho Tributario No. 163, Asociación Venezolana de Derecho Tributario, Caracas, 2019.

_____: "La disfunción del bolívar y la dolarización de facto de la economía <aspectos legales y fiscales>" en el libro homenaje al profesor Luis Cova Arria auspiciado por la Academia de Ciencias Políticas y Sociales. Versión electrónica compartida por el autor, ACIENPOL, Caracas, 2020.

VERMEULE, Adrian: A New Deal for Civil Liberties: An Essay in Honor of Cass R. Sunstein, 43 Tulsa L. Rev. 921 (2007).

EL DERECHO AL OCIO, ESPECIALMENTE EN TIEMPOS DE CONFINAMIENTO. ¿TIENE EL OCIO ALGUNA INCIDENCIA TRIBUTARIA?

ALBERTO BLANCO-URIBE QUINTERO*
Un ocioso confeso

SUMARIO

I. Introducción. II. El ocio como derecho humano, como faceta de la libertad. A) El ocio (¿qué realmente es?). B) El contenido esencial del derecho humano al ocio. C) El derecho al ocio en el derecho internacional de los derechos humanos. III. Erick Fromm, "El Miedo a la Libertad" y el confinamiento mental. Reflexión. IV. ¿Tiene el ocio alguna incidencia tributaria? V. Conclusiones. VI. Bibliografía.

I. INTRODUCCIÓN

El mundo de los derechos humanos es tremendamente vasto e inconmensurable, y lo es porque cuando hablamos de derechos humanos estamos indefectiblemente haciendo alusión a la libertad[1], en el más amplio posible de sus sentidos.

En esa perspectiva no es en balde que uno de los principios republicanos fundamentales, como lo es el principio de legalidad en el derecho privado afirme que la persona puede hacer todo aquello que no esté prohibido por la ley. Crucial principio que en la letra de nuestro ordenamiento jurídico venezolano podemos encontrar tras la lectura precisamente del dispositivo reconocedor y consagratorio de esa libertad, que es el artículo 20 de la Constitución (de 1999), al enunciar el derecho al libre desenvolvimiento de la personalidad, expre-

---

* Abogado egresado "Magna cum Laude" de la Universidad Central de Venezuela, con especialización en derecho administrativo por la misma Universidad; especialista en derecho ambiental y de la ordenación del territorio y en derecho público por la Universidad de Estrasburgo –antes Robert Schuman- (Francia); y especialista en justicia constitucional y en derechos humanos y garantías constitucionales por la Universidad de Castilla-La Mancha (España). Profesor de derecho constitucional y de derechos humanos en pre y postgrado en las Universidades Central de Venezuela y Católica Andrés Bello. albertoblancouribe@gmail.com / Tw e Ig @AlbertoBUQ.

[1] Asumimos sin complicación una idea simple y general sobre lo que es la libertad, siguiendo el Diccionario de la Real Academia de la Lengua Española: "Facultad natural que tiene el hombre de obrar de una manera o de otra, y de no obrar, por lo que es responsable de sus actos" https://dle.rae.es/libertad?m=form (consultada en agosto 2020).

sando que *"Toda persona tiene derecho al libre desenvolvimiento de su personalidad, sin más limitaciones que las que derivan del derecho de las demás y del orden público y social"*. Y hablamos de reconocer, pues en el constitucionalismo moderno se parte de la idea de que toda persona nace libre, como bien lo establece el artículo 1 de la Declaración de los Derechos del Hombre y del Ciudadano[2], de 1789, y lo reitera el artículo 1 de la Declaración Universal de los Derechos Humanos[3], de 1948. La libertad es un tema ontológico y no de derecho positivo.

Es decir que la libertad es la regla y la restricción al comportamiento humano es la excepción. Y obviamente dentro de aquel universo del poder hacer, en una suerte de equidad intergeneracional consigo mismo (y en observación del otro), se encuentra todo lo que la memoria registra que se ha realizado en el pasado, todo lo que se percata el ser que está llevando a cabo en el presente, y todo lo que solamente la necesidad, la voluntad y la creatividad determinarán que efectúe en el futuro, con límite únicamente en las justificadas y legítimas restricciones legales y en la esfera de libertad del otro (*"la libertad de uno llega hasta donde empieza la del otro"*), con cuya interacción civilizadamente podemos vivir en sociedad, evidentemente en una sociedad libre y democrática.

Asimismo, como garantía de lo anterior y partiendo del principio de separación de poderes[4], contamos con el principio de legalidad en el derecho público[5], acorde con el cual el funcionario público (mejor catalogable de servidor público), el órgano público y en definitiva el ente público, es decir, el poder público en cualquiera de sus manifestaciones, nada más puede llevar a cabo aquello que previamente la norma constitucional, legal o reglamentaria le faculta explícitamente a hacer, y siguiendo los procedimientos que la norma jurídica precisa para poder usar sus atribuciones correspondientes.

Sobre estos dos pilares, que son los principios de legalidad en el derecho privado y en el derecho público, se construye la idea de libertad desde la Constitución, la cual es en sí misma un acto de libertad, en el que las personas, en ejercicio del poder constituyente, instituyen el poder público como un instrumento al servicio de ellas y en resguardo de sus libertades. Esta idea debería estar clara, a partir de la consideración de los actos fundacionales de la Repú-

---

[2] https://www.conseil-constitutionnel.fr/sites/default/files/as/root/bank_mm/espagnol/es_ddhc.pdf (consultada en agosto 2020).

[3] https://www.un.org/es/documents/udhr/UDHR_booklet_SP_web.pdf (consultada en agosto 2020).

[4] Artículo 136 constitucional: *"El Poder Público se distribuye entre el Poder Municipal, el Poder Estadal y el Poder Nacional. El Poder Público Nacional se divide en Legislativo, Ejecutivo, Judicial, Ciudadano y Electoral.*
Cada una de las ramas del Poder Público tiene sus funciones propias, pero los órganos a los que incumbe su ejercicio colaborarán entre sí en la realización de los fines del Estado".

[5] Artículos 137 y 141 constitucionales: *"La Constitución y la ley definirán las atribuciones de los órganos que ejercen el Poder Público, a las cuales deben sujetarse las actividades que realicen",* y *"La Administración Pública está al servicio de los ciudadanos y ciudadanas y se fundamenta en los principios de honestidad, participación, celeridad, eficacia, eficiencia, transparencia, rendición de cuentas y responsabilidad en el ejercicio de la función pública, con sometimiento pleno a la ley y al derecho".*

blica, contenidos en el Acta de la Declaración de Independencia, en la Declaración de los Derechos del Pueblo y en la Constitución inicial, todo ello de 1811, principistamente motivados por el constitucionalismo moderno inspirado en la Declaración del Buen Pueblo de Virginia de 1776 y en la Declaración de los Derechos del Hombre y del Ciudadano de 1789, pues tal como expresa el artículo 16 de esta última: *"Una sociedad en la que no esté establecida la garantía de los derechos, ni determinada la separación de los poderes, carece de Constitución"*.

Y en refuerzo de ello, nuestra Constitución consagra, además, el principio de supremacía de la Constitución[6], complementado con todo un sistema mixto (concentrado y difuso) de control de constitucionalidad, y el principio de preeminencia de los derechos humanos[7], evidentemente sobre toda otra consideración, de la naturaleza que sea, donde se pudiera observar beligerancia entre ella y cualquiera de los derechos humanos, pues éstos están revestidos de una protección de efecto dominó, en virtud del principio de interdependencia de los derechos humanos, los cuales, por otro lado, han de ser siempre interpretados de la manera más favorable a la libertad, en razón de los principios de progresividad de los derechos humanos, *"in dubio pro libertas"*, *"favor libertatis"* y *"pro homine"*, siendo su tutela obligación del Estado[8].

Y por lo que respecta a la conexión con el futuro, se prevé también la cláusula del *"numerus apertus"*[9], de manera que todo derecho humano que lo sea precisamente por ser inherente a la persona humana, que sea sentido, descubierto y reivindicado en su momento, queda de inmediato sujeto a este régimen garantista que cuenta con la acción de amparo constitucional y con la petición de protección internacional ante los organismos supranacionales de resguardo de los derechos humanos, previstos en los tratados internacionales ratificados por la República, a los que se les reconoce jerarquía constitucional[10], debiendo sus previsiones ser aplicadas con preferencia si son más favorables a la libertad que las establecidas en la Constitución.

---

[6] Artículo 7: *"La Constitución es la norma suprema y el fundamento del ordenamiento jurídico. Todas las personas y los órganos que ejercen el Poder Público están sujetos a esta Constitución"*.

[7] Artículo 2: *"Venezuela se constituye en un Estado democrático y social de Derecho y de Justicia, que propugna como valores superiores de su ordenamiento jurídico y de su actuación, la vida, la libertad, la justicia, la igualdad, la solidaridad, la democracia, la responsabilidad social y en general, la preeminencia de los derechos humanos, la ética y el pluralismo político"*.

[8] Artículo 19: *"El Estado garantizará a toda persona, conforme al principio de progresividad y sin discriminación alguna, el goce y ejercicio irrenunciable, indivisible e interdependiente de los derechos humanos. Su respeto y garantía son obligatorios para los órganos del Poder Público de conformidad con la Constitución, los tratados sobre derechos humanos suscritos y ratificados por la República y las leyes que los desarrollen"*.

[9] Artículo 22: *"La enunciación de los derechos y garantías contenidos en esta Constitución y en los instrumentos internacionales sobre derechos humanos no debe entenderse como negación de otros que, siendo inherentes a la persona, no figuren expresamente en ellos"*.

[10] Artículo 23: *"Los tratados, pactos y convenciones relativos a derechos humanos, suscritos y ratificados por Venezuela, tienen jerarquía constitucional y prevalecen en el orden interno, en la medida en que contengan normas sobre su goce y ejercicio más favorables a las establecidas por esta Constitución y la ley de la República, y son de aplicación inmediata y directa por los tribunales y demás órganos del Poder Público"*.

Todo lo anterior ha sido menester recordar, de manera de tener *"grosso modo"* presente al espíritu la trascendencia que nuestra Constitución concede a la libertad, es decir, a los derechos humanos (y también la magnitud de la violación sistemática de ese mecanismo de protección, por parte del régimen autoritario y criminal instalado en el país, como lo ha reconocido públicamente la Comisión Interamericana de Derechos Humanos y el Alto Comisionado de Naciones Unidas para los Derechos Humanos, en sus respectivos informes anuales país, a más del sentir sufrido cotidiano de las personas en Venezuela).

Empero (y dejando de lado la brutal coyuntura que vive el país a causa precisamente de la actuación de ese régimen criminal, salvaje y autoritario), es fundamental reconocer que, si bien el goce de los derechos humanos es irrenunciable, en el sentido por ejemplo de que no podría una persona ir a una notaría pública a firmar un documento en el cual declare que renuncia a su derecho a la integridad personal aceptando todo tipo de maltrato o tortura, etc., nada obliga a una persona a ejercer sus derechos humanos si no lo desea. Es decir, se es libre para hacer lo que no está prohibido y se es libre igualmente para no hacerlo. Tengo libertad de expresión, pero puedo no opinar, nada decir. Tengo derecho a manifestar, pero puedo quedarme en casa. Tengo derecho a reunión, pero puedo ser solitario...

Puedo decidir libremente no hacer lo que puedo hacer. Por supuesto que estamos aquí ignorando los deberes constitucionales y legales, pues es otro tema y resulta impertinente a nuestro propósito actual.

Ahora bien, semejante inacción podría deberse a que se opta por hacer otra cosa cuya ejecución en simultáneo es imposible y la persona prioriza. Por ejemplo, tengo derecho a la información, y para satisfacerlo deseo leer un libro, que por otro lado pudiera también implicar cumplir con mi derecho a la educación o con mi derecho a la recreación, pero un dolor de cabeza se impone de modo de atender mi derecho a la salud. Esa habría sido una decisión libre, aunque con intervención de circunstancias determinadoras, como ocurre también en el caso en que deseo nadar para ejercer mi derecho al deporte, pero me han fijado un acto de pruebas y deseo igual ejercer mi derecho al debido proceso. O no obstante mi deseo de ejercer mi derecho de acceso a la cultura en este momento, debo dejarlo para el fin de semana, ya que entre semana deseo satisfacer mi derecho al trabajo.

Como vemos, de cierta manera la vida en sociedad delimita bastante el ejercicio de nuestros derechos y ello no es malo si es equilibrado y permite que la persona ejerza de una u otra forma todos sus derechos o aquellos que le apetezca.

Sin embargo, este no hacer no responde siempre a una decisión libre, aunque las apariencias engañen, pues muchas veces, más de las que deberían ser, las personas, en ausencia de las trabas habituales al ejercicio de sus derechos o a muchos de ellos, entran en una especie de limbo auto paralizante, por diversos factores de índole interna o mental, que les impide ser libres, incluso cuando más podrían serlo.

Algo así, "*mutatis, mutandis*", a cuando tras la abolición de la esclavitud en los Estados Unidos de América, los antiguos esclavos regresaban en cantidades a las plantaciones de algodón en donde habían sido totalmente privados de su dignidad humana, pues no sabían qué hacer o no encontraban dentro de si la fuerza creativa necesaria para ejercer su recientemente adquirida libertad.

¿Y el ocio a todas estas?

II. EL OCIO COMO DERECHO HUMANO, COMO FACETA DE LA LIBERTAD

A) EL OCIO (¿QUÉ REALMENTE ES?)

Es fundamental, ante todo, partir de la idea cierta de que el derecho al ocio **es** un derecho humano, como veremos, y de que, como tal, a más de gozar del régimen protector y del estatus preeminente destacados en la introducción, resulta plenamente interdependiente del derecho humano que yo califico como "*derecho humano madre*", vale decir del derecho al libre desenvolvimiento de la personalidad.

En efecto, tal como su propia enunciación lo evoca, el derecho al libre desenvolvimiento de la personalidad conlleva a la auto determinación o al auto diseño que la persona humana está llamada a concebir y a materializar en sí y de sí misma, en todos los aspectos y ámbitos de su acontecer vital. Su forma de pensar, de expresarse, de vestir y gesticular, la definición de su imagen, etc., todo ello sin injerencias externas ni imposiciones del poder que perturben su dignidad como persona humana. Todo, como lo vimos en la transcripción de su dispositivo, con limitación solamente en el resguardo de los derechos de los demás y las restricciones fijadas en la ley en tutela de la convivencia pacífica.

Por supuesto, de existir en la Constitución una norma que dijera algo así como que "*todas las personas tienen derecho al ocio*", simplemente nos dedicaríamos a su entendimiento interpretativo. Pero como no es así, hemos de jugar con el sentido pleno del derecho al libre desenvolvimiento de la personalidad, aunado a la cláusula del "*numerus apertus*", y, evidentemente, a su interdependencia con otros derechos humanos que sí se encuentran explícitamente reconocidos en la Constitución y/o en tratados, recomendaciones o declaraciones internacionales sobre derechos humanos.

De esta forma, sin ser en absoluto exhaustivo sino meramente ilustrativo, y quedará ello más claro tras la lectura total de esta contribución, en la Constitución, a más del ya comentado derecho humano al libre desenvolvimiento de la personalidad, tenemos como muy cercanos al derecho humano al ocio, los siguientes derechos explícitamente reconocidos. En el artículo 60[11], se da cuenta del derecho humano a la protección de la vida privada, siendo que la libre elección en el uso que la persona quiera hacer de su tiempo libre y de su actividad de ocio dependen exclusivamente de su vida privada. Derecho ese que viene a su vez reforzado por el derecho a la protección del hogar doméstico y otros espacios privados, en el artículo 47[12]. En el artículo 50[13] se reconoce la libertad de tránsito, sin la cual el turismo sería imposible. En el artículo 83 se relacionan los derechos humanos a la salud (que es física, mental y espiritual) y a la calidad de vida[14]. En el artículo 98[15] se reconoce que la creación cultural es libre y se protege la propiedad intelectual sobre las obras del ingenio. Y para no extendernos demasiado, observemos que el artículo 112[16] alude a la libertad económica y a la obligación del Estado de fomentar la iniciativa privada, siendo que, si bien no es ello necesariamente siempre así, es totalmente factible, y los ejemplos abundan, que una actividad iniciada como ocio, pueda perfectamente mutarse en un modesto emprendimiento o incluso en una empresa fuente de trabajo y riqueza.

En este orden de ideas, tenemos que el ejercicio y goce pleno y efectivo del derecho al libre desenvolvimiento de la personalidad, se encuentra indisolublemente ligado tanto al bienestar emocional de la persona humana, como al disfrute de calidad de vida, que dentro del contexto del libre goce de todos y

---

[11] *"Toda persona tiene derecho a la protección de su honor, vida privada, intimidad, propia imagen, confidencialidad y reputación".*

[12] *"El hogar doméstico, el domicilio, y todo recinto privado de persona son inviolables. No podrán ser allanados, sino mediante orden judicial, para impedir la perpetración de un delito o para cumplir de acuerdo con la ley las decisiones que dicten los tribunales, respetando siempre la dignidad del ser humano".*

[13] *"Toda persona puede transitar libremente y por cualquier medio por el territorio nacional, cambiar de domicilio y residencia, ausentarse de la República y volver, trasladar sus bienes y pertenencias en el país, traer sus bienes al país o sacarlos, sin más limitaciones que las establecidas por la ley".*

[14] *"La salud es un derecho social fundamental, obligación del Estado, que lo garantizará como parte del derecho a la vida. El Estado promoverá y desarrollará políticas orientadas a elevar la calidad de vida, el bienestar colectivo y el acceso a los servicios. Todas las personas tienen derecho a la protección de la salud, así como el deber de participar activamente en su promoción y defensa, y el de cumplir con las medidas sanitarias y de saneamiento que establezca la ley, de conformidad con los tratados y convenios internacionales suscritos y ratificados por la República".*

[15] *"La creación cultural es libre. Esta libertad comprende el derecho a la inversión, producción y divulgación de la obra creativa, científica, tecnológica y humanística, incluyendo la protección legal de los derechos del autor o de la autora sobre sus obras. El Estado reconocerá y protegerá la propiedad intelectual sobre las obras científicas, literarias y artísticas, invenciones, innovaciones, denominaciones, patentes, marcas y lemas de acuerdo con las condiciones y excepciones que establezcan la ley y los tratados internacionales suscritos y ratificados por la República en esta materia".*

[16] *"Todas las personas pueden dedicarse libremente a la actividad económica de su preferencia, sin más limitaciones que las previstas en esta Constitución y las que establezcan las leyes, por razones de desarrollo humano, seguridad, sanidad, protección del ambiente u otras de interés social. El Estado promoverá la iniciativa privada, garantizando la creación y justa distribución de la riqueza, así como la producción de bienes y servicios que satisfagan las necesidades de la población, la libertad de trabajo, empresa, comercio, industria, sin perjuicio de su facultad para dictar medidas para planificar, racionalizar y regular la economía e impulsar el desarrollo integral del país".*

cada uno de los derechos humanos que le sean interdependientes en ciertas circunstancias, es precisamente el dominio en el cual el ocio juega un rol estelar.

¿El ocio? Sí, el ocio. Tal como lo está usted leyendo. Sólo que como ese concepto se encuentra muy generalmente imbuido de prejuicios por parte de la sociedad, resulta menester limpiarlo y devolverle su brillo.

Ya advirtió el genial Albert Einstein que es más fácil desintegrar un átomo que un prejuicio, pero debemos igual intentarlo.

Cuatro son las acepciones que el Diccionario de la Real Academia Española de la Lengua nos trae acerca del vocablo ocio[17], a saber:

"1. Cesación del trabajo, inacción o total omisión de la actividad.

2. Tiempo libre de una persona.

3. Diversión u ocupación reposada, especialmente en obras de ingenio, porque estas se toman regularmente por descanso de otras tareas.

4. Obras de ingenio que alguien forma en los ratos que le dejan libres sus principales ocupaciones".

No obstante, la mayoría de la gente ha hecho en el vocabulario y en la jerga común que se asuma corrientemente la primera acepción, aquella de la inacción u omisión de actividad, en combinación con la segunda, tiempo libre, que se suele leer como nada que hacer. Lo anterior empeora si vemos lo que el citado diccionario nos dice sobre los vocablos ocioso[18]: *"Desocupado, que no hace nada o carece de obligación que cumplir. Inútil, sin provecho ni fruto"*; ociosamente[19]: *"Sin ocupación o ejercicio. Sin fruto ni utilidad"*; ociosidad[20]: *"Situación o estado de quien está ocioso o desocupado. Condición de ocioso o inútil"*; vagancia[21]: *"Acción de vagar (estar ocioso)"*; y vagar[22]: *"Estar ocioso"*, pero también *"Tener tiempo y lugar suficiente o necesario para hacer algo"*.

En consecuencia, hay una serie de ideas preconcebidas que hacen ver de reojo cuando a alguien se le califica de ocioso o de vago, por asumir prejuiciosamente que está perdiendo el tiempo, que está sin hacer nada, inactivo y hasta inútil.

Y tales ideas se forjaron con el advenimiento de la era industrial, durante el Siglo XIX. En ese entonces (y hasta nuestros días, pues la cosa no cambió con las revoluciones mexicana y rusa[23] de 1917) la consigna fue producir al máximo, siendo lo único loable en la vida trabajar[24]. *"Ser un hombre productivo".* Es

---

[17] https://dle.rae.es/ocio?m=form (consultada en agosto 2020).
[18] https://dle.rae.es/ocioso?m=form (consultada en agosto 2020).
[19] https://dle.rae.es/ociosamente?m=form (consultada en agosto 2020).
[20] https://dle.rae.es/ociosidad?m=form (consultada en agosto 2020).
[21] https://dle.rae.es/vagancia?m=form (consultada en agosto 2020).
[22] https://dle.rae.es/vagar?m=form (consultada en agosto 2020).
[23] Recordemos la hoz y el martillo en la simbología de esta última.
[24] Ramón Escobar Alvarado, "El Sentido de la Política según Hannah Arendt", Diario El Nacional, Papel Literario, 24 de mayo de 2020, página 7, explica muy acertadamente que: *"La condi-*

grotesco y paradójico a la vez, con esta filosofía al extremo del sarcasmo o la ironía, que, en la tétrica entrada del campo de concentración y exterminio de Auschwitz, en Polonia, donde centenares de miles de personas fueron esclavizadas y masacradas por los nazis, el mensaje de recibimiento dijera: *"Arbeit Macht Frei"* (*"El Trabajo nos hace Libres"*)[25].

El tiempo libre era visto (y lo sigue siendo) como algo negativo. Salvo que ello se justificase con la necesidad de descansar, es decir, recuperarse para poder seguir siendo *"productivo"*. Cabría preguntarse si se trata de seres humanos o de baterías a recargar.

Costó y aún es difícil deslastrarse del prejuicio que afecta a la palabra ocio. ¿Cuántas veces hemos oído en la vida la triste expresión de que *"el ocio es el padre de todos los vicios"*?[26]

Es en este contexto no nos debe extrañar para nada que la Constitución hable del trabajo y de la educación como ¡deberes !!![27], no solo bajo esa perspectiva de ocupación *"productiva"*, sino incluso afirmando el incomprensible sinsentido de que la educación y el trabajo son los procesos necesarios para que el Estado cumpla su fin garantista de los derechos humanos[28]. ¡¡¡Que solemne disparate!!!: la obligación del Estado de garantizar el goce de los derechos humanos, siendo además que el cumplimiento de tal obligación se fija como fin

---

ción humana explica cómo la sociedad de masas, sustentada en la obsesión moderna con la producción y el crecimiento, reduce al hombre a un mero animal de trabajo y consumo, y destruye no solo lo público sino también lo privado (elimina su hogar y su lugar en el mundo para actuar y expresarse)7. Como señala el historiador israelí Yuval Noah Harari, la obsesión moderna con la producción y el crecimiento es un rasgo común tanto del capitalismo como del socialismo. La diferencia está en que la fórmula socialista consiste en la centralización estatal de los medios de producción. Arendt, Hannah: The Human Condition. University of Chicago Press, Chicago 1958". Y en la página 8: "Por libertad la teórica política se refiere más a la capacidad humana de generar nuevos comienzos que a la facultad de libre albedrío de elegir entre dos alternativas".

25 https://www.google.com/search?rlz=1C1AVFC_enFR823FR823&sxsrf=ALeKk01wtELP058C lwgma0JrquolIW6l_Q:1597216748080&source=univ&tbm=isch&q=campo+de+concentraci%C 3%B3n+de+auschwitz+letrero+entrada&sa=X&ved=2ahUKEwia0JeHkJXrAhWBAmMBHTqv CiMQsAR6BAgJEAE&biw=1600&bih=740#imgrc=CpSc0NfpV5MXPM (consultada en agosto 2020).

26 Al respecto testifican las reacciones obtenidas cuando presenté en sendas conferencias virtuales mis ideas acerca del derecho humano al ocio en tiempos de confinamiento, investigación que condujo a este artículo, destinadas a juristas, abogados, jueces, profesores de derecho y estudiantes universitarios, particularmente la organizada vía Zoom por la Asociación Euroamericana de Protección de los Derechos Fundamentales (ASDEFUN), y la efectuada estilo conversación con mi amigo y colega Roberto Hung Cavalieri, de www.Culturajuridica.org, visible en https://www.youtube.com/watch?v=wPLhCc6BHd8 (consultada en agosto 2020).

27 Artículos 87 y 102: "Toda persona tiene derecho al trabajo y *el deber de trabajar*" y "*La educación es* un derecho humano y *un deber social fundamental*".

28 Artículo 3: "El Estado tiene como fines esenciales la defensa y el desarrollo de la persona y el respeto a su dignidad, el ejercicio democrático de la voluntad popular, la construcción de una sociedad justa y amante de la paz, la promoción de la prosperidad y bienestar del pueblo y la garantía del cumplimiento de los principios, derechos y deberes consagrados en esta Constitución. *La educación y el trabajo son los procesos fundamentales para alcanzar dichos fines*".

o cometido estatal, se plantea como subordinada a que las personas trabajen y estudien. ¿Qué es eso?

Sin embargo, y volviendo a lo nuestro, el reputado diccionario nos muestra también la maravillosa idea tan escondida e ignorada en estos vocablos, que es la de divertirse mediando una actividad en la cual se desarrolla el ingenio, cuando se cuenta con tiempo para ello, gracias al hecho de estar libres de las ocupaciones habituales.

Lejos de una inactividad o de un no hacer, se trata el estar ocioso de una actividad, de un hacer, donde se pone en uso el ingenio y la creatividad, con resultado provechoso y con esparcimiento o diversión en la ejecución.

Es por ello además que no debe confundirse el ocio con el descanso. El ocio es activo y proactivo mientras que el reposo suele ser pasivo y siempre busca una finalidad recuperatoria, reparadora o restaurativa. Son pues muy distintos el derecho al ocio y el derecho al descanso.

Así, y hay que tener cuidado con eso, además de trabajar y en consecuencia de descansar, el ser humano tiene la necesidad de alcanzar otros cometidos útiles para sí y para la sociedad.

Es en el ocio y solamente en el ocio donde podemos permitir que emerjan las facetas humanas que no están sujetas al imperativo de la producción y que hacen con diversión brotar el ingenio y la creatividad de la persona, en simultáneo ejercicio interdependiente del derecho al libre desenvolvimiento de la personalidad. En ello se juega lo esencial de nuestra libertad[29].

Podemos ahora afirmar que *"el ocio es el padre de todas las virtudes"*. Y en demostración de ello pensemos en la magnífica obra de tantos ociosos de la humanidad, como lo fue por ejemplo Leonardo Da Vinci.

Debería entonces la sociedad, y particularmente el sistema económico, para su propio bien, fomentar el ocio. Empero, su actuación es otra y es generadora de frustración, como lo podemos apreciar de este análisis del pensador Bertrand Russell: si un grupo de fábricas produce todos los alfileres que requiriese el país, empleando 100 trabajadores durante 8 horas diarias, y resulta que surge una tecnología que permite generar la misma producción pero en la mitad del tiempo, sobreviene un despido masivo de trabajadores, siendo que lo conducente sería reducir la jornada de trabajo a la mitad, manteniendo el mismo número de trabajadores, con el mismo margen de ganancia, teniendo los trabajadores la posibilidad de dedicar esa otra mitad del tiempo a actividades ociosas.

---

[29] https://lamenteesmaravillosa.com/el-ocio-un-derecho-y-un-deber/ (consultada en agosto 2020).

B) EL CONTENIDO ESENCIAL
DEL DERECHO HUMANO AL OCIO

La aproximación que hemos hecho acerca del significado positivo y enriquecedor de la palabra ocio nos pone de manifiesto su indefectible vinculación con la disposición efectiva de tiempo libre, lo cual nos invita a presentar una aceptable clasificación del tiempo de una persona, que encontramos en fuentes autorizadas[30]. Veamos:

El tiempo de una persona puede entonces ser clasificado en tiempo no disponible y tiempo disponible[31].

El tiempo no disponible, por una parte, viene dado por aquel en el cual la persona se encuentra obligada a atender ciertas ocupaciones a las que se ha constreñido por decisión propia (aunque sin duda en gran medida compelida por la presión de la comunidad y las exigencias socio económicas que caracterizan nuestro modo de vida), por razones naturales o de salud, o en virtud de mandato legal.

En este grupo del tiempo no disponible nos tropezamos, obviamente, primero, con el trabajo remunerado, trátese de profesiones liberales, relación de dependencia, empresariado y negocios y hasta los nuevos emprendimientos, gran parte de las veces movidos por aquellos llamados *"debo mantener a mi familia"* y *"debo ofrecer un buen nivel de vida a mi familia"*, y con el muchas veces desconocido o ignorado trabajo doméstico. Y esto, con independencia de que exista o no satisfacción vocacional o gusto por lo que se hace.

Y segundo, con la educación, con lo que hacemos referencia a la educación formal o escolarizada, siendo la persona prestataria del sistema educativo, casi siempre la persona motivada con la idea de que *"tengo que estudiar para llegar a ser alguien en la vida"*. Evidentemente la doctrina había tradicionalmente pensado en la educación presencial, horarios de clase, etc., pero hoy en día debe también incluirse el tiempo derivado de los programas educativos virtuales, en línea o a distancia, gracias a Internet.

Dentro de este tiempo no disponible se debe incluir lo para laboral o para educativo, que comprende el tiempo destinado a desplazamientos de la casa al trabajo y a otros lugares con ocasión al trabajo, o de la casa a los centros educativos, bibliotecas, otros; el tiempo consagrado a la búsqueda de empleo, entrevistas de trabajo, etc.

Finalmente, el tiempo no disponible absorbe también lo relativo a obligaciones no laborales ni educativas, tales como las de orden biológico básico,

---

[30] https://eala.files.wordpress.com/2011/02/pedagogc3ada-del-ocio.pdf (consultada en agosto 2020).

[31] Partiendo de Josué Llull Peñalba, "Pedagogía del ocio" https://eala.files.wordpress.com/2011/02/pedagogc3ada-del-ocio.pdf (consultada en agosto 2020).

como comer, dormir, exigencias fisiológicas y descansar (nótese que el descanso es tiempo no disponible al contrario del ocio); otras referidas al campo de la salud, donde entran las citas, consultas y tratamientos médicos, exámenes de laboratorio, compra de medicinas; y otras que han sido calificadas de obligaciones sociales, que presuponen los trámites diversos ante las autoridades públicas (notarías, registros, tribunales, alcaldías, ministerios, administraciones tributarias, etc.),

Y por la otra parte, tenemos el tiempo disponible por la persona, dentro del que a su vez nos tropezamos con varias posibilidades que se subclasifican en ocupaciones autoimpuestas y en tiempo libre propiamente dicho.

Así, la persona comienza a usar de su tiempo disponible sujetándose a obligaciones que emanan de su propia voluntad, conocidas entonces como ocupaciones autoimpuestas, dentro de las que destacan las actividades religiosas (tiempo dedicado a la oración o a la asistencia a ceremonias y ritos en los templos); las actividades voluntarias de tipo social o de solidaridad (membresía más o menos activa en organizaciones no gubernamentales, asociaciones vecinales, ambientalistas, de consumidores, gremiales, sindicales, instituciones asociativas académicas -como la Asociación Venezolana de Derecho Tributario AVDT-, fundaciones, militancia política, etc.); y las actividades de formación institucionalizada (inscripción y participación presencial o virtual en cursos varios y de niveles diversos, por ejemplo de idiomas, de cocina, de música, de fotografía y un larguísimo etcétera).

Yo particularmente pienso que las actividades de recreación pueden ser incluidas aquí, pues son de libre elección dentro del tiempo libre, sean físicas o deportivas, o intelectuales, juegos de mesa, cine, teatro, turismo, aunque obviamente la interdependencia las hace acercarse al descanso, y a otros derechos humanos, incluido el ocio, según sean las circunstancias.

Y en cuanto concierne al tiempo libre propiamente dicho, tenemos tres posibilidades: en primer lugar las ocupaciones denominadas no autotélicas[32], es decir, aquellas que si bien son de libre elección de la persona no constituyen una finalidad en sí mismas ni implican placer en su ejecución, donde podemos ejemplificar el tiempo transcurrido en un solárium para broncearse o donde el costurero tomando las medidas de un traje, pues el cometido es posterior a la actividad: lucir una piel de un matiz pretendidamente más atractivo o sentirse bien vestido para una ocasión en particular.

---

[32] https://sites.google.com/site/aprenderafluir2295/aprender-a-fluir/la-experiencia-autotelica (consultada en agosto 2020): "En su raíz etimológica, la palabra *autotélica* viene de los vocablos griegos *auto* y *telos* que significan, respectivamente, *"en sí mismo"* y *"finalidad"*. Una experiencia autotélica es aquella en la que la recompensa obtenida se deriva del mismo acto de realizar la actividad. Es decir, la atención de quien la experimenta se centra en la actividad en sí misma y no en sus posibles consecuencias".

En segundo lugar, se ubica el tiempo libre estéril o desocupado, en donde la persona se deja subsumir por el aburrimiento y el tedio. Recordemos aquellos adolescentes que con frecuencia se lamentan de *"que fastidio, me aburro"*. Una total inactividad completamente inútil, o si se quiere una perdedera irrecuperable de tiempo[33]. Sólo habría que advertir que no se incluye en este grupo a las personas cuya inactividad viene como consecuencia de un padecimiento grave como depresión, crisis de estrés o angustia, algún tipo de discapacidad temporal u otro, que requieren de ayuda profesional. Por otro lado, son conocidos y recurrentes los casos de apatía, desidia, desmotivación, dejadez, baja autoestima o ausencia de confianza en sí mismo, temores, que sólo requerirían de alguien (padres, amigos, maestros, profesores, etc.) o algo (una película, una lectura, una frase, una situación, etc.), que estimule su amor por la vida y los convide entonces al actuar.

Y en último lugar hallamos al ocio, que además de las definiciones del diccionario, consiste en la realización de actividades autotélicas, que en consecuencia son entonces valiosas en sí mismas, estimulantes y divertidas.

Así, el ocio, independientemente de la actividad concreta de que se trate, consiste en utilizar el tiempo libre mediante una ocupación autotélica y autónomamente elegida y realizada, cuyo desarrollo resulta satisfactorio y/o placentero para el individuo.

Valga insistir en que no se debe confundir el derecho al ocio con los derechos al descanso y a la recreación. El descanso es no disponible, mientras que el ocio y la recreación son tiempo disponible. El ocio ha de ser recreativo o satisfactorio, pero la recreación no tiene por qué ser creativa, ni creadora ni ingeniosa, aunque sí divertida.

El derecho al descanso, ya lo dijimos, es la contrapartida del trabajo o de la educación, es un recargarse para volver a esas actividades de tiempo no disponible, y también a las actividades de tiempo disponible de obligaciones autoimpuestas. El derecho a la recreación es ya algo distinto, pues el sentido común te dice que para poder recrearte debes estar descansado. Sin embargo, algunos aproximan una idea de la otra, y ven al recreo como una forma de descanso, por lo que incluyen allí a las actividades deportivas o de esparcimiento dentro de la empresa. Claro que siempre bajo esa idea de dejar el ocio de lado, para que la gente sea *"productiva"*.

El derecho al ocio va más lejos, exige en su ejercicio satisfacción, diversión, creatividad e ingenio, y para ello se debe estar descansado. No olvidemos que esa particularidad de la satisfacción y la diversión acerca la recreación al ocio,

---

[33] Los niños, como los animales, jamás se aburren, pues siempre encuentran que hacer: la vida es un juego que no desean perderse. Los adolescentes pasan por esto en su proceso de reencontrarse en el mundo y definirse. Muchos adultos retornan repetitivamente a la adolescencia, y otros afortunadamente rescatan su niño interno.

pero éste se separa de aquella cuando requiere que haya ingenio, creatividad y hasta utilidad, lo cual podría desembocar en una obra literaria, pictórica, en una fórmula química, en una mejor tecnología, etc.

En este sentido, el contenido esencial del derecho al ocio exige tres condiciones:

a. Libre elección-voluntariedad: que es la libertad de la persona para decidir qué quiere hacer dentro de una variedad de opciones a elegir, que requieren de su ingenio y de su creatividad, debiendo la persona interesada experimentar efectivamente un sentimiento subjetivo de autonomía y creación.

b. Vivencia placentera-satisfacción: La actividad desarrollada debe ser vivida con placer, diversión.

c. Deseable por sí misma (autotelismo) y con carácter final: No en función de lo que se pueda o no obtener posteriormente (libro, cuadro, escultura, invento, mejora en habilidades, mejora terapéutica...).

Sólo en presencia de estos tres elementos concomitantes podemos hablar de que la persona está ejerciendo su derecho humano al ocio.

En esta perspectiva, resulta muy pertinente y oportuno ejemplificar lo que se viene exponiendo con la realización misma de este artículo. En efecto, en mi caso particular (y en el de muchos otros colegas investigadores, juristas y profesores), este tipo de actividad académica bien sea la redacción de un trabajo escrito como éste, cuya lectura me honra y agradezco, o el dictado de una conferencia o la presentación de una ponencia con ocasión de un congreso, seminario o taller, es sin lugar a la menor duda, una actividad ociosa. Puedo entonces evocar aquí el ingenio y la diversión al preparar y ejecutar las intervenciones y filmar los videos para todas las Jornadas Nacionales de Derecho Tributario y las Jornadas Procesales Tributarias de la AVDT en las que he tenido el honor de participar. Incluso, en muchos casos la intervención en la misma organización de uno cualquiera de tales eventos académicos resulta también una actividad ociosa.

Y estas actividades académicas implican ocio en virtud de no tratarse de trabajo, pues no hay remuneración ni obligación, ni ser otra actividad de tiempo no disponible. Se trata de actividades de libre elección (tras una gentil invitación) ejecutadas en mi tiempo disponible. Son de naturaleza autotélica, pues generan satisfacción en sí mismas y divierten con su mera realización, pues que se lea, si es un escrito, o que se oiga o se vea, si es una intervención oral o un video, y que se aprecie, son circunstancias que escapan a la voluntad del autor, y que representan un plus, también satisfactorio claro está, pero independiente, azaroso, subsiguiente o posterior. Y, además, ponen en juego el desarrollo del ingenio creativo.

C) El derecho al ocio en el derecho internacional de los derechos humanos

En contraste con la ausencia que apreciamos de norma explícita sobre este derecho humano en la normativa constitucional, el derecho internacional de los derechos humanos nos da cuenta de redacciones más precisas.

En este orden de ideas, hacemos una selección muy puntual partiendo primero del Sistema Universal de Protección de los Derechos Humanos, donde encontramos que la Declaración Universal de los Derechos Humanos (ya citada) de 1948, en su artículo 24, reconoce que: *"Toda persona tiene derecho al descanso, al disfrute del tiempo libre, a una limitación razonable de la duración del trabajo y a vacaciones periódicas pagadas"*.

Y por su parte, el Pacto Internacional de los Derechos Económicos, Sociales y Culturales[34] de 1966, en su artículo 7.d, expresa que: *"Los Estados Parte en el presente Pacto reconocen el derecho de toda persona al goce de condiciones de trabajo equitativas y satisfactorias que le aseguren en especial: ... d) El descanso, el disfrute del tiempo libre, la limitación razonable de las horas de trabajo y las vacaciones periódicas pagadas, así como la remuneración de los días festivos"*.

Como puede fácilmente apreciarse de la simple lectura de estas dos disposiciones internacionales, si bien es de suyo positivo que se mencione explícitamente el derecho al disfrute del tiempo libre, dentro del cual según vimos entra el ocio, aparece evidente que aún se lo coloca como contraposición, como equilibrio, o como balance, en relación al cumplimiento de las obligaciones laborales o como contrapartida del trabajo, bajo la idea de que las condiciones de trabajo deben ser tales, en cuestión de restricción de los horarios, que permitan a la persona descansar y también disponer de tiempo libre.

Por supuesto que la concepción del trabajo y de la actividad *"productiva"*, como lo principal, se encuentra palmaria y patente en estas redacciones normativas. Empero, es trascendental y fuertemente buen impulsor de la labor interpretativa, que se reconozca expresamente que la persona humana tiene derecho al tiempo libre, es decir, tiene derecho al ocio, obviamente como algo distinto del descanso, a lo cual también tiene derecho.

Por otro lado, no son desdeñables las diversas y constantes investigaciones que instituciones especializadas del sistema onusiano llevan a cabo acerca de la relación estrecha entre el ocio y sus respectivas áreas de actuación, lo que ha conducido al dictado de cuantiosas declaraciones, recomendaciones y convenciones (cuyo detalle ameritaría muchas páginas más), como podemos apreciar de los documentos emanados, por ejemplo, de la Organización de las Naciones Unidas para la Educación, la Ciencia y la Cultura (UNESCO), en lo que con-

---

[34] https://www.ohchr.org/Documents/ProfessionalInterest/cescr_SP.pdf (consultada en agosto 2020).

cierne a la educación al ocio o la pedagogía del ocio, o al acceso a la cultura en todas sus manifestaciones y la protección de las expresiones culturales. Y lo propio cabe decir de la Organización Mundial del Turismo (OMT), en cuanto a la tremenda cercanía que hay entre los conceptos de recreación y de ocio, que hace que en muchas actividades turísticas ambos se encuentren indisolublemente ligados. Piénsese en el caso del turismo de aventura o mejor aún el del turismo exploratorio, no pocas veces vinculado también a lo cultural. Todo ello, en medio del ingenio y la diversión, puede conducir a descubrimientos, invención de nuevas técnicas, etc.

En este dominio universal va lúcidamente evidenciándose la interdependencia entre el derecho al ocio y el derecho humano al libre acceso a la cultura, en el sentido indicado, cuando la Convención sobre los Derechos del Niño[35], de 1989, en su artículo 31.1 establece que: *"Los Estados Parte reconocen el derecho del niño al descanso y el esparcimiento, al juego y a las actividades recreativas propias de su edad y a participar libremente en la vida cultural y en las artes"*.

Finalmente, aparece de suyo fundamental citar, a título de fuente del derecho internacional público de los derechos humanos, como "Soft Law", los avances en la materia de la Asociación Mundial del Ocio y la Recreación (WLRA), que es una organización no gubernamental internacional (ONGI) vinculada con la Organización de las Naciones Unidas (ONU), dentro de los cuales es menester citar la Carta del Ocio[36], de 1971, cuyo artículo 1 expresa (con la mejor redacción hasta el momento) que: *"El Ocio es un derecho básico del ser humano. Se sobreentiende, por eso, que los gobernantes tienen la obligación de reconocer y proteger tal derecho y los ciudadanos de respetar el derecho de los demás. Por lo tanto, este derecho no puede ser negado a nadie por cualquier motivo, credo, raza, sexo, religión, incapacidad física o condición económica"*.

También la Declaración de Sao Paulo "El Ocio en la sociedad globalizada"[37], de 1998, donde el artículo 2 indica que: *"Todas las personas tienen derecho al ocio y la recreación por medio de acciones políticas y económicas sostenibles e igualitarias"*.

E igualmente la Carta Internacional para la Educación del Ocio[38], de 1993, que tras avanzar sobre los esfuerzos de la Declaración de Malta sobre el Derecho del Niño al Juego, la Carta sobre Tiempo Libre Pedagógico de la Asociación Europea de Ocio y Recreación (Carta Freizeitpedagogik), la Carta del Ocio, la Carta de Ottawa sobre Promoción de la Salud y la Declaración sobre "Ocio, Turismo y Medio Ambiente", la cual contiene un considerando sobre el ocio que resume espléndidamente la trascendencia social que tiene y su in-

---

[35] https://www.ohchr.org/SP/ProfessionalInterest/Pages/CRC.aspx (consultada en agosto 2020).
[36] http://www.redcreacion.org/documentos/cartaocio.html (consultada en agosto 2020).
[37] http://www.redcreacion.org/documentos/declaracionsp.html (consultada en agosto 2020).
[38] http://www.asocacionotium.org/wp-content/uploads/2017/01/carta-de-la-educacion-del-ocio.pdf (consultada en agosto 2020).

terdependencia con otros derechos humanos fundamentales: *"2.1. El ocio se refiere a un área específica de la experiencia humana, con sus beneficios propios, entre ellos la libertad de elección, creatividad, satisfacción, disfrute y placer, y una mayor felicidad. Comprende formas de expresión o actividad amplias cuyos elementos son frecuentemente tanto de naturaleza física como intelectual, social, artística o espiritual. 2.2. El ocio es un recurso importante para el desarrollo personal, social y económico y es un aspecto importante de la calidad de vida. El ocio es también una industria cultural que crea empleo, bienes y servicios. Los factores políticos, económicos, sociales, culturales y medio ambientales pueden aumentar o dificultar el ocio. 2.3. El ocio fomenta una buena salud general y un bienestar al ofrecer variadas oportunidades que permiten a individuos y grupos seleccionar actividades y experiencias que se ajustan a sus propias necesidades, intereses y preferencias. Las personas consiguen su máximo potencial de ocio cuando participan en las decisiones que determinan las condiciones de su ocio. 2.4. El ocio es un derecho humano básico, como la educación, el trabajo y la salud, y nadie debería ser privado de este derecho por razones de género, orientación sexual, edad, raza, religión, creencia, nivel de salud, discapacidad o condición económica. 2.5. El desarrollo del ocio se facilita garantizando las condiciones básicas de vida, tales como seguridad, cobijo, comida, ingresos, educación, recursos sostenibles, equidad y justicia social. 2.6. Las sociedades son complejas y están interrelacionadas y el ocio no puede desligarse de otros objetivos vitales. Para conseguir un estado de bienestar físico, mental y social, un individuo o grupo debe ser capaz de identificar y lograr aspiraciones, satisfacer necesidades e interactuar de forma positiva con el entorno. Por lo tanto, se entiende el ocio como recurso para aumentar la calidad de vida. 2.7. Muchas sociedades se caracterizan por un incremento de la insatisfacción, el estrés, el aburrimiento, la falta de actividad física, la falta de creatividad y la alienación en el día a día de las personas. Todas estas características pueden ser aliviadas mediante conductas de ocio. 2.8. Las sociedades del mundo están experimentando profundas transformaciones económicas y sociales, las cuales producen cambios significativos en la cantidad y pauta de tiempo libre disponibles a lo largo de la vida de los individuos. Estas tendencias tendrán implicaciones directas sobre varias actividades de ocio, las cuales, a su vez, influirán en la demanda y la oferta de bienes y servicios de ocio"*.

Por último, y ya en el campo del Sistema Interamericano de Protección de los Derechos Humanos, la Declaración Americana de los Derechos y Deberes del Hombre[39], de 1948, reconoce en su artículo 15 que: *"Toda persona tiene derecho a descanso, a honesta recreación y a la oportunidad de emplear útilmente el tiempo libre en beneficio de su mejoramiento espiritual, cultural y físico"*.

Y el Protocolo de San Salvador Adicional a la Convención Americana de los Derechos Humanos[40], de 1988, en su artículo 7, referido a *"Condiciones Justas, Equitativas y Satisfactorias de Trabajo"*, expresa que *"Los Estados partes en el presente Protocolo reconocen que el derecho al trabajo al que se refiere el artículo anterior*

---

[39] https://www.oas.org/dil/esp/Declaraci%C3%B3n_Americana_de_los_Derechos_y_Deberes_del_Hombre_1948.pdf (consultada en agosto 2020).

[40] https://www.cidh.oas.org/Basicos/basicos4.htm (consultada en agosto 2020).

supone que toda persona goce del mismo en condiciones justas, equitativas y satisfactorias, para lo cual dichos Estados garantizarán en sus legislaciones nacionales, de manera particular: ... h. el descanso, el disfrute del tiempo libre, las vacaciones pagadas, así como la remuneración de los días feriados nacionales".

Valga reproducir aquí el comentario hecho en cuanto a la Declaración Universal, sólo que a pesar de ser del mismo año ésta, sin duda, sin tener una redacción explícita al respecto de nuestro tema, expresa más atinada y casi omnicomprensivamente el punto del derecho al ocio, al calificar ese tiempo libre de útil y vincularlo al mejoramiento espiritual, cultural y físico de la persona, es decir, al libre desenvolvimiento de su personalidad.

III. ERICK FROMM, "EL MIEDO A LA LIBERTAD" Y EL CONFINAMIENTO MENTAL. REFLEXIÓN

Es tremendamente corriente y habitual escuchar a la gente quejarse de no poder hacer aquello o lo otro que tanto les gustaría, a causa de no disponer de tiempo para ello. A veces incluso la queja se torna cotidiana y hasta fastidiosa.

De esa forma, la gente reivindica el derecho humano al ocio, sin saberlo.

Claman sistemáticamente por disponer, además, descansadamente como es natural, de tiempo libre. Exigen poder ejercer el derecho a hacer libre y placenteramente lo que quieran, cuando el tiempo no disponible no se los permite, pues entre horas de trabajo, de clases, de traslados, tráfico, colas, diligencias personales y administrativas, descanso, sueño, etc., toda otra actividad, por lúdica y divertida que sea, aparece imposible de realizar. Pueden en ese estado de cosas incluso llegar a desarrollar enfermedades mentales como la depresión, el estrés, que degeneran en enfermedades físicas. Muchos entran en una suerte de alienación mental, y asumen una insatisfactoria vida, aunque ello sea inconsciente, que gira en torno a las obligaciones de todo tipo y las necesidades básicas más elementales, pudiendo tan solo disfrutar, si ello es posible, de un acompañamiento musical a lo largo de su quehacer.

No obstante, el nivel de perturbación interna de muchas personas es tan pero tan alto, que se genera una dependencia mental a ese tipo de vida enajenante, de modo de quedar como paralizados al disponer de tiempo libre, que pueda ser realmente usado como quieran, es decir, sin tener que fajarse a descansar de tanta ocupación y condiciones cuestionables o no de vida.

Esta afirmación se ha hecho patente por las circunstancias derivadas de la actual pandemia del Covid-19.

Así, cuando por efecto de un confinamiento, como este de 2020, que necesariamente libera nuestro tiempo no disponible, pues ya no tenemos que desgastarnos en desplazamientos ni diligencias, ni cumplir horarios estrictos de trabajo (fuera del manejable trabajo digital cuando este es posible), nos abre campo a dar rienda suelta a la creatividad y al ingenio, en casa, para hacer actividades de tiempo disponible y dentro de ellas divertirnos con las de ocio, entonces, ¡oh sorpresa!, igualmente nos estresamos, nos quejamos del encierro, asumimos una tardía adolescencia del aburrimiento y del tedio, y, gran paradoja, exigimos la vuelta a la "*normalidad*".

La vuelta a esa pretendida normalidad no es otra cosa que el retorno al tipo de vida alienante del que siempre hubo (y habrá) el reclamo de sentirse agobiados por las actividades de tiempo no disponible.

Y la razón es que en realidad no sabemos qué hacer con ese maravilloso tiempo que nos ofrecen las circunstancias obviamente temporales de la pandemia. Se diría que es más fácil criticar y quejarse, que construir. Sufrir los horarios impuestos, que organizar su propio calendario o agenda.

Hay pues un confinamiento real, que extrañamente libera, y un confinamiento mental que esclaviza, que no permite el ejercicio efectivo del derecho humano al ocio. Tamaña contradicción. Una suerte de alienación social. Una hábito-dependencia.

Dependencia adictiva al establecimiento de rutinas e itinerarios impuestos desde el exterior de nosotros, porque no sabemos o somos incapaces de organizar nuestro tiempo mediante la realización de actividades decididas por nosotros mismos. Podría entonces decirse, tarea para los sociólogos y los psicólogos sociales, que ¡Urgimos de una "*libertad*" encuadrada!!!

¿Es que somos incapaces de ser libres?

¿Será que sólo pensamos en la libertad cuando carecemos de ella?

¿Es que no es posible ejercer la libertad cuando se dispone de ella?

Y más profundamente en el campo jurídico o psico jurídico ¿será que no es posible concebir y ejercer los derechos humanos fuera del marco de su irrespeto?

Esto nos hace pensar en aquello que afirma que sólo se valora lo que se pierde o lo que no se tiene. ¿Pero no es acaso eso un sin sentido? ¿No implica ello que una tuerca en el cerebro se cayó o al menos se aflojó? ¿No debería más bien imperar aquello que afirma que el autobús pasa una sola vez y que más vale pájaro en mano que cien volando? Es decir, que se aprovechen las oportunidades en el momento en que se presentan, pues luego es tarde. Y se me viene a la mente eso de que camarón que se duerme se lo lleva la corriente.

Y no seré fatalista con eso de que árbol que crece torcido permanece torcido o que el que nace barrigón ni que lo fajen chiquito, pues creo en la vocación libertaria del ser humano, y en la posibilidad permanente, y lo digo como profesor por décadas, de estimular, fomentar, promover, motivar; despertar la creatividad y el ingenio humano, en todo tiempo y lugar, y en toda circunstancia.

Pero allí quedan esos cuestionamientos para la reflexión y la acción liberadora, que bien puede ser encuadrada en el ejercicio de una profesión liberal como la consultoría en psicología, o bien en la docencia proactiva (que a pesar de la simbólica remuneración entra en la realidad fáctica en el ejercicio de actividades de ocio), u otras muchas más actividades de diversa índole, y por supuesto en el ocio propiamente hablando, que cuando se lleva a cabo (cualquiera sea la libre elección del interesado como actividad), como ocurre con la práctica deportiva y más aún con técnicas de bienestar y de plena consciencia como el yoga, inducen a la producción de endorfinas, neurotransmisores conocidos como las hormonas de la felicidad, pues estimulan áreas del cerebro vinculadas a la sensación de bienestar y serenidad. La auto observación del propio proceso creativo derivado del ingenio personal expulsa el estrés, así como la sensación de abatimiento, y fortalece la auto estima y la confianza en sí mismo, produciéndose un círculo de armonía y paz interior.

Ahora está de moda el verbo reinventarse. Pues bien, el confinamiento nos da una insospechadamente rica posibilidad de reinventarnos. Desde la perspectiva del crecimiento interno como personas es una bendición, algo que se debe agradecer (con el respeto que nos merecen los difuntos, los enfermos y las familias afectadas). Es una cuestión de actitud, un abanico de posibilidades abierto a nuestra imaginación, asociada a nuestra creatividad e ingenio. Una oportunidad para actuar desde la diversión y la auto amabilidad.

En este sentido, cae como anillo al dedo el poema de David De los Reyes, intitulado *"Donde se cuenta cómo el ciempiés se detiene ante la encrucijada del camino"*[41]:

"Que ante el obstáculo temporal asumamos
esta encrucijada como una
sorprendente oportunidad de creatividad
e invención colectiva e individual.
Que, separándonos de las
permanentes quejas y desconciertos
que encontramos en todas las pantallas
abiertas a nuestros ojos junto a
los protocolos decretados de confinamiento,
sepamos hallar la actitud
por el gozo creativo y desviarnos
del pulso fatal para salir de ese
camino inercial que parecía trazado
trágicamente sobre la misma y dura
piedra del devenir irremediable".

---

[41] Diario El Nacional, Papel Literario, 24 de mayo de 2020, página 5.

Claro que el confinamiento entraña molestia, dolor, pero es algo inevitable, pues debemos detener el contagio masivo, que es un mal peor. El budismo nos enseña que mientras el dolor es inevitable, el sufrimiento en cambio es opcional. Podemos decidir sufrir o no por las circunstancias. Y en el cristianismo existe una famosa oración muy pertinente: *"Dios concédeme la serenidad para aceptar las cosas que no puedo cambiar, el valor para cambiar las cosas que puedo, y la sabiduría para reconocer la diferencia"*.

En el mismo sentido, demostrativo de la vigencia del principio universal de la impermanencia, muy presente en el hinduismo, nos encontramos con la leyenda *"Esto también pasará"*[42]:

> *"Un rey pidió a los sabios de su corte un anillo especial: –Quiero que fabriquéis un anillo precioso y para ocultar en él un mensaje que pueda ayudarme en momentos de desesperación. Ese mensaje ha de ser muy breve para poder inscribirlo.*

> *Aquellos eruditos habían escrito grandes tratados, pero no sabían cómo darle un mensaje de dos o tres palabras que pudiera ayudar al rey en esos en esos momentos en los que consideraba que esa ayuda podría marcar la diferencia.*

> *El monarca tenía un anciano sirviente, que le dijo: –No soy un sabio, ni un erudito, pero conozco el mensaje que buscas, porque lo compartió conmigo un sabio hace tiempo-.*

> *El anciano escribió tres palabras en un pequeño papel, lo dobló y se lo entregó al rey con la advertencia: "No lo leas, mantenlo escondido en el anillo. Ábrelo solo cuando sientas que todo ha fracasado y no encuentres salida a tu situación".*

> *El momento llegó cuando el país fue invadido y el rey tuvo que huir a caballo para salvar la vida mientras sus enemigos le perseguían. Llegó a un lugar donde el camino se acababa al borde de un precipicio. Y entonces se acordó del anillo. Lo abrió, sacó el papel y allí encontró el siguiente mensaje: "Esto también pasará".*

> *Mientras leía aquella frase, los enemigos que le perseguían se perdieron en el bosque al errar el camino, y pronto dejó de oír el trote de los caballos. Tras aquel sobresalto, el rey logró reunir a su ejército y reconquistar el reino.*

> *En la capital hubo una gran celebración que se prolongó durante varios días. El monarca quiso compartir la alegría con el anciano, a quien agradeció aquella providencial perla de sabiduría. Le contó cómo aquellas palabras le habían ayudado a no descubrir su posición o a no tirarse por aquel precipicio cuando todo parecía perdido.*

> *El anciano, mientras sonreía porque entendía la alegría del rey, le pidió: –Ahora vuelve a mirar el mensaje.*

> *Al ver la cara de sorpresa del rey, que le costó ver la idoneidad de aquel momento para aquel mensaje, explicó: "No es solo para situaciones desesperadas, sino también para las placenteras. No es sólo para cuando estás derrotado, también sirve cuando te sientes victorioso. No es sólo para cuando eres el último, también para cuando eres el primero".*

---

[42] https://lamenteesmaravillosa.com/la-leyenda-tambien-pasara-salvo-al-rey/ (consultada en agosto 2020).

El rey abrió el anillo y leyó el mensaje: "Esto también pasará". Entonces, y solo entonces, comprendió la profundidad de aquellas palabras.

–Recuerda que todo lo circunstancial pasa, ya sea porque se queda atrás o porque te habitúas –le recordó el viejo sirviente–. Solo quedas tú, que permaneces por siempre".

Entonces, volviendo a nuestra situación de confinamiento, cabría según los casos preguntarse, ilustrativamente, ¿gustándonos la carpintería qué pasa con ese mueble que queríamos fabricar, construir o ensamblar? ¿Apasionados de la lectura, qué pasa con ese libro que queríamos leer y que se empolva en la mesita? ¿Divertidos con las actividades lúdicas, qué pasa con ese juego de mesa que queríamos compartir en familia? ¿Después de tantas veces esgrimir la ocupación o el cansancio, qué pasa con esa conversación que nuestros hijos han solicitado? ¿A pesar de rememorar los maravillosos y gratos momentos que pasamos pintando, qué pasa con ese dibujo o cuadro no terminado? ¿Disfrutando tanto de la narración, de la investigación, qué pasa con esas líneas que han rondado nuestra cabeza y que no hemos escrito? ¿Siendo fanáticos de los documentales, qué pasa con esos que tanto nos motivan y que yacen perdidos en videos, en la programación televisiva y en Internet? Y así sucesivamente y hasta el infinito, según los gustos, intereses y diversiones de las personas.

¿Incluso, tan interesados que nos hemos mostrado por descubrir si son ciertos los beneficios que se le atribuyen a la meditación, justificándonos de no probar por no disponer de tiempo, qué pasa con ese tiempo en paz a cuya ausencia le achacamos no poder empezar a meditar?

Y hablando de la meditación, me viene a la mente mi jardín. ¿Habiendo ya disfrutado o habiendo oído tanto hablar de la relajante jardinería, qué pasa con ese huerto, conuco o invernadero que hemos postergado (a más de la utilidad derivada de contrarrestar el desabastecimiento y el alto costo de la vida)? Y cabría lo mismo decir en relación con el espacio que podría usarse para la cría de conejos o para tener dos gallinas ponedoras. Y me cae en la mano el poema de Beatríz Sogbe, intitulado *"La Pandemia y el Jardín"*[43]:

"Trabajando la
tierra se suspende
el pensamiento,
se vacía la mente,
se acalla el ego, se
purifica la mirada y
el oído. Estar en un
jardín es estar con
uno mismo".
"Y casi toda la tarea la haces de rodillas.
Es una provocación espiritual. Por ello
siempre había huertos y jardines en

---

[43] Diario El Nacional, Papel Literario, 24 de mayo de 2020, página 6.

los monasterios. Nada se opone más
a la impaciencia consumista que un
jardín. El jardín tiene vocación contemplativa
que importa serenidad.
Trabajando la tierra se suspende el
pensamiento, se vacía la mente, se
acalla el ego, se purifica la mirada
y el oído. Estar en un jardín es estar
con uno mismo".

Claro que en honor a la verdad y para ser justos, es indispensable y ético hacer salvedad de aquellas personas que con razón se inquietan en virtud de no contar con ingresos o ahorros que durante el confinamiento les permitan satisfacer las necesidades alimenticias u otras de la familia, obviamente, y que requieren dedicar tiempo a ello a como dé lugar.

Es evidente, como hemos dicho, que para poder llevar a cabo actividades de ocio es menester tener la mente tranquila. Aunque no se debe negar la cualidad terapéutica del ocio, ya evocada, que facilitaría contar con una mente más equilibrada y operativa para, en ese caso, ser capaz de encontrar alternativas para la obtención de recursos económicos, incluida la posibilidad del surgimiento de nuevos emprendimientos.

Siendo ocioso y sintiendo los beneficios de ello, de inmediato surge la necesidad de ser más ocioso y de vivir más a plenitud el ocio. Aparece de ese modo una adicción positiva y se propicia un círculo que ya no es de vicios, sino de virtudes.

Pero hay muchas otras personas con esas necesidades satisfactoriamente cubiertas, sea por el ahorro o por estar siendo remuneradas por su teletrabajo u otras circunstancias, y cuya queja deviene precisamente de lo que observamos aquí: estresarse no por no disponer de tiempo para el ocio o la recreación, sino por el contrario, por ¡disponer de casi todo su tiempo para ello!!!

¿Qué ocurre con la humanidad?

Una posible respuesta no solamente para el caso del ejercicio del derecho humano al ocio, sino también para todo otro supuesto de conducta humana que implique una actuación en libertad, nos la presenta el filósofo alemán Erick Fromm, en su libro *"El Miedo a la Libertad"*. En efecto, este gran pensador asume que la persona no goza de sus derechos o en definitiva de su libertad, en general o en aspectos específicos, por la sencilla (o no tan sencilla) razón, de que tiene miedo de hacerlo.

Para llegar a esa conclusión, el pensador se pasea por las consecuencias derivadas a muy grandes títulos del individualismo que acompañó el proceso de industrialización. Ese ya evocado en el que la persona humana, luego de haber sido separada o liberada de las corporaciones medievales para revalorizarla como tal persona o individuo, termina siendo aislado y convirtiéndose en un número. Aprende a vivir con un sentimiento de aislamiento y de impotencia, pero ello de manera inconsciente. Sin saberlo ni racionalizarlo, se encuentra en el fondo aterrado. *"Se lo oculta la rutina diaria de sus actividades, la seguridad y la aprobación que halla en sus relaciones privadas y sociales, el éxito en los negocios, cualquier forma de distracción ("divertirse", "trabar relaciones", "ir a lugares"). Pero el silbar en la oscuridad no trae la luz. La soledad, el miedo y el azoramiento quedan; la gente no puede seguir soportándolos. No puede sobrellevar la carga que le impone la libertad de; debe tratar de rehuirla si no logra progresar de la libertad negativa a la positiva"* (página 166). Destaca la paradoja según la cual una sociedad que es abanderada de las libertades individuales, aparejada de la idea de la productividad de la persona en términos de trabajo como señal de adaptación, utilidad social y cordura, termina por hundir a la persona en una terrible sensación de aislamiento y frustración, que enerva toda iniciativa, requiriendo los mecanismos de evasión citados, encontrándose *"a gusto"* sumido en las actividades de tiempo no disponible. Y en donde toda autoestima se desintegra en provecho del cumplimiento del rol productivo que ha de cumplir para lograr aceptación.

Así, en definitiva, la persona humana, no obstante vivir en un momento de la historia en donde disfruta del mayor grado imaginable hasta ahora de libertad o auto determinación, al menos desde la perspectiva jurídica y en el mundo occidental, como lo evidencian los textos, de declaraciones y tratados internacionales, constituciones y leyes, es lo cierto que habita una estructura social, la que surge con la industrialización, el capitalismo y el protestantismo, en donde el individuo como tal, en esa sensación de aislamiento, debilidad e impotencia, frente a las autoridades, los conglomerados empresariales, hasta sus pares, etc., teme al rechazo social, a las consecuencias de la originalidad, a todo aquello que lo haga contrastar en su comportamiento con lo que irracionalmente supone que se espera de él, de modo de ser considerado *"normal"* o adaptado, y entonces recibir la aceptación que le hará, cual droga, desaparecer o disminuir ese sentir de soledad.

Esto, que como profesor me resulta tan evidente cuando observo a muchos estudiantes no ejercer activamente su derecho a la educación, por ejemplo al no intervenir activamente en clase o a no contradecir la teoría de la cátedra, por temor a ser rechazado tanto por el profesor (que en su mediocridad se siente cuestionado en su autoridad), como por los compañeros (que desean que se sigan hundiendo todos en sus propias mediocridades), es lo que lleva a las personas a *"aburrirse"* con ocasión del confinamiento, por no disponer de la posibilidad de usar esos mecanismos evasivos tanto de las actividades de tiempo no disponible como también la frecuentación social. Felizmente puedo decir que el balance de mi carrera docente, en ese sentido, fue positivo, como lo testimonian las actividades teatrales que, para su evaluación en materia de derechos humanos, logré por años motivar a su realización, permitiendo a los alumnos en diversión mostrar su conocimiento y aprendizaje a través de su creatividad e ingenio.

Entonces, según Fromm, existe el paralizante miedo a las consecuencias de ser, a las resultas del actuar original y diferente. Y obviamente esto sólo es posible cuando la auto estima es baja y la confianza en sí mismo es insignificante. El individualismo terminó por reconocer libertades, pero a la vez enervar la posibilidad de ejercerlas, al hacer sentir a la persona aislada y débil.

Por supuesto que hay excepciones, y son muchísimas. Gracias a ello tenemos museos que exhiben las obras de muchos *"locos inadaptados"*, por ejemplo, o nos recreamos con estilos musicales novedosos, o con la lectura de novelas y cuentos apasionantes. Y tantos otros provechos para la humanidad se han producido.

IV. ¿Tiene el ocio alguna incidencia tributaria?

El ejercicio del derecho al ocio puede efectivamente tener incidencia tributaria, dependiendo de la manifestación de que se trate, de la forma en que se lleve a cabo y del resultado o lo que se haga con el producto final.

Simplemente partamos de la idea ya evocada, acerca de la posible interdependencia con la libertad económica, aunada a la obligación del Estado de fomentar la iniciativa privada.

Así, tal como fue previamente advertido, el hecho de que una persona lleve a cabo actividades de tiempo disponible, especialmente de tiempo libre y concretamente que impliquen el ejercicio efectivo de su derecho humano al ocio, no necesariamente conlleva impacto tributario alguno.

En esa perspectiva, si se trata de un escritor que pasa días y meses redactando una novela o un conjunto de narraciones cortas, o de un pintor o de un escultor que hacen lo propio con un cuadro o una figura, pero jamás publican, exhiben o venden el producto de su actividad, no se generará ingreso alguno, y por tanto no se causará el impuesto sobre la renta. En caso contrario, de llegar a hacer pública su obra, para la seguridad y garantía de su derecho de autor, habrá de incurrir en tasas de registro, y de llegar a ceder su derecho se causarían regalías[44], que al igual que si se vendieran las obras se podrían obtener beneficios económicos, que eventualmente estarían pechados con el citado tributo.

Lo mismo podría decirse de aquella persona y sus tomates o huevos producidos en su huerta o gallinero familiar, o de quien ame la pesca, que frente al excedente decide vender una parte generando semejantes beneficios económi-

---

[44] Solo a título informativo cabría citar para esto la Convención Multilateral tendente a Evitar la Doble Imposición de las Regalías por Derechos de Autor, Modelo de Acuerdo Bilateral y Protocolo Adicional, de 1979 http://portal.unesco.org/es/ev.php-URL_ID=15218&URL_DO=DO_TOPIC&URL_SECTION=201.html (consultada en agosto 2020).

cos. Y si la cosa prosperara mucho, podría motivar a las autoridades sanitarias a exigir controles y autorizaciones generadoras de tasas administrativas.

El punto es que la experiencia ha mostrado que una actividad iniciada como ocio puede, si se dan las circunstancias para ello y es el interés y el deseo de la persona, perfectamente mutarse en un modesto emprendimiento o incluso en una empresa fuente de trabajo y riqueza.

Los emprendimientos, de la naturaleza que sean, muchas veces han surgido de un pasatiempo que va ganado espacio y logra posicionarse en el mercado. Si ello es así, sus ingresos estarán sujetos al impuesto sobre la renta. Pero muchos Estados, sujetos a ese deber de promover la iniciativa privada y la diversificación de la economía, suelen emplear incentivos fiscales como las exenciones o las exoneraciones de tributos, a objeto de fomentar emprendimientos y microempresas, como ocurre en Francia en general, durante los primeros años, con el impuesto sobre la renta y el impuesto al valor agregado, al cabo de cuyo término se ven precisados a comenzar a tributar, obviamente dentro de los límites legales de base de subsistencia.

Otro sería el caso de las empresas y de las diversas formas jurídicas que pueden revestir, que se verían sujetas, como tales, al régimen tributario de las empresas que corresponda.

Aquí podemos decir, aunque parezca de Perogrullo, que una actividad de ocio sólo estará sujeta a tributación en caso de que llegue a darse el respectivo hecho imponible, tanto por lo que respecta al cumplimiento de deberes formales, como al de obligaciones de fondo. Y no olvidemos que, en no pocos casos, algo que nace como ocio puede pasar a ser la actividad económica principal de la persona, transformándose así, por creativa, ingeniosa y divertida que siga siendo, en una actividad de tiempo no disponible, generadora del ingreso vital e incluso del ingreso para ahorro, inversiones y demás señales del progreso económico, sujetas a tributación cuando las leyes lo prevean.

Lo anterior nos lleva entonces a poder afirmar que la actividad de ocio que no deje de ser tal cosa, es decir, que consista en una actividad de tiempo disponible, de tiempo libre, autotélica, divertida, creativa e ingeniosa, en principio no estaría sujeta a tributación, salvo que incidentalmente se produzca un hecho imponible.

Sería por ejemplo el caso de una actividad turística, que conllevaría el pago de tasas aeroportuarias u hoteleras, y así infinidad de supuestos.

V. CONCLUSIONES

Hemos demostrado la existencia ya ampliamente reconocida en el mundo de un derecho humano al ocio, visto como el derecho a la plena disposición de tiempo libre, en términos de libre autodeterminación, sobre actividades de suyo autotélicas, divertidas, creativas y del ingenio. Derecho humano que goza en interdependencia de todo el régimen protector y garantista de los derechos humanos, en derecho interno y en derecho internacional.

Precisamos la total autonomía y diferencia de este derecho en cuanto concierne a otros que en determinadas circunstancias le son cercanos, pero con los que no debe ser confundido, como lo son los derechos humanos al descanso y a la recreación.

En otro orden de ideas, se analizó el fenómeno ocurrido con ocasión del confinamiento, en donde en lugar de que se aprovechase masivamente esa oportunidad de vida para el ejercicio pleno y enriquecedor del espíritu humano de ese derecho humano al ocio, la gente, en inconmensurable cantidad se queja en ansia al restablecimiento de la pretendida *"normalidad"*, de modo de volver a sus actividades de tiempo no disponible y de frecuentación social, que en palabras de Erick Fromm son utilizadas como mecanismos inconscientes de evasión, en virtud de que gran parte de la gente tiene miedo al ejercicio de la libertad, por temor al rechazo social, dada la inconsciente carencia de autoestima.

Y, por último, en cuanto a lo tributario, asumimos que una actividad de ocio sólo estará sujeta a tributación en caso de que llegue a darse el respectivo hecho imponible, y que la actividad de ocio que no deje de ser tal cosa, es decir, que consista en una actividad de tiempo disponible, de tiempo libre, autotélica, divertida, creativa e ingeniosa, en principio no estaría entonces sujeta a tributación.

VI. BIBLIOGRAFÍA

CARRERA SOTO, Enrique, "Asociacionismo en el Tiempo Libre", en "La Pedagogía del Ocio: Nuevos Desafíos", José Carlos Otero López (ed.), Colección Perspectiva Pedagógica Nro. 4, Axac, Lugo, 2009.

CUENCA CABEZA, Manuel, "Perspectivas Actuales de la Pedagogía del Ocio y el Tiempo Libre", en "La Pedagogía del Ocio: Nuevos Desafíos", José Carlos Otero López (ed.), Colección Perspectiva Pedagógica Nro. 4, Axac, Lugo, 2009.

FROMM, Erick, "El Miedo a la Libertad", Editorial Paidós, Buenos Aires, 2018.

LLULL PEÑALBA, Josué, "Teoría y Práctica de la Educación en el Tiempo Libre", CCS, Madrid, 1999.

LAMAS SECO, Andrés, "Algunas Ideas para la Sostenibilidad en las Actividades de Tiempo Libre", en "La Pedagogía del Ocio: Nuevos Desafíos", José Carlos Otero López (ed.), Colección Perspectiva Pedagógica Nro. 4, Axac, Lugo, 2009.

OTERO LÓPEZ, José Carlos, "La Necesidad de Organizar el Tiempo Libre para Maximizar el Aprovechamiento del Tiempo de Ocio como Espacio Educativo", en "La Pedagogía del Ocio: Nuevos Desafíos", José Carlos Otero López (ed.), Colección Perspectiva Pedagógica Nro. 4, Axac, Lugo, 2009.

PUIG ROVIRA, Josep María y TRILLA BERNET, Jaume, "La Pedagogía del Ocio", Laertes, Barcelona, 1996.

TRILLA BERNET, Josué, "Otras Educaciones. Animación Sociocultural, Formación de Adultos y Ciudad Educativa", Anthropos, Barcelona, 1993.

WEBER, Erich, "El Problema del Tiempo Libre. Estudio Antropológico y Pedagógico", Editora Nacional, Madrid, 1969.